DR. HANS DITTRICH

REDENSARTEN AUF DER GOLDWAAGE

Redensarten auf der Goldwaage

Herkunft und Bedeutung
in einem munteren ABC erklärt

von

Dr. Hans Dittrich

Mit 48 Abbildungen · Dümmlerbuch 8315

FERD. DÜMMLERS VERLAG / BONN

Abkürzungen

=	d. h. »bedeutet«	nhd. =	neuhochdeutsch = unser heutiges Schriftdeutsch, »hoch-« zum Unterschiede von »nieder«-deutsch.
↗	= siehe		
〉	= wird zu		
〈	= kommt von	mhd. =	mittelhochdeutsch = die Sprachform im Mittelalter (um 1200).
etw.	= etwas		
jn.	= jemanden	ahd. =	althochdeutsch (um 800).
jm.	= jemandem		
Umg.	= Umgangsprache	germ. =	germanisch (von 500 vor bis 500 nach Chr.) = gotisch.
Ma.	= Mundart		
ma.	= mundartlich	idg. =	indogermanisch = rekonstruierte Sprachform der indoeuropäischen Völker (vor 800 vor Chr.): Inder, Perser, Hettiter, Griechen, Römer, Kelten, Slawen und Germanen.
lat.	= lateinisch		
griech.	= griechisch		
engl.	= englisch		
franz.	= französisch usw.		

Die angezogene Fachliteratur wird jeweils bei dem betreffenden Artikel vermerkt. Die Themastellung ist im *Nachwort* besprochen.

ISBN 3 427 83151 5

© 1970 Ferd. Dümmlers Verlag 53 Bonn 1.
Printed in Germany by Boss Druck, Kleve
Schutzumschlagentwurf: Klaus und Mona Mummenhoff
Zeichnungen: Hanna Forster

A

abc Unsere heutige Buchstabenreihe, die mit a beginnt und mit z
endet, hat ihren Namen Abece nach den ersten drei Buchstaben a, b
und c. – Ein *Abc-Schütze* ist ein Schulanfänger. »Schütze« für jungen
Schüler ist schon seit 1500 bekannt. Es ist eine Übersetzung aus dem
schullateinischen Worte tiro (= Rekrut), das mit lat. tirare (= schießen) in Zusammenhang gebracht wurde. Ob mit Recht oder nicht (vgl.
mittellat. tirocinium = ritterliche Ausbildung), das tut nichts zur
Sache, die Meinung bestand und führte zur Übersetzung als »Schütze«. –
Über den dritten Buchstaben c (griech. gamma ⟨ gimel) ↗ Kümmel-.

A *das A und (das) O* = Anfang und Ende, sein (ihr) Einundalles, das
Wichtigste oder Liebste, worum es sich dreht. – Die Griechen sagten
nach ihrer Buchstabenfolge, die man nach den ersten zwei Buchstaben
α (= Alpha) und β (= Beta) Alphabet nennt: von *A* bis *Ω* = von Alpha
bis Omega. In katholischen Kirchen ist *AΩ* auf Altarbehängen öfters
zu sehen mit der Bedeutung: Gott (Christus) ist der Anfang und das
Ende (Off. 1, 8).

von A bis Zet = von Anfang bis zu Ende (meist in der Bedeutung), von
der ersten bis zur letzten Zeile (gelesen oder erfunden).

wer A sagt, muß auch B sagen = wer etw. anfängt, soll es auch fort-
setzen und die Folgen auf sich nehmen.

abblasen *eine angekündigte Veranstaltung abblasen* heißt sie absagen,
nicht geschehen lassen. – ↗ Zapfenstreich wird geblasen, und der
Schluß des Manövers (auch das Ende der Herbstjagd) wird durch Blasen
verkündet.

abblitzen *jn. abblitzen, ihn abblitzen lassen.* Die erste Bedeutung (abschießen, töten) ergibt sich aus der Wirkung des Mündungsfeuers, die
zweite Bedeutung (schroff abweisen, meist: seine Liebeserklärung zurückweisen) entstand aus der Tatsache, daß das Pulver auf der Zünd-
pfanne (↗ Pfanne) der alten Vorderlader mit Steinschloß manchmal nur
mit einem kleinen Blitz abbrannte, ohne daß der Schuß losging. Daher:
der Heiratsantrag war »abgeblitzt« = nicht gelungen; danach (persönlich): sie hat ihn »abgeblitzt«, »abblitzen lassen«. Die Redensart ist in
unserem Sinne erst nach den Freiheitskriegen bezeugt, aber Gewehre mit
Pulverpfanne waren schon weit früher bekannt, wie folgende Anekdote
beweist: Friedrich II. wäre in seinem 7 jährigen Kriege einmal um ein
Haar wirklich selbst »abgeblitzt« worden. Er ritt nichtsahnend durch die
leere Dorfstraße, steht da urplötzlich hinter einem Gartenzaune ein öster-
reichischer Pandur; der brachte sein Gewehr schon in Anschlag und
will gerade auf ihn »abblitzen«. Geistesgegenwärtig zeigt ihm da der
König mit dem Krückstock auf die Pulverpfanne: »Aufschütten vergessen!« Die Schrecksekunde des Soldaten genügte, und schon war der

König im vollen Karacho davongestoben. – Das Wort blitzen ist eine Bildung auf -zen von blicken; vgl. jn. mit funkelnden Augen anblicken = (-blickzen >) anblitzen. Der Schluß von Goethes Werther: »Ein Nachbar sah den Blick vom Pulver und ...« (= den Pulverblitz).

Aberglaube *Aberglaube,* d. h. falscher Glaube (vgl. Eberesche aus Aberesche = falsche Esche, Aberwitz = Wahnwitz) hieß nach der Bekehrung zum Christentum die Glaubenswelt der Altvorderen. Es ist

nicht alles davon vom Christentum verdrängt worden, manches ist nur überschichtet und lebt im Bewußtsein unterschwellig weiter oder aber wenigstens in der Sprache fort: Die heidnischen Vorfahren hatten z. B. schon vor der Christianisierung eine ähnliche Vorstellung von Schutzengeln wie nachher als Christen: An die Wiege des Neugeborenen treten die Schicksalsgöttinnen, die Nornen, und raunen ihm sein Schicksal zu, dessen Kunde sie aus dem Brunnen am Fuße der Weltesche geschöpft haben. So erklärt sich die Wendung: *Das ist ihm (nicht) an der Wiege gesungen worden.* Auf die Nornen, die auch als Spinnerinnen gedacht wurden, beziehen sich ferner die Redensarten *»den Lebensfaden abschneiden«* und *»sein Leben hängt an einem Faden«.* Im Altweibersommer (auch dieser Name deutet auf sie hin) fliegen (Spinnenfäden =) die abgeschnittenen Fäden der Nornen herum, später wurden sie in Marienfäden umgedeutet.

Auch wird jedem Menschen bei der Geburt ein Licht angezündet, dessen Erlöschen dann das Lebensende zur Folge hat, daher die Wendung *»sein Lebenslicht erlischt«.* Deshalb darf auch keiner die Kerzen, die man den Kindern auf den Geburtstagskuchen steckt, ausblasen (man läßt sie zu Ende brennen), sonst könnte man »ihm *sein Lebenslicht ausblasen«* (↗ Lebenslicht).

Was unsere Vorfahren einst bewogen haben mag, ihren Kindern Namen zu geben nach den wehrhaften Großjagdtieren von damals, wissen wir heute nicht mehr genau; wir geben sie aber gewohnheitsgemäß unseren Kindern immer weiter: Bernhard (Bär), Heinrich (<Hagen = Wildstier), Eberhard (Wildeber), Wolfgang (Wolf), Arnold (Aar): Die germanischen Wälder rauschen immer noch weiter (↗ Hinz). Germanische Namen tragen auch noch drei Wochentage: Dienstag (↗ Ding), Donnerstag und Freitag, und verschiedene Feste: Weihnachten, Ostern und auch die Fasnacht. Manche heidnische Ge-

stalt ist nur leicht umgekleidet: die weiße Berchta, der Ruprecht u. a. Man kannte als gutmütige, neckische Geister die Hauskobolde, die Feen (↗ gefeit), Älben, auch Nöck und Nixe, Schrat/Schrätel, ferner Hutzelmännlein (Heinzelmännchen) und Wichtelmännchen und Zwerge, aber auch bösartige, wie ↗ Hexen, ↗ Alp, Nachtmahr, Druden. An die Dämonenwelt von einst und die Totengeister des Winters erinnert der tabu-Name Berchte/Perchten im Brauchtum und der südd. Perchtentisch (< Totenopfer). Vgl. ↗ Alp, ↗ Daumen, ↗ Gespenst, ↗ Hexe, ↗ Kobold, ↗ Kuckuck, ↗ Nixe, ↗ Rüpel, ↗ Schembart, ↗ schwanen, ↗ verrufen.

abfahren *jn. abfahren lassen* = seine Bitte brüsk abschlagen. – Das Wort »abfahren« gebrauchten die Fechter, wenn sie den gegnerischen Schlag (= ihn) an der Klinge entlang heruntergleiten = »abfahren« ließen. Die im Lande herumziehenden Kunstfechter (gen. Kämpfen) boten einst immer wieder Anschauungsunterricht. ↗ fechten. Überhaupt hatte das Wort »fahren« früher nicht die heute eingeengte Bedeutung des Räderfahrens, sondern bezeichnete auch die Fortbewegung zu Fuß (Wanderfahrt, fahrende Gesellen, Fahr ab! = Geh weg!). Noch allgemeiner aber sagt man es in der Alltagsrede von jeder Bewegung (↗ fahren), z. B. die Näherin: »Jetzt bin ich mit der Nadel danebengefahren«, sich mit der Hand durchs Haar fahren u. dgl. m., daher auch:

Abfuhr *sich eine Abfuhr holen, jm. eine Abfuhr erteilen* = abgewiesen werden, ihn abweisen. Eine Bedeutungsmehrung ergab sich, weil der kampfunfähig gewordene Student tatsächlich von seinem Sekundanten unter den Arm genommen und abgeführt wurde.

abgedroschen Eine *abgedroschene Phrase* ist die sinnentleerte Redensart, bei der sich der Sprecher nichts mehr denkt, sie ist allzu oft gebraucht und leer geworden, so wie ausgedroschenes Stroh auch keine Körner mehr schüttet. ↗ Phrasen dreschen

abgefeimt *Ein abgefeimter Kerl* ist ein durchtriebener und hinterhältiger Kerl. – Das Zeitwort abfeimen ist heute nicht mehr gebräuchlich. Feim ist die umgelautete Form von Faum (vgl. Druse/Drüse, Ohr/Öse, Sulz/Sülze, Schurz/Schürze) und sollte Fäum geschrieben werden. Faum ist der blasige Schaum, der sich auf stark bewegter, kochender oder gärender Flüssigkeit bildet. Diesen Gischt, Braus abschöpfen heißt »abfeimen« mit der Bedeutung reinigen, raffinieren. Also ist ein »abgefeimter« Bursche so etwas wie ein »reiner« Tunichtgut oder vielmehr der »reinste« Spitzbube.

Es handelt sich da um einen Fall von Ambivalenz (Doppelwertigkeit), wie wenn wir einmal bewundernd ausrufen: »Ein saubers Dirndl!« und ein andermal mit Zurückhaltung sagen: »Ein sauberer Kavalier!« Solche Fälle kennen wir aus der Grammatik: Untiefe (größte und geringste Tiefe), Dämmerung (Eintreten sowie Abklingen der Nacht). Einen weiteren Fall finden wir bei scharf; auch schön und fein haben eine solche Verkehrtbedeutung. ↗ Bescherung, ↗ Geschichte, ↗ Hals

abgekartet ist eine Sache, wenn heimlich verabredet. ↗ Spieler

abgeschmackt ist ein alberner Spaß, eine unangebrachte Bemerkung. – Eine Speise wird »abgeschmeckt«, ob die Gewürze richtig zugesetzt sind oder nicht.

abhauen (Umg.) *abhauen* = weglaufen, Reißaus nehmen. »Hau ab!« = Scher dich fort! = Weggetreten! – Hauen bedeutete zunächst schlagen und führte nebenbei die Bedeutung »treten, laufen«. Ein Gassenhauer (Pflastertreter) war im 17. und 18. Jh. ein volkstümliches Lied, das durch die Gassen »lief« = überall gesungen wurde. ↗ hauen

abkanzeln *jn. abkanzeln, herunterkanzeln* = schimpfend zurechtweisen, wie manchmal von der Kanzel herunter gedonnert worden sein mag.

abkommen *abkommen von etw.* = auf etwas anderes zu sprechen kommen oder seine Gedanken richten. – Man gerät weg von der Straße auf einen Seitenweg.

abkratzen (Umg.) *abkratzen* = sich davonmachen. – Mit einem Kratzfuß (wobei ein Fuß schleifend = kratzend nach hinten gezogen wird) sich verziehen. Man sagt es ironisch sogar für: sich aus dem Leben davonmachen. ↗ die Kurve kratzen

Ablaß heißt bei Katholiken das Erlassen zeitlicher Sündenstrafen, die sonst im Fegefeuer abgebüßt werden müßten.
einen Ablaß gewähren = einen Preisnachlaß.

abluchsen *jm. etw. abluchsen* = es ihm abschwindeln mit der Schläue eines Luchses, wobei allerdings das Wort ent-locken mit anklingt.

Abreibung *einen Abreiber* (Umg.) *kriegen* = einen strengen Verweis, meist bedeutet *Abreibung* = eine Tracht Prügel. Das Sprachbild stammt vom Badebetrieb, wo man auch den Rücken abgeschrubbt bekam.

abschneiden *gut oder schlecht abschneiden* = schönen (keinen) Erfolg haben. – Das Grimm'sche Wörterbuch vermerkt I, 107: bei den müllern hiesz *abschneiden* so viel als abrechnen, weil es durch einschnitte ins kerbholz geschah. ↗ Kerbholz

abschreiben *jn. abschreiben* = ihn nicht mehr in Betracht ziehen. – Dieser kaufmännische Ausdruck besagte, daß von der Liste die nicht mehr gängigen oder unbrauchbar gewordenen Artikel abgestrichen und in die neue Liste nicht mehr aufgenommen wurden.

abspeisen *jn. kurz (mit etw.) abspeisen* = ihn mit wenigem entgelten oder ihn gar schnöde abweisen. – Dem Bettler an der Tür reicht man ein Stück Brot und sucht ihn so schnell wie möglich wieder los zu werden.

abspenstig *eine(n) jm. abspenstig machen* = ihm (ihr) eine(n) Freund(in) entziehen. – Das Wort gehört zum Fuhrmannsausdruck »abspannen«, zur Wortbildung ↗ (blut)rünstig, vgl. auch Gespenst.

Abstecher *einen Abstecher machen* = einen Nebenausflug machen auf einer Reise. – Die Redensart ist verschiedentlich erklärt worden. Meistens erklärt man sie mit demselben Wort wie die Redensart »in See stechen«, nämlich mit »abstechen« (plattd. afsteken) = abstoßen von Land mit der Bootsstange (vgl. Staken, Stecken, stochern). Viel wahrscheinlicher ist aber – der Bedeutung und des Verbreitungsgebietes halber – die Herkunft vom Waffengebrauch: vorbeistechen. Hieb- und Stichwaffen führten früher die Männer aller Stände mit sich, vgl. Dürers Kupferstich (um 1500) »Drei Bauern im Gespräch«. Noch zu Mozarts Zeiten war ein Kavalier ohne Degen

Nach Dürer

nicht denkbar. Ausdrücke vom Gebrauch der Waffen waren demnach früheren Zeiten ganz vertraut. ↗ fechten

abwarten *Abwarten und Tee trinken!* = Geduld haben! – Eine Redensart vom Krankenbett.

Abwege *auf Abwege geraten* = ausarten, ein unordentliches Leben führen, abkommen vom geraden ehrlichen Wege.

abwerfen *etw. abwerfen* = Ertrag bringen, eintragen. – Der Bauer sagt, wenn das Getreide gut »schüttet« mit derselben Metapher: Es wirft etw. ab, nämlich viel Körner, die Geld bringen.

Abwesenheit *durch Abwesenheit glänzen* ↗ Klassik

Ach *mit Ach und Krach* (z. B.) *etw. erreichen* = mit Mühe und Not, mit knapper Not. – Grimms Wörterbuch hat (I, Sp. 162): noch heute: »etwas mit ach und krach verrichten« – unter seufzen und wehklagen (Sp. 178). Bei Hans Sachs heißt es: mit ächzen und achen, und Fischart (1546–1590) sagt: ächtzen und krächtzen.

Achillesferse heißt eine schwache Stelle, wo man leicht verletzlich ist (klassisch).

Achse *immer auf Achse* = ständig unterwegs, wie Fuhrleute.

Achsel *mit der Achsel (mit den Achseln) zucken* = Geste des Nichtwissens oder des Zweifels; Gebärdensprache wie ↗ Schnippchen, ↗ Rippenstoß, ↗ Pfiff, ↗ schnalzen.

jn. über die Achsel ansehen = ihn geringschätzen; man nimmt sich nicht einmal die Mühe, sich ihm zuzuwenden und drückt auf diese Weise Geringschätzung aus. – »jm. den Rücken zukehren« wird ganz allgemein zu einer Ausdrucksform der Ablehnung und Mißachtung.

etw. auf die leichte Achsel (Schulter) nehmen = für unbedeutend ansehen und lässig behandeln. – Die leichte Achsel ist jene, die schwere Lasten zu tragen nicht gewohnt ist, meist die linke.

auf zwei Achseln tragen = ein Zweiächsler sein = es mit beiden Parteien halten. – Gewöhnlich trägt man die Last nur auf einer Achsel.

acht/Acht *sich in acht nehmen,* auf alles *achten, achtgeben, Obacht geben,* gut *beobachten,* nichts *außeracht lassen,* nicht *achtlos sein* = aufmerksam sein. – Wenn wir obige Bedeutungen und lat. oculus und slav. oko (Auge) in Betracht ziehen, so müssen wir dieses Wort »acht« zum Worte »Auge« stellen. Aus dieser idg. Wurzel ok (sehen) entwickelt sich auch die Bedeutung »denken«, wie das Abstrakte (Unanschauliche) nur durch Übertragung von ursprünglich Sinnlichem (Konkretem) ausgedrückt werden konnte. Nicht dazu gehört das Zahlwort acht, auch nicht die Redewendung *jn. in Acht erklären,* ihn *ächten.* – Ein Geächteter galt einst als vogelfrei, jeder durfte ihn totschlagen. Heute heißt der Rechtsausdruck »landes- oder stadtverwiesen werden«. *Jn. in Acht und Bann tun* = einst Ausschluß aus der weltlichen und kirchlichen Gemeinschaft. Den päpstlichen Bannfluch hat heute die kath. Kirche durch die Exkommunikation ersetzt.

acta *etw. ad acta legen* (= zu den Akten) = unerledigt liegen lassen. ↗ Rechtsbräuche

Ader *keine gute Ader an jm. lassen* = alle seine Eigenschaften bemäkeln. – Es gab zweierlei Adern, gute und böse, wahrscheinlich gemeint waren die mit hellem und die mit dunklem Blut. ↗ Haar

Affäre *sich aus der Affäre zu ziehen wissen* = es verstehen, sich aus einer peinlichen Lage zu befreien. – »Sich ziehen« sagt die Sprache, als ob man (wie weiland Baron Münchhausen) sich selbst an seinem Schopfe aus der Patsche herausziehen könnte. Affaire (franz.) war einmal bei Militärs eine beliebte Vokabel für Gefecht, Scharmützel.

Affe *einen Affen (sitzen) haben* = betrunken sein. – Affe = betrunkener Zustand. Das Wort bietet einer Erklärung Schwierigkeiten. Zwar wäre es einfach, wenn man darin einen studentischen Ausdruck sehen wollte, den die Studenten von der Prager Hohen Schule her kannten; im Tschechischen heißt nämlich 'sich betrinken' »opit' se«, was gleichklingt mit opice = Affe. Denkbar jedoch wäre auch, daß das Bild aus dem Bereich des fahrenden Volkes der Wanderaussteller stammt. Die stets mitgeführten Affen produzierten sich und machten »*Affentheater*«. Affen sind zwar sehr behende, daher auch die Redewendung »mit affenartiger Geschwindigkeit«, aber ein auf zwei Beinen aufgerichteter Affe torkelt doch beim Gehen hin und her wie ein Betrunkener. Ungleich fixer sind sie, wenn sie alle vier Extremitäten gebrauchen dürfen; da springen Affen gelegentlich auch einmal den Zuschauern auf die Schultern und untersuchen – wie Affen unter sich zu tun pflegen – gleich die Kopfhaare, weshalb man wohl bei unangenehmer Überraschung sagt: »*Ich denke, mich laust* (vergröbert: beißt) *der Affe*«. In Wirklichkeit suchen die Affen einander nicht die Läuse ab, sondern die Schuppen.

Alarm *Alarm schlagen* = Lärm schlagen. – Von franz. alarme aus ital. all'arme = der Ruf: Zu den Waffen! Zur Warnung wurde die Trommel »geschlagen«.

albern *albern tun* = sich kindisch benehmen. – ahd. alawâri = ganz wahr. Einer, der die diplomatische Kunst nicht versteht, mit der Wahrheit etwas zurückzuhalten, ist deshalb ⚊↗ einfältig, dumm.

alle *Es wird bald alle sein* (Umg.) = bald zu Ende gehen. – Sprachlich eine sog. Ellipse (wie unten); gedanklich zu ergänzen ist hier: verbraucht. *Er hat nicht alle beisammen* = hat nicht alle Sinne beisammen, er ist etwas verrückt. (Auslassungen ↗ Pflock)

Allotria *Allotria treiben* = Unfug machen, eine Narretei. – Ein Wort aus der Gelehrtensprache des 17. Jh., aus griech. allotria (= sachfremde, abwegige Dinge), das zu allos (= anders, verschieden) gehört.

Alpdrücken *Alpdrücken bekommen* = Angstträume haben bei Atemnot, verursacht angeblich durch ein lästiges älbisches Wesen. Solche Druckgeister sind außer Alp noch Trud/Druden, Mahr, Schrat. – Die rechte Schreibung wäre Alb; vgl. Alberich der Sage, Älben (Mehrzahl) vgl. dän. Elven. Es gibt auch gütige elbische Wesen. Im Isergebirge pflegte eine Mutter zu sagen, wenn ihr Kind im Wickelbettchen während des Schlafes friedvoll lächelte: »Ruhig, die Älben ziehn's«, und am Lausitzer Gebirge sagte eine Mutter in derselben Lage: »Ruhig, die Wiene (= Freunde) ziehn's«, in Sachsen: »Die Engel spielen mit ihm«.

Amen *so sicher wie das Amen (in der Kirche) im Gebet* = ganz sicher; denn ein Gebet schließt immer mit »Amen« = So sei es.

Amok *Amoklaufen* = mit einer Waffe herumlaufen und blindlings töten, – ein malaiisches Wort.

Amt *ein Amt »bekleidet«* man, weil man als Amtsperson *(in Amt und Würden)* mit einer Amtsrobe oder Uniform bekleidet ist. *den Amtsschimmel reiten* = der träge und umständliche Arbeitsgang der Verwaltungsbürokratie. – Der Amtsschimmel (↗ Schema) kommt aus Österreich; dort stand ehedem auf den Vordrucken für routinemäßige Berichte »Simile« (= lat. ähnlich).

anbandeln (Umg.) *anbandeln mit einer* = eine Liebesplänkelei mit ihr beginnen. – Wenn man an die Reihe binden, band, gebunden denkt, so könnte man in der Wendung eine Gedankenbeziehung zu »anbinden« vermuten, aber es wurden früher auch Freundschaftsbänder getauscht.

anbeißen *anbeißen* wird meist vom Manne gesagt, wenn er – gleichsam ein Fisch an der Angel – endlich »angebissen« hat, also Heiratsabsichten kundgibt. – Man sagt es aber auch, wenn man mit Schlauheit jm. etw. schmackhaft machen konnte, was er eigentlich nicht wollte.

anbinden *mit jm. anbinden* = Streit suchen mit ihm. – Beim ernsten Zweikampf (Duell), besonders aber beim studentischen Sportfechten (Mensur) mußten vor dem Losschlagen die Klingen erst einander berühren. Das Kommando lautete: »Bindet die Klingen!«

angeben (Kommiß) *angeben* = prahlen, großtun, sich wichtig machen, sich patzig machen, große Bogen spucken, die große Klappe haben, den dicken Willem markieren u. ä., d. h. »den Ton angeben« wollen mit Großsprecherei. ↗ Tennisspieler

Angebinde Ein *Angebinde* ist ein Geschenk. – Täuflingen band man das Geschenk an das Ärmelchen, u. zw. mit einem roten Bande/Faden zum Schutz gegen böse Geister, gegen den bösen Blick. ↗ Aberglaube

angebunden *kurz angebunden sein* = barsch und kurz antworten. – Die Redensart scheint wohl (↗ anbinden) mit dem Waffengebrauch in Zusammenhang zu stehen: nicht erst richtig binden, sondern brüsk losschlagen. Allerdings bietet sich auch der Vergleich mit einem kurz angebundenen und deshalb bissigen Kettenhunde. ↗ Jäger

angelegen »*Ich werde es mir angelegen sein lassen*«. Ich werde darauf bedacht sein; es ist mir ja ans Herz »gelegt« worden.

angeln *nach einem Manne angeln* = den Mann für die Heirat zu gewinnen suchen. – Ein Bild vom Fischfang, er möge anbeißen.

angeschrieben *gut angeschrieben sein bei jm.* (Hebr. 12, 23) = eine gute ↗ Nummer bei ihm haben.

angetan Sie *hat es ihm angetan* = Er ist ihr (ihrer Liebe) verfallen. – Es = angehexter Liebeszauber.

Angriff *etw. in Angriff nehmen* = etw. beginnen. – Die Redewendung ist nicht etwa militärischen Ursprungs, sondern ist eine der vielen »Zerdehnungen« des einfachen Zeitwortes »angreifen«.

Angst *jm. angst und bange machen, jm. wird (himmel)angst und bange* = ihm Furcht einjagen, er bekommt Furcht. – Bange (< be-ange) gehört zu »enge« wie auch Angst. Bei Furchtanwandluug hat man ein Druckgefühl auf der Brust, sie wird uns zu eng.

anhängen *jm. etw. anhängen* = ihn verleumden bei den Leuten. – Nach dem altdeutschen Recht wurde dem Übeltäter ein Zettel um den Hals gehängt, auf dem seine Schandtat verzeichnet war, oder irgendein Gegenstand, der mit der Tat in Zusammenhang stand. Mit dem Zettel oder Zeichen um den Hals wurde er dann durch die Stadt geführt oder an den Pranger gestellt (↗ Rechtsbräuche). Aber auch in der Schule werden einem Mitschüler Zettel, Lappen, Federn und dgl. hinten angehängt, womit er dem Gespött preisgegeben werden soll.

anheimstellen *jm. etw. anheimstellen* = es vollkommen seinem freien Ermessen, seinem Gutdünken überlassen, es ihm gleichsam »in sein Heim stellen«.

anheischig *sich anheischig machen, etwas zu tun* = sich kühn zu etw. anbieten, sich zu etw. drängen. – Das Wort gehört zu heißen, nicht zu heischen (= fordern, vgl. Heischesatz), und ist eine Ableitung zu ahd. anheiz = Versprechen.

Anklang *Anklang finden* = Billigung, freundliche Aufnahme finden. Das Bild stammt sichtlich aus der Musik: Wird von zwei gleich gestimmten Instrumenten eines zum Klingen gebracht, so tönt auch das andere mit. ↗ Musik

Ankratz Das sonst in der Schriftsprache ausgestorbene Wort Ankratz hat die Teenagersprache wieder ausgegraben:
Ankratz haben = umworben sein, begehrt werden. Ich[1]) kenne es in zwei mundartlichen Redewendungen als:
Ankratz finden = begehrt werden (bes. zum Tanz, aber auch zum Kauf) und *Ankratz geben* = Anlaß geben zu Streit.
Um das sonderbare Wort zu erklären, hat man an »Ankrähen« gedacht und deshalb Ankrahtz geschrieben. Das würde zur Bedeutung der zweiten Redensart passen, aber nicht zur ersten. Dann hat man mit »kratzen« eine Erklärung versucht. Sie ist falsch; dem Worte liegt (nach Ausweis der Mundarten[2]) ein langes â zugrunde, kratzen aber hat kurzes a. Die Grundbedeutung ist jedenfalls »begehren«. Damit müssen wir einer Erklärung nahekommen. Eine solche Stelle steht nun im »Ackermann aus Böhmen«, dem berühmten Streitgespräche gegen den Tod des Johannes von Saaz (um 1351–1415) im zweiten Kapitel: angerâtung bzw. angerâtes. Richtig geschrieben (angrâtung und) angrâtes ergibt folgendes: an- ist die Vorsilbe, der Wortstamm ist -gr-, die Bildungssilbe ist -ât- und die Endung -ung und -es. Dabei ist gr die schwundstufige Form der Hochstufe ger (in ahd. gër-on, nhd. be-gehr-en), und grât-s ist durch got. grêd-us (Hunger, Gier, Begehr) etymologisch gesichert. Mit einer kleinen volksetymologischen Abänderung erhalten wir also An-gkraat-s, was Begehr finden zum Tanz (wie bei den Teenagern) und Begehr geben zum Streit (wie im Ackermann) als Bedeutungen entwickelt; zu schreiben wäre »Ankraz«.

ankreiden *jm. etw. ankreiden* ↗ Kreide

anlaufen *jn. anlaufen lassen* = ihm gefaßt Widerstand leisten. ↗ Jäger: Man läßt die Wildsau anlaufen und fängt sie mit der Saufeder ab.

anlegen *sich anlegen mit jm.* = mit ihm Streit suchen.
es darauf anlegen = auf etw. abzielen. – Ausdrücke vom Schießen, vgl. er hatte es darauf angelegt = darauf abgesehen.

anno *anno dazumal* < anno domini, auch erweitert: anno dazumal, als der große Wind ging. – An Häusern ist oft am Türbogen das Erbauungsjahr verzeichnet, z. B. 18 AD 85 oder es steht deutsch: Erbaut im Jahre des Herrn 1885.

anprangern *etw. anprangern* ↗ Rechtsbräuche

anranzen *jn. anranzen, anraunzen* = anschnauben, anschnauzen, barsch zurechtweisen, hart anfahren; *einen Anraunzer/Anranzer beziehen (bekommen)*. – Bekannt ist der grantige, brummelnde, ständig

---

[1]) als Referent im laus.-schl. Dialektgebiet für die Reichszentrale deutscher Mundartenforschung in Marburg/Lahn von 1927–1931.

[2]) Hans Dittrich »Unsere heimische Mundart«, Hefte II$_1$ und II$_2$ der Heimatkunde des Bez. Reichenberg, 1931/1933, Seite 153.

mit den Verhältnissen unzufriedene Wiener »Raunzer« (von raunzen = nörgeln). Raunzen ist eine Weiterbildung zu raunen. In dieser Lautstellung verkürzt au wie in baumeln/bammeln.

anschwärzen *jn. anschwärzen* = ihn verleumden. – schwarz = schlecht, weiß = gut (vgl. weiße Weste).

anspielen *anspielen auf etw.* = *eine Anspielung machen* = etw. andeuten, eine Andeutung machen. – Im Kartenspiel spielt man eine Farbe an, um zu sehen, was der andere im Spiel hat.

Anspruch *(einen) Anspruch erheben auf etw.* = sein Recht darauf geltend machen. – Anspruch bedeutete früher eine Rechtsforderung: Man »erhob« sich und »sprach« die Gerichtsversammlung an.

in Anspruch nehmen etw. = als Eigentum fordern, aber auch um Hilfe ersuchen.

Anstand *Anstand haben* = gute Lebensart, ein hübsches (< höfisches) Benehmen, Wohlerzogenheit zeigen. – Das Wort Anstand hat das mhd. Wort mâße (die Mäßigung, das Maßhalten) abgelöst; im Wesen gilt aber – wie im Mittelalter, vgl.: dô sleich ein küneginne – auch heute noch eine übergeschäftliche Eile, die G'schaftelhuberei, als wenig vornehm. Dagegen gilt ein ruhiges, zurückhaltendes, bescheidenes Wesen (anstehen = stehen bleiben, warten) als »Anstand« = als Muster für vornehmes Gehaben. – Eine andere Bedeutung hat:

Anstand nehmen an etw. = etw. beanstanden = bemängeln; einen (keinen) Anstand gehabt haben = man ist (ist nicht) beanstandet worden = Man hat an uns etwas (nichts) auszusetzen, zu bemängeln gewußt.

anstiften *etw. anstiften* = verursachen. – Das uralte Wort stiften (= schenken) hat schon den Klostergründern, den Stiftern, und ihren Gründungen selbst, den Stiften mit ihren Stiftungen, den Namen gegeben, und jetzt *stiftet man sogar Unfug.*

Anstoß *den Anstoß geben* = den Anlaß, *Anstoß nehmen an etw.* = ungehalten sein darüber, *Anstoß erregen* = der Stein des Anstoßes sein, an den sich der Fuß stößt.

Antrag *einen Antrag stellen*, z. B. bei einer Behörde, um etw. zu erreichen,

einen Antrag machen = einem Mädchen erklären, daß man es heiraten möchte.

Anzeige *Anzeige gegen X »erstattet«* man z. B. bei Gericht.

anzetteln *etw. anzetteln*, z. B. einen Unfug vorbereiten, eine Verschwörung anstiften u. dgl. – Diese Redensart geht auf die Hantierung des Webers zurück: An den am Kettenbaum beim Abschneiden des fertigen Leinwandstückes belassenen Leinwandsaum (= Traden) knüpfte man die neue Werft (Kette, Zettel) Faden für Faden an mit dem »Weberknoten« (über den Daumen), damit die Fäden schön nebeneinander (schön verzettelt) zu liegen kamen. Dieses »Anzetteln« war immer bei den Handwebern die Vorbereitung für den Anfang eines neuen Stückes

Leinwand. [Dann erst konnten die Querfäden (der Schuß) mit dem Weberschiffchen eingeschossen werden.]

Anzug *etw. ist im Anzug* = ist im Kommen, z. B. eine Gefahr, eine Krankheit, ein Verdruß oder dgl. Unangenehmes; man hat das Gefühl, als ob ein Gewitter herauf»zöge«.

anzüglich *anzüglich werden* = bissige Bemerkungen machen, auf peinliche Dinge anspielen, sie verdeckt erwähnen, sie »anziehen«. – In der mittelalterlichen Rechtsprechung bedeutete anziehen: beschuldigen und als Zeugen benennen; wir sagen noch: eine Textstelle anziehen = sie zur Hilfe, zur Unterstützung für die eigene Meinung benutzen, herbeischaffen.

Apfel *in den sau'ren Apfel beißen müssen* = *die bittere Pille schlucken müssen.* – Man ißt nicht gern saueres Obst und schluckt nicht gern bittere Medizin und muß es manchmal doch, d. h. man muß etw. Unangenehmes auf sich nehmen.

April *jn. in den April schicken* = ihn neckisch verulken. – Es ist Volksbrauch, am 1. April Kinder nach unmöglichen Dingen zu schicken (nach Mückenfett, Haumichblau u. ä.), auch Erwachsenen sucht man etw. Ungewöhnliches glaubhaft zu machen.

arg *etw. liegt im argen* = es steht schlimm damit. Weitere Wortfügungen: mit »arg« in der Bedeutung Hinterlist: *ohne Arg sein, kein Arg dabei kennen.*

ärgern *sich schwarz (grün und gelb) ärgern* = vergrämt oder gallig erregt sein. – Ärger in jeder Form verfärbt das Antlitz eines Menschen. – Wußten Sie aber schon, daß sich auch ein Laubfrosch „schwarz" ärgern kann? Wenn man ihn nämlich mit einem Grashalm ständig kitzelt und seine Ruhe stört, dann verfärbt sich seine sonst grüne Farbe tatsächlich ins Schwarze.

Arm *jn. auf den Arm nehmen* = ihn foppen, veralbern. – Es ist sichtlich ein Vergleich mit einem Kleinkinde, das man auf den Arm nimmt, um mit ihm zu scherzen; man behandelt ihn wie ein kleines Kind. Im selben Sinne gebraucht man auch *»jn. hochnehmen«.* ↗ Schippe
jm. unter die Arme greifen = jm. helfen, u. zw. meist mit Geld. – Einem kleinen Kinde hilft man beim Gehen, um es vor dem Fallen zu bewahren: man greift ihm unter die Arme.
jm. in den Arm fallen = jn. in seiner Absicht hindern, ihm die Ausführung vereiteln. – Man nimmt dem Gegner die Möglichkeit, die Schwungkraft des Armes auszunutzen, indem man sich ihm entgegenwirft und den Schlag schon in der Entfaltung hindert (vgl. »Clinch« beim Boxen). Nach diesem Muster dann auch: *jm. in die Rede fallen* = ihn unschön unterbrechen.
es nicht aus dem Ärmel schütteln können = es nicht herzaubern können – wie die Zaubermänner der Jahrmärkte, die vor der staunenden Menge aus den Taschen ihrer weiten Talare alles mögliche hervorzauberten.

mit verschränkten Armen zusehen = wörtlich: mit kreuzweis übereinandergelegten Unterarmen der Arbeit anderer untätig zuschauen, d. h. keinen Finger rühren, um zu helfen.

Armut *sich ein Armutszeugnis ausstellen* = seine eigene Unfähigkeit bekennen.

A... Götz von Berlichingen, Schauspiel von Goethe, 3. Akt: »Er aber – *er kann mich* ...«, geschrieben mit Punkten, auf der Bühne im vollen Wortlaut zu hören. Es ist der schwäbische Gruß, er ist weit verbreitet; nach einem Gerichtsurteil irgendwo in Bayern gewissermaßen

landesüblich. L. m. a. A. ist natürlich älter als der alte Ritter mit der eisernen Hand, war einst einmal auch von einer Körperdrehung und dem betreffenden Hinweis begleitet. Die Redewendung war immer schon ein Zeichen von Grobheit, sie ist auch heute noch rüpelhaft und anstößig. Aber in dem Büchlein fröhlicher Wissenschaft von Max. Müller-Jabusch »Götzens grober Gruß« wird auch eine andere Anwendung erwähnt, nämlich wenn sich zwei Kumpel unverhofft wiedersehen und ihrer erstaunten Freude lauten Ausdruck geben; gemeint ist der sog. Ulmer Gruß: »A, do leckscht m. a. A., bischt du au doo?« – Schlesier und sogar Bayern schwächen ihren Ausdruck des Erstaunens ab zu: »Da legst' dich nieder!« Die Originalfassung wird auch in

vielfachen Umschreibungen abgewandelt und abgemildert, so z. B. mit »am Abend besuchen«, auch mit »Du kannst mir im Mondschein begegnen«, »Ihr könnt mir den Hobel ausblasen«. – Einen dummen Kerl mag man doch nicht geradeswegs »Ar... l...« benennen; auch »So ein Astloch« ist noch zu anstößig, ein paar Buchstaben an Ähnlichkeit genügen; man sagt also: »So ein Armleuchter!« ↗ Graz ↗ Dachdecker ↗ gern

ihm geht der Arsch mit (auf) Grundeis (Barras) = er fürchtet sich, bekommt Angst. – Nacktes Sitzfleisch und Eis (Grund- ist verstärkender Zusatz) werden in gedankliche Verbindung miteinander gebracht.

einen kalten Arsch kriegen (Barras) = dabei umkommen.

Art *aus der Art schlagen* = ent-arten, ab-arten, aus dem Ge-schlecht fallen. – Vgl. ein Menschenschlag.

Asche *Das geht ins Aschgraue* = ins Unabsehbare, geht endlos so weiter.

Ast *sich den eigenen Ast absägen* (d. h. auf dem man sitzt) = sich selbst schädigen. ↗ Fleisch

einen Ast durchsägen (Umg.) = laut schnarchen.

sich einen Ast lachen = *sich den Buckel voll lachen* = vor Freude feixen. Ast steht hier in der Bedeutung von Buckel, vermutlich durch Anlehnung an den Sprachgebrauch Ast = Knoten oder Auswuchs am

Stamm. – Der Berliner: Ick lach' mir 'n Ast und setz mir druff. Andere solche Ergänzungswitze sind: »Auf mich können Sie rechnen« – Auf mich können Sie zählen (= Vertrauen haben) wird zu: »Auf mir können Sie rechnen wie auf einer Schiefertafel«. – »Das kannst du halten, wie du willst« wird ergänzt: wie der ⁄ Dachdecker. – Bei »ausreißen« (= fortlaufen und zerreißen) wird die zweite Bedeutung falsch gekoppelt und witzig ergänzt: wie Schafleder. ⁄ Tennisspieler

aufgabeln *etw. (jn.) aufgabeln* (Umg.) = zufällig treffen oder finden und mitnehmen. – »Mit der Gabel aufspießen«. Woher das Moment des Zufälligen im Bedeutungsgehalt der Wendung kommt, ist schwer zu sagen.

aufge- *aufgebracht* = erbittert, gereizt. ⁄ Ritter
aufgedonnert ist eine Frau, wenn sie auffällig, übertrieben vornehm (mit etwas wenig Geschmack) gekleidet ist, indem sie eine ital. donna, eine vornehme Dame, nachahmen will.
aufgeräumt und guter Dinge sein = heiter und zuversichtlich. – »aufräumen« (mundartlich) = Hausputz. Sein Gemüt wird verglichen mit einer Wohnstube, wo geputzt, gekehrt, gewaschen worden ist, wo wohltuende Sauberkeit und Ordnung herrscht. ⁄ Dinge
mächtig *aufgetakelt* = üppig gekleidet, auffällig ausstaffiert, so kommt sie daher wie ein Segelschiff mit der ganzen Takelage, das über alle Toppen geflaggt hat.

Aufhebens *(nicht) viel Aufhebens davon machen* = es (nicht) gar wichtignehmen, (keinen) Wert beimessen. – »Viel Aufhebens« machten die Klopffechter, bevor sie mit viel Zeremoniell (»das Aufgehebe« genannt) ihre Waffen »aufhoben« und ihr Schaufechten begannen. ⁄ Fechter

aufmachen, sich *sich aufmachen* (Umg.) ⟨ sich auf den Weg machen = aufbrechen. – Eine der vielen ma. Bequemlichkeiten der Ausdrucksweise. ⁄ machen

aufnehmen *es mit jm. aufnehmen (können)* = sich ihm gewachsen fühlen. – Es (= die Waffen) gleichzeitig mit dem anderen aufheben = »aufnehmen«. So entsprach es den Regeln der ⁄ Fechter

aufplustern, sich *sich aufplustern* = (bei gegenteiliger Meinung) sich aufblähen, hitzig reagieren. – Federvieh plustert sich auf = sträubt die Federn. Das Wort ist dasselbe wie Polster, nur mit Lautumstellung wie Brunnen-Born.

aufschneiden früher deutlicher: mit dem großen Messer *aufschneiden* = übertreiben beim Erzählen. – Solche Weglassungen, die nachträglich die Herkunft einer Redensart verschleiern, finden sich öfters. ⁄ Pflock

aufschwingen *sich nicht aufschwingen können zu etw.* = nicht die Energie haben, z. B. einen Entschluß fassen oder eine Arbeit anzugehen. Dagegen: *sich zum Wortführer aufschwingen*. – Schwinge = der Vogelflügel, mit dem sich der Vogel erhebt = sich aufschwingt.

Aufsehen   *Aufsehen erregen* = etwas ist so, daß die Leute aufschauen, aufblicken, die Augen aufmachen.

auf sich   Es wird damit *nicht viel auf sich haben* (Umg.) = Die Angelegenheit wird nicht allzu viel zu bedeuten haben, wird nicht gar wichtig sein.

aufstecken   Da wirst du *nicht viel aufstecken* (Ma.) = nicht viel erreichen. – Seit Einführung der Baumwollspinnerei sind Flachsbau und das Spinnen im Haus verschwunden; nur dieser Ausdruck erinnert noch schwach an das Aufstecken des Flachses auf den Rocken.

auftischen   *etw. auftischen* = (die Gäste reichlich bewirten, aber auch:) Unangenehmes sozusagen »auf den Tisch« legen.

auftreiben   *etw. auftreiben (aufstöbern)* = etw. Passendes finden. ↗ Jäger

Auftrieb   *Auftrieb bekommen* = eine Anregung erhalten zu einer Leistungssteigerung. Die Ursache hierfür *gibt* oder *verleiht Auftrieb*. – Taucht man einen Gegenstand ins Wasser, so erfährt er einen Auftrieb, d. h. er wird gehoben.

auftrumpfen = *anmaßendes Gehaben zeigen*. – Der Spieler wirft lautstark seine Trumpfkarten auf den Tisch.

Aufwasch   Das *geht in einem Aufwaschen* (Umg.) = alles wird da gleich miterledigt. – Beim Aufwasch in der Küche wird auch alles Geschirr ins Waschschaff (in den Spülstein) gestellt.

Auge   Das Augenlicht ist von den fünf Sinnen unser vielseitigstes Hilfsmittel beim Zurechtfinden in der Umwelt. Deshalb sind auch die Redensarten mit »Auge« derart zahlreich:

etw. mit anderen Augen ansehen = eine andere Meinung haben.

in meinen Augen = meiner Meinung nach.

jm. die Augen auswischen = ihm nur das Angenehme zeigen, alles andere unterschlagen. Augenauswischerei.

etw. im Auge behalten = sich um etw. kümmern, z. B. das Ziel im Auge behalten.

mit einem blauen Auge davonkommen = gerade noch glimpflich wegkommen, sich aus einer gefährlichen Lage heraushelfen.

etw. fällt ins Auge = es ist auffallend bemerkbar.

etw. ins Auge fassen = beabsichtigen, planen.

jn. ins Auge fassen = ihn (bes. für eine Stellung) vormerken.

einer Gefahr ins Auge sehen (schauen) = nicht vor ihr zurückschrecken, Mut haben.

Geh' mir aus den Augen! = *Heb dich weg!* (damit ich dich nicht sehe, denn *du bist mir ein Dorn im Auge*).

Das *kann leicht ins Auge gehen* = das kann gefährlich werden; kann zurückschnellen.

das Auge des Gesetzes = die Polizei, weil sie über die Einhaltung des Gesetzes wacht.

wie aus den Augen geschnitten = größte Ähnlichkeit der Kinder mit den Eltern. Augenstellung und Augenfarbe sind leicht erkennbare Erbanlagen. Besonders an der Augenpartie erkennt man die Person, deshalb läßt z. B. die Kriminalpolizei auf einem Foto die Augen ihrer Beamten überdecken, deshalb setzen sich die Ganoven und inkognito reisende Persönlichkeiten eine Sonnenbrille auf u. ä.

ein Auge haben für etw. = es gleich bemerken, das nötige Verständnis dafür haben.

Er soll mir *nicht mehr unter (vor) die Augen kommen (treten)* = sich nicht mehr bei mir blicken lassen.

mit einem lachenden und einem weinenden Auge = mit gemischten Gefühlen.

Etwas (z. B. kleine Kinder) *nicht aus den Augen lassen* = ständig Nachschau halten, beaufsichtigen.

(große) Augen machen = erstaunt sein. – Wenn man überrascht wird, weiten sich unwillkürlich die Augen.

. . . daß dir *die Augen übergehen* (fam.) = daß du dich nur wundern wirst.

ihm *schöne Augen machen* = flirten mit ihm.

mit offenen Augen durch die Welt gehen = aufnahmebereit sein für alles, was einem begegnet.

einem die Augen öffnen = ihm den Sachverhalt erklären, so daß ihm *die Augen aufgehen* = er sieht, was vorgeht.

ganz Auge und Ohr sein = völlig ergriffen schauen und zuhören.

die Augen (sein Augenmerk) auf etw. richten (heften) = seine Aufmerksamkeit darauf lenken.

Das paßt wie die Faust aufs Auge = es paßt überhaupt nicht; aufs Auge schlägt man nicht!

vor lauter Schulden (Arbeit) *kaum mehr aus den Augen schauen können* = überschuldet sein (mit Arbeit überlastet).

jm. Sand in die Augen streuen = etw. so unkenntlich darstellen (tun), daß man den richtigen Sachverhalt nicht mehr erkennt, ihn täuschen.

jm. nicht in die Augen sehen können = ein schlechtes Gewissen haben ihm gegenüber.

einem Mädchen zu tief in die Augen geschaut haben = sich in sie verliebt haben.

es fällt ihm wie Schuppen von den Augen = er sieht plötzlich die Zusammenhänge.

in die Augen springen = ganz besonders bemerklich sein.

etw. sticht in die Augen = reizt, wirkt begehrlich, fällt auf.

die Augen überall haben = alles und jedes beobachten (und Bescheid wissen).

etw. aus den Augen verlieren = allmählich vergessen, nicht mehr weiter verfolgen. – Wie etw. aus dem Gesichtskreis entschwindet, so auch aus den Gedanken.

jn. aus den Augen verlieren = die Verbindung mit ihm reißt ab.

seine Augen davor verschließen = etw. absichtlich nicht sehen (verstehen) wollen.

unter vier Augen = ohne Zeugen.

ein Auge auf sie werfen = Wohlgefallen an ihr finden.

ein Auge zudrücken = Nachsicht üben.

beide Augen zudrücken = alles mit Absicht übersehen.

»(die reinste) Augendienerei« ist ein Schöntun ins Gesicht hinein ohne Aufrichtigkeit.

in Augenschein nehmen = besichtigen.

das Auge weidet sich an etw. = es freut sich darüber, *etw. ist eine Augenweide* = ist eine Freude, eine Wonne fürs Auge.

ausbaden *etw. ausbaden müssen* = die Folgen tragen müssen, meist in der Bedeutung für fremde Schuld. – Eigentlich: das auch von anderen mitbenutzte Badewasser allein hinausschaffen müssen (= ausbaden). ↗ Bad

ausbooten *jn. ausbooten* = ihn aus seiner Stellung oder aus der Gemeinschaft verdrängen. – Bei niedrigem Wasserstand werden die Passagiere mit dem Boot vom Schiff an Land gebracht.

ausbügeln *etw. ausbügeln* = etw. bereinigen, was schiefgegangen ist. – Die Sprache denkt an das Plätten eines zerknitterten Kleidungsstückes.

Ausbund *So ein Ausbund!* = (Ausruf) So ein unartiges Kind! – Ein Ausbund von Ausgelassenheit, von Tugend, von Gelehrsamkeit ist ganz besonders ausgelassen, tugendsam, gelehrt u. dgl. – Bei einer Dutzendpackung wird ein Stück außen als Muster aufgebunden, natürlich das schönste.

ausfällig *ausfällig (ausfallend) werden* = beleidigend, grob mit Worten angreifen. – Die Verteidiger einer belagerten Festung unternahmen früher einen »Ausfall«, d. h. sie kamen heraus und griffen an.

Ausflüchte *Ausflüchte suchen* = es mit Ausreden versuchen, um den angeführten Gründen zu entgehen. – Ausflucht gehört zu fliehen und bedeutete ursprünglich heimlich aus der Haft entweichen; aber auch: sich an ein übergeordnetes Gericht wenden, um einen ungünstigen Urteilsspruch anzufechten.

ausfressen *etw. ausgefressen haben* (Umg.) = etw. angestellt haben, wofür man eine Bestrafung erwarten muß (nämlich, wenn es herauskommt). Man sagt es aber auch, wenn man schon bestraft worden ist.

ausgelassen *ausgelassen sein* = übermütig, maßlos lustig, wildvergnügt. – auslassen = hinauslassen: Nach dem langen Winter wurde das Stallvieh von der Kette los- und auf die Weide hinausgelassen; das Jungvieh gebärdete sich dabei recht übermütig = *wie vom Seile los.*

ausgemergelt *ausgemergelt sein* = entkräftet. – Es ist nicht das Düngemittel Mergel für die Felder (obwohl schon den Germanen bekannt; die Kelten holten diese wertvolle Erde sogar von England herüber), sondern das Mark; aus den Leuten wurde alles herausgepreßt, sogar das Knochenmark = mhd. marc, marges. Die deutsche Auslautverhärtung, die wir zwar sprechen, aber heute nicht mehr schreiben (wir richten unsere Schreibung jetzt nach dem Inlaut aus), verwischt für unser Auge in der Schrift die Herkunft dreier Wörter: Mark, Alp und Quark, wo diese im Auslaut gesprochene Verhärtung auch tatsächlich geschrieben wird. Im Mittelalter schrieb man, wie man sprach: mhd. tac, tage, wîp, wîbes, walt, waldes.

Aushängeschild *als Aushängeschild dienen* = als Vorwand, als Deckmantel benutzt werden. – Es handelt sich hier um ein »falsches« Aushängeschild. Gewerbezeichen hatten früher alle Handwerker an ihrer Werkstätte hängen, heute hängt nur mehr der Frisör ein stilisiertes Rasierbecken heraus, die Schrift ersetzt jetzt solche »Schilder«. Ihr Gebrauch kam auf, weil einst die Ritter in der Herberge, in der sie übernachteten, ihre Schilde vor der Tür aufhängten. Wohl zum letzten Male ist diese Sitte im großen noch zu sehen gewesen beim Konzil zu Konstanz (1414–1418). Ullrich von Rychenthal hat uns die Wappenschilde, die dort zu sehen waren, in seinem Buche »Das Konzil zu Konstanz« überliefert. (1. Aufl. um 1480, 2. Aufl. 1536, auch in Neuausgaben).

aushecken *etw. aushecken* = besonders einen Streich sich ausdenken, eine üble Tat »ausbrüten«. – Beim Hasen heißt »hecken« = Junge werfen; Vögel »brüten« ihre Eier aus.

Auskommen/Auslangen *sein Auskommen haben, sein Auslangen finden* = so viel erwerben, daß man damit auskommt (= ausreicht) und daß man damit auslangt (daß es hinreicht). Es sind sprachliche Zerdehnungen der einfachen Zeitwörter auskommen und auslangen.

auslöffeln *auslöffeln* ↗ einbrocken

ausmerzen *etw. ausmerzen* = es austilgen. – Für eine Erklärung dachte man zuerst an März. Aber die Schafe werden nicht im Frühjahr ausgesondert zur Schlachtung, vielmehr schon im Herbst; denn kein Viehzüchter füttert Schlachttiere über den Winter, das wäre unrentabel. Bereits im Sommer erhalten die nicht zur Zucht geeigneten Tiere ein Zeichen aufs Vlies, eine »Merke« (wie man Wäsche »merkt«), was man merkezen nannte, woraus merzen, ausmerzen wurde. – Bei der alten Endung (got. -atjan, mhd. -ezzen) -zen (vgl. ächzen, raunzen) verschmilzt der Stammauslaut k mit ihr wie bei Schmatz von schmecken, Schwanz von schwenken u. ä. ↗ abblitzen

ausposaunen *etw. ausposaunen* = für Kenntnis in weitem Kreise sorgen. – Die Posaune hat den lautesten Ton.

Ausputzer *einen Ausputzer bekommen* (Umg.) = eine Rüge. – Beim Hausputz und wo sonst noch geputzt wird, geht es auch nicht glimpflich zu.

ausscheren »Ich will mich *nicht ausscheren*«, sagt man; man will sich nicht absondern, will gemeinsam mitmachen. – Das Wort gehört zu Schar, vgl. aus dem Schiffsverband sich absondern = ausscheren.

ausschlachten *etw. ausschlachten* = ganz gehörig ausnützen. – Die Redensart ist auf Metzger gemünzt, die alles verwerten.

Ausschlag *Das gibt den Ausschlag* = die Entscheidung fällt nach dieser Seite. – Ein Bild von der Balkenwaage, bei der die eine Waagschale sich senkt und der Zeiger ausschlägt.

Ausstand *in den Ausstand treten* = streiken.

ausstechen *jn. ausstechen* = einen Mitbewerber wegdrängen. – Ein Turnierausdruck (↗ Ritter), aber erst durch das Kartenspielen in der heutigen Bedeutung uns überkommen.

Aussteuer die Tochter bekommt *eine Aussteuer* = ihr Heiratsgut, ihre Mitgift, und die Geschwister *werden ausgesteuert* = ihnen wird ihr Erbteil ausgezahlt. – Sonst kennen wir das Wort »Steuer, steuern« nur als Abgabe ans Finanzamt.

Austrag *etw. zum Austrag bringen* (Rechtssprache) = eine gerichtliche Entscheidung herbeiführen, den Streit »austragen« = zu Ende führen.

austüfteln (Umg.) *etw. austüfteln, daran herumtüfteln* = grüblerische Kleinarbeit, d. h. tüpfeln, vgl. das i-Tüpfelchen. -pft- ⟩ -ft- ist Erleichterung schwerer Konsonanz und i ⟨ ü ist mitteldeutsche Ma.

auswischen *jm. eins auswischen* = jm. eine Bosheit antun, ihm mit einer Gehässigkeit heimzahlen, Schaden zufügen. – Die blutrünstige Geschichte, die immer wieder nachgeschrieben wird, ergänzt: ein Auge[1]) bei einer Rauferei. Aber die Mundart sagt: »Den (4. Fall) habe ich ausgewischt«, und das bedeutet genau dasselbe wie das englische out wit, d. h. auswitzigen/auswitzen, was zu auswitschen/auswischen wurde.

[1]) Die Gepflogenheit des Augenherausdrückens - das soll nicht in Abrede gestellt werden - gab es in gewissen Alpentälern als wenig ritterliche Austragung eines Streitfalles. Das hat aber keinerlei Zusammenhang mit unserer Redensart; denn da bewegte man sich in anderen Ausdrücken. So hieß es etwa bei einer Gerichtsverhandlung über eine solche Rauferei: »I hob' eahm halt a wengerl 'druckt«.

B

Backe *Au Backe!* = Ausruf der Verwunderung bei einer überraschenden Feststellung meist negativer Art, wobei man unwillkürlich die Hand an die Backe legt (wie bei Zahnschmerz).

Bad *das Bad austragen müssen = etw. ausbaden müssen* = die Schuld eines anderen büßen müssen. – Das Badewesen stand im Mittelalter in hoher Blüte (bis zur Einschleppung der »Franzosen« = Syphilis i. J. 1494 aus Sizilien). So bekamen z. B. Lehrlinge und Gesellen samstags den »Badepfennig«, um sich als Vorbereitung für den sonntäglichen Gottesdienst reinigen zu können. In den Badestuben wurde nicht für jede Person das Bad gerichtet, es mußten mehrere in demselben Zuber baden, der Letzte hatte dann das schmutzige Wasser hinauszutragen = eine unangenehme Arbeit zu verrichten. Heute sagen wir lieber: *die Suppe auslöffeln müssen*, was demnach manche auch nur mit Widerwillen tun (ebenfalls wegen der gemeinsamen Schüssel).

jm. das Bad segnen bedeutet heute »ihn durchprügeln«. – Wie wir heute vor dem Essen »gesegnete Mahlzeit« wünschen, so hat einst der Bader ein »gesegnetes Bad« gewünscht, und zur besseren Durchblutung der Haut erteilten Bademägde den Badenden auch leichte Streiche mit einem Laubbesen (Badequast, questen).

baden wörtlich: *baden gehen* = nordd. zum Baden gehen = eine Badegelegenheit aufsuchen.
Übertragen: *baden gehen* (Umg.) = abhanden kommen, verschwinden. – Die spaßige Zeitungsnotiz »Bei dem Wolkenbruche *ging* der ganze Verkehr *baden*« (= kam völlig zum Erliegen) macht die Bedeutungsentwicklung sichtbar: baden gehen 〉 untergehen 〉 abhanden kommen/ verschwinden.

geh baden! (südd.) = scher dich fort!
baden gehen mit einer Sache (Umg.) = Mißerfolg damit haben.

Bahn *sich Bahn brechen* = sich mit Gewalt seinen Weg »bahnen«.
↗ Weg – *Eine bahnbrechende* Neuerung ist eine, die den gewachsenen Zustand auf einem neuen Wege durchbricht.
auf die schiefe (abschüssige) Bahn geraten = moralisch abwärtsgleiten, wo es kein Halten gibt, wenn man einmal ins Rutschen gekommen ist.

Bajuware *ein echter Bajuware* = ein richtiger Bayer, mit dem Beigeschmack: »a g'stand'nes Mannsbild, a pfundiger Kerl«. – In der Humanistenzeit fanden einige der hochgelahrten Herren in einer alten lateinischen Handschrift das Wort BaIWarIl. Die Ligatur W[1] ist mehrdeutig; sie kann w bedeuten, aber auch vu und uv. Die einfachste (und richtigste)

---

[1] Gedruckt wird sie als uu (↗ Zweig, Anmerkung), zur Wortbildung ↗ Feuerspritze und ↗ Böhmen.

Lesart wäre Baiwarii (Baiwern) gewesen, die gelehrten Herrn aber lasen Baiuvarii, und daraus entstand Bajuwaren.

Balg *So ein Balg!* = So ein unartiges, nichtsnutziges Mädchen! – Eigentlich Wechselbalg, ein von bösen Geistern untergeschobenes (verwechseltes) Kind, das nicht mehr wert ist als das abgestreifte Fell (= Balg) eines Kleintieres (Hase, Katze).

Balgen (Balken) treten = die Blasebälge der Orgel bedienen. – Früher mußte den Pfeifen der Orgel durch einen Blasebalg Luft zugeführt werden, heutzutage werden sie meist schon elektrisch angeblasen. – Balken statt Balgen/Bälge sagt man, weil man bei dieser »geistlosen Hilfsarbeit« (auch das bedeutet diese Redensart) den Blasebalg nicht sieht, sondern nur die ständig hochkommenden Holzbalken, die man immer wieder hinuntertreten muß.

Balken *lügen, daß sich die Balken (Bretter) biegen* = ganz gräßlich aufschneiden. – Bevor eiserne Traversen unsere Decken trugen, lagen in den Stuben sichtbare Holzbalken (Tramen) von Wand zu Wand, darüber die Deckenbretter. Wenn nun am Stammtisch darunter das Geflunker, Aufschneiden und Angeben zu arg wurde und *man sich bog vor Lachen*, dann übertrug sich das auch auf die Deckenbalken und -bretter, die ja mit zuhörten.

Ball *den Ball aufnehmen oder auffangen* = in einem Gespräch auf den Wink eines anderen eingehen, die Gelegenheit nutzen, die einem geboten wird.

am Ball bleiben = eine sich bietende Gelegenheit ausnutzen, eine Sache ohne Verzug verfolgen. – Die Wendung stammt vom Fußballspiel und ist mit ihm volkstümlich geworden: Nicht nur ihrem kleinen Sohne, der sich im Menschengewühl des Marktes zu verlieren droht, ruft die Mutter besorgt zu: »Am Ball bleiben!« auch der Untersuchungsrichter duldet bei der Vernehmung nicht, daß man bei seinen Fragen abschweift, er »bleibt hart am Ball«.

sich die Bälle zuspielen (zuwerfen) = gemeinsame Sache machen. – Beim Ballspiel der Kinder kann man beobachten, daß sich zwei Freundinnen im Spielkreis beim Zuwerfen immer bevorzugten.

Banause *ein rechter Banause* ↗ Klassik

Band *das geht wie am laufenden Band* = ununterbrochen weiter, wie die Fließbandarbeit in der Fabrik.

das spricht Bände = etw. ist sehr verräterisch oder aufschlußreich, es ist so deutlich und sagt so viel, daß man sonst Bände braucht, um es darzustellen.

wie vom Bandel (Seile) los (Umg.) sind ungezogene Kinder, wie Jungvieh ohne Strick »ausgelassen« ist.

jn. am Bändel haben (Umg.) = ihn kurz halten, ihn nach seinem Gutdünken leiten können. – Der Mensch wird – wenig schmeichelhaft – mit einem Kleinkind am Gängelband verglichen.

Bank *etw. auf die lange Bank schieben* = zeitlich hinausschieben und nicht erledigen. ↗ Rechtsbräuche

durch die Bank = die ganze Reihe hindurch, keiner hat einen Vorzug. – Ein alter Schulausdruck, da früher alle Kinder auf einer gemeinsamen Bank rings um die Schulstube herum saßen.

jn. zur Bank hauen (schles.) = ihn schändlich verunglimpfen, ihn vernadern, sein Ansehen schädigen, also ihm förmlich wie auf der Fleischbank die Knochen zertrümmern.

va banque spielen = hasardieren. – »Es geht um die Bank«, ist der französische Ruf in Spielbanken, wenn das ganze Bankvermögen im Einsatz steht.

die Bank halten = gegen alle Mitspieler setzen.

die Bank sprengen = der Bank alles Geld abgewinnen.

Das Finanzwesen kam zu uns aus Italien; in Deutschland herrschte noch vielfach der Tauschhandel mit Naturalien. Die (lombardischen) Geldverleiher hatten ihre Geldsorten auf einer Bank ausgelegt, deshalb heute noch die Bezeichnung »Bank« für ein Geldinstitut. Hatte ein solcher Geldverleiher, der auch Geldaufbewahrer war, einmal das Geld seiner Einleger vertan, dann zerschlugen ihm die Gläubiger seine Bank = banca rotta (zerbrochene Bank) = Bankerott = finanzieller Zusammenbruch.

Bann *jn. bannen, ihn mit dem Bann belegen* = einst Ausschluß aus der Kirche. ↗ Acht. Bann bedeutete ursprünglich den Bezirk, in dem sich die Gewalt des Richters erstreckte, vgl. gebannt = eingehegt.

Nach Holzschnitt 1478

barfuß *noch barfuß sein* (Umg.) = geschlechtlich noch nicht aufgeklärt.

Bär *ein ungeleckter Bär* = ein gesellschaftlich plumper Mann, d. h. ein Bär, der erst geleckt werden muß. Nach der Anschauung der alten Zoologie leckt die Bärenmutter ihr Junges erst aus einem ungestalten Fleischklumpen zurecht.

bärbeißig sein = mürrisch, mißgelaunt. – Das Wort hat zwei Erklärungen gefunden: 1. bissig wie ein Bärenbeißer, wie ein Hund, der für die Bärenhatz abgerichtet ist. Bei der Häufigkeit von Bären in älterer Zeit hielt man solche Hunde, die auf Bären losgingen. 2. Barn (= Krippe, Raufe), also ein Barnbeißer, ein an der Krippe beißendes, bösartiges Pferd. – Zu bärbeißig gibt das Grimmsche Wörterbuch keine Etymologie, aber in Band 1–2, in Spalte 1138 führt es zu Barn (= Krippe, Raufe viele Belege an, ein Zeichen, daß Barn einst ein sehr bekanntes Wort war (vgl. engl. barn = Scheune). Man sagte z. B. ein Pferd am Barn haben, wo wir heute sagen: ein Pferd im Stall haben = eins besitzen. Eine Stelle lautet da: in den barn beiszen. Ein mißmutiges Pferd, das an der Krippe beißt, ist demnach ein Barnbeißer. Die tonlose Mittelsilbe -(e)n- fällt in Mundart und Umgangssprache oft aus (siebenzehn wird siebzehn, Kirschenbaum wird Kirschbaum, Birnbaum wurde zum Familiennamen Bierbaum u. a. m.)[1]), und was mundartlich Bar lautet, ist schriftdeutsch Bär, und so ergab sich (falsch verhochdeutscht) das Wort bärbeißig.

jm. einen Bären aufbinden = ihm eine bärengroße Lüge erzählen.

jm. einen Bärendienst erweisen = ihm, ohne es zu wollen, einen ganz schlechten Dienst erweisen. – Eine Wendung aus der Literatur.

auf der Bärenhaut liegen = faulenzen, wie es angeblich die alten Germanen taten. In einem bekannten Studentenliede heißt es: Die alten Deutschen, die wohnten auf beiden Seiten des Rheins, sie lagen auf Bärenhäuten und tranken immer noch eins. – In der Germania des Römers Tacitus wird nicht so übertrieben.

Barras *beim Barras* = beim Militär. – Der Ausdruck ist seit den napoleonischen Kriegen bekannt, er soll vom Namen des Generals Barras kommen, den Napoleon zum Heereslieferanten ernannte mit besonderer Zuständigkeit der Brotlieferungen. ↗ Kommiß

Bart *Der Bart ist ab* = Aus! Schluß! – Um 1920 hatte sich die bartlose Mode durchgesetzt: die Schnurrbärte waren ab. Ob aber die Redensart nicht etwa noch älter ist, d. h. etwa aus Zeiten, da bei der Einkleidung der Rekruten der Feldwebel Haar- und Barttracht bestimmte und damit ihr ziviles Dasein abschloß, das ist schwer zu sagen.

jm. um den Bart gehen (streichen) = schmeichelnd ihn ausholen wollen.

jm. den Bart kraulen = ihn umschmeicheln. – kraulen = krabbeln, sanft kratzen.

den Bart schaben = eine Drohung. – schaben gehört als Wort zu abschuppen.

Der Witz hat einen Bart = er ist schon alt und seit langem bekannt, so alt, daß ihm bereits ein Bart gewachsen ist. – Die Redensart hängt wahrscheinlich mit dem Wechsel der Barttrachten zusammen: vom Vollbart über den Schnurrbart zur Bartlosigkeit. Einstmals das sichtbare Zeichen der Männlichkeit, wurde der Bart zum Sinnbild der Rückständigkeit. ↗ Kaisers Bart

Barthel *wissen, wo Barthel (den) Most holt* = alle Kniffe kennen. ↗ Rotwelsch

---

[1]) Verfasser: »Das Verhalten der tonlosen Mittelsilben in der Stoßfuge bei Wortzusammensetzungen (ein Kapitel Etymologie)« in der Zeitschrift »Muttersprache«, Septemberheft 1968, Seiten 278–282.

baß *baß erstaunt sein* = mehr als erstaunt, sehr erstaunt, eigentlich »besser«; die Steigerung hieß einmal: gut, baß, best.

Bau *vom Bau sein* = ein Kollege vom selben Fach sein; auch die Leute vom Theater sagen so.

drei Monate Bau = Arrest. – Diese Barras-Bezeichnung »Bau« kommt daher, daß früher Ungehorsam mit Verurteilung zur Arbeit am Festungsbau geahndet wurde. – Die Ganoven sagen: »Knast« = Gefängnis.

Bauch *sich den Bauch halten vor Lachen* = sich ausschütten vor Lachen. – Man krümmt sich unwillkürlich, wenn man sehr lachen muß. Vgl. *sich biegen vor Lachen.* ↗ Balken

auf dem Bauche liegen vor jm. = ihn ganz untertänigst verehren. – Es ist also nicht nur orientalische Sitte, sich vor dem Verehrten niederzuwerfen, in Gedanken tun wir das anscheinend auch.

sich gebauchpinselt fühlen (Umg.) = sich überaus geschmeichelt fühlen. – Man wird sozusagen vertraulich gekitzelt (gekrabbelt).

bauen Getreide, Gemüse, Wein u. dgl. »bauen« ist eine sprachliche Verkürzung von: den Acker mit Getreide usw. bebauen. – Heute »baut« man auch einen Unfall, baut seinen Doktor, läßt sich einen Anzug bauen u. dgl., ein Modewort für einfaches »machen«.

Darauf kannst du bauen = kannst du vertrauen, kannst dich bedenkenlos verlassen; der Baugrund ist fest.

Bauer ↗ Pflock, ↗ Blatt, ↗ durchhecheln, ↗ zu Rande, ↗ Schäfchen, ↗ Schnitt u. a. m.

»*Bäuerchen machen*« müssen Kleinkinder nach dem Füttern (es wird ihnen leicht auf den Rücken geklopft), weil sie mit dem Brei zu viel Luft geschluckt haben. – Man sollte die Bäuerlein beiseite lassen und lieber: »einen Chinesen machen« sagen, denn dort zu Lande ist es Brauch, daß der Gast nach dem Essen rülpsen muß als hörbares Zeichen der Anerkennung für eine gute Bewirtung.

Bauernfänger ↗ Kümmelblättchen

Bauklötze *Bauklötze staunen* (Umg.) = vor Staunen die Augen ganz weit aufreißen.

Baum *zwischen Baum und Borke* (niederd.) = in der Klemme, ohne Ausweg. – Den Holzfällern klemmt sich öfters einmal die Axt derart ein.

Bausch *in Bausch und Bogen* = ohne große Genauigkeit, alles in allem berechnen – wie etwa bei Flurschätzungen Wegekrümmungen nach außen (= Bausch) oder nach innen (= Bogen) keine Beachtung finden; vgl. Pauschalbetrag, Pauschalsumme.

etw. aufbauschen = übertreiben, aus einer Kleinigkeit einen ganzen Bausch machen.

Bedingung *eine Bedingung stellen* = *etw. zur Bedingung machen* = *sich etw. ausbedingen* u. dgl. sind alles Rechtsausdrücke, die zum alten Worte Ding/Thing (= Gerichtsversammlung) gehören.

befinden Das Gericht hat in Sachen X gegen Y zu *befinden* = zu urteilen. – Das Urteil suchte man ehedem für jeden Einzelfall zu »finden«; es gab kein Gesetzbuch.

befleißigen *sich eines Besseren befleißigen* (altertümlich) = sich bemühen, etw. Besseres zu tun. Einen stud. theol. hat man in einen »der Gottesgelahrtheit Beflissenen« eingedeutscht.

beieinander *gut beieinander sein* und *gut beisammen sein* = gesund, rüstig sein. – Ein bekannter alter Politiker wurde an seinem 85. Geburtstag photographiert. Der Photograph wollte ihm schmeicheln und sagte: »Ich möchte Sie noch an Ihrem 100. photographieren«, worauf der unverwüstliche Alte trumpfte: »Naja, Se sin noch jut beieinander«.

Bein, Beine Die Beine (eigentl. die Knochen, vgl. die Gebeine), die man meist Füße nennt, haben Anlaß gegeben zu einer Vielzahl von Redensarten:

einem ein Bein stellen = ihm etw. in den Weg legen, worüber er stolpern soll.
mit einem Bein im Grabe = dem Tode nahe.
Das laß ich mir nicht ans Bein binden (rhein.) = das lasse ich mir nicht nachsagen.
wieder auf die Beine kommen = genesen.
etw. auf die Beine stellen (kaufm.) = etw. schaffen.
jm. auf die Beine helfen = ihm zu Beginn beistehen.
mit dem falschen (bzw. linken) Bein aufgestanden sein = schlechter Laune sein.
sich auf die Beine machen (Umg.) = aufbrechen.
»Ich werde dir gleich Beine machen!« Drohung. »Du wirst gleich Beine bekommen«.
die Beine unter den Arm nehmen = eilen.
sich etwas die (steifen) Beine vertreten (Umg.) = nach langem Sitzen seinen steif gewordenen Beinen Bewegung verschaffen.
sich die Beine in den Bauch stehen (Umg.) = lange warten müssen.
sich die Beine ablaufen = viel unnütze Wege machen, so daß sich die Beine förmlich abnützen (wie bei Münchhausens Hunde).
alles, was Beine hat z. B. aufbieten = die gesamte verfügbare Mannschaft.
die Beine noch unter Vaters Tisch stecken = als Erwachsener sich noch im väterlichen Haushalt verköstigen lassen. ↗ Tasche
auf eigenen Beinen stehen = selbständig sein. ↗ Füße
noch gut auf den Beinen sein = noch gar nicht altersschwach sein.
fest auf beiden Beinen stehen = materiell gesichert sein.
mit beiden Beinen auf dem Boden stehen = lebenstüchtig sein, sich keinen Illusionen hingeben.

bemänteln *etw. bemänteln* = beschönigen. ↗ Mantel

Berg Zu *Berg* gehören: Burg, etw. bergen (= in Sicherheit bringen), sich verbergen, geborgen sein, d. i. ein Zeichen, daß sich die Menschen in früheren Zeiten oben auf den Höhen sicher fühlten.

über den Berg sein = über das Schlimmste hinweg sein (bei Krankheit, im Geschäft u. dgl.).

Er ist *über alle Berge* = auf und davon, weit weg, verschwunden; man sieht ihn nicht mehr in dieser Gegend.

mit seiner Meinung nicht hinterm Berge halten = seine Meinung darüber offen aussprechen. – Vor dem Überfall trachteten Raubritter und Wegelagerer sich möglichst lange unbemerkt hinter einer Anhöhe (= Berg) versteckt zu halten. ↗ herausrücken

jm. goldene Berge versprechen = große, aber leere Versprechungen machen; denn Berge aus Gold gibt es bekanntlich nicht, allerdings bekannt war im Böhm. Mittelgebirge ein Berg, der Geltsch heißt.

Berserker *wüten wie ein Berserker* = in gräßlicher Wut alles zerstören. – Das Wort ist altnordisch, zusammengesetzt aus Bär und an. serker (= Kleid), also ein Mann in einem Bärenfell.

Beruf *seinem Berufe nachgehen* = ihn ausüben. – Das Bild sagt zu wenig; wenn er seiner Beschäftigung nur »nach«ginge, könnte es leicht vorkommen, daß sie ihm davonläuft. Faule Leute allerdings meinen: »Die Arbeit läuft mir nicht davon«. Aber der Mann sollte lieber *in seinem Berufe aufgehen* = innig mit ihm verbunden sein, immer sich nur mit ihm beschäftigen.

den Beruf verfehlt haben = an unrechter Stelle stehen. ↗ unberufen

Bescheid Das Wort Bescheid entstammt der Rechtssprache (vgl. den Kläger abschlägig bescheiden):

jm. Bescheid sagen = ihm eine Mitteilung zukommen lassen.

jm. Bescheid geben = ihm Auskunft geben, Rede stehen.

jm. Bescheid tun = ihm sein ehrendes Zutrinken erwidern. ↗ Blume

bescheren *nicht wissen, was einem beschert ist* = vom Schicksal zugewiesen.

Eine schöne Bescherung! – Na, da haben wir die Bescherung! = Da ist uns etwas sehr Unangenehmes[1]) zugestoßen (zu Weihnachten sieht eine »Bescherung« anders aus). = Da haben wir den Braten! (d. h. einen verbrannten). Vgl. solche Verkehrtbedeutungen bei ↗ abgefeimt

beschirmen *jn. beschirmen* = ihn beschützen, u. zw. ursprünglich mit dem Schilde (= ahd. skirm).

beschlagen *gut beschlagen sein* = Kenntnisse haben, sich auskennen, gut unterrichtet sein. – Es liegt der Gedanke zugrunde, daß ein gut mit Hufeisen beschlagenes Pferd auch tüchtig ziehen kann.

jn. mit Beschlag belegen = für sich in Anspruch nehmen. – Es ist eine verharmloste behördliche Beschlagnahme.

beschwingt *beschwingt* = schwungvoll, leicht wie »beflügelt«, schwebend wie auf Vogelflügeln = Schwingen (eigentl. Schwungfedern).

beschwören *den Sturm beschwören* = die Gemüter beruhigen. – Den Sturm durch Beschwörung zur Ruhe bringen (Aberglaube).

[1]) auch bei Schiller (Kabale und Liebe, II, 5) = Unheil.

Besen (Wenn das wahr sein soll), *da fress' ich einen Besen* (Umg.) = Das glaube ich so wenig, wie mir nicht einfällt, einen Besen zu schlukken; der würde ja auch nicht durch meine Gurgel rutschen.

steif, wie wenn er einen Besenstiel verschluckt hätte = unbeholfen, ungelenk, abweisend, unhöflich steif. ↗ Ladestock

mit eisernem Besen kehren = rücksichtslos durchgreifen, Ordnung schaffen. – Gewöhnlich nimmt man doch einen Rutenbesen zum Auskehren.

jn. auf den Besen laden (thür.) = (nordd.) auf die Schippe nehmen.

besessen (vom Teufel) von einer Idee *besessen sein* = vernarrt sein in den Gedanken, der ihn in Besitz genommen hat. ↗ Besitz

Besitz *in Besitz nehmen* = das Eigentumsrecht antreten. – Das mittelalterliche Recht hatte viele sinnbildliche Handlungen, auf deren Einhaltung Wert gelegt wurde; uns sind nur mehr bildliche Redensarten davon geblieben: Wenn wir heute einen Besitzanspruch an etwas erwerben, setzen wir uns nicht mehr darauf, wie sich ehemals z. B. der Käufer eines Grundstückes einen Stuhl bringen ließ, ihn auf das Ackerstück stellte und sich darauf setzte. Das hieß man »besitzen«, der Käufer war dann der Be-»sitzer«, er hatte es: in Besitz genommen. Ähnlich verfuhr man bei einem Hauskauf (nach Jakob Grimm, Deutsche Rechtsaltertümer, 1881[3], Seite 188): Darauf ist man herunter in das Haus gegangen, daselbst man dem Herrn Fiscale einen Stuhl mitten in das Haus gesetzt, darauf er sich auch zum Zeichen der Besitznahme aufgesetzt. Besitz »ergreifen« ist demnach ein späterer (schiefer) Ausdruck. Eine Enteignung ging ähnlich vor sich. ↗ Stuhl

Besorgungen *Besorgungen machen* = kleinere Einkäufe machen, einholen. – Eine städtische Redewendung, der bäuerliche Lebenskreis kennt so etwas nicht, hat also auch keine Bezeichnung dafür; am Bauernhofe wird so gut wie alles selbst erzeugt. Diese Wendung, aus einem minderen Hauptworttypus (-ung ist die häufigste Ableitungssilbe, denn man kann fast von jedem Zeitwort einen weiblichen Begriffsnamen auf -ung bilden) und aus dem unbegrifflichen Zeitworte »machen« bestehend, zeigt schon die untere Stilebene, ihr entspricht die geringe Wertschätzung solcher Tätigkeit; man überließ sie ja auch meist den Dienstboten. Um wie viel edler ist da die zerdehnte Redensart »Sorge tragen dafür, daß...« (= dafür sorgen); man fühlt förmlich, daß etwas auf den Schultern lastet. Bei »etw. besorgen, Besorgungen machen« hat sich jeglicher Gefühlsgehalt des Grundwortes Sorge verflüchtigt und ist zum farblosen »holen« geworden.

Bestand *Bestand haben* = Die Mutter Napoleons pflegte zu sagen: Pourvu que cela dure = vorausgesetzt, daß es Bestand hat = von Dauer ist.

bestellen *Da hat er nichts zu bestellen* (Umg.) = da darf er nicht dreinreden, nicht »mitmischen«.

besten *etw. zum besten geben* = z. B. im Wirtshaus eine Runde zahlen oder in der Gesellschaft ein Lied vortragen u. dgl. – Der Schützenpreis, der *für den besten Schützen* ausgesetzt war, hieß seinerzeit »das Best«; es gab verschiedene solche Preise. Heute stiftet der Betreffende gewissermaßen auch einen »Preis«; er macht ihn zum Geschenk = zum »Besten«. – In diesen Zusammenhang gehört sicherlich die Redewendung *jn. zum besten halten (haben)* = ihn zum Narren halten, ihn verulken. – Die »Bestscheibe« (= Zielscheibe, die aufbewahrt wurde) gibt die Verbindung: Er ist eben die »Zielscheibe« des Spottes.

Bett *das Bett hüten* = bettlägerig sein, krankliegen. – Man be-hütet jn., nimmt ihn in seine Obhut, indem man über ihn wacht. Diese Grundbedeutung ist in Wendungen wie »das Zimmer hüten« oder »das Bett hüten« nicht mehr ersichtlich.

nach Bethlehem gehen = zu Bett = ein Namensscherz wie Bettenheim, Gebshausen u. ä.

sich nach dem Bettzipfel sehnen (fam.) = gern schlafen gehen wollen.

Bettelstab *an den Bettelstab kommen, gebracht werden* = ganz arm werden. – Jeder Bettler hatte früher einen Stock. Die meisten waren alt und brauchten einen Stecken, alle aber brauchten einen »Stab«, um sich die Hunde vom Leibe zu halten, die den Hauseingang bewachten.

Beutel *»Das ist ein rechter Beutelschneider«*, sagen wir von einem, der die Ware überteuert und uns so das Geld aus der Tasche zieht. – Heute schneiden die Taschendiebe Männern, die ihre Brieftasche in der hinteren Hosentasche tragen, mit einer Rasierklinge den Stoff durch und nehmen die Geldbörse an sich. Ehedem trugen die Kaufleute ihr Geld am Gürtel, und die Spitzbuben, die es schon immer gab, schnitten ihnen im unbemerkten Augenblick rasch den Geldbeutel ab.

bewenden *Lassen wir es damit bewenden* = *Es mag damit sein Bewenden haben* = Wir wollen es dabei belassen, wollen der Sache nicht weiter nachgehen, sie nicht weiter erörtern, sie nicht mehr »hin und her wenden«.

Bibel Die Bibel als Quelle von Redensarten: Mit den Redewendungen aus der Bibel verhält es sich nicht so, daß unsere Sprache sie alle erst aus der Bibel kennengelernt hätte, nein, es ist vielmehr oft umgekehrt der Fall; denn Luther sah bekanntlich »den Leuten aufs Maul«, nahm also Ausdrücke der Umgangssprache, die im Volke wohlbekannt waren, und verdolmetschte damit den griechischen bzw. hebräischen Text. Manche Wendung ist infolgedessen viel älter, z. B. auf keinen grünen ⟋ Zweig kommen (Hiob 15, 32), einem das ⟋ Maul stopfen (Luk 11, 53), jm. eine Grube graben (Spr. 26, 27), die Haare stehen zu Berge (Hiob 4, 32), die Worte auf die ⟋ Goldwaage legen (Sir. 21, 27 u. 28, 29), ⟋ die Feuerprobe bestehen (Spr. Sal. 17, 3) u. a. m. Aber viele Redensarten stammen natürlich allein aus der Bibel, ich gebe sie in Anlehnung an verschiedene Zusammenstellungen: *den alten Adam ausziehen* = in-

wendig sich erneuern (von Paulus mehrmals gebraucht), *wie seinen Aug-
apfel hüten* (5. Mos. 32,10), *den Teufel durch Beelzebub austreiben* (Matth.
12,24) = etw. Schlimmes durch etw. noch Schlimmeres bessern wollen,
sich an die (eigene) Brust schlagen = sich reuig die Schuld zumessen
(nach dem Confiteor der Vormesse: mea culpa, mea culpa, mea maxima
culpa), *auf tönernen Füßen stehen* = ohne gediegenen Untergrund, *zum
Gespött der Leute werden* (Ps. 26,6), *der Glaube macht selig* (Mark. 16,16),
vor seinen Augen Gnade finden (mehrmals in der Bibel), *auf Herz und
Nieren prüfen* (7. Ps. 10) = äußerst gründlich examinieren, *ein Herz
und eine Seele* (Apg. 4,32) = ganz einmütig, *Himmel und Erde in Bewegung setzen* = alles nur erdenklich Mögliche versuchen, *zum Himmel
schreien (stinken)* 1 Mos 4,10, *eine Hiobspost, -botschaft bringen* (Hiob
1,14–19) = eine Unglücksnachricht bringen, Gegenüberstellung: *grünes
Holz – dürres Holz* (Luk. 23,31): Der Gründonnerstag (lat. dies viridium
= Tag der Grünen) war im Mittelalter der Tag der begnadigten Büßer.
Bevor sie zum hl. Abendmahl schritten, schmückten sie sich mit fri-
schem Grün, um zu zeigen, daß die Kirchengemeinschaft sie wieder aufgenommen hatte und aus einem»dürren Zweig ein grünender«geworden war.
Krethi und Plethi (2. Sam. 8,18), wofür wir heute lieber sagen: ↗ Hinz
und Kunz. bzw. (mit Schiller): Gevatter Schuster, Schneider und Handschuhmacher, *Kind des Todes* (2. Sam. 12,5), *Mann Gottes!* (Josua
14,6), ↗ Matthäi am Letzten, *aus seinem Herzen keine Mördergrube
machen* (nach Matth. 21,13) = von der Leber weg reden, *Öl in die
Wunden gießen* = heilend wirken, *Perlen vor die Säue werfen* (Matth.
7,6), *ein Pfahl (Stachel) im Fleische* (2. Kor 12,7), ↗ Pharisäer, ↗ Philister, ↗ von Pontius zu Pilatus, erstarrt *wie eine Salzsäule, ein barm-
herziger Samariter* (Luk. 10,30ff), *zahlreich wie der Sand am Meere, aus
Saulus wird kein Paulus* = es gab auch kein Damaskus bei ihm, *sein
Licht nicht unter den Scheffel stellen* = man soll zeigen, was man kann,
soll nicht zu bescheiden sein, *im Schweiße deines Angesichtes* (1. Mos.
3,9), ↗ Nun hat die arme Seele Ruh, ↗ Sieben, *den Staub von den Füßen
schütteln* (Matth. 10,14) = mutig weiterreisen, *zum Stein erweichen*
(öfters in der Bibel), *vom Scheitel bis zur Sohle* (5. Mos. 28,35), ↗ Sündenbock, ↗ Sündflut, *ein ungläubiger Thomas* (Joh. 20,24ff), *Tohu-
wabohu* (1. Mos. 1,2) = wüster Zustand der Verwirrung, *seine Hände in
Unschuld waschen* (Pilatusszene), *in Versuchung führen* (Vater unser),
ein Wolf in Schafskleidern u. a. m. Das kirchliche Leben steuerte bei:
das beschauliche Leben (vita contemplativa), *tauben Ohren predigen,* ↗
abkanzeln, ↗ *ins Gebet nehmen.* ↗ *die Hölle heiß machen,* ↗ *am Hungertuche nagen,* ↗ *ein Kreuz darüber machen* = verloren geben, wie der
Priester über einen Toten das Kreuz macht, ↗ *die Leviten lesen,* ↗ *zu
Kreuze kriechen.* Aus dem kirchlichen Latein wurden profaniert: hoc
est corpus ⟩ *Hokuspokus,* Sakrament ⟩ Ausruf: *Sapperment* (sackerlot
und sapperlot), Herr Je(sus do)mine ⟩ *Herrjemine!* Gott + 1000 (Teufel)

〉 *Potztausend!* Gottes Blitz wurde zum schwäbischen »*Potzblitz!*« – »Potzblitz!« sagte am Bodensee von den sieben der Blitzschwab ein ums anderemal, die übrigen sechs aber sagten kein Wörtle. Auch der Schwabe Schiller ließ das Wort (Wallensteins Lager, 5. Auftritt) durch den Mund des 1. Jägers ganz ähnlich sagen und reimte hinzu: Das ist ja die Gustl aus Blasewitz.

Biegen *es geht auf Biegen und Brechen* = es geht hart auf hart, einerlei, ob so oder so (= ob zum Guten oder zum Bösen) es ausgehen mag. – Das Bild ist aufs Biegen einer Rute bezogen.

Bier *anbieten wie saures Bier* = etw. an den Mann zu bringen sich (erfolglos) bemühen, was nicht gefragt ist. – Man mag nicht vergorenes Bier, es schmeckt mehr als schal, es ist geradezu bitter.

Bild *sich ein Bild davon machen können* = einen Überblick gewinnen. *im Bilde sein* = eine deutliche Vorstellung davon haben, *nicht im Bilde sein* = sich keine rechte Vorstellung davon machen. – Die Sprache drückt die Abstrakta »Überblick und Vorstellung« gegenständlicher aus mit »Bild«.

auf der Bildfläche erscheinen (= plötzlich da sein) und *von der Bildfläche verschwinden* (nicht mehr zu sehen sein) vgl. ↗ Vorschein

billig *recht und billig*, Gegenteil unbillig, billigen – mißbilligen. ↗ Weichbild

Binsen *in die Binsen (Wicken) gehen* = verloren gehen. – Aus der Jägersprache: Die angeschossene Wildente rettet sich vor dem Jagdhund, der sie apportieren soll, ins Schilf, also in die Binsen, wohin ihr der Hund nicht folgen kann. Sie ist für den Jäger verloren.

eine Binsenwahrheit ist eine Selbstverständlichkeit. Schon der Lateiner sagte: nodum in scirpo quaerere = einen Knoten an einer Binse suchen, d. h. dort, wo keiner ist; im Unterschiede zu Gräsern haben Binsen keine Knoten, sie wachsen geradlinig.

Birken *Er find't sich aus drei Birken nicht heraus* (Umg.) = Er kennt sich gar nicht aus. – Aus einem Wald von drei Birken sich herausfinden zeigt wirklich keine große Findigkeit.

Bismarck *Er ist kein Bismarck* = kein großer Politiker. – Bismarck ist gekürzt aus nd. Bis(kopes)mark (= Ort an der Bistumsgrenze), gekürzt wie das Wort Bistum selbst, wofür noch Wilhelm Raabe und Adalbert Stifter die Vollform Bischofstum gebrauchen. Der Name ist ein Schwundwort (eine Klammerform) wie: Bisch(ofs)weiler, Hab(icht)sburg, Bay(ern)reuth (= Bayernrodung), häm(ische) Tücke 〉 Heimtücke u. ä. ↗ Feuerspritze

Bissen *Ihm blieb der Bissen im Halse stecken* = so erschreckt oder erstaunt war er.

blank *blank sein* (Umg.) = ohne Geld.

blankziehen, zog blank = zog vom ↗ Leder = riß den blanken Säbel aus der Scheide.

Blasengel *pausbäckig wie ein Blasengel (Posaunenengel).* – Die Rokokoengelchen sind besonders dickbackig.

Blatt *Das steht auf einem anderen Blatte* = das ist etwas ganz anderes. – Zu ergänzen ist »geschrieben«, u. zw. auf einer anderen Buchseite.
sich kein Blatt vor den Mund nehmen = unumwunden (↗ von der Leber weg) sagen, was man meint, ohne sein (vorher) Aufgeschriebenes vom Blatte abzulesen.
Das Blatt hat sich gewendet = die Verhältnisse haben sich geändert, die Sache hat ein anderes Aussehen bekommen (nach Grimm), das Glück hat umgeschlagen. – Im selben Sinne heißt es: Das Blättchen wendet sich (= jetzt wird es anders) und niederd.: Dat Blatt draiht sik, und im Sudetenland sagte man: s Bloat hot sich gewandt, s werd ander Waater. – Dem Sprachbilde liegt sichtlich das Bild einer Windfahne zugrunde: Der Wind dreht sich, infolgedessen auch die Fahne, das Wetter schlägt um. – Die Umg. bezeichnet eine dünne Platte Eisen an Geräten mit »Blatt«. So besteht z. B. eine Säge aus Sägebügel und Säge»blatt«. Bei der eisernen Sense am Holm (Worf) heißt der dünne Teil das (Sensen)»blatt«, der verdickte Rand ist die Hamme. Der Säbel hat ein »Blatt« und auch die Axt, vgl. auch die Bezeichnung Schulter»blatt«. So wird unwillkürlich bei der Wetterfahne der an der dicken, ruhig bleibenden Angel sich drehende dünne Teil das Fahnen»blatt« geheißen.
Weil uns Verstädterten die bäuerliche Denkweise fremd geworden ist, verstehen wir kaum mehr eine andere Redensart mit »Blatt«: *Ihm schießt das Blatt.* Man hört sie nur noch selten und versteht sie fast nicht mehr. Sie hat etwa den Sinn von »enttäuscht sein«. Die Schwierigkeit einer Erklärung beginnt schon bei der Ausdrucksweise: »ihm« ist hier nicht persönlich gemeint, sondern – der Bauer personifiziert sich gern mit seiner Wirtschaft – die Worte wollen in bäuerlicher Rede besagen: (dem) ihm (gehörenden Hofe) schießt das Blatt, was wir uns durch eine zweite bekanntere Redensart verdeutlichen können: Auf seinen Feldern *schießt[1] (geht) alles ins Kraut,* wie ein übergroßes Wachstum des Blattwerkes heißt. Ein solcher abnormaler Blätterwuchs in manchen Jahren geht natürlich auf Kosten der Frucht. Und bei solchermaßen schlechten Ernteaussichten ist der Bauer, der ja alljährlich einen womöglich 100%igen Ertrag verlangt, bekanntlich »enttäuscht, bestürzt«!

blau noch *mit einem blauen Auge davonkommen* = einer Gefahr noch verhältnismäßig unbeschädigt entrinnen. ↗ Auge
blaues Blut haben = von Adel sein. ↗ Blut
den blauen Brief erhalten = in den Ruhestand versetzt werden. – Solche amtliche Schreiben wurden in blauen Umschlägen versandt.

[1]) Jakob und Wilhelm Grimm, Deutsches Wörterbuch, Bd. II, Sp. 74: die pflanze schieszt nur in die blätter, setzt keine frucht an. — Man sagt auch: der Baum schießt ins Holz = bekommt viele unfruchtbare Äste.

Da bist du blau dran (Umg.), sagt man für: Dann ist es schlecht bestellt mit dir. »Blau« wohl statt schwarz.

blauen Dunst vormachen = flunkern. ↗ Dunst

das Blaue vom Himmel herunterreden = versprechen, schwadronieren.

blaumachen = krankfeiern. ↗ Montag

blau sein = betrunken. ↗ blauer Montag

seine blauen Wunder erleben = Unangenehmes erfahren. ↗ Dunst

blechen *blechen* (studentisch) = zahlen. – rotwelsch.

Red' kein Blech! = Schwatz keinen Unsinn! – Blech ist kein solides Material, sondern nur knalliges, dünnes Zeug.

Blick *einen Blick für etw. haben*, d. h. einen »guten Blick = sofort das Wesentliche erkennen. ↗ Auge

blind *wie der Blinde von der Farbe reden* = über etw. sprechen, worüber alle Kenntnisse fehlen.

blindes Huhn ↗ Henne

Blitz *wie vom Blitz getroffen* = *wie vom Donner gerührt* = starr vor Schreck, besonders wenn

der *Blitz aus heiterm Himmel* kam = völlig unverhofft.

Blöße *sich eine Blöße geben* = eine angreifbare Stelle zeigen. ↗ Fechter

Blücher *geht ab wie Blücher* = eiligst und

geht ran wie Blücher = geht es forsch an. – Wendungen nach Blücher, dem alten Marschall »Vorwärts« der Befreiungskriege.

Blume *etw. durch die Blume sagen* = *es verblümt sagen* = in der Blumensprache, in der jede Blume eine Bedeutung hat, eine Mitteilung machen, dann höflich verklausuliert: etw. Unangenehmes anbringen.

jm. die Blume bringen = ihm mit vollem Glase zutrinken. – Der Schaum des Bieres wird als Blume bezeichnet, die man ihm symbolisch darbringt. ↗ Bescheid geben

Blut Das Blut ist nach altem Glauben der Sitz des Lebens (vgl. »sein Blut« = der Sohn, *es liegt ihm im Blut* = ist ihm angeboren).

Nur ruhig Blut! = keine Panikstimmung aufkommen lassen.

kaltes Blut bewahren = nichts überstürzen.

kalten Blutes z. B. der Gefahr entgegensehen.

ein leichtes Blut = ein leichtsinniger Bursche.

etw. kann böses Blut machen = einen Verdruß bringen, eine Verstimmung und vielleicht noch mehr.

blaues Blut haben = adeligen Geblütes sein, von Adel sein. – Diese Bezeichnung wurde bei uns – wie Trübners Deutsches Wörterbuch, Bd. I (1939) vermerkt – erst Anfang des 19. Jahrhunderts bekannt. Es ist eine Übersetzung des spanischen sangre azul. Bei spanischen Adeligen (Hidalgos) gotischer Abkunft (Bedenke: Catalanien aus Gotalonien) schimmert das blaue Venenblut durch die nordisch-helle Haut hindurch.

»Er hat Blut geleckt«, sagt man von einem, der Geschmack an Verfäng-

lichem gefunden hat. – Vom Tiger, der einmal Menschenfleisch ge-
schmeckt hat, behauptet man, daß er nicht davon lassen kann, sich
immer wieder diesen Genuß zu verschaffen.

ein Blutbad anrichten, weil man sagt: jm. das Bad herrichten, so auch
von einer Metzelei, bei der sich die Helden förmlich in Blut baden.

Blut klebt an seinen Händen = er hat jn. umgebracht oder hat ein
Bluturteil gefällt, hat *seine Hand mit Blut befleckt*.

blutrünstige Geschichten sind solche, wo von Mord und Totschlag die
Rede ist; denn sie lassen das Blut förmlich »ge-rinnen« vor Schreck. –
Die Wortbildung (blut)rünstig zu rinnen ist dieselbe wie abspenstig zu
abspannen, wie (Feuers)brunst zu brennen u. ä.

Bock *einen Bock schießen* = einen Fehler machen. – Die Redensart
stammt von den Schützenfesten; es ist überliefert – wie Borchardt-
Wustmann (Sprichwörtliche Redensarten im deutschen Volksmunde,
Leipzig 1954[7]) vermerkt, daß 1479 in Baden der Trostpreis bei einem
Schützenfeste ein Ziegenbock war. Anfänglich wurden bei Schützenfesten Tiere als Preise ausgesetzt, später Geld, heute gilt allein die Ehre.
Und weil man schlechte Leistungen sinnig mit Gestank honoriert
(schlechte Schauspieler bewirft man mit fauligen, stinkigen Eiern), so
ist es ganz erklärlich, daß der stinkige Ziegenbock gerade recht war für
den schlechtesten Schützen. Späterhin ist dann ebenfalls auch immer
eine »Schweinerei« geschenkt worden, allerdings in der appetitlicheren
Form eines rosigen Ferkels. ↗ Schwein

den Bock zum Gärtner machen = gerade den mit einer Aufgabe betrauen,
der mehr Schaden anstellt, als er Nutzen stiftet. – Eine Ziege im Garten
ist an diesem Orte wohl das schädlichste Haustier.

's Böckl stößt es (fam.) = das Kind hat den Schluckauf (bes. nach dem
Weinen). – Ist es ein Überrest eines Aberglaubens? Oder denkt man an
die Neckstöße der kleinen Zicklein?

Bockmist machen (Barras) = *Mist machen* (Umg.) = Schleuderarbeit
leisten, Unannehmlichkeiten (= Stunk) machen. – Bock ist hier lediglich eine Verstärkung wie: aus allen (Knopf)löchern schießen.

Bockshorn *jn. ins Bockshorn jagen; sich nicht ins Bockshorn jagen
lassen* = jm. Furcht einflößen, ihn einschüchtern, bluffen; sich nicht
abschrecken lassen. – Das Grimmsche Wörterbuch vermerkt (unter B,
Seite 207), daß man der Redensart ein höheres Alter beilegen muß, als
sich nachweisen läßt (Brant, Luther). – Man hat verschiedene Erklärungen versucht: Die german. Gerichtsbarkeit ließ einen Missetäter in
eine Bockshaut (ahd. bokkes hamo) einnähen und so außer Landes
treiben. Die Deutschen Rechtsaltertümer von Jakob Grimm haben aber
nicht eine einzige Notiz darüber. In der deutschen Rechtssprechung hat
es folglich diese Strafe nicht mehr gegeben. – Dann hat man an das ↗
Haberfeldtreiben gedacht, bei dem der Gerügte in ein Ziegenfell ge-
zwängt wurde (älter hieß es nämlich statt »jagen« auch »zwingen«), und

Bocksham wäre unverstanden zu -horn umgedeutet worden. Das mhd. Wort hame (= Hülle), das in hämisch, in Hemde (germ. hamida) und in Leichnam (ahd. lîh-hamo = Lebenshülle) steckt, findet sich zwar noch als Seltenheit in mancher Mundart (Verfasser, Mundartheft, Seite 165) als Hoam, aber das Verbreitungsgebiet des sog. Haberfeldtreibens ist doch zu beschränkt, und die Annahme, daß ein Habergeißfell auch Bocksham geheißen hat, ist zu unbewiesen, als daß eine Umdeutung glaubhaft erschiene. Schlagen wir nun nach, wo denn dieses sonderbare Wort Bockshorn vorkommt: Nach Notizen aus dem 16. Jahrhundert hieß das Osterfeuer »der Bockshorn«. Da solche Feuer gewöhnlich auf Bergen abgebrannt werden, sind die verschiedenen Bocksberge und Blocksberge mit vollem Namen sicherlich Blockshornberge. Solche gibt es (nach dem Handwörterbuch der dt. Volkskunde, I, 1423) in der Oberpfalz, bei Ansbach, im Bergischen, viele Hügel in Schleswig-Holstein, in Hinterpommern, in Ost- und Westpreußen, sogar bei Ofen (Budapest), auch der Brocken heißt Blocksberg. Es hat uns hier nicht weiter zu interessieren, wie der Name Blockshorn zu deuten wäre[1]), wir möchten lediglich daraus eine Erklärung für unsere Redensart gewinnen. Aber wie? War etwa der Blockshorn – denn er wurde doch sicherlich nicht nur auf Bergen entzündet – etwa das sog. »Notfeuer«, durch das die (geängstigten) Tiere getrieben wurden? Darüber gesprungen ist sicherlich das Jungvolk, wie es bei solchen Feuern heute noch üblich ist. Die Redensart – wie das Grimmsche Wörterbuch annimmt – oder doch wenigstens das Wort Bockshorn – wie wir annehmen wollen – kann sehr wohl ein höheres Alter haben als die Erstbelege bei Brant und Luther, nur muß man dann annehmen, daß vor 1500 das Wort Bockshorn umgedeutet und ganz auf den Teufel bezogen worden ist. Bei dem aufkommenden Hexenwahn wäre es ohneweiters denkbar gewesen; man nahm ja den Teufel als körperlich existierend an, und zu ihm reiten die Hexen auf ihren Besenstielen zum Hexensabbat oder auf Ziegenböcken. Dürer hat ein kleines Blatt gestochen, welches die Hexe heißt. Sie fliegt durch die Luft, nackt und verkehrt auf einem Bocke sitzend. Unter der Folter gestanden die der Hexerei angeklagten Weiber, daß am Hexensabbat den Neulingen, wenn sie erst mit dem Teufel Buhlschaft getrieben hatten, ein Drudenfuß eingebrannt wurde oder auch ein Teufelshorn.
Die wahrscheinlichste Erklärung scheint uns demnach zu sein, daß die Redensart vom »ins Bockshorn jagen« aus dem abergläubischen Angstgefühl der damaligen Leute geboren wurde, die fürchteten, man könnte sie dem Teufel geradewegs ins Gehörn treiben, und vielleicht umgedeutet worden ist aus einer älteren Redensart (vgl. oben).

[1]) Verfasser in der Heimatkunde des Bez. Reichenberg, Heft II₂, Seite 156/57: Der Name Blockshorn scheint »Feuerhirsch« bedeutet zu haben; denn nach dem alten Sonnenglauben unserer Vorfahren war der Hirsch das Sonnentier, und die Sonnenscheibe wurde von dem Hirsche aus der winterlichen Versenkung wieder heraufgezogen.

– 38 –

Nach Dürer

Das Bockshorn des als Bock dargestellten Teufels von Dürers Kupferstich (1513) »Ritter, Tod und Teufel«:
Es ist gerade so, als hätte Dürer auf die Redensart angespielt, um die Furchtlosigkeit seines Ritters zu bekräftigen. Auch sonstwo wuchert auf höllischen Schädeln ein Schopf, aber nirgendwo sonst in der darstellenden Kunst ist er so ganz mit Absicht zum drohenden »Horn« ausgebildet wie nur hier bei Dürer. ↗ Teufel

Boden *den Boden bereiten für etw.* = vorarbeiten, bes. für eine günstige Stimmung. – Für die Saat muß der Bauer auch das Feld vorbereiten, damit die Samen aufgehen.

festen Boden unter den Füßen haben = eine sichere Existenz, das Gegenteil ist: *den Boden unter den Füßen verlieren.*

Der Boden wird ihm zu heiß = *ihm brennt der Boden unter den Füßen* = er fühlt sich unsicher; er hat das Gefühl, auf Feuer zu stehen, er will weg. ↗ heiß

an Boden gewinnt z. B. nicht nur Feuer (= breitet sich aus), sondern z. B. auch eine Partei (= sie bekommt Anhänger) u. dgl.

Bogen *den Bogen nicht überspannen* = nicht übermäßig viel verlangen. – Wenn man einen Bogen mehr spannt, als er verträgt, bricht er leicht, bevor der Pfeil abgeschossen werden kann.

Böhmen Böhm-en (-en angehängt nach dem Muster anderer Ländernamen) ist zusammengezogen aus Beheim (ahd. Baiaheim, d. i. Land der Bojer); den Vollnamen trugen z. B. Martin Behaim (1459–1507), Astronom, auch Barthel Beham (1502–1540), Dürerschüler, und heute heißen um Freiburg/Br. Familien Beha; aus dieser Gegend stammte der deutsche Kurienkardinal Bea mit seinem wie lateinisch klingenden Namen.

Das sind mir böhmische Dörfer = unbekannte Dinge. – Der Osten überhaupt war den Binnendeutschen im allgemeinen wenig bekannt.

»der böhmische Gefreite« = (nach Hindenburg) Adolf Hitler. Wie kam der Österreicher nach Böhmen? Die Hitlers bzw. Schickelgrubers stammten doch wohl nicht aus Böhmen. Hat er etwa dort gelebt? Nein, und in seinem Wesen (und Dialekt) war er angeblich ein typischer Niederbayer. (Sein Braunau hat wirklich zeitweise zu Bayern gehört.) Die Meinung kann nur so aufgekommen sein: Das österr.-bayr. Grenzstädtchen Braunau am Inn war im Anfang der »Bewegung« so gut wie gänzlich unbekannt, nördlich der Mainlinie noch viel mehr. Aber Hindenburg kannte das Braunau in Böhmen, ein Städtchen gleich an der böhm.-schles. Grenze; da war er 1866 als junger Leutnant durchmarschiert auf Königgrätz zu. Darauf schaltete es bei dem alten Herrn, und »es entfloh

seinen Lippen das geflügelte Wort« (wie Homer so schön sagt); der fremde, unbekannte Mann aus Braunau war für ihn eben »auch so ein Pimok/Böhmak«.

Bohne *Nicht die Bohne!* (Umg.) = Nein, nichts! – Schon Walther von der Vogelweide: kleiner dann ein bône; auch Gottfried von Straßburg hat: nicht eine bône.

dumm wie Bohnenstroh. – Gewöhnliches Stroh ist schon armselig (vgl. strohdumm), aber Bohnenstroh erst recht, das ist als Strohsackfülle sogar unbrauchbar.

Bombe Das Wort Bombe stammt von lat. bombus (= dumpfes Geräusch), das von griech. bombos entlehnt war. Die Römer stuften ihren Beifall ab: Zu Zeiten Ciceros war der erste Grad des Beifalls ein Schnalzen mit Mittelfinger und Daumen. Beim zweiten wurden alle Finger der rechten Hand auf die linke geschlagen. Der dritte Grad: Beide Hände wurden flach aufeinandergeschlagen. Wenn die Zuschauer die Hände dabei wölbten und so stärksten Lärm vollführten, war der vierte Grad erreicht. Diese Beifallsstufe hieß bombus. – Ein *Bombenerfolg* geht demnach letztlich zurück auf den Applaus der Römer!

Im Kriege baut man *bomben*sichere Unterstände (= gegen »Bomben« sicher). Wenn ich aber sage: »*Bombenfest* glaube ich, er kommt«, dann denke ich nicht im entferntesten an Bomben, sondern will nur sagen, daß ich es ganz »fest« glaube; das Wort Bomben ist da lediglich als bedeutungslose Verstärkung gebraucht. Es gibt in unserer Sprache sinngerecht zusammengesetzte Wörter (mit Anfangsbetonung wie Heidenbekehrer, kinderlieb) und andere (mit schwebender Betonung wie Heidenangst, kinderleicht), die nicht wörtlich zu vestehen sind, sondern deren erster Teil lediglich als bedeutungslose Verstärkung verstanden sein will. Darüber ausführlicher: Verfasser in der Zeitschrift »Deutschunterricht für Ausländer«, Max Hueber, München, Heft 5, 6. Jhgg. (1956).

Die Bombe ist geplatzt = es war vorausgeahnt und ist jetzt eingetreten.

Boot *im selben Boote sitzen* = in derselben gefährlichen Lage sich befinden. – Das Boot kann ankommen oder auch kentern, man erleidet das gleiche Schicksal.

Bord *etw. über Bord werfen* = es hinter sich lassen, keine Rücksicht mehr darauf nehmen. – Was man auf dem Schiff nicht mehr haben mag, wirft man ins Meer. ↗ Seefahrt

brach (z. B. seine Fähigkeiten) *brachliegen lassen* = unbenutzt lassen, wie manche Felder unangebaut als Brache liegen. – Die alte Dreifelderwirtschaft kannte die Folge: Wintergetreide, Sommergetreide, Brache.

Brand *Brandbriefe* nannte man 1. die Briefe, in denen angedroht wurde, den Leuten ihr Haus über dem Kopfe anzuzünden. 2. Auch Abbrändler erhielten ein Zertifikat, das ebenfalls diesen Namen erhielt; damit bekamen sie die Erlaubnis, um Almosen zu betteln. 3. Ein studentischer Brandbrief ist zwar kein Bettel-, aber ein Bittbrief, mit dem der Herr Studiosus seinen Eltern mitteilt: »Ich bin *abgebrannt* (= habe kein Geld mehr) mit der Nebenbedeutung: »Es ist brandeilig« (daß ich bald Geld bekomme). Als noch eindrucksvollere Mahnung zur Eile (es brennt = es ist eilig) kohlt er seinen Brief noch an den Ecken an. *brandmarken* = anschuldigen. ↗ Rechtsbräuche

Brandfuchs bei ↗ Einstand

brandschatzen = ausplündern, wörtlich: das Brandobjekt abschätzen, um eine entsprechende Kontribution vom Hausbesitzer einzutreiben; sein Haus sollte dann vor dem Abbrennen verschont bleiben. Das war einmal eine kriegerische Maßnahme der Heere in Feindesland, um Geld herauszupressen.

Braten *den Braten riechen* (nämlich den angebrannten) = rechtzeitig gewarnt sein. ↗ Lunte

breit *jn. breitschlagen* (Umg.) = ihn so bearbeiten, daß er »be-reit« ist einzuwilligen.

Brennesseln *sich in die Brennesseln setzen* = in eine gefährliche Lage geraten. – Man denkt an die ungeschickte Wahl eines WC in freier Natur. ↗ Nesseln

brenzlich *Es wird brenzlich* (Umg.) = die Lage spitzt sich zu. – Der Boden wird immer heißer. ↗ Boden

Bresche *eine Bresche schlagen* = ein Hindernis beseitigen, wie man in die Festungsmauer eine Lücke schlägt oder schießt, um durch diesen Einbruch stürmen zu können. – französ. brèche = Lücke in der Befestigung.

für jn. in die Bresche springen = für einen anderen einspringen, ihn an seiner Stelle ersetzen, die Lücke füllen.

bresthaft *schon recht bresthaft sein* = altersgebrechlich. – bresthaft = mit Ge-bresten be-haftet; Gebresten = Ge-brechen mit der Endung st (wie Gewinn/Gewinst, Verdienst u. a.), wobei dann Gebrechsten durch Auflockerung schwerer Konsonanz das ch verliert (wie Marchstall > Marstall) und Gebresten wird.

Brett *ein Brett vor dem Kopfe haben* = dumm sein wie ein Ochs. – In manchen Gegenden haben die Zugochsen das Joch nicht auf dem Nacken aufliegen, sondern vorn an der Stirn befestigt.

das Brett an der dünnsten Stelle anzubohren wissen = die Gelegenheit wahrzunehmen verstehen für eine vorteilhafte Durchführung seines Vorhabens. – Heute würden wir an einem Brette vergeblich nach der dünnsten Stelle suchen, unsere Bretter sind gleichmäßig dick, sie sind gesägt. Aber die Längssäge haben wir erst seit kaum zweihundert Jahren. Vorher wurden die Bretter mit Hilfe von Keil, Hammer und Beil vom Baumstamm abgespalten, wobei naturgemäß dickere und dünnere Stellen entstanden.

Die Welt ist wie mit Brettern vernagelt = es ist da auf keine Weise irgend etwas zu machen. – Büchmann (Geflügelte Worte) führt an, daß in Lügengeschichten um 1609 jemand erzählt, er sei bis ans Ende der Welt gekommen und habe dort die Welt mit Brettern verschlagen gefunden.

Brezel *Das geht wie's Brezelbacken* (lausitz.) = ungemein schnell. – Die dünne, kreuzweise übereinander geschlagene Teignudel braucht nicht lange im Backofen zu bleiben. Der Name kommt angeblich von franz. Brasselettes = Armbänder, die ineinander geschlossen und geöffnet werden konnten.

Brief *Darauf gebe ich dir Brief und Siegel.* = So bekräftigt man heute seine Behauptung. – Brief war einmal so viel wie Urkunde, vgl. »verbriefte« Rechte (d. h. urkundlich beglaubigte), Kaufbrief (= Kaufurkunde).

Brot *ein hartes Brot haben* = sich seinen Unterhalt schwer verdienen müssen.

anderer Leute Brot essen müssen = von der Gnade anderer, fremder Leute abhängen.

mehr können als Brot essen = Verstand haben und nicht nur leibliche Bedürfnisse.

jm. den Brotkorb höher hängen = ihn knapper halten, ihm weniger Freiheit gewähren (Schiller, Wallensteins Lager, 11. Auftr.). – In Pferdeställen sieht man oberhalb des Standes Futterkörbe hängen, die hochgezogen werden, wenn man glaubt, das Pferd habt genug gefressen.

Brücken *alle Brücken hinter sich abbrechen* = jede Verbindung mit seiner Vergangenheit lösen, so daß es kein Zurück mehr gibt. – Rückzug einer geschlagenen Armee.

einem Feind goldene Brücken bauen = jm. die Verständigung erleichtern, ihm Gelegenheit bieten, ohne Verschämtheit wieder Anschluß zu suchen; sonst sprengt man solche Brücken.

Bruder *Bruderschaft machen (trinken) mit jm.* = vom Sie zum Du übergehen, was meist mit Zutrinken verbunden ist.

unter Brüdern (man nennt den geringen Preis) *wert* = preiswert, weil Brüder einander nicht übervorteilen.

gleiche Brüder, gleiche Kappen = die gleiche Sorte Mensch. – Gemünzt ist die Redensart auf die Ordensleute mit gleicher Kleidung.

Brunnen *den Born (Brunnen) zudecken* = Vorsicht walten lassen (damit das Kind nicht hineinfällt = Sprichwort).

Brust *sich in die Brust werfen* = stolz aufbegehren. – Die Redewendung ist zerdehnt aus »sich brüsten«, wie Kobolz schießen aus kobolzen. Man muß es einmal gesehen haben, wie so ein Aufgeblähter mit einer Wurfbewegung sich den Stolz förmlich in die Brust hineinwirft.

sich an die Brust schlagen = sich dafür schuldig bekennen. – Kirchl. Ursprungs.

schwach auf der Brust = lungenkrank und (umg.) knapp bei Kasse.

Buch *Buchstabe* heißt das Schriftzeichen und Buch wurden die

Buchenholztafeln genannt. Unsere Voreltern haben ja, bevor sie Pergament und Papier kennenlernten, ihre Runenzeichen in Holz geritzt, u. zw. über die Jahresringe hinweg (deshalb der Name -stab = Hauptstrich), und gerade in Buchenholz, weil damals hauptsächlich Buchenwald (↗ hanebüchen) unser Vaterland bedeckte, wo heute weithin mit Fichte aufgeforstet ist. Die Runen waren die technisch abgewandelten römischen Zeichen: FUDARC ᚠᚢᛈᚠᚱᚲ = F u th a r k, in jetziger Schreibung mit ↗ th an Stelle von germ. got. þ (aus lat. D).

wie es im Buch steht = mustergültig. – Damit ist wohl das Bibelbuch gemeint mit seinen unumstößlichen Wahrheiten.

reden wie ein Buch = unaufhörlich, ohne Atempause, wie wenn er ein Buch vor sich hätte, oder auch in der Bedeutung: in anspruchsvollen Sätzen wie ein Gelehrter reden.

ein Buch mit sieben Siegeln = etw. Unverständliches, Geheimnisvolles. – Bibel, Offb. Joh. 5,1. ↗ sieben

ein Posten schlägt zu Buch = macht sich bemerkbar in der Abrechnung. – Kaufmannsdeutsch.

Setz dich auf deine vier Buchstaben und gib Ruh! – ...ch für einen Buchstaben gerechnet.

Buckel *einen breiten Buckel (Rücken) haben* (fam.) = ein dickes Fell haben, sich wenig Schmeichelhaftes geduldig anhören.

Der Buckel juckt ihn (fam.) = er wird Prügel bekommen, so benimmt er sich. ↗ Fell

etw. auf seinen Buckel (↗ seine Kappe) *nehmen* = die Verantwortung für etw. übernehmen.

Du kannst mir den Buckel 'runterrutschen (Umg.) = mich gernhaben (fam.) = mir gewogen bleiben (iron.) = ich mag dich nicht. Dasselbe besagt kölsch: Ihr künnt mer ens d'r Naache däue (= Ihr könnt mir mal den Kahn schieben).

Bude *Bude* (studentisch) = Wohnung: *Leben in die Bude bringen* = Schwung in die Gesellschaft, *die Bude auf den Kopf stellen* = Unfug treiben, *jm. auf die Bude rücken* = ihn aufsuchen und zur Rede stellen u. dgl. m.

bügeln *tüchtig bügeln* = zechen. ↗ picheln

Bündel *sein Bündel (Ränzlein) schnüren* = Abschied nehmen. – Wir werden an die alte Wandersburschenzeit erinnert.

bunt *Das wird ihm zu bunt* = seine Geduld ist zu Ende, es stimmt ihn ärgerlich; zu viel kunterbunte Eindrücke stürmen auf ihn ein.

Bürge *Bürgschaft leisten für jn.* = beim Verleihgeschäft Sicherheit bieten. – Die Wörter Bürge, Bürgschaft, sich verbürgen stehen im Ablaut zum Worte borgen (vgl. *etw. auf Borg kaufen*), das – vgl. schweiz. borgen = schonen, bewahren – letzthin auf ↗ »bergen« zurückgeht, d. i. auf einer Fluchtburg in Sicherheit bringen.

Burgfrieden *Burgfrieden schließen* zwei Parteien, indem sie geloben, sich jeder Feindseligkeit gegeneinander zu enthalten. – Bis zum sog. Ewigen Frieden (1495) war es keinem freien Manne verwehrt, einem anderen Manne, einer Burg, einer Stadt, ja selbst dem Kaiser Fehde anzusagen, nur mußte die Fehde unter Wahrung bestimmter Formen ausdrücklich als solche angekündigt werden. Dann aber konnte gebrandschatzt, geraubt und getötet werden, so gut man es vermochte. Nur innerhalb einer Stadt, d. h. in ihrem »Burgfrieden«, waren Fehden verboten. (»Burg« hat hier noch die alte Bedeutung »Stadt«, weil eine solche gewöhnlich am Fuße einer schützenden Burg angelegt worden war.) ↗ Landfrieden

Bürstenbinder *saufen wie ein Bürstenbinder* = maßlos zechen. – Die Redewendung ist eine scherzhafte Weiterbildung von bürsten (vgl. im Gedicht: ... und gib mir eins zu bürsten aus diesem Wasserquell), das sich von bürschen/bursieren ableitet. Die Studenten führten im Mittelalter – und nicht nur damals – ein feuchtfröhliches Leben. Sie waren in Stipendiathäusern (= Bursen, von Börse/Geldstipendium) einquartiert; von diesen Burschen erhielt der Einzelne den Namen Bursche. (Eine ähnliche Bedeutungsvereinzelung hat Frauenzimmer = fürstliches Frauengemach der Hofdamen, dann jede einzelne darin.)

Busch *auf den Busch klopfen* = ein Geheimnis zu lüften versuchen = *auf den* ↗ *Strauch schlagen*

Buße *jm. eine Buße auferlegen* = ihn etw. zu seiner Besserung (zur Versöhnung, Sühne) tun lassen. Buße ist auch (bes. in der Schweiz) das Strafgeld.

Butter *Es ist alles in Butter* (Umg.) = in bester Ordnung. *Er hat Butter auf dem Kopfe*, sagt man und denkt sich hinzu den zweiten Teil des Sprichwortes: Soll nicht an die Sonne gehen – sonst zerfließt sie und rinnt ihm übers Gesicht = Er soll an dieser Sache nicht rühren, sonst kommt Unliebsames für ihn dabei heraus. – Ein Vergleich mit Bäuerinnen, die ihre Erzeugnisse auf dem Kopf zu Markte trugen. *jn. mit einem Butterbrot abspeisen, für ein Butterbrot zu haben sein.* = jn. mit einer Geringfügigkeit entlohnen, fast kostenlos zu erstehen sein. – Wenn man jn. zu einem bescheidenen Abendessen einladen will, so lädt man ihn ein »auf ein Butterbrot«. Aus solcher Bescheidenheit hat sich die abgewertete Bedeutung entwickelt. *jm. etw. aufs Butterbrot schmieren* = es ihm unter die Nase reiben (Umg.) = recht deutlich ihm persönlich Unangenehmes vorhalten als kleinen Racheakt. *Butterschnitten werfen (schmieren)* sind Bubenausdrücke, wenn sie flache Steine übers Wasser werfen, daß sie auf der Oberfläche Sprünge machen. ↗ Kind

Buxtehude *aus Buxtehude sein* oder auch *von Ritzebüttel* = weither aus Nirgendheim oder aus Dingsda stammen. – Den Namen des ersten Ortes, wo Meckis Ahnen lebten, trägt ein bekannter Musiker, der andere

Ort liegt mitten in Cuxhaven (= Koogshafen, wobei Koog = deich-geschütztes Marschland ist), am Ufer ein bekanntes Restaurant »Alte Liebe« (nach einem hier gestrandeten Schiffe »Olivia«). Wenn man vergleicht: Fritz/Friedrich, Lutz/Ludwig, Götz/Gottfried, Benz/Bernhard, Wenz/Werner, so wird wohl Ritz zu Rüdiger gehören; büttel gehört zu Bude, bauen, Bauten. – Für die obige nicht erbrachte Etymologie als Ersatz einen anderen interessanten Fall: Der Name Hiddensee hat mit der Ostsee nichts zu schaffen; er ist entstanden aus Hiddens-ö = Heddins Oie (= Äue) = Hettels-Au. Der Name Hettel ist uns aus dem Gudrunlied bekannt.

C

Cannae *jm. ein Cannae bereiten* = ihm eine totale Niederlage beibringen. ↗ Klassik

Canossa *ein Canossagang* = ein Kniefall, eine Unterwerfung; *nach
Canossa gehen wir nicht* = wir lassen uns nicht demütigen. – In den
Streitigkeiten zwischen dem römischen Papsttum und dem deutschen
Kaisertum war König Heinrich IV. in den Kirchenbann getan worden.
Er klopfte (Januar 1077) im Büßergewande frühmorgens ans Tor der
Alpenburg Canossa, wo der Papst Gregor VII. auf der Fahrt zum Augs-
burger Reichstag Quartier genommen hatte. Am dritten Tage mußte
der Papst als Priester die Reue anerkennen und ihn freisprechen. Es war
nach damaliger Anschauung in dem Bußgange nichts Entehrendes (nur
heute erscheint uns das so), aber der Kaiser hatte damit seine politische
Handlungsfreiheit wieder gewonnen. Kein ↗ München mehr

Chance *jm. eine Chance bieten* = ihm eine Gelegenheit bieten, Erfolg
zu haben. – Französ. chance = Glücksfall, eigentl. Glückswurf beim
Würfeln, lat. cadentia. ↗ Schanze
eine Chance haben = die Möglichkeit vor sich haben, eine günstige Gelegenheit beim Schopf zu fassen bekommen.

chic ↗ Schick

chinesisch Für Deutsche und Russen ist »*chinesisch*« = unverständlich, für Amerikaner »griechisch«, der Franzose sagt: »Das ist für mich
»hebräisch«, und der Pole spricht von einer »türkischen Predigt«.

Clou *Das ist der Clou des Ganzen* = das Glanzstück der Darbietung,
der Kernpunkt der Sache. – franz. clou (Nagel, Hauptzugmittel).

Cour *einer die Cour machen (schneiden)* = einer hofieren. – franz.
Wort = ↗ Hof.
jm. die Courage abkaufen wollen (Drohung) = ihm so zusetzen, daß er
sich nicht nochmals traut, derartig zu handeln.

D

Dach *Den lasse ich mir nicht aufs Dach steigen* = den lasse ich mir
nicht auf dem Kopfe herumtanzen (Umg.) = von ihm lass' ich mir nicht
alles gefallen. – Dabei ist Dach = Kopf, aber mit Anspielung auf: *Dem
werde ich aufs Dach steigen* = heute: ihn mir einmal gehörig vornehmen,
ihn zurechtweisen. – Das sog. Haberfeldtreiben hat es (in Bayern und
Tirol) fast bis auf unsere Tage gegeben. Es war ein Volksgericht gegen
einen mißliebigen Menschen, besonders gegen einen Pantoffelhelden,
der sich von seiner Frau schlagen ließ: Zu verabredeter Nachtstunde
rotteten sich die Leute vor seinem Hause zusammen, zwangen ihn (und
sie) herauszutreten und hielten ihnen ihre Missetaten vor, während
andere aufs Dach stiegen und es abzudecken begannen. ↗ Haberfeldtreiben, ↗ Bockshorn
unter Dach (und Fach) etw. bringen = es einheimsen, eine Unternehmung glücklich beenden. – »Fach« bezog sich auf Fachwerkhäuser.
↗ Haus
Wenn man nicht geradeheraus sagen will: »Das kannst du machen, wie
du willst«, dann sagt man etwas gewählter:
»Das kannst du halten wie der Dachdecker«. – Steht es uns frei, uns so
oder so zu entscheiden, dann beginnen wir nämlich meist eine Erläu-
terung unserer Entscheidung vorauszuschicken: »Ich dachte, ich ...«
oder »Ich hatte zuerst gedacht, es ...«, und da ist mit »dachte-gedacht«
auch schon das Witzwort Dachdecker da! Die Lautgleichheit hat es
entstehen lassen. – Auch bei der Entschuldigung, wenn etwas fehlge-
schlagen ist, beginnen wir gewöhnlich mit: »Ich dachte halt ...«, und
da fällt uns gleich der andere in die Rede mit: »Ja, Dochten sind eben
keine Lichter« oder (ma.): »Gut, daß die Dochte nicht brennt«. – In
Thüringen hört man in obigem Falle: »Das kannst du halten wie der
Pfarrer Rasmann (Aßmann)«, und in Baden unten sagt man: »Das kannst
du halten wie der Pfarrer Nolte, der auch tat, was er wollte« und ähnlich
sonstwo.
einen leichten Dachschaden haben = (burschikos) etwas verwirrt im
Kopfe sein. – Dach = Kopf.

dahinstellen *Lassen wir es dahingestellt sein* = lassen wir die Sache auf
sich beruhen, sie ist unentschieden. – Die Wendung fußt auf dem Gegensatz dahin-dorthin.

Damaskus *sein Damaskus erleben* = eine innere Umkehr, wie Paulus
seine Wandlung in Damaskus erlebte = *aus einem Saulus ein Paulus
werden.*

Damm *(wieder) auf dem Damme sein* = die Krise überstanden haben,
genesen sein, wieder arbeitsgesund sein. – Rudolf Hildebrandt zweifelt
in seinem berühmten Buche „Vom deutschen Sprachunterricht" selber

an seiner Erklärung von einem Dammbruch bei Hochwasser, weil das Verbreitungsgebiet (Mitteldeutschland) der Redensart keine solchen Dämme/Deiche kennt. Man hat deshalb an einen Fuhrmannsausdruck gedacht wie: (zuwege bringen, auf der Achse sein); sicherlich mit Recht, und hat Straßendamm (Straßenpflaster) zur Erklärung herangezogen. Aber das Wort Damm = Straße kommt mitteldeutsch einzig in der ma. Wendung „wiedr om Damme sein" vor, hat allerdings ein Zeitwort neben sich: ma. droffe römdämmern = darauf herumstampfen und festtreten. Für Fuhrleute von ehedem war nach einer Genesung die Anspielung auf Straßenverhältnisse etwas Selbstverständliches. Aber wir Zeitgenossen verstehen jetzt nach dem Bau fester Straßen (durch Napoleon befohlen) und nach dem Ausbau der asphaltierten Autostraßen den Vergleich nicht mehr, wir müssen uns aus den Begriffen Krise—fester Boden die Grundlage erst wieder rekonstruieren: Es kann sich in der Redensart bei dem damaligen Fuhrverkehr nur um den Gegensatz Unterbrechung durch ein Hindernis und Fahrtfortsetzung auf fester Straße handeln. — Straßen und Wege befanden sich um 1700 in einem denkbar jämmerlichen Zustande. Man fuhrwerkte in dieser seligen Frächterzeit, wo es eben ging; die Wagenradgeleise waren metertief ausgefahren, aus manchen Fahrwegen waren förmliche Wegschluchten geworden, selbst im Bett eines Baches holperte man weiter, morastige Stellen wurden mit Bohlen, Knüppeln, Ästen und mit Reisig obendrauf überbrückt (das war die ursprüngliche Bedeutung von Brücke = Prügelweg) und einigermaßen fahrbar gemacht. Diese Stellen waren die gefährlichsten (an steilen konnte Vorspann helfen), denn Sumpf ist immer trügerisch. Es mußte da stets lange Nachschau gehalten werden, ob diese künstliche Decke noch tragen würde oder etwa einer Nachbesserung bedürfe. War man schließlich mit Peitschenknall und Hü und Hott glücklich über dieses tückische Hindernis hinweg, war man wieder auf festem Boden; man hatte die Krise überwunden, hatte wieder Weiterfahrt „auf dem Damme".

Nach einem Holzschnitt
von Hans Weiditz 1500

Dampf *Dampf dahinter geben* = zur Eile anspornen. – Ein Bild von der Dampflokomotive; (heute) *Gas geben, auf die Tube drücken*, ein Bild vom Auto.

Dämpfer *jm. einen Dämpfer aufsetzen* = ihn zur Mäßigung anhalten. ↗ Musik

Dänemark *Da ist etwas faul im Staate Dänemark* = da stimmt etwas nicht, da ist etw. nicht in Ordnung. – Zitat (Shakespeare, Hamlet 1,4).

Danaer (= Griechen) *ein Danaergeschenk* = ein unheilbringendes. ↗ Klassik

Daumen *»Halt mir den Daumen«. »Ich will dir die Daumen drücken«*, z. B. wenn ich (du) bei der Prüfung sitze (sitzt). – Ein Aberglaube (aus vorchristlicher Vorstellung), daß damit der störende Kobold festgebannt wird. ↗ Kobold

über den Daumen peilen = nur so ungefähr abschätzen. – Das Verständnis für die Redensart beruht auf der Kenntnis der Tatsache, daß nur ganz ungefähr die Maße ermittelt werden können mit dem »Daumensprung«: Arm ausstrecken, Daumen hochkippen, anvisieren, linkes Auge, rechtes Auge usw., wie man es bei der Rekrutenschulung gelernt hat als Notbehelf, daß im Ernstfalle einmal ein Entfernungsmeßgerät nicht gerade zur Hand sein sollte. – peilen ⟨ pegeln (↗ picheln).

Daumen (Däumchen) drehen = Langeweile haben. – Man verschränkt die Finger beider Hände ineinander und wirbelt mit den Daumen. = ↗ Fliegen fangen

Decke *unter einer Decke stecken* = zusammenhalten, verabredet sein, gemeinsame Sache machen – so wie zwei Eheleute einträchtig unter der Bettdecke liegen.

sich nach der Decke strecken müssen (sollen) = Man soll (muß) sich stets nach seinem Einkommen richten, nicht über seine Verhältnisse leben. – Natürlich ist nicht die Zimmerdecke gemeint, sondern die Bettdecke. Aber bei einem zu kurzen Deckbett ist der Ausdruck »sich strecken« fehl am Platze; denn durch Recken des Körpers im Bett bekäme man ja kalte Füße, was die Redensart doch nicht besagen will. Unmißverständlich wäre »sich richten« (nämlich nach der Länge der Decke). Die sprachliche Ungenauigkeit erklärt sich aus Reimzwang; die Redensart ist nämlich der erste Teil des Sprichwortes: Wer sich nicht nach der Decke reckt, dem bleiben die Füße unbedeckt.

Degen *den Degen mit jm. kreuzen.* – Die alte Bedeutung »sich duellieren« hat sich heute abgeschwächt zu: im Wortstreit sich messen.

deichseln *Das werden wir schon deichseln* (Umg.) = die Schwierigkeit meistern. – Mit der Deichsel lenken, d. h. den Wagen rückwärts schieben, ist ein kleines Kunststück. – Ähnlich gebraucht wird: *Wir werden das Kind schon schaukeln* (daß es ruhig wird), *wir werden das Ding schon drehen* (geschickt wie Ganoven).

Denkzettel *einem einen Denkzettel geben (verabreichen)* = heute meist:

ihn verprügeln. – In den alten Jesuitenschulen erhielten die Schüler, die
sich etwas hatten zuschulden kommen lassen (die Übergabe war mit
Strafe verbunden), wirklich einen Zettel, auf dem die Verfehlung stand
und den sie ständig bei sich tragen mußten, um sich stets daran zu erinnern und sich vor Wiederholung zu hüten. – Nach 4. Mos. 15, 38f: Der
Herr befahl durch Moses den Kindern Israels, daß sie »Läpplein an den
Fittichen ihrer Kleider« tragen, bei deren Anblick sie an alle Gebote
denken sollen.

»Ein typischer Fall von denkste«, gibt man (Umg.) zur Antwort, wenn
man uns etw. vorschlägt, was man nicht tun mag.

Deut *sich keinen Deut darum kümmern* = gar nicht (eigentlich »keine
Kleinigkeit«). ↗ Geld

deutsch *einmal (auf gut) deutsch mit ihm reden* = ihm die Meinung
recht eindeutig sagen. – Das Wort deutsch hat seine Entstehung der
»Deut«lichkeit zu verdanken. Es entstand in der Karolingerzeit zur Bezeichnung der Volkssprache im Gegensatz zu dem nur der Geistlichkeit
verständlichen Latein. Altdeutsch diutisk (damalige Aussprache: i betont, u nachklingend) hieß also volkstümlich, im Mittelalter wird dann
diutisch (Aussprache trotz der beibehaltenen Schreibung: dütisch)
schon zusammenfassend für alle deutschen Stämme verwendet, aber es
dauert noch geraume Zeit, bis auch vom Lande gesagt wurde diutsch
lant (Aussprache trotz alter Schreibung: oi), Deutschland. »deutsch« ist
ursprünglich das Eigenschaftswort zu einem verklungenen Hauptwort
Diet = Volk. Warum Eigenschaftswort und ehemaliges Hauptwort verschieden lauten, ist eine rein sprachgeschichtliche Angelegenheit und
hatte einst seine Ursache in der sog. a-Brechung. German. hieß Volk =
þiuda, das Eigenschaftswort dazu þiudisk. Das u im Hauptwort wurde
durch das a der Endung dann zu o »gebrochen« und lautete thioda
(> diota/diet), das Eigenschaftswort blieb unverändert thiudisk (>
diutisk/diutesch/deutsch). (th = þ ↗ Thing) ↗ Fraktur und ↗ Tacheles

dicht *dichthalten* = verschwiegen sein. – Gleichsam wie ein Faß, aus
dem nichts durchsickert.

dick *mit jm. durch dick und dünn gehen* = sich ihm engstens an-
schließen bei guten oder bösen Taten, gleichsam querfeldein zu zweit.
Das hab' ich dick (Umg.) = satt, überdrüssig. – Das mhd. Wort dick
bedeutete »oft, häufig«.

Diener *einen Diener machen* (fam.) = eine Verbeugung, weil Diener
vor der Herrschaft sich oft zu verneigen pflegen.

Ding *aller guten Dinge sind drei* = Geduld haben. – Zum ↗ Thing
wurde dreimal vorgeladen. Wer beim dritten Male nicht erschien, über
den wurde in Abwesenheit geurteilt.
jn. dingfest machen = verhaften für das Thing; Tagething hieß, was wir
heute Tagsatzung nennen; aus ver-tageding-en ist unser heutiges »verteidigen« geworden.

guter Dinge sein = voll Hoffnung, vergnügt. – mhd. gedinge = Hoffnung.

Es geht nicht mit rechten Dingen zu (sondern mit rätselhaften) = heimlich, unheimlich.

ein Ding drehen (Umg.) = irgendeine Gaunerei begehen. – Rotwelsche Ausdrucksweise.

Dolch *jm. einen Dolchstoß versetzen* = auf ihn einen tückischen Anschlag verüben. – Das fehlende Ende des Hildebrandsliedes können wir uns nur so vorstellen, daß der im Kampfe unterlegene Sohn den Vater, der ihn immer noch schonen wollte, heimtückisch mit dem Dolch angriff. Neben dem Schwert hatte man noch eine kurze Stoßwaffe, die in Ritterzeiten geradezu das Adelskennzeichen wurde. – Wir kennen eine Dolchstoßlegende.

Donner Der Fluch »*Donnerwetter!*« soll (nach Grimm) von »Donars Gewitter!« kommen. Die Erweiterung »Donnerwetter Parapluie!« ist der verballhornte franz. Fluch parbleu, der seinerseits wieder ein Hüllwort ist für »par dieu« (= Bei Gott! was auch z. B. in Vorarlberg ein Fluch ist).

Dorn *Das (der) ist mir ein Dorn im Auge* = unerträglich. – Schon ein Sandkorn ist im Auge unangenehm, erst recht ein Stachel. – Die Umg. macht keinen Unterschied zwischen Dorn (festgewachsen) und Stachel (ablösbar von der Rinde).

Draht *auf Draht sein* = geschäftstüchtig hinterher sein. – Ist es ein Bild von der Telegraphie, weil man immer up to date ist? – Kaum. Vielleicht ein Ausdruck aus Ganovenkreisen.

ein Drahtzieher ist ein Ränkeschmied in Politik (und Wirtschaft), der *die Fäden in seiner Hand hält* und sie geschickt – selber ungesehen – zu handhaben weiß. – Genommen ist das Bild vom Marionettenspieler, der seine Puppen an Fäden tanzen läßt. Bei »Draht« hat man aber nicht an einen Metalldraht zu denken, sondern hier ist ein steifer, gewichster Zwirn zu verstehen, wie bei den Schuhmachern ja auch der gepichte Faden, mit dem sie nähen, Schusterdraht heißt.

d(a)ran sein mit (Umg.) Ergänzungen:
z. B. wörtlich: Bello bettelt um einen Knochen »mit was dran«. So sagt man auch: *An der Sache ist was dran*, und meint: was Gutes.

an ihm ist nicht viel dran = nicht viel Gutes = ist kein ordentlicher Mensch,
er ist schlimm dran = in heikler Lage,
drauf und dran sein, etw. zu tun = gerade im Begriffe sein.
Jetzt kommen wir dran = jetzt sind wir an der Reihe, z. B. beim Arzt.

Dreck *Dreck am Stecken haben* = an etw. Anrüchigem beteiligt gewesen sein, u. zw. mehr krimineller Art als politischer (wofür man ↗ weiße Weste sagt). – Ein solcher Mann ist einen schmutzigen Weg gegangen; man sieht es noch an seinem Stock.

etw. in den Dreck (Kot) treten (Umg.) = etw. in den Schmutz ziehen (zerren) = es herabwürdigen, schmähen. ↗ Kakao grob: *das geht sie einen Dreck an*, verhüllend: 'n feuchten Staub.

Dreh *den Dreh weghaben* (Umg.) = den richtigen Trick verstehen.

auf den Dreh kommen = kennen, finden, wie es anzupacken ist. – Es »dreht sich« manchmal nur um eine Kleinigkeit; eine geringe Wendung, ein kleiner Wuppdich, und es klappt.

Drehe *die Drehe nicht (finden) kriegen* (Umg.) = sich nicht zum Weggehen entschließen können, eigentl. nicht die Wegkrümmung unter die Füße bekommen. – Drehe = Drehung (↗ Wolle)

drei *nicht bis drei zählen können* = kein Geistesheld, etwas dämlich sein. *Da (Jetzt) schlägt's dreizehn!* = etw. Außergewöhnliches, etw. Unangenehmes ist da. – 13 ist eine Unglückszahl (ein Aberglaube, an Hotelzimmern wird sie weggelassen), aber es schlägt auch nur bis 12.

Drohne *ein Drohnenleben führen* = als fauler Nutznießer fremder Arbeit. – Im Bienenstock schaffen nur die Arbeitsbienen, die männlichen Drohnen arbeiten nicht, sie werden aber auch nach dem Hochzeitsflug der Königin ermordet.

drücken *sich drücken* (von einer Arbeit) = unauffällig – wie der Hase entlang der Ackerfurche – verschwinden; ein Drückeberger ist einer, der sich immer »drückt« (↗ Jäger), er stammt aus dem erdichteten Orte Drückeberg.

am Drücker bleiben = nicht aus den Augen lassen, ständig hinterher sein. – Drücker = Gewehrabzug; man hat den Finger stets am Zünglein, ist schußbereit.

Duck- *ein (rechter) Duckmäuser* = der sich immer »duckt« (ma. für sich »bücken«), ein Kriecher, Schleicher, Leisetreter, mit einem Benehmen wie eine Maus.

Dukaten *Ein Dukatenmännlein* müßte man haben! das immer ↗ Geld prägt.

Dulder *eine rechte Duldermiene* = ein trauriges Gesicht, wie man es auf Kirchenbildern sieht.

dumm *jn. für dumm verkaufen* = ihn veralbern.

dunkel *im dunkeln (im finstern) tappt* z. B. die Kripo (= ist im unklaren, im ungewissen), wenn sich noch kein Anhaltspunkt gefunden hat, wer der Verbrecher gewesen sein mag. – Ohne Licht bemerkt man im Finstern keine Spuren.

Dunst *blauen Dunst vormachen* = etw. vorflunkern, vortäuschen. – Die Sprache hält damit die Erinnerung wach an Zeiten, da Faxenmacher und Possenreißer auf Jahrmärkten auftraten und wo auch Zauberkünstler, Scharlatane, Nekromanten, Hexenmeister und Wahrsager ihr Publikum gern in narkotische Dämpfe hüllten; deshalb Ausdrücke wie »blaues Wunder«, »wie benebelt«, etw. »vorspiegeln«.

von etw. keinen Dunst (= keine Ahnung) haben (Umg.) = keinerlei Kenntnisse.

durch- *ganz durchgedreht* (Umg.) = verwirrt im Kopfe.

etw. an jm. *durchhecheln* = es an ihm bekritteln. ↗ Rüffel

etw. durchpeitschen = schnell und nicht allzu gründlich erledigen. – Das Bild eines Pferdegespannes, auf das der Kutscher mit der Peitsche eindrischt, um schnell vorwärts zu kommen. ↗ Geißel

sich durchschlagen ↗ Soldaten

unten durch sein bei jm. (Umg.) = jegliches Ansehen bei ihm verloren haben.

eine Nachricht *sickert durch* = wird allmählich bekannt. Gegenteil ↗ dichthalten

Durchstechereien = hinterhältige Quertreibereien. – Mit gezinkten Karten spielen.

durchtrieben = schlau, gerissen. ↗ Jäger

Durst seinen *Durst löscht* man (wie man Feuer löscht) oder man *stillt* ihn (wie die Mutter ihr kleines Kind stillt). – Der Durst ist das Gefühl der »Dürre«, des Ausgetrocknetseins.

die Durststrecke überwunden haben = die Zeit der Schwierigkeiten gemeistert haben = das Bild einer Wanderung durch die Wüste, wo es bekanntlich keine kühlen Brunnen gibt, an denen man sich laben könnte.

Dusche *eine kalte Dusche* = eine Ernüchterung, – franz. douche. Mit kaltem Wasser bringt man sogar eine erregte Menge zur Vernunft.

E

Die Wörtchen »eben« und »halt« in der Umg. sind selbstverständlich keine Redewendungen, aber sie geben der Rede eine Wendung zu einer gewissen Selbstverständlichkeit: Das ist nun mal so.

Ebene *auf die schiefe Ebene geraten* = sittlich verkommen. – Die schiefe Ebene ist das Sinnbild für unaufhaltsames (sittliches) Abrutschen.

Ecke *jn. um die Ecke bringen* = ihn meuchlings töten. – Gedanklich etwas verkürzt: ihn um die Ecke bringen, und wo es niemand sieht, ihn dann umbringen.

eine ganze Ecke (Umg.) = ein gutes Stück. – Man sagt bescheiden Bruchstück und denkt an die Bedeutungserweiterung zu »ganzes Stück«.

an allen Ecken und Enden fehlt es = überall und an allem und jedem, wo man hinsieht.

um ein paar Ecken herum mit jm. verwandt sein = ganz weitläufig. – In den Dörfern saßen die Nahverwandten öfters gleich an der nächsten Hausecke.

Effeff *etw. aus dem Effeff verstehen* = es sehr gut kennen. – In der Musik bedeutet ff = fortissimo (sehr stark); es ist die Verdoppelung von f = forte (stark). Bei Lebensmitteln ist ff eine Bezeichnung für besondere Güte. Man kann z. B. in Gasthausfenstern lesen: Hier ff Rostbratwürste, was heißen will: sehr feine. – sf in Kurrentschrift ſſ wird beim schnellen Schreiben zu ff. Mit diesen beiden ff hat das obige ff unserer Redensart offenbar keinen Zusammenhang, es muß da noch ein drittes ff im Spiele sein, das wiederum einen anderen Ursprung hat. Behaghel (Von deutscher Sprache, 1927, S. 27 Anm.) versucht nachzuweisen, daß es aus der Juristensprache käme, also ursprünglich bedeutet hätte: aus der gründlichen Kenntnis der Digesten etw. beweisen können. Digesten (d. i. der Hauptteil des Corpus juris civilis) wurden abgekürzt mit einem durchstrichenen D bezeichnet, was im schnellen Schreiben aussah wie FF.

Ehe Unser gesamtes Gesellschaftsleben beruht auf der *Ehe.* Das Wort bedeutete ursprünglich allgemein »Gesetz, Vertrag«; heute zielt seine Anwendung allein auf den wichtigsten Vertrag in der menschlichen Gesellschaft, auf den gesetzmäßigen Bund zwischen Mann und Frau. – Unlösbar wird nach der Lehre der kath. Kirche eine Ehe erst dann, wenn nach der kirchlichen Trauung durch den Priester die Eheleute selbst als Mann und Frau die Ehe miteinander vollzogen haben. ↗ aufs Dach steigen, ↗ unter einer Decke, ↗ Flitterwochen, ↗ Gardinenpredigt, ↗ Haube, ↗ Kind und Kegel, ↗ Korb u. a. m.

Ehre *jm. Ehre bezeigen,* d. h. ihm Ehre erweisen, eigentl. bezeugen, vgl. alt-österr. »Ehrenbezeugung« = die Bezeichnung des militärischen Grußes.

jm. die letzte Ehre erweisen = an seinem Begräbnisse teilnehmen. ↗ Fell
Ehrabschneider, jm. die Ehre abschneiden ↗ Rechtsbräuche (= Abschneiden des Haupthaares, ↗ Haut).

Die Redefloskel der Umg.: »*Ich will 'mal ehrlich sein*« zur Bekräftigung
einer Behauptung wirkt schon nicht gerade Vertrauen erweckend; wenn
aber der liebe Gesprächspartner seine Meinung bekräftigt, indem er
sagt: »*Na, seien wir doch 'mal ganz ehrlich*«, so ist das zwar von ihm auch
wieder nicht ganz so ernst gemeint, wirkt aber doch sehr peinlich, weil
er die anderen miteinbezieht in seine Aufforderung, ehrlich zu sein, was
jeder andere von sich aus schon ist oder zu sein glaubt.

Ei *wie das Ei des Kolumbus* = ein schwieriges Problem einfach gelöst. – Nach der bekannten einfachen Lösung, ein Ei auf die Spitze zu
stellen.

empfindlich wie ein rohes Ei = überempfindlich. – Ein rohes Ei zer-
schlägt sich bekanntlich recht leicht.

wie aus dem Ei gepellt (geschält) = sauberst gekleidet. – Schale = Pelle
(lat. pellis = die Haut), vgl. *fein in Schale.*

sich um ungelegte Eier kümmern = sich Sorgen machen um Dinge, die
noch gar nicht sind.

wie auf Eiern gehen = übervorsichtig, behutsam.

einen Eiertanz aufführen = mit Halbwahrheiten und Verdrehungen sich
herumwinden um heikle Dinge, ohne das Wesentliche zu berühren. –
Schausteller zeigen manchmal einen Eiertanz. Mignon tanzte einen
solchen Eiertanz vor Wilhelm Meister (Lehrjahre 2. Buch, 8. Kapitel).

eiapopeia Auch im Elsaß singt die Mutter ihr Kindchen in den Schlaf
mit dem Wiegenliede *heiapropeia*, wie mich als Kind meine Mutter im
Sudetenlande in den Schlaf gewiegt hat mit ↗ *haja propaja ninne ninaja.*

Eid Das deutsche Recht machte einen Unterschied zwischen »*einen
Eid schwören*« (= den Wahrheitseid ablegen) und »*einen Eid leisten*«
(= einstehen für die Sicherung einer zukünftigen Handlung). Nach
Jakob Grimm (D. Rechtsaltertümer, 1881[3], S. 893, 903) berührte man
im Heidentum den Schwertgriff, im Christentum dann die Reliquien;
der Schwörende legte zuvor Waffen, Helm oder Hut ab und kniete. ↗ die
Hand aufs Herz.

einbleuen *einem etw. einbleuen* = einem etwas nachdrücklich beibringen – früher »mit Prügeln«, vgl. bleuen – Pleuelstange mit der Bedeutung »stoßen«.

eine, eins *eine* oder *eins* steht oft (Umg.) für Ohrfeige oder Schlag,
z. B.: eine geknallt kriegen, eins aufs Dach (auf den Deckel) bekommen,
jm. eins versetzen u. ä., oder es vertritt ein dazugedachtes Wort, z. B.
eins trinken, sich eins lachen, jm. eins auswischen, einen streichen
lassen u. ä.

von einem zum andern schicken. ↗ Bibel

eins ins andere = durcheinander. ↗ hundert

es läuft (kommt) auf eins hinaus = das ist beides einerlei.

Einfälle *Einfälle haben wie ein altes Haus* = sonderbare Gedanken. ↗ Tennis

Einfalt *O heilige Einfalt!* = Ausruf bei zu großer Naivität. – Sein (ihr) Herz hat nur »eine Falte« (Schlichtheit des Herzens).

eingebrockt *»Da hast du dir was (Schönes) eingebrockt!«* = Da hast du aber etw. angerichtet, das dir schaden kann. – Das Sprichwort lautet: Was du dir eingebrockt hast, mußt du auch auslöffeln, d. h. Selbstverschuldetes muß man selber irgendwie auch wieder gutmachen. – Die Redewendungen werden verständlich, wenn man weiß, daß es bäuerliche Sitte verlangte, den Teller leerzuessen bzw. sich nicht mehr einzubrocken, als man aufessen kann; die Augen dürfen nicht größer sein als der Magen. – An dem Worte »brocken« (= dasselbe Wort wie brechen, vgl. Dach – decken, wecken – erwachen) ersieht man sogar, daß früher dabei nicht mit dem Messer geschnitten wurde, sondern die Brotstücke mit der Hand abgebrochen wurden. – Schön = unschön als Verkehrtbedeutung ↗ abgefeimt.

Eimer *.. ist im Eimer* (Umg.) = ist kaputt, entzwei, zerschlagen d. h. im Mülleimer.

Einbuße *Einbuße erleiden* = eine der vielen Zerdehnungen des einfachen Zeitwortes, hier statt einfach »einbüßen« und erleiden, weil schmerzlich.

einhauen *tüchtig einhauen* (fam.) = gewaltig zulangen beim Essen (französ. manger à belles dents).

einhauen wie ins kalte Eisen = grob zuschlagen. – Kaltes Eisen zu schmieden erfordert kräftigere Schläge als geglühtes.

einheimsen *etw. einheimsen* = etw. »heim«bringen, vgl. ein Lob ernten.

einkratzen *sich bei jm. einkratzen* = sich bei ihm einschmeicheln. – Hunde kratzen uns behutsam, wenn sie etw. wollen.

einrühren *jm. etw. einrühren* = ihm eine böse Sache anrichten, die er dann sozusagen als Gericht auf den Tisch bekommt.

einsacken *jn. glatt einsacken* = einem »über«sein in allem. – Auf Volksfesten forderte »der starke Mann« zum Ringkampfe auf und steckte dann (unter dem Gelächter der Leute) den Verlierer wirklich in einen Sack. ↗ Sack

einseifen *jn. (tüchtig) einseifen* = (meist =) betrügen. – Vor lauter Schaum bemerkt er nicht, was ringsum vorgeht.

Einspruch *Einspruch erheben gegen ein Urteil:* Jedes »Urteilschelten« mußte gleich »zur stelle unverwantes fuszes«, »im fuszstapfen« (lat. stante pede) geschehen, bevor ihm noch Folge gegeben war; denn sonst wurde es rechtskräftig (Jakob Grimm, D. Rechtsaltertümer, 1881,3 Seite 893).

Einstand hieß in Bayern die »Einstellung« der neuen Dienstboten am Lichtmeßtage.

Ein Neuling muß seinen Einstand geben: Heute läßt man es beim Zahlen bewenden, früher mußte man auch einen groben Scherz hinnehmen. – Nordd. hieß »hansen« die Aufnahme in eine Kaufmannsgilde (Hanse), bei der Standhaftigkeitsproben gemacht wurden. In der Form ↗ »hänseln« ist heute das Wort verblaßt zu »verulken«. Auch die studentischen Aufnahmebräuche kannten grobe Scherze. So wurden u. a. dem Jungstudenten dabei die Haare hinter den Ohren abgesengt[1]) (Brander, Brandfuchs), er wurde mit hölzernem Löffel balbiert u. ä. Die Buchdrucker ↗ »gautschen« die Lehrlinge zu Gesellen. Vgl. auch den Ledersprung an Bergakademien, die Äquatortaufe u. ä.

eintränken *es ihm gehörig eintränken wollen* = es ihn bitter entgelten lassen. – ↗ Schwedentrunk

eintrichtern *etw. einem eintrichtern* = es einem Begriffstutzigen einfüllen, wie man mit Hilfe eines Trichters ein Faß füllt. Schon Harsdörffer (1607–1658) wollte mit seinem Buche »Poetischer Trichter« jedem in sechs Stunden die deutsche Poeterei eingießen. Die spitze Schultüte beim ersten Schulweg symbolisiert heute den Weisheitstrichter.

einwickeln *jn. einwickeln* = einseifen. – Still und leise und unbemerkt jn. übervorteilen, wie man ein kleines Kind einwickelt.

Eis *»Das Eis ist gebrochen«,* sagt man erleichtert nach Überwindung des Hemmnisses. – Ist im Frühjahr erst das Eis gebrochen, beginnt der Eisgang und das Wasser fließt wieder ruhig in seinem Bett.

Eisen *zwei Eisen im Feuer haben* = gleichzeitig zwei (oder mehrere) aussichtsreiche Unternehmen besitzen. – Der Schmied hat ständig zwei Eisen zum Erglühen in seinem Schmiedefeuer.

das heiße Eisen anpacken = eine heikle Aufgabe angehen. ↗ Recht Weil man *zum alten Eisen gehört* (= überaltert ist), wird man *zum alten Eisen geworfen* = beiseite geschoben, ausrangiert. –Verrostete Eisenstücke wirft man abseits, bis der Alteisenhändler kommt; alte Eisenbahnwagen werden ausrangiert und aufs Abstellgeleis geschoben. *In Eisen legen* (veraltet) = im Gefängnis anschmieden. – Schwerverbrecher wurden früher nicht nur ins Gefängnis geworfen, sondern darin auch noch mit Ketten an die Wand geschmiedet. Kaiser Josef II. ließ sich einmal im Staatsgefängnis am Spielberg in Brünn selber anschmieden, verbot hierauf diese unmenschliche Behandlung von Gefangenen und befahl die unterirdischen Verliese zuzumauern.

Es ist höchste Eisenbahn = ist höchste Zeit. – Der Berliner Schriftsteller Glaßbrenner, der sich selbst Brennglas nannte, schrieb in einer Szene: Es ist allerhöchste Eisenbahn, die Zeit ist schon angekommen.

Elefant *sich benehmen wie der Elefant im Porzellanladen* = denkbar ungeschickt, so daß Unheil angerichtet wird.

---

[1]) Anfangs war es sicherlich nur Unsinn, was man da rein aus Übermut trieb; dem wurde erst später eine Deutung untergeschoben, daß sie nämlich Brandfüchse werden sollten im Kampfe gegen die ↗ Philister (nach der Bibelstelle, Richter 15).

Von einem *elfenbeinernen Turm* spricht man, wenn man z. B. von Gelehrten sagen will, daß sie sich von der Außenwelt abschließen, daß sie
sich einkapseln, weltfremd werden.

Elend *das heulende Elend bekommen* Betrunkene, die in ihrem Zustand zu weinen (= heulen) beginnen.

Elfen / Älben ↗ Alp

Ellbogen *seine Ellbogen zu gebrauchen wissen* = sich im Leben rücksichtslos vorwärtsdrängen, wie man es wörtlich in großem Gedränge beobachten kann. – Ellbogen und Ellenbogen, Märzbecher und Märzen-
becher, Erbssuppe und Erbsensuppe, Erlkönig und Erlenkönig u. a. m.
sind Wörter, die teils ohne, teils mit der Mittelsilbe -en- gebraucht
werden.

Elster *eine diebische Elster.* – Diese Vögel stibitzen alles Erdenkliche,
besonders leidenschaftlich sind sie hinter glänzenden Gegenständen her.
↗ Raben

Eltern *nicht von schlechten Eltern* (Umg.), (sondern von guter Abkunft)
kann z. B. eine saftige Ohrfeige sein.

in der Wahl seiner Eltern vorsichtig gewesen sein = reicher Leute Kind
sein. Ironisch, als ob man darauf hätte Einfluß nehmen können.

Ende *das dicke Ende kommt noch* = das Unangenehme steht noch
aus. ↗ Rechtsbräuche (bei der Prügelstrafe die letzten drei Hiebe mit
dem dicken Stockende)

Enge *jn. in die Enge treiben* = ihn verängstigen. – Die Sprache denkt
da an einen Engpaß, heute im Zeitalter des Autos = Flaschenhals.

Engel »*Es geht ein Engel durchs Zimmer*« wird gesagt, wenn in einer
lebhaften Unterhaltung plötzlich alle in der Gesellschaft verstummen.
Die Redewendung ist literarischen Ursprungs: Wo Himmlische an-
wesend sind, haben Irdische zu schweigen.

die Engel im Himmel singen hören (Umg.) = Ausdruck höchster Schmerz-
empfindung, wenn einem *Hören und Sehen vergeht*.

ent- hat als Vorsilbe meist die Bedeutung von »weg«: ent-ehren = die
Ehre wegnehmen, ent-eignen = den Besitz wegnehmen (↗ Stuhl) usw.

entblöden *sich nicht entblöden*, z. B. zu behaupten, daß ... = er erdreistet sich wirklich zu behaupten ..., er scheut sich wahrhaft nicht zu behaupten ... er schämt sich tatsächlich nicht, so etwas zu tun. – »blöde« hatte früher die Bedeutung »schüchtern, scheu«; sich ent-blöden = sich ent-schüchtern = sich erdreisten. Das »nicht« ist keine weitere Verneinung zu »ent-«, sondern ist auch in diesem Falle wie bei »kein« (vgl. Josef Weinheber: Der Krieg ist kein Honiglecken nicht) eine volkstümliche Verstärkung mit der Bedeutung »wirklich, wahrhaftig«: Er entblödet sich nicht = er entschüchtert sich wirklich 〉 er erdreistet sich wahrhaftig.

entfesseln *entfesseln kann man* z. B. *einen Sturm* der Entrüstung, wie den Sturmsack des Airiolos, den die Gefährten des Odysseus mutwillig ent-»fesselten«.

entpuppen z. B. *entpuppt sich* manchmal einer als Betrüger, der bis dahin als Biedermann galt. – Aus den Puppen der Kerbtiere kriechen nicht wieder die Larven, sondern ganz anders aussehende Käfer.

entraten *einer Sache nicht entraten können* = sie nicht entbehren können, sie unbedingt brauchen. ↗ Rat

entrüsten *sich entrüsten* = aufgebracht werden, empört sein, in Zorn geraten. – Es heißt zwar mhd. entrüsten = die Rüstung abnehmen. Daher aber kann diese Redensart nicht kommen, man müßte sie denn auf einem Umwege konstruieren, wie etwa: Da dem Unterlegenen seinerzeit (vgl. Parzival als Sieger über den roten Ritter) Roß und Rüstung abgenommen wurde, geriet der so »Entrüstete« in eine gereizte Stimmung. Nein, einfacher und natürlicher und sachlich richtiger ist die Herleitung von Rüste = Ruhe (vgl. die Wendung »die Sonne geht zur Rüste« = geht zur Ruhe). Beide Wörter, Ruhe und Rüste, sind verwandt (wie Gewinn – Gewinst); »ent-rüstet« bedeutet demnach »aus der Gemütsruhe gebracht«.

entsetzen *sich entsetzen* (über die »entsetzliche« Nachricht) = förmlich »vom Sitz« auffahren.

entziffern *etw.* (schwer Lesbares) *entziffern.* – Franz. déchiffrer, Ziffer und Chiffre stammen beide von einem arabischen Worte, das die Übersetzung eines altindischen Wortes ist. ↗ A. Riese

Erde *jn. unter die Erde bringen* = sein vorzeitiges Ableben verschulden.

ereignen *sich ereignen* = geschehen. – ereignen 〈 eräugnen = den Augen sichtbar werden.

erfahren *erfahren sein* = bewandert sein durch weite Reisen (als fahrender Geselle zu Fuß damals) große Erfahrung gesammelt haben.

erpicht *erpicht sein auf etw.* = versessen sein darauf. ↗ Vogelsteller

Esel *in der Eselsbank sitzen* = der Dümmste in der Klasse. – Die Dummen wurden früher in die allerletzte Bank gesetzt. Heute ist eine Sitzordnung nach Güte der Leistungen verboten.

eine Eselsbrücke = ein unnötiger Behelf. ↗ Klassik (pons asini)

Espe *zittern wie Espenlaub.* – Das Laub der Espen zittert auffällig beim leisesten Windhauch, deshalb auch Zitterpappel geheißen.

Essig »*Mit der Sache* (z. B. mit dem Singen bei Stimmbruch) *ist's nun Essig*« (fam.) = ist es vorbei. – Aus dem süßen teueren Weine ist durch Gärung der sauere billige Essig geworden.

Eulen *Eulen nach Athen tragen* = überflüssige Hilfe. ↗ Holz und ↗ Klassik

Exempel *ein Exempel statuieren* = ein abschreckendes Beispiel vorführen = *jn. exemplarisch bestrafen.*

F

ff *ff* = sehr, sehr gut. ↗ Effeff

Fäbel *ein Fäbel für etw. haben* = eine schwache Seite dafür haben. – franz. faible.

Fabeln ↗ betreffendes Stichwort

fackeln *nicht lange fackeln* = frisch etw. anpacken. – Das Wort hat nichts zu tun mit einer Fackel (so unruhig wie eine Fackel brennt), sondern gehört zur Wortsippe fegen, fegeln, ficken, fackeln, fickfackern, fitscheln, fechten, fuchteln.

Faden *wie ein roter Faden sich durchziehen* = Von Goethe wird (in den Wahlverwandtschaften) erklärt, daß im Tauwerk der englischen Marine ein roter Faden eingesponnen war.

... daß es gerade noch Faden hält = notdürftig. – Dünnes Gewebe ist nicht fest.

keinen guten Faden an jm. lassen = ihn ungewöhnlich schwer vernadern, verleumden, ihn fadenscheinig machen.

sein Leben hängt nur noch an einem Faden (Zusatz »Zwirnsfaden« oder »seidenen« F.) ↗ Aberglauben

alle Fäden in der Hand behalten = die Führung nicht mit einem anderen teilen mögen. – Beim Kasperletheater hängen die Figuren an Drähten und der Spieler bewegt sie mit den Fingern seiner Hände. ↗ Drahtzieher

der Leitfaden = der Gedankengang z. B. einer Rede, auch ein Büchlein über ein Thema. – (Klassik:) Ariadne gab dem Theseus vor dem Betreten des Labyrinthes einen Wollknäuel mit, dessen abgerollter Faden (= »Ariadnefaden«) ihn sicher zurückgeleitete, daher noch heute: *den Faden verlieren* (bei einer Rede).

nach Strich und Faden jn. verprügeln = ihn ganz gehörig durchwalken und überall hinschlagen, wie im Gewebe die Kettenfäden und die Schußfäden übereinander laufen. – »Gestrichen« (mit der Hand oder der Bürste) wird ein Stoff an den Kettenfäden herunter, dann legen sich die Wollfäserchen.

Fahne *die Fahne hochhalten* = die Hoffnung nicht aufgeben. – Die Fahne war einst Symbol des Zusammenhalts, beim Sturm flatterte (noch 1914!) die Fahne voran; *fahnenflüchtig werden* war ein Schimpf, erst recht einer, wenn eine Truppe *mit fliegender Fahne zum Feinde überging* (in heutiger abgeschwächter Bedeutung: unvermittelt die Front wechseln).

fahren *fahren* bedeutete früher jede Art von Bewegung, z. B.
a) der Hand (sich übers Gesicht fahren = streichen),
b) des Körpers (in die Höhe fahren = aufschnellen, in die Kleider fahren = sich ankleiden),
c) der Füße (Wanderfahrt, fahrende Gesellen),
d) heute ist die Bedeutung des Wortes fahren eingeschränkt auf die Fortbewegung mit Rädern.

»*Was ist in dich gefahren?*« = Du bist nicht wiederzuerkennen. – Vorstellung des Behextseins bzw. der Teufelsbesessenheit.

in Fahrt kommen = in Stimmung geraten bes. bei Alkohol, wie ein Pferdegefährt aus dem geruhsamen Gang in Trab verfällt.

auf falscher Fährte (= Laufspur) ↗ Jäger

Faktotum *ein altes Faktotum* ist ein schon mechanisch zum Hause gehöriger Mensch. – lat. fac totum = mach alles.

Falle *eine Falle stellen* = *eine Schlinge legen* = *eine Grube jm. graben* = *eine Angel auswerfen.* ↗ Jäger

fällig *fällig sein* = fristbedingt ist z. B. ein längst »fälliges« Wiedersehen, oder man sagt: Heuer »fällt« Ostern Ende April. – Warum sich die Sprache bei Terminen gerade das Wort »fallen« wählt, ist sonderbar, das muß wohl mit dem Uhrwerk irgendwie zusammenhängen.

Farbe *Farbe bekennen* = seine wahren Absichten aufdecken. – Schon der untadelige ↗ Ritter des Mittelalters mußte »Farbe bekennen«, d. h. sein richtiges Wappen im Schilde führen und nicht wie die Strauchritter ein falsches (vgl. heutzutage das Nummernschild am Auto, das amtliche und das von Autoknackern ausgewechselte). Wir kennen diese Redensart »Farbe bekennen« vom Kartenspiel her, aber sie ist sicherlich aus der Rittersprache übernommen worden; denn das Kartenspiel (Eichel, Grün, Rot, Schelle) bietet mit den zwei Farben Grün und Rot doch keine merkliche Gelegenheit zu einer Farbenauswahl. Ebenfalls haben die Kartenspieler die ritterliche Redewendung »jn. ausstechen« (= jn. aus dem Sattel stechen) übernommen, indem sie sagen: eine, Karte »sticht«. Bei einer Trumpfkarte sollte man wohl »trumpfen, schlagen, siegen« oder dgl. erwarten, aber das ritterliche Wort »stechen« klang sichtlich besser, auch »Farbe bekennen«; da bekommt das Kartenspielen so etwas wie einen sportlichen Anstrich.

die Farbe wechseln = sich entfärben, blaß werden im Gesicht vor Bestürzung; der Herzschlag stockt, die Blutzufuhr läßt nach.

Faß *Das schlägt dem Faß den Boden aus* = *das setzt dem ganzen die Krone auf* = das führt das drohende Ende herbei. – Ein Bild vom Böttcher, der übereifrig die Faßreifen zu sehr »antreibt«, so daß der Faßboden herausspringt.

Fassung *jn. aus der Fassung bringen, ihm die Fassung rauben, aus der Fassung kommen (geraten), die Fassung verlieren, fassungslos sein* u. dgl. = ohne Beherrschung, unbesonnen sein, aufbrausen. – Mag auch der

Juwelier die Ringsteine »fassen«, daß sie nicht »aus der Fassung« springen, so liegt doch wohl hier die allgemeine Bedeutung zu Grunde von: fassen (= fangen), in ein Gefäß tun, einfassen, Umfassung.
Das geht über seine Fassungskraft = begreift er nicht; sein Gehirnkasten »faßt« nicht so viel.

Faulheit *vor Faulheit stinken, stinkfaul sein* sind umg. Kraftausdrücke, nicht wörtlich gemeint natürlich.

Faust *auf eigene Faust* = nach eigenem Willen, auf eigenes Risiko.
Das paßt wie die Faust aufs Auge = gar nicht. – Die Redensart beruht auf dem Gegensatz: grobe Faust – empfindliches Auge.
mit der Faust (gleich) auf den Tisch schlagen = gröblich auftrumpfen (bildlich gemeint heute, einst eine »Lautgebärde«. ↗ Rippenstoß).
jm. die (gepanzerte) Faust zeigen = eine (gewaltige) Drohung; heute nur mehr eine Redensart, ehedem aber eine eindrucksvolle Geste.
die Faust in der Tasche ballen = heimlich (und ohnmächtig) zürnen und auf Rache sinnen.
sich (eins) ins Fäustchen lachen = schadenfroh und heimlich (nachher) lachen hinter vorgehaltener Hand. – Die Verkleinerung »Fäustchen« läßt an die Gewohnheit der Kinder denken, die so ihre Freude kundtun.
das Faustrecht geltend machen = sich zu Tätlichkeiten hinreißen lassen. – Eine Anspielung auf ehemaligen Zeiten.

Faxen *Faxen machen* (Umg.) = Gliedverrenkungen, albernes Getue, auch Einwände machen. – Wortbildung auf -sen zu fackeln (vgl. oben) wie Haxen (= Füße, Fersen) von »die Hacken zusammenschlagen«.
keine langen Faxen machen (Ma.) = nicht lange fackeln.

Fechtbruder *Fechtbruder = Bettelmann.*
Wie kommt es zu dieser Gleichsetzung? – Nach dem 30jährigen Religionskrieg (1618–1648) mußten ganze Heere abgerüstet werden. Ge-

lernt hatten diese Söldner nichts als ihr Soldatenhandwerk, Arbeit schmeckte ihnen schlecht, so zogen sie durch die Lande und zeigten ihre Fechterkunststücke. Der Zweck war das Geldeinsammeln nachher, wodurch sie sich von ihren Konkurrenten, den Bettlern, nicht unterschieden, denn *fechten gehen* war jetzt so viel wie *betteln gehen.*
Aus dieser Zeit hat sich die Bezeichnung »Klopffechter« (einst = Landstreicher) erhalten (heute allerdings im Sinne von Zeitungsstreitbold), weil diese Leute nicht nur fochten, sondern dabei »kloppen« gingen (nämlich an die Türen

klopfen = betteln). Fechterausdrücke sind: *etw. verfechten* (= eine Ansicht verteidigen), *jn.* ↗ *abfahren lassen* (= abweisen, ↗ Abstecher), *jm. etw. abschlagen* (= seine Bitte nicht erfüllen), *mit jm. anbinden* und *kurz angebunden, anfechten* (Das ficht mich nicht an = beunruhigt mich nicht), *nicht viel Aufhebens machen, es mit jm.* ↗ *aufnehmen, etw. ausschlagen* (= zurückweisen), *sich eine Blöße geben, eine Finte* (= ein Täuschhieb), *weder* ↗ *gehauen noch gestochen,* ↗ *Spiegelfechterei, zum* ↗ *Stichblatte dienen.*

Federlesen *nicht viel Federlesens mit ihnen machen* = unnachsichtig streng gegen sie vorgehen. – Die Bedeutung würde gut auf die seinerzeit übliche Winterbeschäftigung der Bäuerinnen passen, nämlich auf das Federschleißen, wobei jede Feder einzeln behutsam in die Hand genommen, zurechtgedreht und ihr Flaum abgeschlissen werden mußte. Das würde man also mit den Betreffenden »nicht« machen. Da aber der Ausdruck »Federklauber« in der Bedeutung »Schmeichler« bezeugt ist, muß man die Redewendung wohl oder übel doch auf das Abklauben der Federchen vom Staatskleid zurückführen (um sich bei den vornehmen Herrschaften beliebt zu machen), auch wenn der Sinn nicht recht dazu passen will.

sich mit fremden Federn schmücken = fremde Verdienste als eigene ausgeben. – Aus antiken Fabeln (Äsop »Die Dohle und die Eule«).

Fehde *jm. den Fehdehandschuh hinwerfen* = eine Streitigkeit mit ihm herausfordern. – Fehde war ein Privatkrieg der Ritterschaft unter sich und seinerzeit zulässig (wie später das Duell), nur an die Einhaltung bestimmter Formen gebunden, z. B. an das Ansagen der Fehde. Zu dieser Herausforderung warf man dem anderen seinen Handschuh vor die Füße.

Feierabend *Feierabend machen* = abends ausruhen, die Arbeit niederlegen (aber nicht mit dem Nebensinn »streiken«; so etwas war unbekannt) im Sinne von »das Handwerkzeug aus der Hand legen«. Die Bergleute legten Hammer (rechte Hand) und Schlegel kreuzweise übereinander.

Feile *die letzte Feile anlegen* = den letzten Schliff geben = letzte Hantierung vor der Fertigstellung (bei Schlossern).

Feld *das Feld behaupten* = als Sieger hervorgehen. – Wer das Schlachtfeld »behauptete«, war Sieger, die anderen *räumten das Feld* = gaben sich geschlagen.

ins Feld rücken (ziehen) = ausmarschieren in den Krieg.

Das steht noch im weiten Feld = ist noch lange nicht spruchreif – wie Getreide, das noch nicht schnittreif ist und noch draußen auf dem Felde steht.

Fell *Fell*, heute nur mehr = behaarte Tierhaut, hatte einst die allgemeine Bedeutung »Haut«, auch die menschliche, vgl. *ein dickes Fell haben* = eine dicke Haut haben = wenig feinfühlig sein.

Es juckt ihm das Fell (Umg.) = er ist so übermütig, daß man ihm bald *das Fell gerben wird* (= ihm Prügel verschaffen wird). ↗ Pelz

jm. das Fell (d. h. seine eigene Haut) *über die Ohren ziehen* = ihn finanziell ausplündern. – Die Redensart kann nicht aus der Jägersprache stammen; sie hat andere Ausdrücke (Balg, Löffel), und der Fleischer häutet vorsichtig und fachgerecht sein Schlachtvieh ab, weil er die Häute verkauft. Aber der Schinder (der Abdecker) verwendet nicht so viel Sorgfalt (↗ schinden), deshalb auch die wegwerfende Bedeutung der Redensart.

Er sieht seine Felle davonschwimmen = sieht seine Aussichten schwinden. – Die Gerber wuschen ihre Felle am Wassergraben.

»*Das Fell des Bären verkaufen*«, sagt man, wenn einer schon ganz bestimmte Pläne macht, ohne daß an eine Ausführung zu denken ist. – Der Gedankengang ist: Das Fell schon verkaufen, ehe noch der Bär erlegt ist, was die schwierigere Angelegenheit zu werden scheint.

das Fell versaufen (Umg.) = am Leichenschmaus teilnehmen. – Mögen auch verschiedene Bräuche am Wortlaut der Redewendung gemodelt haben, wie etwa z. B. das gemeinsame Vertrinken des Erlöses für die Haut des Gemeindestieres oder das Sonder»trink«geld an den Fleischerburschen, der die übelriechenden Viehhäute wegzuschaffen hatte, u. dgl. m., die Sitte des Leichenschmauses bleibt ein Nachhall des uralten Totenopfers, ständig weiterüberliefert und in unverstandener Form sogar bis auf uns gekommen. Nach Jakob Grimm (D. Rechtsaltertümer, 1881[3], S. 481) wurde im Norden nach dem Begräbnisse ein feierliches Trinkgelage (erfi) gehalten. Der Brauch wurzelte in uralten magischen Vorstellungen und war ursprünglich ein Totenopfer. Wie wir Heutigen noch eine Scheu vor einem Toten empfinden, so fürchtete man sich einst vor dem »Wiedergänger« (auch franz. revenu), er könnte als unheimlicher Geist oder Gespenst wiederkehren. In idg. Zeit wurden die Toten noch gefesselt, bevor man sie ins Grab legte (sog. Hockergräber). In german. Zeit dann suchte man die Toten zu besänftigen und zu versöhnen, indem man ihnen vom Mahl der Lebenden Opfergaben darbrachte an Speise und Trank.

Fenster *Fensterpromenade machen* = Liebesbezeugung durch öfteres Vorbeigehen an den Fenstern des Mädchens.

Fersen *jm. auf den Fersen folgen* = unmittelbar hinter ihm kommen. ↗ Pelle

Fersengeld geben = Reißaus nehmen, sich aus dem Staube machen, auskratzen u. ä. – Mag auch im niedersächsischen Recht die Geldstrafe, die ein davongelaufener Ehemann zahlen mußte, »Fersengeld« geheißen haben, und mag auch im Alemannischen ein Ausreißer seinen standhaft gebliebenen Kameraden »Fersengeld« hat bezahlen müssen, so ist doch heute mehr an ein Witzwort zu denken: Beim Fortgehen nicht mit blankem Gelde bezahlen, sondern mit den blinkenden Fußsohlen.

fertig *jn. fertigmachen* (Barras) = ihn zur Minna, zur Sau machen, ihn moralisch so erledigen, daß kein Hund mehr einen Bissen von ihm nimmt.

Fesseln *in Fesseln* wird man *geschlagen* z. B. von der Großartigkeit der Alpen, *man wird gefesselt* z. B. von einem interessanten Vortrag. – Hier liegt eine der seltenen Bedeutungsbesserungen vor. Die alte Bedeutung hat noch z. B. »geknebelt« werden = geknechtet.

Feste *die Feste feiern, wie sie fallen* = bei jeder passenden Fröhlichkeit mittun. ↗ fallen
Man sagt auch: *ein Fest (eine Feier)* »begehen«. – Fest und Feier sind Wörter der lat. Kirchensprache, und kirchliche Feste/Feiern wurden mit Umzügen (Prozessionen) »begangen«.

Fett *sein Fett kriegen (abbekommen)* = einen Anraunzer erhalten. Verschiedene Erklärungen bewerben sich um Anerkennung: der dünne Brotaufstrich mit Fett für die Dienstboten (statt mit Butter wie bei der Herrschaft); der Gedanke, daß man es bereits zu spüren bekommen hat, ins ↗ Fettnäpfchen getreten zu sein; das Schweineschlachten mit den wechselseitigen nachbarlichen Geschenken; die Übersetzung von franz. avoir son fait (gesprochen fät) und letztlich = wahrscheinlich richtig: statt »eins geschmiert bekommen«. Denn bei derartig gebauten Redensarten muß man auf »Zerdehnung« gefaßt sein (vgl. ausführen ⟩ zur Ausführung bringen, sich brüsten ⟩ sich in die Brust werfen, purzeln ⟩ einen Purzelbaum schlagen u. ä.), und da ferner im Wortfeld »schmieren« in den mitteldeutschen Mundarten die Wörter Fett und Schmer (Darmfett) – des Gebrauchs wegen – sich ganz nahe stehen, während Schmiere die abseitige Bedeutung von Brotaufstrich und Kuchenbelag mit umfaßt, so ist es nicht verwunderlich, wenn man nach einer heftigen Auseinandersetzung (in niederer Umg.) den einen sagen hören kann: »Na, dem hab' ich die Wahrheit gegeigt, *dem hab' ich's* ordentlich in die Gusche *geschmiert*, der hat sein Fett von mir bekommen«.

bei jm. ins Fettnäpfchen treten = ungewollt und unbedacht bei jm. das Wohlwollen verlieren. – Fettnäpfchen ist wohl die spaßhafte Bezeichnung des früher in Bauernhäusern allgemein üblichen Spucknapfes, der (mit Sägespänen gefüllt) gleich hinter der Tür stand, und in den man leicht – zum Mißvergnügen der Hausfrau – treten konnte, so daß er umkippte. Mundartliche Redewendungen zielen in gleicher Richtung: *Es bei jm. verschütten* = anecken, und in Nordböhmen warnte man: »Da wirst du einstreuen« = dich mißliebig machen.

Feuer *Feurio! Feuerjo!* = der alte weithin hallende Notruf bei einer Feuersbrunst; heute rufen wir: Feuer! Feuer! es brennt, zu Hilfe!
Feuerspritze
Haben Sie schon einmal nachgedacht, warum die Feuerspritze Feuerspritze heißt, wenn sie doch Wasser spritzt? – Antwort: Wenn sie

wirklich Feuer spritzte, würde sie wohl Flammenwerfer heißen. Das tut sie aber nicht! Weshalb heißt sie dennoch Feuerspritze? Und damit sind wir wieder am Anfang. Das Rätsel löst sich sofort, wenn man hört, daß dieses notwendigste Requisit jeder Feuerwehr in Hessen noch Feuerlöschspritze heißt. Das jetzt derartig unverständliche Wort ist nämlich eingekürzt, ist ein Schrumpfwort, eine sog. Klammerform, wie uns solche in der Sprache öfters begegnen, nur achten wir nicht auf sie: Der Ölzweig des alten Noah war ein Zweig vom Ölbaum, ein Ölbaumzweig, der Ölberg (↗ Ölgötze) war natürlich ein Ölbaumberg, Salzburg liegt an der Salzach (Salzachburg), das niedersächsische Buchöl ist ein Bucheckernöl, Reiß(brett)nagel, ↗ Spitz(nasen)bube, Sonn(tag)abend, Wild(bret)schütz, Stroh(sack)witwe, Heidelberg und die anderen Heidelberge von Schlesien bis Baden sind Heidelbeerberge, und die verschiedenen Bocks- und Blocksberge sind sicherlich Blockshornberge. Die wohlgenährten Wächter im Tower heißen spöttisch Beefeater ‹ Beefsteakesser, sind also keine Ochsenfresser, sondern Rinder-braten-esser. So sind auch die Bayern zu ihrem jetzigen Namen gekommen: die Bojer(heim)bewohner (ahd. Baiaheimwaren) wurden Baiwarn/Bayern.

Seine Feuertaufe empfangen (bestanden) haben = seine erste Bewährungsprobe überstanden (bestanden) haben. – Das erste mitgemachte Gefecht ist sozusagen die »Einweihung« ins Soldatenleben.

zwischen zwei Feuer (ins Kreuzfeuer) kommen = Man will versöhnen und verdirbt sich's mit beiden Hitzköpfen. – Ein militärischer Ausdruck; man geriet zwischen die beiden Linien und bekam von Feind und Freund Feuer.

für jn. durchs Feuer gehen = so von Begeisterung entflammt sein, daß man imstande wäre, alles für ihn zu tun.

»Für den möcht' ich meine Hand ins Feuer legen« = für ihn einstehen, für ihn 100%ig bürgen. – Feuer und Wasser waren nach dem Glauben des tief religiösen Mittelalters die zwei reinen Elemente, deren sich Gott bediente, um Recht oder Unrecht aufzuzeigen = »Gottesurteil«. – Zur Feuerprobe[1]) mußte eine Frau[2]) durch einen brennenden Holzstoß gehen, ein angeklagter Mann barfuß über zwölf glühend gemachte Pflugscharen laufen, oder er mußte ein glühendes Eisen neun Fuß weit vom Taufstein zum Hochaltar der Kirche tragen. Brandblasen und Verbrennungen führten nicht gleich zu einer Verurteilung, es gab noch eine »Gnadenfrist«: Man verband die Wunden und wartete einige Tage, dann erst fiel der Urteilsspruch: Waren die Wunden verheilt, so war er unschuldig, eiterten sie, war seine Schuld bewiesen. Mancher mochte da

[1]) Aber es wird auch Gold in einer Feuerprobe geprüft!
[2]) Der Wasserprobe (Wasserordal) wurde die Agnes Bernauer unterworfen, die den Prinzen mit Liebe verhext hatte. Sie kam dabei um (1435). — Jakob Grimm, D. Rechtsaltertümer, 1881³, S. 925: Gehen Hexen unter, dann sind sie unschuldig, tauchen sie empor, dann sind sie schuldig, denn das reine Element Wasser mag sie nicht.

Glück gehabt haben; denn ein rotglühendes Eisen brennt, aber ein Eisen in Weißglut ist sonderbarerweise viel weniger gefährlich. Ein Schmied z. B. rührt ein hinuntergefallenes rotes Eisen nicht an, aber ein weißglühendes Stück kann er, wenn er sehr schnell zupackt, noch heraufwerfen, ohne daß seinen (allerdings abgehärteten, hornhäutigen) Fingern allzu viel geschieht. Doch scheint obige Herleitung nicht so recht zu stimmen: Warum »durchs« Feuer und nicht »übers« Feuer? Warum »die Hand legen« und nicht »mit der Hand fassen«? Es haben da sichtlich schon andere Vorstellungen am Wortlaut gemodelt: Man dachte dabei wohl auch an eine Feuersbrunst im Nachbarhause, wohin man zur Hilfe durchs Feuer gehen muß, oder hat etwa bei der anderen Wendung gar die alte Römersage von Mucius Scaevola, der auch seine Hand ins Feuer legte, sich in die frühere Vorstellung eingedrängt?

ff ⁄ Effeff

Fiasko *Das ist ein Fiasko!* = ein Mißerfolg. – ⁄ Flasche = ital. Theaterausdruck.

Fidibus der Pfeifenanzünder. ⁄ Hokuspokus

filzen *jn. filzen* = genau durchprüfen, abtasten. – Die Handwerksburschen wurden in den Herbergen auf Reinlichkeit überprüft (und nach gestohlenen Sachen untersucht), gleichsam durchgekämmt wie verfilzte Haare mit Filzläusen.

Finger *etw. an den Fingern abzählen können* = die Folgen (die Ursachen) sind leicht zu erraten. Gelegentlicher Zusatz: an den »fünf« Fingern oder an den Fingern »einer Hand«.

»Der kann sich alle (fünf) Finger ablecken«, sagt man von einem, der außerordentlich Glück gehabt hat. – Dieser hat also *einen guten Griff getan*, er hat mit den Fingern in Süßes hineingetunkt, die er sich gern und willig abschleckt. – Alle »fünf« (auch »zehn«) ist ein Zusatz zu Finger wie: um den »kleinen« Finger wickeln u. dgl.

jm. auf die Finger sehen = ihn überwachen.

einem Menschen *durch die Finger sehen* = ihm Fehlerchen durchgehen lassen.

jm. auf die Finger klopfen = jn. ermahnend strafen. – Eine bekannte Schulstrafe von einst für Unaufmerksamkeit war »ein Klaps auf die Finger«.

lange Finger machen = einen Langfinger machen = Dieb.

rein aus den Fingern gesogen (gezutzelt) = frei erfunden.

sich die Finger dabei verbrennen = etw. unternehmen und sich dabei schaden = *sich in den Finger schneiden.*

jn. um den (kleinen) Finger wickeln können, so gutmütig und weichherzig und nachgiebig ist der Betreffende. – Daß »klein« ein verstärkender Zusatz ist, ersieht man daraus, daß beim Stricken der Faden doch um den Zeigefinger gewickelt wird, nicht aber um den kleinen Finger.

mit Fingern auf jn. zeigen = ihn offen mißachten. ⁄ zeihen

Fingerspitzengefühl haben = Takt, Feingefühl im gesellschaftlichen Leben. – An den Fingerspitzen hat man bekanntlich ein überaus feines Gefühl.

jn. mit Fünffingerkraut behandeln = ihn ohrfeigen, so daß man alle fünf Finger auf seiner Backe sieht.

Finten *Finten* (ein Fechterausdruck) sind Täuschungsschläge. – Hieb oder Stich werden »fingiert« (= ital. finta ⟨ lat. fincta).

Fisch *fischen* ↗ im Trüben

gesund wie ein Fisch im Wasser = sehr gesund. – Man sieht nur die gesunden, die kranken sind gleich Opfer anderer Tiere.

stumm wie ein Fisch, aber die Wissenschaft hat festgestellt, daß sich auch Fische durch Töne verständigen können.

weder Fisch noch Fleisch (= weder gehauen noch gestochen ↗ Fechter) = *Nichts Halbes, nichts Ganzes.* – Es liegt der Gedanke zu Grunde, daß an Fasttagen nur Fisch, aber kein Fleisch gegessen werden darf, bei manchem Getier besteht aber Zweifel.

Fischblut haben = eine Froschnatur = ein Eisklumpen sein = empfindungsschwach, kühl, weil Fische kaltes Blut haben sollen. ↗ Frosch

Fisematenten *Fisematenten machen* = Umstände machen, Flausen machen.

fit *fit sein* = gut beschaffen, leistungsfähig, vollwertig. – Ein Ausdruck des Boxsportes.

Fitschel *eine Fitschel beim Mühleziehen* = eine ↗ *Zwickmühle, in die man geraten kann*, wo kaum Aussicht besteht herauszukommen. – Bei Kindern heißt sie Fitschel, weil immer hin und her gezogen = gefitschelt wird. -kz- ⟩ -tsch- wie in wackeln-watscheln.

Fittich *jn. unter seine Fittiche nehmen* = sein Gönner werden, ihn unter seine Flügel nehmen wie die Gluckhenne ihre Küchlein.

flach *Das fällt flach* = fällt aus, fällt weg, wird nicht verwirklicht. – Küppers Wörterbuch der deutschen Umgangssprache, Hamburg 1955, leitet diese Redewendung sehr ansprechend vom Messerwurfspiel her, das von der männlichen Jugend früher eifrig betrieben wurde. Durch einen geschickten Schleuderwurf muß sich das nur rechtwinklig geöffnete Taschenmesser ins Brett (Erdreich) einspießen; gezählt wird nach Fingerstärken vom Boden bis zum Messergriffende. Fällt das Messer um, ist der Wurf ungültig, denn es »fiel flach«.

Flagge *die Flagge streichen* = aufgeben. ↗ Seefahrt

flagranti *in flagranti jn. ertappen* = auf frischer Tat erwischen. – ital. »beim Brennen«, von lat. flagrare, flamma ⟨ flagma.

Flasche *So eine Flasche!* = Niete, Unfähigkeit. – »Los, du Flasche!« schreit der kleine Junge seine Freundin an, weil sich das Mädchen nicht gleich getraut, auch mit über den Zaun zu klettern. ↗ Fiasko

flau, Flaute = lustlos, träger Geschäftsgang. – plattd. Flaute = Windstille.

Flausen *Flausen machen* = Schwierigkeiten bereiten aus Laune, Querköpfigkeit zeigen, Windbeuteleien machen. – Flausch = lockeres Büschel wie Flaum, Flaumfedern.

Fleck *das Maul auf dem richtigen Fleck haben* = *nicht auf den Mund gefallen sein* = rechtzeitig und richtig zu reden verstehen. ↗ Herz

Flederwisch *Flederwisch* wird ein flatterhaftes Mädchen geschimpft; ein Gänseflügel zum Abstauben ist ihr Kennzeichen. – Das Bestimmungswort ist dasselbe wie flattern, vgl. Fledermaus.

Flegel *ein Flegel* = ein ungehobelter Mensch, ein Lümmel, vor allem auf einen Bauernburschen einst gemünzt; der Dreschflegel gilt als das bäuerliche Requisit.

Fleisch *sein eigen Fleisch und Blut* = seine eigenen Kinder.
sich ins eigene Fleisch schneiden = sich selbst schädigen.
wieder einmal einen Fleischergang gemacht haben = einen erfolglosen Weg. ↗ Metzger

Fleiß *jm. etw. zu Fleiß machen* (österr.) = zum Trotz.

fletschen ↗ Zähne

Fliege *matt wie eine Fliege*, natürlich wie eine im Herbst, sonst sind sie ja recht munter.
ihn ärgert die Fliege an der Wand = ihn ärgert alles, aber auch alles und jedes.
zwei Fliegen mit einer Klappe schlagen = einen doppelten Erfolg buchen mit einer einzigen Anstrengung.
Fliegen fangen = Langeweile haben. ↗ Däumchen drehen

Flinte *die Flinte ins Korn werfen* = aufgeben. ↗ Soldaten

Flitterwochen *noch in den Flitterwochen sein* = kurz nach der Hochzeit in den »Kosewochen«. – Das Wort stammt nicht von unserem Worte Flitter (= glänzender Tand), sondern von einem alten Zeitwort vlittern (= liebkosen).

Floh *jm. einen Floh ins Ohr setzen* = ihm etwas erzählen, worüber er lange Zeit nachgrübelt. – Das Bild ist gewiß von einem Hunde genommen, der sich unermüdlich mit der Pfote hinterm Ohr kratzt, weil ihm etwas (wahrscheinlich ein Floh) ins Ohr geraten sein mag.
die Flöhe husten hören = hellseherisches Gerede. ↗ Gras
lieber Flöhe hüten als ... (Sprichwort) ↗ Hunde

Florian *mit St. Florian reden* (Umg.) = sein (gut versichertes) Haus anzünden. – Der hl. Florian wird immer dargestellt, wie er einen Eimer Wasser in das brennende Haus schüttet.

Flöten *einem die Flötentöne schon beibringen wollen* = ihm nachdrücklich mit einer entsprechenden Belehrung drohen. – Das Flötenspielen war einst sehr beliebt (vgl. Friedrich II.), Kinder müssen da – wie noch heute manchmal – gezwungen worden sein, das schwere Flötenspiel zu erlernen.

flöten gehen (Umg.) = verloren gehen. – wohl rotwelsch 〈 jidd. feleta (↗ Pleite)

Flügel *jn. beim Flügel erwischen* = beim Fittich nehmen = beim ↗ Schlafittchen kriegen.

die Flügel hängen lassen = (wie ein kranker Vogel) unlustig sein.

jn. unter seine Flügel (Fittiche) nehmen (wie die Gluckhenne ihre Küken) = sich seiner annehmen.

seine Flügel beschneiden (stutzen) = ihm weniger Freiheit erlauben. – Den Hühnern beschneidet man ihre Flügel, damit sie nicht mehr über den Zaun in Nachbars Garten fliegen können.

Flunsch *einen Flunsch ziehen* = den Mund verziehen, verärgert die Lippen aufwerfen, ein schiefes Maul machen. – Flunsch = Mundöffnung, vgl. Flansch = Anschlußende von Rohren.

Folter *jn. auf die Folter spannen* = neugierig machen. ↗ Rechtsbräuche

fördern/fordern *etw. zutage fördern* = ans Licht bringen. – fördern = nach »vorn« schaffen; die Stollenschächte wurden früher waagrecht in den Berg getrieben. Der Wanderer »fördert« seine Schritte = sucht schneller »vorwärts« zu kommen; jn. fördern, befördern u. ä. Aber »fordern« ist nicht dasselbe (etwa umlautlose) Wort! Ostdeutsche Knaben gingen am Schulwege »fodern«, d. h. sie riefen den Schulkameraden aus dem Hause heraus; herausfordern bedeutete ursprünglich »herausrufen«, auch fordern zum Zweikampf hatte diese Bedeutung.

fort- *fortwursteln* = sich weiterfretten. ↗ Wursthans

Frack *in Frack und Claque* = im Festgewand. – Frack = ein Rückwanderer aus Frankreich (ahd. hrock/Rock) und ein zusammenklappbarer (franz. claquer = klappen) Zylinder.

jm. den Frack steppen (Umg.) = ihn tüchtig verprügeln.

Frage *eine Frage stellt* man (damit sie zur Beantwortung steht),
eine Frage *wirft* man *auf* (auf den Tisch),
eine Frage *rollt* man *auf* (wie eine Papierrolle),
eine Frage *schneidet* man *an* (wie ein neues Brot).

Fraktur *mit jm. Fraktur reden* = ihm deutlich seine Meinung sagen, »die Wahrheit geigen«. – Die alte eckige deutsche Frakturdruckschrift wird hier gegen die mehr rundlich glatte Lateinschrift gestellt. ↗ deutsch

französisch *sich französisch empfehlen* = ohne sich zu verabschieden, unauffällig verschwinden. – Es ist das keine französische Sitte, nur eine ihnen von uns angedichtete, wie wir Deutschen ja auch nicht alle Sauerkrautfresser sind, was uns die Gegenseite andichtet. Übrigens sagen die Franzosen ihrerseits wiederum: filer à l'anglaise = englisch abgehen. In der Umgangssprache sagt man lieber »sich ↗ verdrücken«, »sich ↗ verkrümeln« u. ä.

die Franzosen in den Hosen haben = die französische Krankheit, welche die Franzosen selber die neapolitanische nennen, weil die Syphilis von dort kam (die Russen nennen sie die deutsche).

Fratzen *Fratzen schneiden = Gesichter schneiden = Grimassen machen* = unartiges Gebärdenspiel der Gesichtsmuskeln. – »Schneiden« erinnert noch daran, daß die grotesken Köpfe (z. B. am Kirchengestühl) in Holz geschnitzt waren.

frei Ein früher Rechtsbrauch (die Asylgewährung) hat sich ins kindliche Haschespiel geflüchtet: *»Ich bin frei!«* rufen die Kinder bei Erreichung des Freimales.

Freier *auf Freiersfüßen gehen* = ehelustig sein. ↗ Fuß
auf die Freite gehen (iron.) = auf Brautschau.

fremd *fremdgehen* (Umg.) = als Ehemann auch zu anderen Frauen geschlechtliche Beziehungen haben. – fremd zu ahd. fram (= auswärts).

fressen *fressen* aus ver-essen; der Fraß ohne Vorsilbe = das Aas, eigtl. das als Köder dem Raubgetier vorgeworfene »Essen«, das in Fäulnis übergeht. – Fresse – Maul – Mund haben, obwohl sie dasselbe benennen, ganz verschiedene Gefühlswerte. Fotzhobel (südd.) = Mundharmonika!
Das ist *ein gefundenes Fressen* für ihn (Umg.) = eine erwünschte Gelegenheit; etwas, das er mit Lust macht.
etw. ausgefressen haben (Umg.) = etw. Unrechtes getan haben und dafür ausgescholten worden sein.
jn. am liebsten vor Liebe auffressen = zum Fressen gernhaben sind Kraftausdrücke.
Den hab' ich gefressen (Slang) = *der liegt mir im Magen* = den vertrag' ich nicht. ↗ Besen, ↗ Narren

Freude *Freudensprünge machen* = vor Freude an die Decke springen.
↗ frohlocken

Freund *»Alter Freund und Kupferstecher!«* = vertrauliche Anrede (bei Fontane und auch obersächsisch und schlesisch). – Wie der Bürstenbinder zum Saufen kam, ist verständlich, warum gerade der Dachdecker zur Meinungsbildung herangezogen wird, ist erklärlich, weshalb wir aber guten Freunden die Kunst des Kupferstechens andichten, ist unerforschlich. – In anderen Gegenden sagt man: Mein lieber Freund und Zwetschgenröster.

fringsen *fringsen* (kölsch) = »organisieren«. – Kardinal Frings, Erzbischof von Köln, setzte in der Silvesterpredigt 1945 seinen hungernden und frierenden Kölner Diözesanen auseinander, daß es keine Sünde ist, »bei unverschuldeter eigener großer Notlage Dinge zur einfachsten persönlichen Lebensführung vom ›moralisch‹ nicht gerechtfertigten Eigentümer zu ›organisieren‹«, und spielte da vornehmlich an auf die vielen mit Ruhrkohle übervoll beladenen Kohlenzüge der Besatzungsmächte. Der Name Frings ist eine Kurzform (ohne Vortonsilbe)[1] des längeren

---

[1] Hans Dittrich, Das »Zerwiegen christlicher Heiligennamen zu deutschen Personennamen«, Deutschunterricht für Ausländer, 8. Jhgg, Heft 3, 1958: z. B. Gregorius zu Greger und Görres u. dgl. m.

Namens Severinus. Der hl. Severin war um 400 Bischof von Köln, St. Severin ist seine Grabeskirche, er wurde am Niederrhein als Heiliger sehr verehrt. Das Kölner Severinstor (Tor = lat. portus) heißt kölsch Fringse Ports.

frönen *einer Leidenschaft frönen* = ihr Sklave sein. – ahd. vrô = der Mann (vrouwe = die Frau). Das Wort findet sich noch in Frondienst, d. i. Herrendienst (Robot), und in Fronleichnam (= der Leib des Herrn). Der zweite Wortteil »Leichnam« entstand aus lîh-hamo, wobei lîch = Leiche ist mit der Bedeutung Leib und hamo (Grundwort von Hemd) Hülle bedeutet.

Front *Front machen gegen jn.* = sich gegen ihn stellen, was dadurch geschieht, daß man ihm seine Vorderseite (Front = Stirn) zukehrt.

Frosch *einen Frosch im Halse haben* = nicht bei Stimme sein. – Heiserkeit tritt ein bei einer Mundgeschwulst, mediz. lat. rana, ranula (= Frosch) geheißen.

fruchten *Ermahnungen fruchten bei ihm nichts mehr* = nützen nichts mehr. Frucht tragen, Frucht bringen = Ertrag abwerfen, Nutzen bringen.

Fuchs *wo Fuchs und Hase (wo die Füchse) einander gute Nacht sagen* = lebend in oder stammend aus einer öden, menschenleeren Gegend.
einen *Pfennigfuchser* (= Geizhals) *fuchst* (= ärgert, ergrimmt) jeder Pfennig, den er ausgeben soll. – Dieses Wort ist bestimmt nicht mit -chs zu schreiben, sondern wohl mit cks oder x; mehr läßt sich nicht sagen, wir bleiben also bei der Schreibung fuchsteufelswild.

Fuchtel *unter der Fuchtel stehen* (= unter dem Pantoffel st.) = durch Zwang gehorchen müssen. – Die Fuchtel (zu fechten) war der Degen der Offiziere, die mit ihm »herumfuchtelten«, gelegentlich auch flach damit zuschlugen, wenn sie »fuchtig« waren.

Fug *etw. mit Fug und Recht* z. B. behaupten können (alte Rechtsformel) = in vollem Rechtsbewußtsein (befugt, Befugnis).

Fugen *etw. kracht in allen Fugen* = es droht auseinander zu fallen und einzustürzen. – Sichtlich eine Wendung von der Holzbauweise (↗ Haus), vgl. ähnlich: *Es knistert im Gebälk* = der Einsturz droht.
aus den Fugen gehen = auseinanderfallen wie eine alte Truhe, die auf Nut und Feder zusammengefügt ist.

führen *führen*, gebildet von fahren, fuhr, gefahren als altes Veranlassungswort vom 2. Stamme fuhr (mit -jan), hatte erst die Bedeutung »fahren machen, in Bewegung setzen« und kommt dann zur Bedeutung »leiten, die Richtung weisen«, in der wir es bei den mit »führen« zusammengesetzten Redensarten finden, z. B.: einen Haushalt f., die Aufsicht f., das Hauptbuch f., ein Wappen f., Krieg f., Beschwerde f. usw.

Fund *eine wahre Fundgrube* = eine ergiebige Fundstätte, wo man viel ausfindig machen kann. – Aus der Bergmannssprache, vgl. »fündig« werden.

fünf *fünf* = 5. – fünf hieß vorgermanisch finh (erschlossen aus lat. quinque < pinque), und da h und g wechseln (↗ zeihen = zeigen), so

sind die »Fünf« und der »Finger« Wortgeschwister, waren einmal vor 3000 Jahren Schwesterchen und Brüderchen. – Und da wird es auch nicht schwer, im Worte zehn (ahd. zehan) ein »Zwei-Hand« zu vermuten.
fünf grade sein lassen = den lieben Herrgott einen guten Mann sein lassen = es nicht genau nehmen.
nicht alle fünf beisammen haben = etwas dämlich sein. – Ergänze: Sinne.
mit der fünfzinkigen Gabel essen (iron.) = mit den bloßen Fingern zulangen.

fürbaß *rüstig fürbaß schreiten* (veraltet) = rüstig weitergehen. – ↗ baß
Furcht *jm. Furcht einjagen (einflößen)* = furchtsam machen, ängstigen. – Bei »einjagen« denkt man an eine Verfolgungsjagd, bei »einflößen« muß man an einen Löffel (!) denken.
fürlieb *fürlieb nehmen* = vorlieb nehmen = sich damit begnügen.
Furore *Furore machen* = Aufsehen erregen, von sich reden machen. – lat. furore.
Fuß/Füße *Fuß fassen* = sich festsetzen, sich eingewöhnen, einwurzeln.
mit dem linken Fuß aufgestanden sein = schlechte Laune haben, es will nichts gelingen. – Links ist die Unglücksseite im Aberglauben. ↗ Bein, ↗ Katze
mit jm. auf gutem Fuße stehen = befreundet sein, *sich mit ihm auf guten Fuß stellen* = ein freundschaftliches Verhältnis mit ihm anstreben.
mit jm. (miteinander) auf Kriegsfuß stehen (leben) = in einer Art Kriegszustand, in kriegsähnlichen Beziehungen.
auf gespanntem bzw. *auf vertrautem Fuß mit jm. leben* = einfacher ausgedrückt heißt das: in einem gespannten Verhältnis (↗ Späne machen) mit ihm leben bzw. vertraut mit ihm sein.
auf großem Fuß leben = ein aufwendiges Leben führen. – »Fuß« nicht in dem engen Sinne von »Fußlänge«, sondern in der allgemeinen Bedeutung von Grundlage, Maß, Art und Weise (vgl. Münzfuß, Zinsfuß), also ein Leben in großem Maßstabe. – Allerdings gab es (um 1400) die burgundische Mode, da sich die Länge der Schnabelschuhe nach den Standesvorschriften zu richten hatte: Fürsten das Zweieinhalbfache der Fußlänge, der hohe Adel das Doppelte usw. abgestuft.
auf freiem Fuße sein = Gegenteil: eingesperrt (mit gefesselten Füßen).
stehenden Fußes (lat. stante pede) mußte im altdeutschen Recht der Einspruch gegen ein Urteil erfolgen: ... er mag es tun standes fußes, ê er hinder sich trete (= er soll es tun stehenden Fußes, ehe er zurücktritt).
die Füße noch unter Vaters Tisch stecken = als Erwachsener noch im elterlichen Haushalt verköstigt werden. ↗ Beine
sich die Füße (die Hacken) ablaufen = sich eifrigst bemühen.
kalte Füße bekommen = sich aus Furcht aus einer Angelegenheit zurückziehen, für die man sich schon entschlossen hatte. – Was mag wohl der Anlaß sein, daß eine Sinnesänderung in Verbindung gebracht wird mit kalten Füßen?

z. B. dem Chef den ganzen Plunder (Kram, Krempel) *vor die Füße werfen* = die Arbeit brüsk aufkündigen.

auf eigenen Füßen stehen = selbständig sein.

mit beiden Füßen auf der Erde stehen = lebenstauglich sein, realistisch (materiell) eingestellt sein.

etw. mit Füßen treten = es verächtlich behandeln.

auf tönernen Füßen stehen (↗ Bibel).

jm. zu Füßen fallen = ihn anflehen.

einen Fußfall tun = sich erniedrigen durch eine Kniebeuge.

in seine Fußstapfen treten = seine Nachfolge antreten, ihm nachgehen in seiner Beschäftigung, als ob man hinter ihm her genau in seiner Spur durch den Schnee stapfte. Vgl. auf *dem Fuße folgen* = unmittelbar.

futsch *Es ist futsch (pfutsch)*, fam. = es ist weg, fort, erweitert auch zu: pfutschikato. – mundartliches Schallwort, vgl. etw. pfitscht, flutscht weg = rutscht fort.

G

Gala *sich in Gala werfen* = sich sonntäglich ankleiden, den guten Anzug anziehen (um darin ↗ Staat zu machen). – Das Wort Gala ist spanisch und kam durch die Habsburger mit ihrer spanischen Hoftracht in Mode. ↗ Wichs

Galgen *So ein Galgenstrick!* = So ein durchtriebener Bursche, gekürzt: So ein Strick!

falsch wie Galgenholz war einst, als noch fleißig gehenkt wurde, ein Vergleich.

Galgenhumor haben = in verzweifelter Lage noch bei guter Laune sein. – Als in der Französischen Revolution ein Trupp Adeliger zur Guillotine getrieben wurde, stolperte einer auf dem Pflaster. Er flüsterte seinem Nachbarn zu: »Wenn ich ein Römer wär', ich kehrte um.« – Das war Galgenhumor; dieser Marquis war eben – das wußte er – kein Römer, die den Aberglauben hatten, stolpern bringe Unglück, und er wußte auch, daß er in seiner Lage gar nicht umkehren konnte.

Galle *Da läuft mir die Galle über* = Darüber kann ich in Wut geraten. – Die Gallenblase ist nach der Volksmeinung der Sitz des menschlichen Zorns, sie liegt an der ↗ Leber.

Gamaschen *jm. Gamaschen verpassen* = ihn verprügeln. – Handgamaschen sind Handschellen. Wem man sie anlegte, mit dem ging man auch nicht glimpflich um.

Gamaschen haben (veraltet) = Angst haben. – Militärjargon aus Zeiten des Gamaschendienstes: Sanders, Wörterbuch der deutschen Sprache (1860) vermerkt 1. Bd., S. 532: »Obwohl ich, sprichwörtlich zu reden, vor dem General höllische Gamaschen hatte . . .«. – Die Soldaten hatten ehedem noch keine Stiefel mit Lederschäften, sie hatten Beinlinge aus Tuch. ↗ fuchtig

Gamaschen haben = ↗ Manschetten haben

gang *etwas ist gang und gäbe* = allgemein gebräuchlich. – Schon der Stabreim zeigt das höhere Alter; es ist ein alter Kaufmannsausdruck: Die Münze ist gängig, die Ware leicht abzugeben.

gängeln *jn. am Gängelbande haben* = ihn gängeln wie ein Kind, das man an einem Brustbande führt.

Gänse *im Gänsemarsch* = eins hinter dem anderen, wie Gänse (und Enten) zu marschieren pflegen.

die Gänsehaut bekommen = das Gruseln bekommen, von einem Schauer erfaßt werden. – Beim Lesen von Schauergeschichten und in gruseligen Gelassen läuft es einem kalt über den Rücken, man bekommt eine griesige Haut, die ausschaut wie die einer gerupften Gans.

ganz *aufs Ganze gehen, es geht ums Ganze* = sich nicht mit einem Teilerfolg zufrieden geben, den Gesamterfolg anstreben = *es geht um die* ↗ Wurst

garaus 1. Einst prosteten die Zecher zum »Aus«trinken einander zu: »*Gar aus!* 2. »*Gar aus!*« rief einst auch der Nachtwächter zur Polizeistunde den Zechern zu. 3. *einem den Garaus machen* = ihn totmachen. – Das Tagesende wird übertragen auf sein Lebensende.

Gardinen *eine Gardinenpredigt halten* = eine Strafrede, die die Ehefrau ihrem Manne hält. – Gewöhnlich geschieht das, wenn der Mann spät aus dem Wirtshaus heimkommt, und unter Gardinen sind die Bettvorhänge verstanden, wie solche einst üblich waren.

hinter schwedischen Gardinen sitzen = hinter Kerkergittern, weil diese aus dem harten Schwedenstahl waren, der schwer durchzufeilen ist.

Garn *jm. ins Garn gehen* = sich verleiten lassen. ↗ Vogelsteller

Garnison *in Garnison »stand«* ein preußisches Regiment in Xstadt, *in Garnison »lag«* ein k. u. k. österr. Regiment in Ystadt.

Gasse *sich eine Gasse bahnen* ↗ Weg

Gassenhauer ↗ hauen

Gast *eine Gastrolle geben* = unverhofft in der Gesellschaft auftauchen. – Ein Theaterausdruck.

Gaumen *den Gaumen letzen* (poet.) = seinen Mund erquicken. ↗ zu guter Letzt

den Gaumen kitzeln = *jm. den Mund wässerig machen*, indem man gutes Essen verspricht; der Gedanke daran löst schon den Speichelfluß aus.

Gauner *Gauner* ⟨ Ganoven ⟨ (G = J) hebr. jowon = Jonier = Grieche, die im Orient als gar zu gerissene Geschäftsleute bei anderen nicht gut angeschrieben waren. – Die Gaunersprache (Diebsjargon) heißt ↗ Rotwelsch. Die an Hauswänden angekritzelten Zeichen heißen Gauner- oder Bettlerzinken. ↗ Hahn

gautschen *Gautschen* heißt das Verfahren, wenn die Buchdrucker in alter Tracht am Johannistage zum Gedenken an Johannes Gutenberg die frischgebackenen Gesellen in die Bütt stecken, um sie von der Dummheit der Lehrjahre reinzuwaschen für die Aufnahme in ihre Zunft der Buchdrucker. ↗ Einstand

Geb- *von Gebshausen sein* oder *von Gebowitz* = freigiebig sein, das Gegenteil ist: von Nimms (d. i. von Niemes) oder vom Stamme Nimm. – Namensscherze wie: die Frieden von Nimmweg und Reißweg (d. i. Nymwegen und Rijswijk 1679 und 1697) sind häufig.

Gebet *jn. ins Gebet nehmen* = ihm ins Gewissen reden und ihn streng befragen. – Die Sittenprediger flochten den Tadel für jn. mit in den Text ihrer Predigten oder fügten ihn nachher in das Gebet mit ein. (Hans Zwansger, »Sonderbare Sprachfrüchte«, Wien 1949²) – Da aber unsere

Redensart nicht so sehr besagen will: ihm »*Vorhaltungen*« *machen* als vielmehr: ihn *einem* »*Verhör*« *unterziehen*, so ist es sicherlich richtiger, daß wir vermuten, sie stamme von dem bekannten Hergange im Beichtstuhle: Einreden auf das Beichtkind, eindringliche Befragung, anschließend Ermahnung und zum Schluß als auferlegte Buße, das oder jenes Gebet zu verrichten. – Eine Herleitung – wie versucht wurde – von plattd. Gebit (= Brechgebiß der Pferde) ist nicht glaubhaft zu machen; denn da wäre ein Ansatzpunkt zur Bedeutungsentwicklung auf »Verhör« zu nicht gegeben.

Geduld *ihm reißt die Geduld* = mit seiner Geduld ist es zu Ende, sein Geduldfaden ist gerissen.

Gefecht *etw. ins Gefecht führen* = es als Beweismittel anführen in einem Wortstreit. – Ein militärischer Ausdruck.

gefeit *dagegen gefeit sein* = dagegen geschützt sein, weil unter dem Schutz einer gütigen Fei (= Fee) stehend.

geflügelt *ein geflügeltes Wort* = ein bekanntes Zitat aus dem Schrifttum oder der Ausspruch eines bedeutenden Mannes (nach dem bekannten Zitatenschatz von Georg Büchmann mit dem Titel »Geflügelte Worte«).

gehaben *Gehab' dich wohl!* = Abschiedswort. – »sich gehaben« ist veraltet, wir sagen »sich wohlbefinden«.

usw. wie gehabt = wie schon dagewesen. – Eine Abkürzung für: »Das haben wir schon gehabt«, wohl eine Erinnerung an diese in der Schule oft gebrauchte Redewendung.

gehauen *Das ist weder gehauen noch gestochen* = undeutlich; weder kalt noch warm, weder süß noch sauer. – Fechterausdruck: kein richtiger Hieb, kein rechter Stich.

Gehege *Er kommt mir ins Gehege* = kommt mir in die Quere (bei meiner Liebelei) = Ma. Er steigt mir ins Kraut. – Gehege zu Hag (= umhegtes Grundstück, mit einer Hecke umgeben), wo man sich be-haglich fühlt; man *hat da sein Behagen.* ↗ Hagestolz

Geheimnis *jn. in ein Geheimnis einweihen* = es ihm vertraulich mitteilen. – Mit einer »Weihe« nahm man Neulinge auf in die Orden.

ein süßes Geheimnis gestehen = dem Ehemanne Mitteilung machen von der eingetretenen Schwangerschaft, was man möglichst lange geheim hält, auch vor dem eigenen Manne.

gehören *zu denen gehören, die nicht alle werden* = dumm sein. – Dumme wachsen immer nach.

gehüpft *Das ist gehüpft (gehopst) wie gesprungen* = einerlei, ob so oder so; Jacke wie Hose (Juppe).

Geier *Hol's der Geier!* – Geier und ↗ Kuckuck sind Hehlwörter für Teufel.

Geige *die erste Geige spielen* ↗ Musik

es jm. geigen = ihm den Standpunkt klarmachen. – »geigen« ist lediglich ein Kraftausdruck für »sagen mit Nachdruck«, vgl. berlin.: Ich werde Ihnen was zwitschern.

geißeln *etw. müßte (sollte) gegeißelt werden* = ↗ angeprangert werden, schärfstens gerügt werden. – Die heutige Vorstellung einer Geißelung stammt von kirchlichen Bildern. Menschen wurden zur Strafe seinerzeit bei uns mit dem Staupbesen geschlagen = gestäupt. Unsere »Geißel« aber war ein Stachelstock zum Antreiben der Zugtiere; die heute dazu dienende Peitsche haben wir von den Slaven entlehnt (bič). Natürlich entstanden durch das Stechen in das Hinterteil der Tiere Wunden, das ist richtig. Wer aber (von den Mitgliedern der Tierschutzvereine) vorschnell die Einführung der Peitsche als einen Kulturfortschritt loben wollte, der hätte sich erst einmal bei den (jetzt durch den Traktor verdrängten) Zugpferden die Augen betrachten sollen: Wie viele halb und ganz blinde Augen sind durch die Peitsche verursacht worden, die blitzschnell und heimtückisch von rückwärts gesaust kam!

gelackt *Wir sind die Gelackten, die Lackierten, die Gelackmeierten* (Umg.) = betrogen und lächerlich gemacht, angeführt, hineingefallen = »angeschmiert« (Umg. = betrogen), d. h. durch den Anstrich getäuscht.

Gelächter *jn. dem Gelächter preisgeben* = ihn öffentlich lächerlich machen.

gelangen *gelangen* = ein Zeitwort, das vielfach zur Bildung von Redensarten gebraucht wird, ja, es wuchert sogar und wird in unschöner Weise als Umschreibung der Leideform gewählt (z. B. zur Ausführung gelangen).

Geld *Geld und Gold* klingen ganz ähnlich, dienen beide auch demselben Zwecke des Zahlens, sind aber verschiedener Herkunft, das eine stammt vom Klang »gellen«, das andere von der Farbe »gelb«. »Pinkepinke« und die bekannte Reibbewegung des Daumens über den Zeigefinger bedeutet »Geld, Zahlen«, den Namen gab der metallische Klang der Münzen, wie auch der Schmied Pinkepank heißt nach dem Klang, wenn er am Amboß hämmert.

Das Geld spielt im Leben eine große Rolle. Für »Geld« gibt es in der Umgangssprache eine Menge Bezeichnungen und vielerlei Redensarten: Moneten (↗ Münze), ↗ Moos, Pinkepinke, Draht, Zwirn, Mumm, Kies, Zaster, Kröten, Nervus rerum, Knöppe, Zimt; Geld wie Mist, wie Heu, der hat Pfennige (= hat viel Geld), eine Stange Geld (d. h. eine hübsche Rolle Geld), ein großer Batzen[1]) Geld (= ein Haufen Geld), ein

---

[1]) Es ist das Mundartwort Patzen (= ein Klumpen). Auch die »Butzen«scheiben hatten eine klumpige Verdickung in der Mitte, wo die Pfeife des Glasbläsers abgesetzt hatte. Die Geldsorte »Batzen« (im Studentenlied »Ein Heller und ein Batzen«) ist um 1550 in Bern

gutes Stück Geld (= natürlich nicht eins, sondern mehrere); »meine paar Groschen«, sagt man bescheiden, den »ganzen Kitt« bezahlen, schwach bei Kasse sein = *schwach auf der Brust* (wie ein Schwindsüchtiger, weil seine Kasse auch die »Schwind«sucht hat), das reißt ein Loch in den Beutel = *das geht ins Geld* (= das kostet viel), *auf dem Trockenen sitzen*, *etw. zu Gelde machen* (= aus Geldnot etw. verkaufen), *Geld zum Fenster hinauswerfen* (= verschleudern), *nicht für Geld und gute Worte* (= um keinen Preis), *den Daumen draufhalten* (= sparen) u. a. m.

Geld dabei herausschlagen = dabei verdienen. – Münzen werden ge-»schlagen«.

ein Geldschneider = ein Mensch, der überhöhten Gewinn nimmt. – Ehedem hatten die Münzen noch keinen Prägerand, wurden beschnitten (Geldschneiderei) und mußten nachgewogen werden.

bekannt wie ein schlechter Groschen = sehr bekannt; falsche Geldstücke erkennt man leicht. – Groschen < lat. grossus (dick).

auf Heller und Pfennig berappen = bezahlt sein auf Heller und Pfennig = ohne eine Restschuld.

keinen roten Heller mehr im Sack haben = blank sein.

Der Heller wurde schon im 13. Jahrhundert geprägt als kleine Kupfermünze (> madj. Fillér). Der Pfennig wird als Pfändchen gedeutet (in Funden Himmelschüsselchen geheißen) und ist eine der ältesten Münzen (vgl. tschech. peníze = Geld und madj. pengö = Gulden). Er war jahrhundertelang (seit Karl dem Großen) das übliche Silbergeld und hieß mit lat. Namen denarius, daher noch das Zeichen ϑ.

Der Rappen, davon *berappen* (= bezahlen), hat seinen Namen vom Stadtwappen des Prägeortes Freiburg/Br., das einen Rabenkopf zeigt. Der Schilling (in Österreich die neue Münzeinheit, in England sh) hat sonst nur mehr den bildlichen Begriff des Gegenwertes (Kaufschilling, Pachtschilling).

keinen Dukatenscheißer haben = so viel Geld nicht ständig herzaubern können. – Das Dukatenmännlein ist eine bekannte scherzhafte Nippfigur (auch Konditorware als österlicher Glücksbringer): ein Bub in Hockstellung mit heruntergelassener Hose, der gerade eine goldene Münze prägt.

Die in Venedig geprägte Zechine wurde unter dem Namen Dukat zum Vorbild der europäischen Goldmünze, sie hatte auf der Rückseite Christus mit Umschrift: Sit tibi Christe datus quem tu regis iste dukatus. Das Schlußwort gab der Münze den Namen.

Auch der Deut der Redensart »*keinen Deut darum geben*« war einstmals eine kleine Kupfermünze. Und auch das ↗ Scherflein, das sich in der Redensart »*sein Scherflein dazu beitragen*« erhalten hat, war zeitweise der Name einer geringen Münze.

mit dem Stadtwappen, dem Bären (Petz), geprägt worden und war ein Dickpfennig; sie hieß wohl auch mit deshalb Batzen (Klumpen).

Der Taler wurde seit 1518 in Joachimsthal auf der böhm. Seite des Erz-
gebirges geprägt. Seinen Namen trägt heute noch der amerikanische
Dollar. In Deutschland hatte er bis 1907 den Wert von drei Mark. Heute
ist sein Name nur noch als *Hecktaler* einigermaßen bekannt, als Münze,
die sich angeblich (wie auch der Heckpfennig) selbst vermehrt, wobei
hecken = Junge werfen.

Gelegenheit *die Gelegenheit beim Schopfe fassen* = geistesgegenwärtig
die entstandene Lage nutzen. (Goethe, Vorspiel auf dem Theater, 227)

Geleise *aus dem Geleise geraten* = entgleisen = *aus der Bahn geworfen werden.*
alles wieder ins sichere Geleis bringen = alles wieder ordnen. – ↗ leisten

Geleit *jm. das letzte Geleit geben, ihn zu Grabe geleiten* = einen Bekannten auf seinem letzten Gange »begleiten«. – An seinem Leichenbegängnis teilnehmen wurde früher als ganz strenge Pflicht aufgefaßt, der
man sich nicht entziehen durfte.

geliefert *Ich bin geliefert* = ich sitze in der Patsche. – eigentlich
(früher) »dem Henker« ausgeliefert.

gemach *Gemach!* (veraltet) = Langsam! ↗ Pomade, = gemächlich,
allmählich.

gemein *Das ist gemein!* = (fast) niederträchtig. – Eine Bedeutungsverschlechterung (wie bei vulgär[1]) des Wortes all-gemein = durchschnitt-
lich, vgl. der gemeine Mann auf der Straße, ein gemeiner Soldat u. dgl.
in älterer Ausdrucksweise. –

Genick *jm. das Genick brechen* = ihn finanziell zugrunde richten. –
Mundart: (z. B. der Böhmak) *schlägt ihm ins Genick* = man hört schon
an seiner Aussprache seine fremdländische Herkunft.

Genüge leisten seiner Dienstpflicht = seine Militärjahre abdienen. –
Mit überschwenglicher Freude – das ersieht man an der Wortwahl –
scheint das nicht gerade zu geschehen.

Gepräge einer Unternehmung *das Gepräge geben* = ihr seinen Charakter verleihen. – Dem Metall gibt der Prägestempel die Münzform.

gerädert ↗ Rechtsbräuche

gerammelt *gerammelt voll* = übervoll. – Der Rammklotz stampft das
Erdreich zusammen. ↗ gestrichen voll

Geratewohl *aufs Geratewohl hin* = blindlings, auf gut Glück, mit
Risiko, ob's gerät oder nicht.

Gerede *ins Gerede kommen, jn. ins Gerede bringen* (Umg.) = Gemun-
kel um den guten Ruf.

gereichen *gereichen* wird vielfach zur Bildung von Redensarten verwendet, z. B.: zum Lobe gereichen, zur Ehre gereichen usw., es gehört
zum Wort recken (= hinlangen).

---

[1]) Horaz, Oden III, 1, 1: Odi profanum vulgus et arceo = Ich hasse das gewöhnliche Volk
und halte mir's vom Leibe.

Gericht *streng mit jm. ins Gericht gehen* (= ihn nachdrücklich zurechtweisen) ist die Zerdehnung des einfachen: streng richten (im Sinne von tadeln).

gern *Du kannst mich gernhaben* (Umg., ergänze: hinten herum) = *du kannst mir gewogen bleiben* (»gewogen« = ironisch) = mit dir mag ich nichts mehr zu tun haben = *du kannst mir gestohlen werden* u. ä. m.

Geruch *in keinem guten Geruch stehen* = das Gegenteil zu der Stelle im 2. Buch Mose, 29, 18. – Der Ausdruck »im Geruche der Heiligkeit stehen« soll daher kommen, daß man in Paris früher Rosenkränze zu parfümieren pflegte. Das ist wohl nicht die richtige Deutung; an Geruchswässerlein wie 4711 denken nur wir heute; dieses Wort »Geruch« hier stammt vielmehr von ↗ ruchbar, anrüchig mit der Bedeutung »Ruf, Leumund« und gehört zu Gerücht, berüchtigt.

Gerücht *ein Gerücht aussprengen* = verbreiten, was gemunkelt wird (wie man Wasser versprengt).

gerüttelt *gerüttelt voll* (z. B. ein gerüttelt Maß an Schuld) = sehr voll. – Rütteln am Hohlmaß läßt die körnige Masse zusammensacken.

gerufen *Du kommst mir wie gerufen* = sehr gelegen, zupaß. – Ein Nachklang magischer tabu-Vorstellung, daß ein Ding innig mit seinem Namen verbunden ist; vgl. berufen, bereden, beschreien.

Geschichte *Eine schöne Geschichte!* = (Gegenteil) unangenehmes Geschehnis (schön in gegenteiliger Bedeutung ↗ abgefeimt). – *Das ist eine alte Geschichte* = eine längst bekannte Begebenheit. – In diesen Redewendungen steckt noch die alte Bedeutung »geschehen«, die Bedeutung Geschichte = Erzählung kam erst später dazu.

Geschirr *sich ins Geschirr legen* (d. h. ins Pferdegeschirr). ↗ Zeug

geschlagen *ein geschlagener Mann* = ein ins Unglück gestürzter. – Stäupen an der Schandsäule (Pranger) mit dem Rutenbesen war eine entehrende Strafe. ↗ Haut

geschmiert *Es geht wie geschmiert (wie geölt)* = geht reibungslos vonstatten. – Der Schmer (das Darmfett) war Schmiermittel, das hochwertige Fett Nahrungsmittel.

Geschrei *Viel Geschrei und wenig Wolle* = (Sprichwort »Viel Lärm um nichts«). Viel Tamtam und nichts dahinter. – Geschrei ist hier (wegen der Koppelung mit Wolle) sicherlich Ge-schererei, wobei Schererei (= unangenehme Plackerei) immer die Grundbedeutung scheren (= abschneiden) mitklingen läßt und auf Schafschur hinführt; ähnlich bei *»jn. ungeschoren lassen«* = ihn in Ruhe lassen, ihm keine ↗ Schererei verursachen.

Gesicht *ein langes Gesicht macht* man, wenn man erstaunt und verwundert ist; da fällt einem förmlich der Unterkiefer herunter und zieht das Gesicht in die Länge.
ein Gesicht machen wie zehn Tage Regenwetter.
ein Gesicht machen wie die Katze, wenn's donnert. ↗ Hühner

Gesichter schneiden ⃗ Grimassen machen.

Gesichte haben = Gespenster sehen wie ein Spökenkieker (= Spukseher). Orientalen wollen *nicht das Gesicht verlieren* = sich keine Blöße geben, sie wollen *das Gesicht wahren.*

gespannt *gespannt sein auf etwas* = erwartungsvoll sein (mit den läppischen umg. Zusätzen: wie ein Flitzbogen, wie ein Regenschirm u. ä.). ⃗ Folter

Gespenst *das reinste Gespenst* = ein unheimlicher Mensch oder ein ganz hagerer. Gespenst = Geistererscheinung, ursprünglich als »lockend« gedacht, vgl. jn. abspenstig machen; das Wort stammt von ahd. spannan = locken.

Gespenster sehen (am hellichten Tage) = sich grundlos über etwas ärgern.

gespickt *gespickt mit* Fehlern oder mit Zitaten = vollgepfropft wie ein mit Speckstreifen durchzogener Braten.

G'schaftlhuber *die reinste G'schaftlhuberei* (österr.) ist eine emsige Geschäftigkeit ohne ersichtlichen Zweck.

G'spusi *ein G'spusi anfangen* (österr.) = eine Liebelei beginnen mit einer (bayr.-österr.) Gesponsin. ⃗ Späne

gestrichen *die Nase gestrichen voll haben* (Umg.) = genug davon haben. – Beim Messen mit einem Hohlgefäß (Scheffel) wird mit einem Brettchen über den Rand »gestrichen«, damit alle Hohlräume ausgefüllt sind.

gestrig *den gestrigen Tag sucht* man, wenn man sinn- und planlos herumhantiert.

gesund *sich gesund stoßen* (kaufm.) = durch eine gute (aber nicht immer ganz einwandfreie) Kapitalmanipulation wirtschaftlich gesunden, reich werden.

Gewicht *ein schwerer Junge* = ein Einbrecher.

ein leichtes Mädchen = eine Dirne.

schwer, kaum, nicht ins Gewicht fallen = bedeutsam, wenig wichtig oder unbedeutend sein. ⃗ Waage

(großes) Gewicht auf etw. legen = *einer Sache Gewicht beimessen* = etw. für wichtig halten, es ernst nehmen. – Man mußte schon große Gewichte auf die Waagschale legen, um das Gewünschte zu erstehen. Dasselbe bedeutet »*große Stücke auf jn. halten*«. ⃗ Stücke

Gewinn *den Gewinn* »einstreichen« ist sehr anschaulich ausgedrückt: Man sieht ihn, wie er den Gewinn vom Tische in seine Hand streift und in die Tasche steckt.

Gewissen *sein Gewissen schlägt* = *die Stimme des Gewissens regt sich* = er bekommt Gewissensbisse.

sich kein Gewissen daraus machen = skrupellos handeln.

sein Gewissen beruhigen, beschwichtigen, betäuben, erleichtern usw. durch alle Wendungen mit »Gewissen« = das Mitwissen, das innere Bewußtsein, was eine Übersetzung des lat. conscientia ist.

Gicks *weder Gicks noch Gacks zu sagen wissen* = gar nichts, nicht einmal ein Gegacker herausbringen.

Gift In der deutschen Justiz ist Gift nicht angewendet worden wie z. B. im alten Griechenland (wo Sokrates den Giftbecher trinken mußte); Gift scheint lediglich Familienangelegenheit gewesen zu sein, indem man ein giftiges Tränklein braute. Die Drohung, *»es ihm eintränken wollen«*, stammt wohl daher, auch die Beteuerung *»Darauf kannst du Gift nehmen«* = dich darauf verlassen. Daß man heute nicht nur dem Besuche, sondern gleichzeitig sich selbst ein Gläschen miteinschenkt, zeigt noch heute das ehemals wache Mißtrauen. ↗ kredenzen, ↗ Mitgift. *Gift und Galle spucken* = höchster Grad von galligem Unmut. ↗ Galle. Daß uns *giftgrün* eher auf die Zunge kommt als das naheliegende »grasgrün«, hat seinen Grund im allbekannten Schweinfurter Grün.

Glacé *jn. mit Glacéhandschuhen (Samthandschuhen) anfassen* = ihn äußerst behutsam behandeln, ihn mit bloßen Händen zu berühren wäre schon zu viel.

Glas *»Der sitzt selber im Glashause«*, sagt man und denkt sich hinzu den zweiten Teil des Sprichwortes: »Der soll nicht mit Steinen werfen« – sonst könnten die anderen Leute zurückwerfen, und es gäbe Glasschaden am eigenen Haus. – Moral: Sich nicht um anderer Leute Sachen bekümmern, *das geht leicht ins ↗ Auge* = schlägt zurück. ↗ Butter *»Dein Vater ist kein Glaser«*, sagt man = du bist nicht durchsichtig, d. h. du stehst mir im Licht.

glatt *jn. aufs Glatteis führen* = jn. absichtlich in eine gefahrvolle Lage bringen, damit er ausrutschen oder gar hinfallen soll.

glauben *dran glauben müssen* = heute meist für »sich drein fügen müssen« gebraucht (aber auch für »sterben«). Die Redensart stammt her vom Religionszwang der Gegenreformation (cuius regio – eius religio), wonach der Landesherr die Konfession (= den Glauben) seiner Untertanen einfach bestimmen durfte, wovon die Landesherrn rücksichtslos Gebrauch machten.

gleich *Gleiche Brüder, gleiche Kappen* = (ironisch) dieselbe Sorte Mensch (mit den gleichen Eigenschaften). – Die Redensart bezieht sich auf Mönche mit gleicher Ordenskleidung.

glimpflich *glimpflich davonkommen* = ohne sonderlichen körperlichen oder materiellen Schaden, während verunglimpfen (= verleumden) einen moralischen meint.

Glocke *etw. (gleich) an die große Glocke hängen* = es (sofort) herumerzählen und zur allgemeinen Kenntnis bringen. – Öffentliche Bekanntmachungen wurden durch den Gemeindebüttel mit Schellengeläut verlautbart, bei ganz wichtigen Verlautbarungen (z. B. Feuersbrunst) wurde auch die große Kirchenglocke geläutet.

wissen, was die Glocke geschlagen hat = wissen, was einem droht, eigentlich: wissen, wieviel die Uhr geschlagen hat. – Glocke = Uhr, noch plattd. Glocke, engl. clock.

die Glocken läuten hören und nicht wissen, wo sie hängen (... und nicht zusammenschlagen) = den rechten Sinn nicht verstanden haben.

Glossen *Glossen machen* = abfällige Randbemerkungen zu der Rede eines anderen fallen lassen. – glossa ist ein lat.-griech. Wort (= Zunge, Sprache); ein Glossar z. B. zu Homer ist eine Sammlung von Erklärungen.

Glück *Glück haben* – Ge-lücke hat, wem etwas ge-lingt. – Diese Erklärung ist eigentlich eine Tautologie, d. h. eine Erklärung durch dasselbe Wort, genauer gesagt, durch ein Wort desselben Wortstammes; denn G(e)lücke und gelingen (wofür man ja auch »glücken« sagen kann) gehen beide aus derselben Wurzel *lig* hervor, nur ist einmal germ. Verschärfung eingetreten, nämlich g über gg zu ck geworden (vgl. Prügel – Brügge – Brücke), das andermal ist ein n (Nasalinfix) eingeschoben, sie sind miteinander verwandt wie Strick und Strang, wie Stock/Stecken und Stange u. ä., sie sind Wortgeschwister.

sein Glück machen = es zu etwas bringen, (meist) zu Reichtum kommen, den man als glücklich machend ansieht.

auf gut Glück etw. beginnen = ohne viel eigenes Zutun, sich auf das Glück verlassen.

mehr Glück haben als Verstand = Die Redensart erklärt sich von selbst.

Glück auf! war der Bergmannsgruß = der Wunsch, wieder glücklich an das Tageslicht zu kommen.

Gnade Das Wort Gnade hat durch das Christentum die Bedeutung »göttliche Hilfe« angenommen.

Gnade dir Gott! = (drohend oder bedauernd) Gott sei dir gnädig und nicht unbarmherzig.

aus Gnade und Barmherzigkeit etw. tun = aus Mitleid und Güte.

von jemandes Gnade leben = von dessen Gutwilligkeit ganz abhängen.

Gnade vor Recht ergehen lassen = begnadigen.

sich auf Gnade und Ungnade ergeben = ohne Bedingung sich ausliefern, ihr *Gnadenbrot* bekommen sogar alte Pferde.

den *Gnadenstoß* gab der Henker dem aufs Rad geflochtenen Verbrecher, um ihm weitere Qualen zu ersparen.

Goderl *jm. s. Goderl kratzen* (österr.) = schmeichelnd sein Doppelkinn kraulen.

Gold *treu wie Gold* = sehr treu, weil sich das Gold auch nicht ändert, nicht schwarz wird.

nicht jedes Wort auf die Goldwaage legen = nicht erst lange überlegen, was gesprochen wird. – Noch zu Zeiten unserer Ururgroßmütter mußte ein Goldstück auf der Goldwaage genau nachgewogen werden, weil es oft am Rande (beschabt) beschnitten war. Beim Wiegen glichen einst Geldschneider, die man auch »Kipper« nannte, das Fehlgewicht durch schnelles Kippen der Münzen auf die Waagschalen und geschicktes Manipulieren beim Wiegevorgang (wippen) aus. Diese Kipper und Wipper gaben einer ganzen Zeit ihren Namen.

Die Redensart »*denken wie Goldschmieds Junge*« ist literarisch reich bezeugt. Sie bedeutet eine abschlägige Antwort. Was sich der Junge eigentlich denkt, das wird rücksichtsvoll verschwiegen; es wird nur durch den Namen so angedeutet, daß es sich um Gold handelt. Natürlich ist da nicht wertbeständiges, edles gemeint, sondern nur das gewöhnliche, darmgeprägte wie das in den Goldtöpfchen von Lüneburg schimmert. Der Junge denkt nämlich ganz unverblümt: »Ich werd' dir was scheißen!« – Weniger grob wäre: münzen (↗ Geld), husten, blasen, niesen, pfeifen, pusten u. dgl. Aber warum auch? Er hört es doch erwachsene Leute sogar gerade heraus sagen.

Gordios *den gordischen Knoten durchhauen* = eine schwierige Aufgabe verblüffend einfach lösen. ↗ Klassik

Gosse *Er hat sie (seine Frau) aus der Gosse aufgelesen* = *von der Straße aufgelesen* = er hat ein verkommenes Weibsbild geheiratet, die sich auf der Straße herumtrieb. – Gosse ist die Rinne an der Straße, in die früher einfach das Schmutzwasser »gegossen« wurde.

Gott *Gott sei's gelobt (gedankt), getrommelt (gepriesen) und gepfiffen* = (Umg.) Seufzer der Erleichterung nach einer glücklichen Erledigung. – Anspielung auf die Musikkapelle beim Dankgottesdienst.

Das wissen die Götter = ich weiß es nicht; es ist unbekannt, unbestimmt. – Klassisch Gebildete begnügen sich nicht mit »das weiß Gott«, weil die Griechen viele Götter hatten.

Götz ↗ A...

Grab (seine Hoffnungen) *zu Grabe tragen müssen* = begraben, aufgeben müssen. – Früher trug man die Toten auf den Schultern zu Grabe.

Granit *auf Granit beißen* = auf härtesten Widerstand stoßen. – Der Granit ist ein sehr hartes und deshalb für Straßenschotter verwendetes Gestein.

Gras *ins Gras beißen* = sterben. Vgl. den Schmerz »verbeißen«. – Tödlich verwundete Soldaten fassen im Todeskampf mit dem Munde am Boden alles, was erreichbar ist (meist Gras). Schon bei Homer »beißen in die Erde« die todwunden Helden.

Gras wachsen lassen darüber = warten, bis es längst vergessen ist; auch über ein Grab wächst bald Gras.

daß er *das Gras wachsen hört*, sagt man von einem, der sich überklug dünkt und alles im voraus zu wissen meint, und kann noch hinzufügen: *und die Flöhe husten*.

Graz *Und wenn's Graz kost't!* (österr.) = Und trotz alledem! – »Das kann grad' sein, wie es will, ich tu es«. Der Gleichklang grad's = Graz genügt, um sprachspielerisch eine Redewendung erstehen zu lassen. ↗ Dachdecker

Gretchen *die Gretchenfrage stellen* = eine Gewissensfrage. – Gretchen aus Goethes Faust hat den Namen gegeben. (»Nun sag', wie hast du's mit der Religion?«)

Grieben *(Griefen) hat ein Kind genascht* (fam.), wenn es um den Mund einen Bläschenausschlag hat. – Grieben, auch Griefen, sind die Rückstände vom Auslassen des Specks.

Griff *etw. in den Griff bekommen, etw. im Griff haben* = es in seine Gewalt bekommen, es gefühlsmäßig richtig machen. – Einer, der hundertmal am Tage denselben Griff macht, kennt ihn, auch ohne hinzuschauen; manchmal erweitert durch: wie der Bettelmann die Laus.
einen guten Griff tun = eine glückliche Hand haben bei der Wahl.

Grillen *Grillen fangen* = mürrisch sein.
Grillen haben (südd. *Mucken haben)* = Launen haben, wunderliche Einfälle.
jm. die Grillen vertreiben = ihm seine Launen austreiben (oder ihm bei seinen Sorgen behilflich sein). – Grillen, Heimchen, Mücken, Motten u. dgl. im Kopfe sollen launische Zustände verursachen.

Grimassen *Grimassen schneiden* = das Gesicht zu einer Fratze verziehen. – Das Wort schneiden erinnert an die aus Holz geschnitzten Köpfe am Kirchengestühl.

Grips *einen guten Grips haben* = leichte Auffassungsgabe. – gripsen – grapsen – greifen = erfassen? aber wohl verballhornt aus ↗ Grütze.

Groschen *»Na endlich ist der Groschen gefallen!«* = Endlich hast du es kapiert. – Sichtlich ein Sprachbild nach dem Einkauf bei Automaten: Man steckt das Geldstück in den Schlitz und muß warten, bis die Münze (gewöhnlich 10 Pf., d. i. ein Groschen) gefallen ist, was eine ganze Weile dauert.
Bekannt wie ein falscher Groschen ↗ Geld

Grube *in die Grube fahren* = sterben (1. Mose 37, 35).

grün Grün ist die Farbe des Frühlings, der Hoffnung, mit Grün verbindet sich die Vorstellung des Angenehmen; beachte die entgegengesetzte Redensart »*jm. nicht grün sein* (Umg.) = ihm nicht hold, nicht gewogen sein.
Komm an meine grüne Seite (d. h. an meine linke, die Herzseite) = für dich hab' ich ein Herz, du bist mir sympathisch.
über den grünen Klee loben = überaus. ↗ Klee
auf keinen grünen Zweig kommen = es zu nichts bringen. ↗ Zweig
dasselbe in Grün = genau das Gleiche in anderer Aufmachung. – Es ist die stets gleichbleibende Redensart der Stoffverkäufer, so wie die ständig gleichlautende Aufforderung des Frisörs: »Der nächste Herr, bitte« oder wie die immer gleiche Vertröstung des Kellners: »Kollege kommt gleich«.
sich grün und gelb ärgern = sehr. – Die Galle hat eine grüne Farbe. ↗ Neid.

»Mir wird schon grün und blau vor Augen«, sagt man, wenn der Hunger übermächtig wird und man einer Ohnmacht nahe ist.

vom grünen Tisch aus = bürokratische Behandlung ohne Kenntnis der Praxis. – Der Amtstisch hat grünen Belag schon seit der Zeit, als in Regensburg der immerwährende Reichstag (seit 1663) seine Sitzungen abhielt. Der große, runde Beratungstisch mußte schon damals mit grünem Tuche bezogen sein. Gerade grün? Wahrscheinlich, damit die Besprechungen »hoffnungsvoll« verlaufen sollten.

grünes Licht geben = den Weg freimachen für eine Unternehmung. – Wendung aus unserer Auto-Zeit mit den Verkehrsampeln.

Grütze *Grütze im Kopfe haben* = klug sein. – Grütze (aus Gerste, Hafer und Buchweizen) war einst ein Hauptnahrungsmittel, sie war ein nahrhaftes Mus, nur durften keine Hülsen und Spelzen darin sein; strohiges Zeug war überhaupt wertlos, deshalb auch: *Stroh im Kopf haben* = strohdumm sein (↗ Bohnenstroh). Wahrscheinlich stammt aber das Wort von einem älteren Worte »Kritz«, das soviel wie Scharfsinn bedeutete. ↗ Grips

Grund *Er sitzt auf eigenem Grund und Boden* = er hat Grundbesitz, mit der Nebenbedeutung »materiell gesichert sein«, weil Besitz von Grund und Boden immer noch als die sicherste Lebensgrundlage angesehen wird.

Gunst *bei jm. in Gunst stehen* = in ihm einen Gönner haben. – Gunst ist das Hauptwort zu gönnen, gebildet wie Kunst von können, wie Geschwulst von anschwellen, wie Verdienst von verdienen u. ä.

Gürtel *den Gürtel (um ein Loch) enger schnallen müssen* = weniger zu essen bekommen, etwas hungern müssen. – Es gab eine Zeit, da die Männer die Hose mit einem Leibriemen oben hielten. ↗ Schmachtriemen

Güte *(O) du meine Güte!* = erstaunter Ausruf. – Das Wort »Gott« wird aus religiöser Scheu (2. Gebot) gemieden.

H

Haare *Alles hängt an einem Haar (Faden)* = beim geringsten Anlaß kann es reißen, d. h. die Sache kann scheitern.

ein Haar in der Suppe finden = an einer einwandfreien Sache eine Winzigkeit bemäkeln. – Auch das Haar der Köchin ist kleinwinzig und erregt doch Widerwillen.

niemandem ein Haar krümmen = ihm nichts zuleide tun.

kein gutes Haar an einem lassen = ihn in allen Stücken tadeln. – Die Haare wurden früher nach der Farbe gewertet; gut waren blond und braun, rot nicht.

Die Haare standen ihm zu Berge, es war *haarsträubend* für ihn, so etwas sehen und hören zu müssen.

Haare auf den Zähnen hat ein resolutes, zänkisches Frauenzimmer. – Starke Behaarung bis auf die Zehen (mhd. zehenen) hinunter wird als zu männlich angesehen.

sich keine grauen Haare wachsen lassen = sich nicht unnötig grämen. – Tatsache ist, daß ein übergroßer Schmerz die Haare über Nacht weiß werden läßt.

sich die Haare raufen = ausweglos erzürnt oder verzweifelt sein.

Haare lassen ↗ Rauferei

sich ständig in den Haaren liegen = immer streiten; *sich in die Haare geraten (fahren)* = streiten, raufen.

etw. an den Haaren herbeiziehen = etwas gewaltsam begründen wollen. – »ziehen«, weil man Zeugen zuzieht.

eine Haarspalterei ist eine übertriebene Genauigkeit, eine Wortklauberei, ein Kümmelspalten.

Habe *(sein) Hab und Gut verloren haben* = sein ganzes Vermögen, d. h. seine fahrbare Habe und sein unbewegliches Gut.

haben *Da haben wir's!* (Umg.) = d. h. die schöne ↗ Bescherung.

Jetzt hab' ich's! (Umg.) = zu ergänzen: herausgefunden, erraten.

Haber/Hafer *langer Haber* = die Peitsche. – Wenn man Hafer füttert, sind die Pferde stark, sie ziehen gut; mit der Peitsche zwingt man sie dazu.

der Hafer sticht ihn = er wird übermütig. – Ein mit Hafer gut gefüttertes Pferd ist überaus lebhaft und übermütig.

Das Haberfeldtreiben war ein übles Strafgericht, das sogar bis auf Menschengedenken noch in Bayern und Tirol geübt wurde. Das Wort hat mit einem Haferfelde nichts zu tun, es ist vielmehr ein Haberfelltreiben, das man besonders mit Männern trieb, die sich von der Frau schlagen ließen: Nächtens rottete man sich zusammen, hüllte den Mann in ein Ziegenfell (Ziege = bayr. Habergeiß, ma. Haber entspricht lat. capra) und trieb ihn ums Haus, während andere auf sein Dach stiegen (= ma.

ihm aufs Dach stiegen, ↗ Blatt: »ihm«), das Dach abzudecken begannen und ihm dabei sein Sündenregister vorhielten.

Hacken *nicht von den Hacken (von den Fersen, von den Socken) gehen* = widerwärtig anhänglich sein, sich nicht abschütteln lassen. *die Hacken zusammenreißen* = stramm stehen, d. h. die Fersen zusammenklappen. – österr. Haxen (= Füße) ⟨ Hacksen.

hadern *mit seinem Schicksal hadern* = unzufrieden sein. – Hadern (streiten, kämpfen) ist ein altes Wort, vgl. ahd. Hadubrand = Kampfschwert und kelt. Catu-rix.

Hafen *in den (sicheren) Hafen der Ehe einlaufen* (Schwulst) = sich verheiraten.

Hagestolz *ein rechter Hagestolz* = ein alter Junggeselle. – Das Wort hat mit hager und stolz nichts zu tun; es ist eine Zusammensetzung aus Hag (= Hecke) und ahd. staldan (= besitzen). Es war der Besitzer eines kleinen Grundstückes, das er als jüngerer Sohn geerbt und sich mit einer Hecke vom Hofe, den stets der Erstgeborene erbte, abgegrenzt hatte. Eine Familie darauf zu ernähren, dazu reichte es nicht, er mußte notgedrungen unbeweibt bleiben.

Hahn *der Hahn im Korb* ist ein umschwärmtes Mannsbild in einem Kreise junger Mädchen. – Zwar ist uns der Bildvergleich mit einem Gockelhahn als Herr und Gebieter über eine Schar Hennen im Hühnerhof ohne weiteres verständlich, aber was soll dabei der Korb? Das Hühnervolk wird doch nicht in einem Korbe gehalten! – Nun, man läßt hier wohl zwei Vorstellungen einander überschneiden, wie unter ↗ Tennisspieler (vgl. Einfälle wie ein altes Haus) erklärt ist: Beim Hahn wird die Vorstellung »Hennen in seinem Hühnerhof« überdeckt von der Vorstellung »Mädchen = Bienen« (vgl. den alten Schlager »Mein Herz, das ist ein Bienenhaus, die Mädchen sind darin die Bienen«): Diese Bienchen umschwärmen den Mann, er befindet sich gleichsam in einem Bienenkorb. – Allerdings ist auch eine andere Herkunft von »Korb« denkbar, sogar wahrscheinlicher, nämlich von dem niederdeutschen Mundartwort »der Kropp« (= Volk, Pack), das auch uns bestens bekannt ist in der Zusammensetzung »Kroppzeug« (= Kindervolk). Das r hat sich umgestellt wie bei Brunnen – Born, Brett – Bord, brennen – Bernstein, crosna – Kürschner (↗ Kuppelpelz) u. a. Korb wird Korp ausgesprochen (mit der allgemeinen deutschen Auslautverhärtung ↗ ausgemergelt) und gleicht so dem Korpp aus Kropp.

Er stolziert umher *wie der Hahn auf dem Miste,* so eingenommen von sich und stolz ist gar mancher Mann auch.

Da kräht kein Hahn (mehr) darnach = so unwichtig (halb vergessen) ist ein Ereignis. – Der Hahn bekräht mit kikeriki jede kleinste und unwichtigste Begebenheit auf dem Hofe.

jm. den roten Hahn aufs Dach setzen = sein Haus anzünden. – Der rote Hahn ist ein Vergleich mit dem flackernden Feuer. Der Gaunerzinken »Hahn«, mit Rotstift an die Hauswand gemalt, verkündete einst die Drohung mit Brandstiftung.

Hahnrei ↗ Hörner

Haja *in die Haja gehn* (schwäbich, rheinisch, sächsisch), *hajan gehn* (schlesisch) = schlafen gehen in der Kindersprache. – Wenn die Wiege ma. die Ninne heißt und wir hören, daß man in Rumburg i. B. – wohl auch anderswo – für schaukeln »prop'n« sagte, so wird uns das Liedgestammel einer Mutter an der Wiege »(H)aja propaja, nini-ninaja« dann verständlich und auch das Wiegenlied: prope nine sause . . .

Haken Die Sache *hat einen Haken* = noch eine (versteckte) Schwierigkeit, man muß aufpassen, sonst kann es einem ergehen wie dem blindlings nach dem Köder schnappenden Fische.

Haken schlagen ↗ Jäger

Hals (↗ Kragen)
Die Redensarten mit Hals sind alle verständlich; sie gehören zumeist der Umgangssprache an.

einem den Hals stopfen = ihm so viel geben, daß er schweigt.

einer kann den Hals nicht voll genug kriegen = er ist unersättlich.

etw. steht mir bis zum Halse = ich habe davon mehr als genug.

Es hängt mir schon zum Halse heraus = ich habe übergenug davon.

etw. in den falschen Hals (= in die falsche Kehle) kriegen = sehr ärgerlich sein, wie wenn Speise in die Luftröhre (= falsche Kehle) geraten wäre.

Das Wort blieb ihm im Halse stecken = vor Schreck (vor Scham) nicht reden können.

einer Flasche den Hals brechen = sie öffnen. – Statt einen Korkenzieher zu gebrauchen, der Flasche einfach den Hals abschlagen.

sich den Hals brechen = tödlich verunglücken.

»Hals- und Beinbruch!« ist der Glückwunsch, damit er sich (nach dem Aberglauben) nicht (!) den Hals brechen soll bei waghalsigen Sachen. Verkehrtbedeutung wie bei ↗ abgefeimt.

Das bricht (kostet) ihm den Hals (den Kragen) = ruiniert ihn.

Hals über Kopf = überstürzt, überhastet, soll mundartlich A... über Kopf lauten?

einen langen Hals machen = *den Hals recken* = neugierig sein.

Er steckt bis zum Hals in Schulden = *das Wasser steht ihm bis zum Halse* = er muß *sich seine Schulden vom Halse schaffen.*

Sie hat sich ihm an den Hals geworfen = aufgedrängt.
jm. um den Hals fallen = ihn stürmisch umarmen.
den Hals aus der Schlinge ziehen = sich aus einer sehr heiklen Lage befreien (gedacht ist an den Galgen).
jm. den Hals umdrehen = ihn wirtschaftlich totmachen, wie man Vögel tötet.
jm. einen auf den Hals schicken = ihm unerwünschten Besuch zuschicken, der ihm dann *über den Hals kommt* = überrascht.
Bleib mir vom Halse (vom Leibe)! = Geh weg!
sich etw. auf den Hals laden = sich etw. Unangenehmes zuziehen (aufhalsen), das Gegenteil: *sich etw. (jn) vom Halse schaffen.*

Hammer *unter den Hammer kommen* = versteigert werden ($\nearrow$ Rechtsbräuche). – Als Hammer diente in Urzeiten natürlich ein Stein, vgl. Hammerfest = die Stadt auf dem Felsen, slav. kamen = Stein.

Hampelmann *ein rechter Hampelmann* ist ein willensschwacher Mensch, der »hampelt«, wie ein anderer will, so ein rechter *Hannewackel*, der auch mit Namen bekannt ist von Schlesien bis in die Pfalz.

Hand Die Hand ist das naturgegebene Werkzeug des Menschen, das er sich dann durch einen Stein, eine Keule u. dgl. vervollkommnet. Mit »Hand« sind eine ganze Menge Redensarten geläufig, die meisten sind ohne weiteres erklärlich: *Das steht in Gottes Hand* = liegt in seiner Gewalt, *jm. die Hand geben* = als Begrüßung, *jm. herzlich die Hand schütteln, jm. die Hand reichen* = ihm behilflich sein (vgl. eine kleine Handreichung = Hilfeleistung), *jm. die Hand bieten* = zur Versöhnung, *jm. die Hand drücken* = zum Dank dafür, die Arbeit *geht ihm von der Hand* = er ist ein flotter Arbeiter, *Hand in Hand gehen (arbeiten)* = gut abgestimmt aufeinander, *einander in die Hand arbeiten, jm. an die (zur) Hand gehen* = ihm behilflich sein, *Hand an etw. legen* = etw. anpacken, beginnen, *die Hand auf etw. legen* = es beschlagnahmen; *Hand an sich legen* = Selbstmord verüben, *etw. selbst in die Hand nehmen* = selbst führen, die Zügel ergreifen, *etw. in der Hand behalten* und *nicht aus der Hand geben, eine Hand wäscht die andere,* einer hilft dem anderen (den Schmutz) abwaschen (schon lat. manus manum lavat), *zur Hand sein* = bereit, in der Nähe, *von langer Hand vorbereiten* = seit langem, *unter der Hand* = ohne Vorwissen anderer, *kurzerhand* = ohne viel Überlegung, *auf der Hand liegend* = naheliegend, *im Handumdrehen* = im Nu, so *aus dem Handgelenk* = ganz leicht, improvisiert, d. h. ohne den ganzen Arm bewegen zu müssen. Etw. ist *nicht von der Hand zu weisen* = ist selbstverständlich, *seine Hand im Spiele hat,* wer an einer undurchsichtigen Sache beteiligt ist, *die Hand aus dem Spiele lassen* = sich nicht einlassen, *jm. etw. in die Hand spielen* = zuschanzen, *keine Hand rühren* = keine Hilfe gewähren, *von der Hand in den Mund leben* = kümmerlich von heute auf morgen, *letzte Hand anlegen* $\nearrow$ Feile, *Hand weg von der Butten!* = Nicht daran gerührt! Butte (südd.) = Weinbottich, *hand-*

greiflich werden = mit Brachialgewalt; *die Hände über dem Kopfe zusammenschlagen* = eine Äußerung der Bestürzung, wehklagend *die Hände ringen (brechen)*, vgl. die zwei Frauen unterm Kreuz auf dem Isenheimer Altarbild, *nicht mit leeren Händen kommen* = etw. mitbringen, *eine offene Hand haben* = freigebig sein. *Mit geschmatzten Händen etw. annehmen können*, d. h. entweder mit einem Handkuß das Geschenk quittieren oder (wegen der Mehrzahl) vielleicht auch so gedacht, daß man sich selbst in die hohlen Hände küßt und die Kußhände zuwirft. *mit Händen zu greifen* = so nahe, *alle Hände voll zu tun haben, die Hände in den Schoß legen* = nicht gern arbeiten, *die Hände sind ihm gebunden* = er kann in dieser Sache nicht behilflich sein, einen Grund *nicht von der Hand weisen können* = ihn nicht ablehnen können, *zwei linke Hände haben* = ungeschickt sein (man denkt sich die linke weniger geschickt als die rechte, was bei Linkshändern nicht stimmt), *sich wehren mit Händen und Füßen* = mit aller Kraftanstrengung, jm. *in die Hände fallen* = in seine Gewalt geraten, *seine Frau auf den Händen tragen* = sie vergöttern, *überhand nehmen* = Oberhand gewinnen. ⟋ Feuer, ⟋ Spiel, ⟋ Handwerk
Der Sinn obiger Redewendungen ist allenthalben bekannt. Aber einige alte Wendungen sind mitunter nur mehr kulturgeschichtlich zu erklären, z. B. etw. »*in die Hand versprechen*«, d. h. indem man dem anderen wirklich die Hand reichte; *um die Hand der Tochter bitten* = um die Einwilligung der Eltern zur Heirat mit der Tochter ersuchen. Die Ehe ist – grob ausgedrückt – auch ein Rechtsgeschäft, das man mit Handschlag besiegelt. Der Vater legte die Hand seiner Tochter in die des jungen Mannes, damit sich beide den Handschlag fürs Leben geben können. Zur Bekräftigung von Verträgen ist der Handschlag bei uns ein uraltes Brauchtum. (Jakob Grimm, D. Rechtsaltertümer, 1881[3], Seite 138.) In manchen Ausdrücken stecken noch Reste alter Abwandlung: *vorhanden sein* = vor den Händen befindlich, *abhanden kommen* = von den Händen wegkommen (3. Fall Mehrzahl).
Das hat Hand und Fuß = was man sagt, was man tut, ist in jeder Beziehung gut durchdacht und wohl überlegt. – Das Ideal der Feudalzeit war ein in jeder Beziehung vorbildlicher Ritter, ihm durfte nichts fehlen, in allererster Linie natürlich nicht der linke Fuß, mit dem er in den Steigbügel treten, und nicht die rechte Hand, mit der er das Schwert führen mußte.
Auf mittelalterliche Rechtsbräuche, die viel mit symbolischen Gesten verbunden waren, gehen zurück: *die Hand auf etwas legen* = beschlagnahmen und *die Hand über jn. halten* = ihn beschützen; *die Hände in Unschuld waschen* stammt aus der Bibel (Pilatusszene, Matth. 27,24).
Händel suchen = eine Schlägerei anzetteln. – Es schwebt der Gedanke vor, »hand«greiflich werden zu wollen.
eine Handhabe bieten = eine Veranlassung geben, einen Angriffspunkt

bieten. – Der »Griff, Halter«, womit man etw. in Bewegung setzt, hat die verschiedensten Namen: der Flegel hat eine Handhabe (die Redensart ist also bäuerlichen Ursprungs), der Hammer hat einen Stiel, Axt und Beil haben ein Halmel (Holm), die Sense hat einen Worf, der Pflug einen Sterz, die Striegel hat einen Handgriff, das Messer ein Heft, die Sichel ein Händel, der Topf hat Henkel, die Pumpe einen Schwengel usw. Jede Sprache hat im Anfang eine Fülle von Einzelnamen und bringt es erst spät zu einem Namen für den Oberbegriff. Vgl. unsere Fremdnamen Fauna und Flora, wogegen die einzelnen Tiere und Pflanzen mit deutschen Namen benannt sind.

nur ein bißchen hinters Handtuch treten (Isergebirge) = ein eiliger Kurzschlaf (statt ins Bett zu gehen). – Das »Handtüchel« hing einstmals in der Stube neben dem Kehrbesen an einem Nagel am Türpfosten. Man brauchte also seine nächtliche Arbeit am Webstuhl nicht lange zu unterbrechen – und man hatte ausgeschlafen.

jm. das Handwerk legen = ihm seinen Unfug abstellen. – Die Innungen (Zünfte) des Mittelalters hielten auf ihre Handwerksehre, sie überwachten die Güte der Arbeit (vgl. *jm. ins Handwerk pfuschen* = Konkurrenz machen mit »Pfuscher«arbeit). Bei Verstößen wurde ihm »das Handwerk gelegt« = die Konzession entzogen, wie wir heute sagen.

Hand aufs Herz! = eine milde Aufforderung zu bestätigen, daß das, was gesagt wurde, wirklich reine Wahrheit ist. – Die mittelalterliche Sitte, wonach Geistliche und Fürsten beim Schwören die Hände auf Brust und Herz zu legen hatten, klingt in dieser Wendung noch nach.

die Tote Hand = damit ist meist das Vermögen der Kirche gemeint, weil ihr Besitz unveräußerlich ist und der Besitzer ihn nicht zu seinen Lebzeiten (= mit warmer Hand) vererben kann.

hanebüchen »*Das ist ja hanebüchen!*« = (Gehörtes) ist unglaublich derb, grobschlächtig; auch *hagebüchen* (weil Hagebuche = Hainbuche), d. h. knorrig wie eine draußen im Hain wild gewachsene Buche. Buchen bildeten einst weithin unsere Waldungen; Fichten wurden des schnellen Wachstums wegen waldweise erst in neuester Zeit aufgeforstet: (Caesar) silva Bacenis dividit Suebos Cheruscosque. Die germ. Aussprache war Bâkens (mit Anfangsbetonung), was später über Bôken zu Buochen + wald wurde. ⚹ Buchstabe

Hanemann »*Hanemann, geh du voran!*« = Ein geflügeltes Wort aus dem Märchen von den sieben Schwaben.

hängen *er hängt beim Wirt* (Umg.) = er hat dort Schulden. Er = sein Name hängt dort an der Tafel (am Brett).

hängenbleiben z. B. Schüler in der Schule = steigen nicht auf, Männer im Wirtshaus = über die Polizeistunde hinaus, Jünglinge an einem Mädchen = und müssen sie dann heiraten, was bei der Liebelei nicht beabsichtigt war u. ä. m. – Das Sprachbild ist von einem Wanderer genommen, der in ein Dickicht gerät und an den Ästen und Ranken überall mit seinen Kleidern hängenbleibt. Die Sprache spricht gern in Bildern und Vergleichen, wie wir beobachten können.

mit Hängen und Würgen = mit Mühe und Not. – Das Würgen des Gehängten am Strick ist möglicherweise der Grund dieses Ausdrucks; seinerzeit sah man öfters dieses Schauspiel. Um das Recht der Halsgerichtsbarkeit nicht verjähren zu lassen, fing man ab und zu einmal einen Herumtreiber und knüpfte ihn öffentlich auf.

Hans *jn. hänseln* = foppen, necken, verulken, uzen. – Das Wort geht zurück auf »hansen« mit den Verulkungen und verschiedenen z. T. recht derben Scherzen und Mutproben bei der Aufnahme in eine Gilde (= Hanse), vgl. ↗ Einstand. Wir beziehen heute das Wort auf Hans, wie Prahlhans, Faselhans, Küchenmeister Schmalhans, Streithansel und besonders auf ↗ Wursthans.

Hans Dampf in allen Gassen = ein rechter Tausendsassa. – Ab 1400 heißt jeder vierte Deutsche Hans.

den Hanswurst machen = den Faxenmacher abgeben, der anderen etw. voralbert, ihnen den Kaschper macht. ↗ Wurst

Harke *ihm zeigen, was eine Harke ist* (nordd.) = ihn ziemlich handgreiflich belehren, was gemeint ist. – nd. Harke = hd. Rechen. Die Redewendung soll aus einer Anekdote geschöpft sein.

Harm *sich nicht darum härmen* (veraltet) = sich nicht (sehnsüchtig) darum bekümmern. – Vgl. dazu: ein *abgehärmtes* = von »Harm« (= Kummer) bedrücktes Weib.

harmlos, weil noch »unbekümmert« (jung), also ungefährlich; diese Bedeutung wird auf Sachen übertragen (harmloses Spielzeug).

Harnisch *jn. in Harnisch bringen, in Harnisch geraten* = zornig machen, zornig werden. ↗ Ritter

Hase *»Mein Name ist Hase«*, d. h. Ich weiß von nichts. – Diese Redewendung ist einmal wirklich in Heidelberg gefallen und hat sich in Juristenkreisen gehalten: Jeglicher Mißbrauch einer Studentenlegitimation war strengstens verboten, denn sie garantierte dem Inhaber das studentische Vorrecht des akademischen Bürgers, der lediglich der Universitätsgerichtsbarkeit unterstand, von der (mißliebigen) Polizei also nicht beanstandet werden durfte. Kam da ein Student von auswärts, der wegen eines Duelles mit tödlichem Ausgang verfolgt wurde, durch Heidelberg. Ein Kommilitone, namens Hase, half ihm weiter, indem er seine Legitimation fallen ließ (verlieren kann nicht bestraft werden), die der andere aufhob, damit über die Grenze gelangte und sie dort wieder verlor. Als sie der Universität nach Heidelberg eingesandt worden war, erklärte der Student Hase vor dem Universitätsgericht: »Mein Name ist Hase, ich verneine die Generalfragen, ich weiß von nichts.«

kein heuriger Hase mehr = ein alter Hase. – Von alten, schlau gewordenen Hasen erzählt man sich die tollsten Geschichten (Jägerlatein).

Da liegt der Hase im Pfeffer = Das ist es, worum es sich dreht. – Die
Redensart ist alt (nach Grimms Wörterbuch, 7. Bd., Sp. 1635 ff.). Mit
»Pfeffer« ist hier die pfeffergewürzte Wildbretbrühe gemeint: (1510)
»häßlin, wie man das in den pfeffer bereyten soll«. (Der Pfeffer war im
Mittelalter den Leuten ein unentbehrliches Gewürz.) Wenn (1494) Seb.
Brant sagt: »... der has, der ynn der schriber pfeffer kumt«, so meint
er damit schon die »Redensart« vom Hasen im Pfeffer. In der Zimmer-
schen Chronik (1550) heißt es: der has im pfeffer. Im Simplicissimus
(1668) lesen wir: »... wenn wir einmal im pfeffer liegen ...«, und das
Wörterbuch erläutert: in der Patsche, wie der Has im Pfeffer. Der junge
Goethe hat: »Da liegt der Has im Pfeffer«, und wenn in »Kabale und
Liebe« steht: »Sobald er aber merkte, wo der Has im Pfeffer lag«, so
meint damit Schiller auch: die Patsche bemerkte. – Heute ist uns der
Begriff »im Pfeffer« weitgehend verblaßt, wir gebrauchen die Redensart (wie der Franzose sein: C'est là que gît le lièvre), wie wenn es lediglich hieße: Da liegt der Hase = Das ist die Sache, auf die es an-
kommt.

Na, woll'n mal sehen, wie der Hase läuft = wie es weiter gehen wird.
↗ Jäger, ↗ Hund

das Hasenpanier ergreifen = davonlaufen (Angsthase, Hasenfuß). – Das
Panier (das Banner) des Hasen ist sein weißes Schwänzchen, das er auf
der Flucht hinten zeigt.

rennen was haste, was kannste (Umg.) = aus Leibeskräften laufen. – Mit
»hasten« oder mit »Hase« hat das natürlich nichts zu tun, es ist reine
Mundart mit Gedankensprüngen (Elypsen), so daß es schriftdeutsch
und ergänzt hieße: rennen was hast du an Kräften, was kannst du
leisten.

Haube *unter die Haube kommen* = heiraten (von Mädchen gesagt). –
Jakob Grimm, D. Rechtsaltertümer, 1881[3], S. 443: In german. Zeit
»läßt die Neuvermählte ihr Haar nicht mehr fliegen, sondern schlägt es
in Knoten zurück und bindet ihr Haupt«. – Hauben trug bis ins Spät-
mittelalter die gesamte Weiblichkeit: Die Mädchen ließen die Zöpfe
darunter hervor frei flattern[1]), die Frauen steckten die Haare auf und
bargen sie unter der Haube. Eigentlich kommen also nur ihre Haare
darunter, aber man sagt kurzerhand: »sie« kommt unter die Haube.
↗ Kuppelpelz

Na, woll'n mal sehn, wie der Mutter die Haube steht (Umg.) = wie der
Hase läuft = wie und ob es geht.

steht da wie ein Haubenstock = so stumm und steif. – Ehemals gab es
Gestelle für Hauben und Perücken.

hauen *hauen* hat zwei Bedeutungen: 1. schlagen, z. B. *das haut hin*
(Umg.) = das genügt, trifft sich gut. 2. eilen, laufen, z. B. *Hau ab!* =

---

[1]) Als Urkundenformel hielt sich »in fliegenden Haaren« für »ledig getraut« noch viel länger. – Die Sprache ist (wie man sieht) oft recht beharrlich, sie hängt am Alten.

Geh ab! – Wie aus der Grundbedeutung schlagen die zweite Bedeutung eilen, laufen ihren Ausgang nimmt, sucht das Grimmsche Wörterbuch (4. Bd., 2. Abt., Sp. 580) zu erklären: Gassenhauer waren bummelnde Leute (Gassentreter, Gassengänger), auch hieß ein Tanz so (und auch ein Lied: gassenhauwer, ein gemein und schlächt gassenlied).

... ist nicht gehauen und nicht gestochen = nicht so und nicht so. – Aus der Fechtersprache = undeutliche Führung der Waffe, so daß man nicht erkennt, ob es Hieb oder Stich sein sollte. ↗ Fechter

Haut den Lukas! = Fest draufgeschlagen! – Auf Jahrmärkten hört man diesen Ruf, man solle an einem Gestell seine Schlagkraft erproben. Warum gerade dieser Name, ist noch nicht erklärt. ↗ Willem

Haus Daß es früher Fachwerkhäuser gab, daran erinnern Redewendungen wie *unter Dach und Fach sein* = fertig. – In die Balkengefache wurden Stäbe geklemmt, um sie Ruten ge»wunden«, und das Ganze mit strohigem Lehm verschmiert. Man *fühlte sich wohl in seinen vier »Wänden«* (= *in seinen vier Pfählen*, d. h. Eckpfosten). Wir machen noch heute gefühlsmäßig einen Unterschied zwischen (Außen-)Mauer und (Innen-)Wänden,

lat. murus ist die Ziegelmauer, eine fremde Einführung, wogegen die Wand (von winden, wand, gewunden) die einheimische Bauart ist. ↗ (Decken)balken, ↗ Fugen, ↗ Zimmermann

jm. zeigen, wo der Zimmermann das Loch gelassen hat = ihn zur Tür hinauswerfen bzw. ihm bloß *die Tür weisen*. – Die Sprache sagt Zimmermann und nicht: Maurer!

sein Haus beschicken (bestellen) = sein Testament machen (besonders früher vor einer weiten Reise). – Der Bäcker »beschickt« seinen Backofen (= macht ihn backbereit), der Landmann »bestellt« sein Feld (= macht es saatbereit).

Studentisch-spaßhaft: *ein altes Haus* = ein bemooster Student, *ein fideles Haus* = ein lustiger Kumpan, *ein gelehrtes Haus* = ein kenntnisreicher älterer Mitstudent.

aus dem Häuschen sein = außer sich sein. – Weil man sagt: Er ist *nicht recht zu Hause* (= nicht recht bei Troste, nicht recht bei Sinnen), faßt man den menschlichen Körper als Haus.

hausbacken = gut gesittet, aber ohne feinere Umgangsformen, wie ein im Hausbackofen gebackenes Brot auch nicht die Feinheit des Bäckerbrotes hat.

Der Haussegen hängt schief = Es gibt Unstimmigkeiten in der Familie. –

Über der Wohnungstür ist oft der gerahmte Spruch befestigt: An Gottes Segen ist alles gelegen. Und der kann leicht, wenn die Tür hart ins Schloß geworfen wird – und zu häuslichen Szenen gehört nun einmal das Türeschlagen – seitlich verrutschen. – Zur Form (vgl. Nachwort): Einmal ein ganzer Satz als Redensart, aber ohne deshalb ein Sprichwort zu sein.

Haut *eine (ehrliche) brave Haut* = ein guter Kerl. – pars pro toto; man sagt »Haut« und meint den, der darin steckt. Ebenso gemeint ist *sich seiner Haut wehren* statt einfach »sich«.

jn. mit Haut und Haaren auffressen wollen (übertrieben ausgedrückt) = ihn gar nicht leiden mögen.

aus seiner Haut nicht herauskönnen = sich in jeder Lage der gleiche bleiben, seine Eigenart beibehalten.

in keiner guten Haut stecken = nicht recht gesund sein.

sich in seiner Haut nicht wohl fühlen = sich unbehaglich und unsicher fühlen unter den gegebenen Verhältnissen. – Geistiges Unbehagen äußert sich auch körperlich; bei ausgeglichenem Gemütszustande fühlt man sich in seiner Haut wohlig und warm, bei Unzufriedenheit verliert sich dieses beruhigende Hautgefühl.

Ich möchte nicht in seiner Haut stecken = nicht mit ihm tauschen in dieser seiner heiklen Lage.

mit heiler Haut davonkommen = unverletzt bzw. unbestraft bleiben.

aus der Haut fahren = wütend werden. – Am liebsten die Haut abstreifen, so wie man an Puppenhäuten und Larvenhüllen, die herumliegen, ersieht, daß da Schmetterlinge und Käfer »aus der Haut gefahren sind«. – Auf dem »Jüngsten Gericht« von Michelangelo hält der hl. Bartholomäus seine Haut in der Hand, er ist aber von anderen gewaltsam »gehäutet« worden.

auf der faulen Haut liegen = faulenzen. – Haut = Pelz, deshalb Faulpelz. ↗ Bärenhaut

nicht seine Haut zu Markte tragen wollen (vgl. franz. ne pas risquer sa peau) = dabei nicht etwa sein Leben aufs Spiel setzen wollen, seine Gesundheit nicht gefährden mögen, einen Verlust zu erleiden befürchten. – Haut (= pars pro toto) bedeutet hier natürlich das Leben, den Leib, weiterhin die Gesundheit, auch das Vermögen. – zu Markte tragen = verkaufen: Man will sich doch nicht verkaufen; das Leben (die Gesundheit) ist einem nicht feil . – In früherer Zeit konnte man nur »am Markte« kaufen und verkaufen, lediglich Vieh wurde auf dem Bauernhofe gehandelt (↗ Schwänzelpfennige). Es gab früher überhaupt keine Ladengeschäfte. Die Handwerker hatten lediglich ihre Werkstätten, ihre Erzeugnisse brachten sie auf den Markt zum Verkauf. Zu den Jahrmärkten kamen die Bauern in die Stadt und kauften Kleidung, Schuhwerk, Wagen, Pferdegeschirr, Schaufeln, Äxte u. a., ihre Frauen Wannen, Töpfe, Holzlöffel und dgl. Haushaltungswaren. An den Wochen-

märkten kamen die Bauersfrauen in die Stadt mit Eiern, ↗ Butter,
Käse, Gemüse und Obst. Hier hatte auch der Fleischer seine Fleischbank und der Bäcker seinen Stand. Da kauften die Städterinnen ein.
»zu Markte tragen« bedeutete also so viel wie »verkaufen wollen«. Dabei
trat die alte Rechtsformel »an Haut und Haar strafen« stets ins Bewußtsein, wobei »Haut« die Prügelstrafe des Stäupens bedeutete, die weit
verbreitet war und die bis in das 19. Jahrhundert hinein öffentlich auf
dem Marktplatze an der Staupsäule mit der Besenrute vollzogen wurde
(stets damit verbunden war das schimpfliche Abschneiden des Haupthaares). Sich etwa dieser Gefahr der Stäupung am Markte auszusetzen,
war wohl ursprünglich der Sinn unserer Redensart (nicht gern ein ge-
fahrvolles Risiko eingehen). Vgl. dazu bei Eugen Wohlhaupter »Die
Rechtsfibel« (L. Staackmann, 1956) die Seiten 17, 46, 50, 71 und die
Literaturangaben. ↗ Wisch

Hebel *alle Hebel in Bewegung setzen = Himmel und Hölle in Bewegung
setzen = alle Minen springen lassen* = alles mögliche versuchen und
Fürsprecher aufbieten.
den Hebel ansetzen = etw. durchzudrücken versuchen. – Archimedes
(287–212 vor Chr.) hat die Hebelgesetze erarbeitet; sein Ausspruch soll
gelautet haben: Gebt mir einen weit genug entfernten Fleck, auf dem
ich stehen kann, und ich hebe die Welt aus den Angeln.

Hechel *durchhecheln* ↗ Rüffel

Hecht *der Hecht im Karpfenteich* ist einer, der Leben in eine träge
Masse bringt wie ein Hecht, der in den Fischzuchtteich gesetzt wird, um
die trägen Karpfen aus dem Schlamm aufzuscheuchen, weil sonst ihr
Fleisch einen modrigen Geschmack bekommt.
ein alter Hecht = ein Mensch, der sich in allem auskennt. – Hechte werden
erfahrungsgemäß sehr alt – und haben infolgedessen Lebenserfahrung.
ein toller Hecht = einer, der (im Vergleich zu seiner humorlosen »Karpfen«gesellschaft) die unsinnigsten Dinge treibt.

Hefe *den Kelch (des Leidens) bis auf die Hefe leeren (müssen)* = es
bleibt manchem Menschen nichts erspart vom Schicksal, er muß alles
erdenkliche Leid über sich ergehen lassen. – Hefe ist hier der Bodensatz.
↗ Neige

Heft *sich das Heft nicht aus der Hand nehmen lassen = das Heft in der
Hand behalten* = die Überlegenheit, die Leitung noch beibehalten. – Das
Heft ist nicht etwa geheftetes Papier (= Schulheft), sondern das Messer-
heft (= der Griff des Messers), die Handhabe, auch damit wortverwandt.
Die Redensart erinnert an frühere Messerstechereien. ↗ (Hand)habe

Heftel *aufpassen (müssen) wie ein Heftelmacher* = außerordentlich
aufmerksam sein mußten die Nestler bei der Anfertigung der winzigen
Spangenhäkchen, dieser Drahtspänglein mit Haken (= Heftelmänn-
chen) und Ösen (= Heftelmütterchen), die bei der Frauenkleidung
noch bis zur Erfindung des Druckknopfes, des modernen Reißver-

schlusses und des allerneuesten Klettenverschlusses verwendet wurden. Vor Erfindung des Knopfes und der Knopflöcher nestelten auch die Männer ihre Hosen und Wämser mit einer Unzahl von Häfteln und Schlingeln zusammen.

Heil *Heil!* (Heil dir! Gut Heil! Weidmanns Heil! u. dgl.) = Gruß, eigentlich Glückwunsch auf Gesundheit; heil = ganz gesund. – Dieser Gruß stammt noch aus Germanenzeiten: Ein römischer Schriftsteller beklagt sich über den Lärm der german. Besatzungsmacht:
Inter Heils goticum skapjam matjan jach drinkan
(= Bei dem Heilgeschrei der Goten: Schafft her Essen und Trinken)
non audet quisquam dignos edicere versus.
(= getraut sich niemand ordentliche Verse zu machen.)

heilig *ein wunderlicher Heiliger* = ein sonderbarer, komischer Kauz. – Das stammt sichtlich aus evang. Gegenden (Lutherbibel, Ps. 4,4: Gott führt seine Heiligen wunderbar) wegen der guten Bibelkenntnis.

heim- *heimsuchen* = Besuch machen, früher ernst gemeint (vgl. Mariä Heimsuchung, kath. Festtag am 2. Juli) = Besuch im Heim, hat dann aber eine arge Bedeutungsverschlechterung erfahren zu »bedrängen« (1 Petrus 2,11–19: am Tage der Heimsuchung), wohl unter dem Einfluß der folgenden zwei Redensarten, von denen eine meistens, die andere regelmäßig ironisch gebraucht wurde:
heimleuchten = nach Hause geleiten (in der Nacht) mit einer Laterne, als Straßenbeleuchtung noch unbekannt war. Die Bewohner einer vergeblich belagerten Stadt zündeten – wie überliefert – den abziehenden Belagerern zum Spott Strohwische und Pechfackeln auf der Stadtmauer an.
heimgeigen. – Nach feuchtfröhlichem Gelage ließ man sich – wer sich das leisten konnte – durch Musikanten heimgeleiten. Spöttisch sangen die Nürnberger auf Wallensteins vergebliche Belagerung ihrer Stadt ein Lied mit dem Kehrreim: Geh, laß dich geigen heim.
heimzahlen = boshaft vergelten.
Nur diese vier haben abwertende Bedeutung, die anderen Zusammensetzungen nicht: heimholen, heimführen (heiraten), heimkehren, heimgehen (sterben), heimfahren.

heimtückisch *heimtückisch;* früher hämtückisch geschrieben, was aus hämischtückisch entstand durch Verkürzung (wie Habsburg aus Habichtsburg oder wie Bischweiler aus Bischofsweiler u. ä.), wobei ä zu ei wurde wegen des Anklanges an heimlich. – Hämisch hat als Grundwort altes hamo (= Hülle), also (charakter)verhüllt. ↗ Scham

heiß *heiße Ware* (Gaunersprache) = Diebsgut, das die Ganoven selber »die Sore« nennen (von jidd. sechoro = allgemein: Ware).

hekuba *Das ist mir hekuba* = ist mir gleichgültig. – Shakespeare, Hamlet II, 2: Was ist ihm Hekuba, was ist er ihr, daß er um sie soll weinen?

helfen *da hilft kein Singen und kein Beten* = es muß eben sein. – Auch ein Bittgottesdienst ist da wirkungslos.

hell *in hellen Scharen herbeiströmen* = zahlreich und scharenweise herbeikommen. – »Hell« ist rein formelhaft und versteinert. Bei den Landsknechten war die vorderste Kampftruppe »der verlorene Haufen«, der Kern des Heeres hieß »der helle Haufen«, hatte also seinen Namen von dem Lärm, den er verursachte (hallen).

Heller ↗ Geld

Hemd (zur Worterklärung ↗ Scham)
das letzte Hemd hergeben = sein Allerletztes opfern.
jn. bis aufs Hemd ausplündern = völlig.
kein ganzes Hemd mehr am Leibe haben = ganz heruntergekommen sein.

Hemmschuh *kein Hemmschuh sein wollen* = keine Schwierigkeiten machen werden. – Bei den bis nach 1800 trostlosen Straßenzuständen mußten die Fuhrleute an abschüssigen Wegstellen stark bremsen, indem sie Bremsklötze, die eine entfernte Ähnlichkeit mit Holzschuhen hatten, unter die Hinterräder ketteten.

Henker *Henkersmahlzeit* ist heute die spaßhafte Bezeichnung der letzten Mahlzeit vor Antritt einer längeren Reise. Sie hat ihren Namen nach der letzten (besonders guten) Mahlzeit, die man einem Verbrecher vor der Hinrichtung gab als seine letzte vor der großen Reise ins Jenseits. Man faßte sie auf als Akt der Humanität an einem schuldig gewordenen Menschen, sie hat aber ihren Ursprung im magischen Aberglauben: Es ist ein (allmählich im Brauch umgedeutet) vorweggenommenes Totenopfer, womit der Tote versöhnt werden sollte, um nicht als »Wiedergänger« Unheil zu bringen. Der Scharfrichter zog sich auch vor der Hinrichtung eine Kapuze über, damit ihn sein Opfer dann nicht wiedererkennen solle. ↗ Fell

Henne *wie eine blinde Henne ein Körnlein*, so selten und so zufällig findet er einmal etwas (Glück), was auch ein Sprichwort besagt.

herauf/heraus *etw. heraufbeschwören* (Umg.) = etw. tun, als ob man Einfluß hätte auf das Schicksal. – Was noch aus archaischer Epoche mit magischer Weltvorstellung stammt, findet sich immer noch als Restbestand in unserer längst schon realistisch denkenden »aufgeklärten« Zeit.
sich (zu) viel herausnehmen = unverschämt sein = Die gute Tischsitte am Bauernhof, wo alle aus der gemeinsamen Schüssel löffelten, verlangte, daß jeder hübsch an seinem Rande blieb und nicht darüber hinaus nach größeren Brocken fischte.
sich gut herausgemacht haben (Umg.) = herangewachsen sein, körperlich gut entwickelt bzw. geschäftlich fortgeschritten. ↗ machen
herausrücken mit etw. = zögernd z. B. Geld hergeben oder eine Neuigkeit auftischen. – Es ist ein verblaßtes Bild vom Hervorbrechen der Raubritter, der Strauchdiebe, der Heckenreiter, der Buschklepper und Wegelagerer aus dem Hinterhalt.

jn. herausstreichen = ihn lobend erwähnen, wie wenn man seinen Namen im Verzeichnis besonders »anstreicht«.

Das ist noch nicht 'raus (Umg.) = noch nicht ausgemacht, fertig, bekannt. – Vom Kartenspiel.

den Herrn herauskehren = *jm. den Herrn zeigen* = ihn fühlen lassen, wer denn hier zu befehlen hat.

hereinfallen ↗ Reinfall

herhalten müssen = notgedrungen für einen anderen einspringen müssen. – Zu ergänzen ist: den Hintern, viell. auch Kopf.

Herr ist die Steigerung von hehr (ahd. er was hêroro man).

ein Herr von und zu (hum.) = ein vornehm tuender.

ein Herr Sowieso = ein unbekannter oder unbedeutender.

den lieben Herrgott einen guten Mann sein lassen = unbekümmert um die Zukunft dahinleben. ↗ fünf

leben wie der Herrgott in Frankreich = ganz herrlich. – Er lebt wie der liebe Gott, mit einem steigernden Zusatz, weil man bekanntlich im reichen Frankreich zu leben versteht und viel Wert legt auf gutes Essen und Trinken.

herum *auf etw. herumreitet* z. B. der Prüfer, wenn er auf ein und dieselbe Frage immer wieder zurückkommt. – Das sprachliche Bild ist deutlich von der Reitschule genommen, wo die Pferde im Rund immer und immer wieder an derselben Stelle vorbei müssen.

Herz Das Herz gilt seit altersher im Volke (galt aber auch dem Aristoteles und seiner Schule) als Sitz aller edlen Regungen, deshalb die vielen Redewendungen, die sich auf das Herz beziehen.

Es kommt von Herzen, es geht zu Herzen, ist *herzlieb, ein herzallerliebstes Kind, herzensfroh sein* (wenn der Druck weicht), *herzensgut, weichherzig, herzlos, hartherzig, sein Herz verhärten* (= kein Erbarmen zeigen), *niemandem das Herz schwer machen wollen, herzhaft* (= Gegensatz zu schal, reizlos), *beherzt* = *das Herz auf dem rechten Fleck haben* = ein mutiger, tüchtiger, biederer Mensch sein, *etw. beherzigen* (= es befolgen, *sich zu Herzen nehmen*), *herzen* = ans Herz drücken, sie beide sind *ein Herz und eine Seele, sein Herzblättchen,* sein Herz gewinnen, *sein Herzblut hingeben, ein Herzeleid haben, herzzerreißend schluchzen, es drückt (stößt) ihm fast das Herz ab, Herz haben, es greift ans Herz, ihm bricht fast das Herz, sein Wohl und Wehe liegt mir am Herzen, jm. etw. ans Herz legen, es ist ihm ans Herz gewachsen, für jn. ein Herz haben* (↗ grün), *sie hat ihn in ihr Herz geschlossen* (aus »Minnesangs Frühling«):

Dû bist mîn, ich bin dîn,
des solt dû gewis sîn.
dû bist beslossen
in mînem herzen;
verloren ist das slüsselîn,
dû muost immer drinne sîn.

aus dem Herzen gesprochen, von Herzen zugetan, sein Herz rühren, das Herz auf der Zunge haben, das Herz ist ihm in die Hose gefallen (sehr poetisch ausgedrückt; in Prosa hätte er sich in die Hosen ge...), *ihr Herz verlieren* die Mädchen meist in einer lauen Sommernacht, *sein Herz in die Hand (in beide Hände) nehmen, sein Herz ausschütten* = vorbringen, was *einem das Herz bedrückt, einfältig sein* = naiv (d. h. ein Herz mit nur einer Falte haben, ohne Argwohn), *es nicht übers Herz bringen* = schwach bleiben, *sich ein Herz fassen* = die Furcht zurückdrängen = *seinem Herzen einen Stoß geben, danken aus ganzem Herzen, das Herz schlägt höher* (die Herzfrequenz steigt bei Erregung und kann sich steigern, z. B. bei großer Freude bis zum Herzklopfen). Goethe (»Der Fischer«): Sein Herz wuchs ihm so sehnsuchtsvoll wie bei der Liebsten Gruß.

Hexe *Alte Hexe!* = Schimpfwort auf eine Weibsperson.
Das ist keine Hexerei = das ist nicht schwierig.
nicht hexen können = nicht zaubern können.
der *Hexenschuß* (Rückenschmerzen) soll auch von Hexen verursacht sein; vgl. aengl. ylfageseot = Elbenschuß.

Das Wort Hexe hat man als Hag-Idise gedeutet; ein (Merseburger) Zauberspruch beginnt: Einis saßen Idisen ... (die ihre Kämpfer beschirmten). Hexen pflegen sich nach altem Volksglauben zu gewissen Zeiten (in der Walpurgisnacht zum 1. Mai oder zu Johannis) an bestimmten Orten (vornehmlich auf Bergen) zu versammeln und ihre Feste zu feiern. Jeder Hexe ist das Hexenmal = Teufelsmal eingebrannt (der Drudenfuß oder auch ein Teufelshorn). Der bekannteste Hexentanzplatz ist der Volksmeinung nach der Brocken = der Blocksberg; sogar aus Dalarne (Schweden) nahmen Hexen teil an der Blocksberg-(Blåkulla-)Fahrt.

Hilfe *Hilfe »geben« jm.* = helfen beim Sport, z. B. beim Erlernen des Überschlages.
Hilfe »leisten« jm. = helfen bei Unglücksfällen, z. B. bei einer Feuersbrunst.
Hilfe jm. »angedeihen lassen« = jm. hilfreich beistehen auf längere Zeit.

Himmel *Der Himmel hängt ihm voller Geigen (Baßgeigen)* = er ist in freudiger Stimmung, zukunftselig; er hört förmlich Sphärenmusik.
↗ sieben
Er sieht den Himmel offen = er ist ganz glücklich.
wie aus allen Himmeln gefallen = urplötzlich enttäuscht. – Der Koran kennt einen ↗ siebenten Himmel. Auch die altjüdische Vorstellung

kennt eine Mehrzahl von Himmeln, vgl. Paulus, 2. Kor.: bis in den dritten Himmel erhoben.

Himmel und Hölle in Bewegung setzen = alles nur Erdenkliche versuchen. ↗ Hebel

Das weiß der liebe Himmel! Ergänze: Ich aber (weiß es) nicht. ↗ Kuckuck etw. (eine Ungerechtigkeit) *schreit zum Himmel*, zu ergänzen ist: um Rache.

Hinter- *sich auf die Hinterbeine (Hinterfüße) stellen* = sich zur Wehr setzen = wie Pferde sich aufbäumen.

sich im Hintergrunde halten = wenig hervortreten, hinten bleiben. – Die Schüttelreimer, die nicht alle werden, machen aus Hintergrund natürlich Gründerhund.

aus dem Hinterhalt = von rückwärts. – Halt machen hinter etw. und dann hervorbrechen wie Räuber.

sich vor Wut am liebsten *in den Hintern beißen* (vulgär) – natürlich aber nicht können.

ins Hintertreffen geraten = Nachteile zu spüren bekommen. – Einer, der Soldat ist mit Leib und Seele, will nicht nach hinten abgedrängt werden, will in vorderster Linie mitkämpfen, ganz besonders (einst), um bei der Beuteverteilung nicht zu kurz zu kommen (= im ↗ Nachteil sein).

Hinz und Kunz *Hinz und Kunz* = xbeliebige gewöhnliche Leute. – Hinz und Kunz sind die Koseformen zu Heinrich und Konrad wie Fritz zu Friedrich, Benz zu Bernhard, Uz zu Ulrich usw. Bis ins 13. und 14. Jahrhundert gab man den Kindern noch die althergebrachten germanischen Namen, und Heinrich und Konrad waren die weitaus häufigsten. Vor 1400 macht die Zahl der deutschen Namen etwa 80% aus (im 12. Jh. 96%). Heißt im 13. Jh. jeder 3. Deutsche noch Heinrich oder Konrad (Hinz und Kunz), so ab 1400 jeder 4. schon Hans; nach 1400 beträgt die Zahl der Fremdnamen etwa 70%. – Mit freundlicher Genehmigung des Verfassers Auszug aus einem (noch unveröffentlichten) Namenbuche von Dr. Ernst Führlich.

Die Vollform (von Hinz) Heinrich ist aus älterem Haganrich zusammengezogen (wie peilen aus Pegel, wie verteidigen aus -tagedingen u. ä.). Der erste Bestandteil ist Hagen, so hieß der Nibelungenheld, der grimme Hagen. Er führt seine Ahnenreihe nicht etwa zurück auf eine Hecke = Hain = Hagen (Hag), sondern auf das gleichlautende mhd. Wort hagen (= Stier, schweizer. ebenso Hagen = Zuchtstier), das in der Zeit der germanischen Urwälder die Bedeutung »Wildstier« (wie Wisent und Ur) hatte, ein Name, der auf diesen »Büffel« von Mensch paßte. ↗ Bibel (Krethi ...), ↗ Literatur (Gevatter Schuster)

Hobel *den Hobel ausblasen* ↗ Arsch

hoch- *hochgehen lassen* in der Bedeutung »verhaften« stammt aus der Gaunersprache. – Der Verfasser hat einst auf einer Wanderfahrt in den Ferien von einem Landstreicher gehört: »Kein Hanf, mußte ins Dorf, ging durch den Druck des Deckels hoch und drei Meter Knast«. Dabei bedeutete Hanf = Brot, Dorf = Tasche (eines anderen natürlich), Deckel = Polizist, »hochgehen« = aufgegriffen werden, Meter = Monat und Knast = Gefängnis. ↗ Rotwelsch

ein Hoch ausbringen auf jn. = einen Toast, der mit der Aufforderung schließt, den Betreffenden *hochleben zu lassen.* ↗ Toast

der Tochter die Hochzeit »richten« = und sie damit gleichzeitig aus dem Elternhause entlassen als ausgesteuert.

auf zwei Hochzeiten tanzen = es mit beiden Parteien halten. (↗ Achseln) Österr. ähnlich: Sei mit dem einen Sitzfleisch nicht auf jedem Kirtag.

Hocke *einem die Hocke (Hucke) vollhauen (Umg.)* = *ihm den Buckel vollidreschen* = ihn tüchtig verprügeln. – Hocke = Höcker = Buckel. *etw. verhöckern* = Ware kleinweis verkaufen wie einst die Hausierer mit einer Hocke am Rücken.

ein Kind huckepack tragen = das am Rücken (Back) hockende (= Hocke) Kind tragen; in Mitteldeutschland auch: »Hockesalz« tragen.

Hof *Hof halten zu X. (geschichtlich)* = residieren in X. – In Zeiten, da die Kaiser keine feste Residenz hatten, zogen sie von Pfalz zu Pfalz.

einer Dame den Hof machen = aus französisch faire la cour à quelqu' une = *ihr die Cour machen (schneiden).*

Höhe *Das ist ja die Höhe!* (Umg.) = Das ist doch eine unglaubliche Zumutung; studentisch erweitert zu: die Höhe h.

(nicht) auf der Höhe sein = (nicht) ganz gesund sein. ↗ Damm

in die Höhe fahren = sich entrüsten. – Zu fahren ↗ abfahren

Höhle *sich in die Höhle des Löwen wagen* = sich in eine sehr gefährliche Lage begeben. – Äsops Fabel »Der Löwe und der Fuchs«.

Hohn *Das spricht aller Wahrheit hohn* = verhöhnt sie. – Dazu gehört das sonderbare Wort »jn. verhohnepipeln« (Umg.) = verhöhnen, verspotten, veruzen, veräppeln.

Hokuspokus *einen Hokuspokus vormachen* = so tun, als ob man zaubern könnte.

Hokuspokus Fidibus! = Ausruf nach einem gelungenen Trick, eigentlich Zauberformel der Gaukler. – Ein Hokuspokus = eine Gaukelei, Zauberei, das Wort ist profaniert aus der liturgischen Formel (↗ Bibel). Fidibus hat hier keinerlei Bedeutung[1]), ist lediglich sprachspielerisches Reimwort.

---

[1]) *Fidibus,* das Scherzwort (lat. Ursprungs) für einen gefalteten Papierstreifen zum Anzünden der Pfeife hat zwei Erklärungen gefunden. Die Anregung zu dieser Wortbildung soll aus Horaz stammen: Ture et fidibus juvat placere deos (= mit Weihrauch und Saitenspiel stimmt freundlich die Götter), wobei mit ture scherzhaft der Pfeifenrauch und mit fidibus der Anzünder gemeint wurde. Oder aber das Wort stammt aus Zeiten des Rauchverbots. Der Text der Einladung zu einem geheimen Tabakskollegium hatte zwei Worte: fidelibus fratribus (= den treuen Brüdern). Der Zettel galt als Eintrittskarte, mit ihm steckte man sich die erste Pfeife an; so wurde er vernichtet, und der Brandwisch kam so zu seinem Namen Fidibus.

Hölle *Da ist ja die Hölle (der Teufel) los!* = Ausruf bei einem wüsten Lärm. – Got.-german. halja (= die Halle) war nach german. Glauben der Aufenthaltsraum für die im Kampf gefallenen Helden. Nach der Christianisierung erfuhr das Wort eine Bedeutungsverschlechterung.
einem die Hölle heiß machen = ihn einschüchtern, wie ein Pfarrer seinen Gläubigen die Höllenqualen schildert.

Holz *ins Holz schießen* ↗ Blatt
auf dem Holzwege sein – im Irrtum sein. – Die Holzabfuhrwege verlieren sich bald im Walde, man geht in die Irre, wenn man ihnen folgt.
Holz in den Wald (Busch) tragen (griech. Eulen nach Athen tragen) = Überflüssiges tun, z. B. reiche Leute beschenken, unnötige Ratschläge geben u. dgl.
holzen = prügeln. – Das Wort erinnert an dörfliche Raufereien, bei denen Stuhlbeine zu Kleinholz werden.
eins mit dem Holzhammer bekommen haben (Umg.) = *mit dem Hammer gepocht sein* = er ist nicht ganz richtig im Kopf; also kein tödlicher Schlag mit einem Eisenhammer, nur einer mit einem Hammer aus Holz, der lediglich »leichten« Dachschaden verursacht. – Südd. Familiennamen auf -hammer (z. B. Mooshammer) gehen zurück auf Ortsnamen mit -heim (Moosham). ↗ Waise

Honig *süß wie Honig* (mit Zusatz: wie Hummelhonig) = ein alter Vergleich; heute würden wir sagen: wie Zucker, aber vor der Züchtung der Zuckerrübe war der Bienenhonig unser einziger Süßstoff. Die Zeidlerei mit Waldbienen war ein Gewerbe. – Die Hummeln sammeln zwar auch eine winzige Menge Honig, aber sein Geschmack dürfte höchstens ein paar Jungen bekannt sein, die ein Hummelnest plünderten.
Die Rede fließt ihm wie Honigseim von den Lippen = so süß und so süßlich. – seimig 〉 sämig.
jm. Honig (Brei) ums Maul schmieren (Umg.) = übermäßig schmeicheln, liebedienern, um etw. zu erreichen.

Hopfen *Da (bei ihm) ist Hopfen und Malz verloren* = alles. – Ehedem braute jeder Bürger sein Bier selber; wenn das Gebräu mißriet, dann waren eben die teuren Zutaten nutzlos vertan.

hops *hopsgehen* (Barras) = totgehen (nd.). – Die zynische Redewendung entstand wohl aus der Vorstellung: Hoppla! gestolpert.

Hören *ihm vergeht Hören und Sehen* = er ist übermäßig erstaunt und sprachlos; er ist förmlich betäubt.

Horn *ins gleiche Horn stoßen (blasen)* = ganz dieselbe Ansicht äußern wie der andere.
Horn hat nebenbei die Bedeutung von Dummheit; man schimpft jn. ein Tutehorn, einen Hornochsen (Ochs wäre zu wenig), und die Dummen stammen natürlich aus Hornberg. Ihnen hat man die »dumme« Geschichte angedichtet, daß sie ihr Pulver vorzeitig sinnlos verpulverten, weshalb man sagt:

Das geht aus wie das Hornberger Schießen = viel Gekrache und Ge-
lärme, und nachher wird aus alledem nichts.
Unter die Dummen wird auch der Ehemann eingereiht, der
sich von seiner Frau (die) Hörner aufsetzen läßt. Für einen solchen be-
trogenen Ehemann hat man bei uns den (etwas seltenen) Namen Hahnrei,
in Frankreich ist er als cocu (von coq = Hahn) bekannter. Daß ein
Eheschwächling mit einem Hahn, der doch als stolzer Gebieter über
viel Weiblichkeit sehr männlich wirkt, in Verbindung gebracht wird, hat
seinen Grund darin, daß man früher den verschnittenen[1]) Hähnen die
abgeschnittenen Sporen in den Kamm einsetzte, wo sie fortwuchsen und
eine Art von Hörnern bildeten. Hahnrei als Hahnreh zu deuten, ist
zwar etymologisch anfechtbar, paßt aber recht anschaulich ins Bild;
die Geweihspieße des Rehbockes heißen in der Mundart Hörnl (= Hörn-
lein). An diesen »Hörnern« konnte man auf dem Bauernhof gleich diese
Kapaune aus der Hühnerschar herausfinden, wenn man einen für den
Sonntag in den Kochtopf brauchte.
sich die Hörner mit der Zeit *ablaufen (abstoßen)* = sein stürmisches
Naturell ablegen, durch Schaden noch klug werden.
den Stier bei den Hörnern packen = beherzt eine Aufgabe an der gefährlichsten Stelle angehen. ↗ Stier
   Hosen *Sie hat die Hosen an* = die Frau ist »Herr« im Hause.
ihm die Hosen strammziehen (anmessen) = ihn züchtigen mit Prügeln.
sich auf die Hosen setzen (studentisch) = fleißig studieren, büffeln,
ochsen.
die Hosen voll haben (Umg.) = *Schiß haben* = *ein Hosenscheißer sein* =
Angst haben.
die Spendierhose anhaben = gebefreudig sein.
   Hühner *jm. zureden müssen wie einem kranken Huhn (wie einer
kranken Henne)* = mit lieben Worten jn. zu etw. nötigen wollen. – Eine
kranke Henne will auch nicht fressen.
Er macht ein Gesicht, schaut drein,
als hätten ihm die Hühner das Brot weggefressen (Umg.) = so verzagt.
Da lachen ja die Hühner! (Umg.), so überaus lächerlich ist das. – Hühner
lachen gewöhnlich nicht.
mit den Hühnern zu Bett gehen = sehr zeitig, wie bekannt mit Sonnen-
untergang.
Mit ihm hab' ich noch ein Hühnchen zu rupfen (zu pflücken) = mit ihm
habe ich noch eine unerledigte Sache auszutragen, zu bereinigen = *mit
dem will ich noch ein Wörtchen reden.*→»Ihn tüchtig rupfen« ist wortspie-
lerisch erweitert; früher hieß »jn. tadeln, schelten« einfach »ihn rupfen«.
Bei Hans Sachs heißt es z. B.: Laßt mich ungerupft, ich werd' es euch

---

[1]) Den Grund dafür benennt das Sprichwort »Ein guter Hahn wird nicht fett«. Aber ka-
strierte Hähne neigen wie alle Kastraten zu Fettansatz, und fettes Fleisch verlangte man
ehedem, das im Zeitalter der »schlanken Linie« nicht mehr gefragt ist.

vergelten. Wir sehen also: Das »Hühnchen« ist erst ein späterer Zusatz, der so schön zu »rupfen« paßt, weil man ja auch die Hühner rupft, bevor man sie in den Kochtopf steckt.

jm. auf die Hühneraugen treten = ihn verstimmen, ihn (meist) unabsichtlich beleidigen. – Ein Tritt auf die Zehen mit Hühneraugen schmerzt. Ein Hühnerauge ist die hornige, druckempfindliche Stelle (lat. Clavus) an einer Fußzehe. Worterklärung: An den Fingern schwieliger Arbeitshände gibt es hornige Gebilde in Erbsengröße, die man Hühnerwarzen[1]) oder Hühnerwurzeln nennt. Bei Bauern herrscht die Ansicht – ob berechtigt, sei dahingestellt –, daß man sich solche häßlichen und lästigen Hautgebilde zuzieht, wenn man mit den Händen im Erdreich dort buddelt, wo Hühner »baden«. Kindern verbietet man, an solchen Hühnerbadestellen zu spielen. Bei dem früher allgemein üblichen Brauch im Dorfe, sommers meist barfuß zu gehen, sind sicherlich öfters auch an den Füßen ähnliche Hautknoten aufgetreten, die man wohl auch mit diesem Namen belegt hat, der sich schließlich, als das Wort Leichdorn[2]) abstarb, auch auf die Druckstellen zu engen Schuhwerkes übertrug. – Die Herleitung von hürnen ouge = Hornauge (vgl. der hürnen Siegfried) ist mehr als zweifelhaft (zu konstruiert).

Hülle *in Hülle und Fülle vorhanden* = im Überfluß alles, womit man sich einhüllt (Kleidung) und womit man seinen Magen füllt (Nahrung).

Hummeln *Hummeln im Hintern haben* = ein unruhiger Geist sein. – Luther: Er hat humel ym arse.

Hund Dem Worte »Hund« wohnt gefühlsbetont ein Schimpf inne. Sonderbar, daß dem ältesten Haustier, dem treusten Helfer des Menschen, der ihn überallhin folgsam begleitet (die Katze bleibt beim Hause), ein Makel anhaften soll, aber es ist nun einmal so; es wurzelt in uralten Symbolvorstellungen.

Den Hungarn ließ Heinrich I. 933 statt des ausbedungenen Tributs einen verstümmelten Hund reichen. Diesen Schimpf rächten sie, indem sie Merseburg belagerten (wurden aber daselbst aufs Haupt geschlagen).

Du Hund! ist – auch ohne Beiwort – schon ein Schimpfwort.

Schweinehund, krummer, feiger, falscher, frecher Hund! ein Hundsfott (vulva canis); *ein Hundewetter* (= ein Wetter, daß man *nicht gern einen Hund vor die Türe jagt*), davonschleichen wie ein getretener Hund, hundemüde, verhunzen* = die Ausführung verunstalten, *unterm Hund; bekannt*

---

[1]) Solche Handwarzen (lat. Verruca) kennt auch Goethe (Faustskizze).

[2]) Das Wort Leiche bedeutete einst »menschlicher Körper«, schrumpfte dann aber ein zu der Bedeutung »toter menschlicher Körper«.

wie ein bunter Hund ist, wen man weithin kennt (gefleckte Hunde sind leicht zu erkennen); *ein ↗ Windhund* = ein windiger Geselle ohne ordentlichen Lebenswandel. *Ein dicker Hund!* = Das ist ein starkes Stück! *aus jedem Dorfe ein Hund* = bunt zusammengewürfelt, was alles von einer Sorte sein soll. *Das ist auch kein Hund!* = ist auch nicht schlecht. Wer *auf den Hund gekommen* ist, ist heruntergekommen auf einen armseligen Zustand. Früher hatte er immer ein Pferd, jetzt sieht man ihn mit einem Hundefuhrwerk.

vor die Hunde gehen = abwirtschaften. – Vor die Hund geht krankes Wild, wie die Jäger sagen.

sich den Hund holen (Umg.) = ein Leiden, den Keim zu einem Siechtum sich erholen.

Hundsloden kriegen (Ma.) = gescholten werden.

Damit ist kein Hund hinterm warmen Ofen hervorzulocken = eine zu nichtige Sache; denn auch einem Hunde muß man schon einen ordentlichen Bissen zeigen, also müssen auch da schon triftige Gründe vorliegen, um sich einzulassen.

Mit »*den Letzten beißen die Hunde*« lehnt man ab, wenn man sichtlich zu spät zu einem gewagten Unternehmen aufgefordert wird.

Sie sind wie Hund und Katze = feindselig aufeinander. Auch wenn Hund und Katze friedlich am Ofen beieinander liegen, jagt draußen im Garten der Bello doch die Mieze auf den Baum hinauf.

so kalt bleiben wie eine Hundeschnauze = ganz ungerührt. – Eine Hundenase fühlt sich auffallend kalt an.

einen so verschimpfieren, daß kein Hund mehr einen Bissen von ihm mag. – ... daß sogar ein Hund mit seiner feinen Nase die ihm angetane Schmach riecht und sich abwendet.

Da liegt der Hund begraben, d. h. da ist es, was Ärgernis erregt, darin liegt die Schwierigkeit. – Bei der Erklärung dieser Redewendung hat man unter anderem vornehmlich an das mhd. Wort »die Hunde« (= Beute, Schatz) gedacht. Aber auf »vergraben sein« liegt gar nicht der Nachdruck; es könnte – ohne den Sinn zu ändern – ebenso gut einfach wegbleiben: »Da liegt der Hund!« oder aber es könnte – wieder ohne den Sinn abzuändern – »steckt« gesagt werden: »Ja, da steckt der Hund!« Wenn man aber – auch wieder ohne den Sinn zu ändern – ein passendes Wort hinzufügt: »Da liegt der verfluchte Hund!« dann wird die Sachlage gleich klar.

Verdeutlichen wir uns das einmal an Selbstgesprächen bei einer Reparatur. Da brummelt man zuerst: »Also, wo liegt der Hund begraben? Woll'n mal sehn, woran es eigentlich liegen mag, daß es nicht gehn

will.« Nach einer Weile: »Jetzt hab' ich's.« Wenn es endlich wieder funktioniert, dann heißt es: »Na, das war es also, warum es so gehapert hat,
so ein Mistvieh! Jetzt hat es am längsten geärgert, das Hundsluder, das
verdammte.«

Wir sehen, die Hauptsache, um die es sich dreht, ist: es = Hund. Das
Grimmsche Wörterbuch vermerkt IV/1: »... auch zuweilen hört man,
da liegt der Fuchs begraben.« Das Wort Hund ist also gar keine »Sach-
bezeichnung«, sondern ist eine »Verwünschung« des noch unbekannten
»es«.

Wäre noch die weit verbreitete Redensart
Lieber Hunde nach Bautzen führen! = (zu ergänzen) als das oder jenes
tun, was man einem da zumuten möchte. – Jakob Grimm (D. Rechtsaltertümer) – man darf nicht vergessen, seine Zeit ist die Zeit der Ro-
mantik – hat »lieber Hunde nach Bautzen führen« mit »lieber aufgehängt
werden« erklärt. Aber von der entehrenden »Strafe des Hundetragens«
statt der verdienten Todesstrafe, die der Kaiser hochadeligen Misse-
tätern als Gnadenamnestie gewährte, war man schon um 1200 ab-
gekommen (nach dem zeitgenössischen Historiker Otto v. Freising).
Dagegen wurde in den mittelalterlichen Städten eine große Zahl von
Ehrenstrafen entwickelt: Hundetragen, Stein- und Fiedeltragen, Esel-
reiten, Prangerstehen u. dgl. Die Tatsachen sprechen von »Hunde
tragen«, unser Wortlaut heißt aber »Hunde führen«. Es gibt da in den
Mundarten noch eine andere Redensart mit »führen«: Er weiß sich den
Hund zu führen, daß er ihm nicht aufs Strickl scheißt. Aber wer führte
denn früher schon Hunde? Niemand! Der Wachhund wurde an die
Kette gelegt oder durfte, wenn er auf Pfiff gehorchte, frei im Hofe herumlaufen. Geführt wurde kein Hund, es sei denn, der Bauer wurde zu
seiner Robotpflicht aufgerufen und mußte als Treiber mittun bei der
herrschaftlichen Treibjagd, wobei es passieren konnte, daß ihm eine
Hundeleine in die Hand gedrückt wurde und er einen Jagdhund führen
mußte. Auch mußte – statt Fronarbeit – mancher Bauer herrschaftliche
Jagdhunde halten und füttern. Immerhin ist möglich, daß in diesen
Redewendungen unliebsame Erinnerungen an die verhaßte Untertänig-
keit nachklingen, und besonders deshalb wahrscheinlich, weil der jedesmal beigefügte Ortsname (in Franken heißt es: »nach Buschendorf«, in
Gießen »nach Endebach«, im Elsaß »nach Lenkenbach«, in Schwaben
»nach Ulm« u. dgl.) Herrschaftsbereiche angibt.

Hundstage nennt man die heißesten Tage im Sommer, weil sie gewöhnlich unter dem Sternbild canicula (= Hund des Orion) kommen.

hundert *vom Hundertsten ins Tausendste kommen* = immer un-
zusammenhängend auf neue Gebiete zu sprechen kommen. – Auf der
alten »Rechenbank« waren waagrechte Linien gezogen, die einen um je
eine Dezimalstelle steigenden Wert angaben. Dabei konnte versehent-
lich ein Fehler unterlaufen. Johannes Agricola (1494–1566) erklärt in

seiner Sprichwörtersammlung: Er wirft das hundert in tausend. Er mengt es in einander, ... der macht es also, daß niemand weyß, was er rechnet oder redet. Darumb wirt diß wort gebraucht widder die, so viel gewesch (↗ wäschen/waschen) machen, ... ↗ A. Riese

Hüne *ein wahrer Hüne von Gestalt* = ein Riese. – Die mongolischen und turko-tatarischen Menschen der Reiterscharen, die von 400 bis 1000 und darüber hinaus nacheinander immer wieder sengend und brennend in Europa einfielen, haben im Gedächtnis der Völker Riesengestalt angenommen, obwohl sie eher kleinwüchsig waren. So leben die Hunnen (Heunen), die um 450 Europa unter Attila verwüsteten, in unserer Vorstellung als »Hünen« (mhd. hiune) fort, die Avaren, die Zwingherrn der Ostslaven (568), als obři (= Riesen) im Tschechischen weiter und die U(n)garn 899/955 als ogres (= Riesen) im Französischen.

Hunger *am Hungertuche nagen* = sozusagen am Verhungern sein wie einer, der in der Fastenzeit vor lauter Hunger (etwas übertrieben ausgedrückt) das violette Altartuch, das im Volksmunde Hungertuch hieß, am liebsten anbeißen, an-nagen möchte. – Nagen als »nähen« zu deuten, ist unverständlich.

Hut *alle unter einen Hut bringen* = damit sie eines Sinnes werden; vgl. gleiche Brüder, gleiche Kappen.
Da geht einem der Hut hoch = das ist ja haarsträubend, da stehen einem die Haare zu Berge.
Das kann ich mir dann (Das kannst du dir)
auf den Hut stecken = der ärgerliche Ausruf, der besagen will: Davon habe ich nichts bzw. darauf pfeife ich dir. – So oder so ähnlich meinte wohl Voltaire, als er witzelnd ablehnte, von Friedrich II. einen Orden anzunehmen: »Ich wüßte nicht, wie ich ihn tragen sollte; ich bin kein Soldat, der sich einen Orden an seine Heldenbrust heften kann, meine Verdienste entspringen einem Kopfe, und soll ich mir einen Orden des Königs von Preußen etwa an den Hut stecken?«
Hut ab vor ... = alle Hochachtung vor ... – Im Mittelalter durften die ritterlichen Dienstmannen nur entblößten Hauptes vor ihrem Lehensherrn erscheinen, sie mußten vorher den Helm abnehmen zum Zeichen friedlich-freundlicher Gesinnung. Diese Sitte übertrug sich auf den Hut, und deshalb entblößen wir noch heute unser Haupt und ziehen den Hut zum Zeichen von Hochachtung und Freundlichkeit. (Bis ins allerletzte Dorf ist in mancher Gegend diese Sitte noch immer nicht gedrungen.) – Wohl ebenso ist es zu erklären, daß wir den Handschuh abstreifen, wenn wir einem anderen die Hand schütteln wollen; die gepanzerte Faust hat damals für eine Begrüßung auch nicht gepaßt. (Gesunkenes Kulturgut.)
»Er hat Spatzen unter dem Hut«, sagt man, wenn einer beim Grüßen nicht den Hut zieht, und man denkt, er fürchte, sie könnten ihm davonfliegen.

Damit habe ich nichts am Hütchen (rheinisch) = mit der Sache habe ich nichts zu schaffen (das lasse ich mir nicht aufhalsen) = man will *jm. das Vergehen aufmutzen.* – Die Kopfbedeckungen Hut und Mütze (↗ Kappe) stehen für den Kopf selber; vgl. jm. das Vergehen auf den Kopf zusagen.

Das geht über die Hutschnur (Umg.) = das geht zu weit, ist zu dreist. – Wenn wir bedenken, daß ↗ »hauen« nicht nur »hacken« bedeutet, sondern auch die Bedeutung »gehen« hat (vgl. Gassenhauer = ein Lied, das durch die Gassen »geht« = haut), so sehen wir, daß »über die ↗ Schnur hauen« = über die Schnur »gehen« ist, wie übrigens auch die Zimmerleute selbst das Wort »gehen« gebrauchen, wenn sie einmal abgewichen sind vom Farbdruck der Rötelschnur. Das »geht über die Schnur« wird nun sprachspielerisch (wie z. B. Mist 〉 Bockmist, Riemen 〉 Schmachtriemen, Honig 〉 Hummelhonig, voller Geigen 〉 Baßgeigen u. dgl.) durch die bekannte Schnur am Hute erweitert zu: Das geht über die Hutschnur. – Abzulehnen ist eine Erklärung mit dem unkritischen Hinweis auf das Wort »Hutschnur« in einer alten Urkunde von 1356 aus der ehem. Reichsstadt Eger, wonach das Wasser aus den Leitungsröhren nicht stärker fließen sollte als »eine Hutschnur«. Das war natürlich eine städtische Sparmaßnahme gegen einen übergroßen Wasserverbrauch durch die ständig bei Tag und Nacht fließenden öffentlichen Laufbrunnen. Die Wasserzufuhr konnte da aber niemand nach seinem Belieben auf »stark« oder »schwach« stellen; von »über den hutschnurdünnen Wasserstrahl hinausgehen« konnte somit keine Rede sein, und es konnte zur Bildung einer solchen Redensart infolgedessen auch nicht kommen.

auf der Hut sein vor jm. = zerdehnt vom Zeitworte sich vor ihm »hüten«.

I

i-Tüpfelchen *bis auf das i-Tüpfelchen* = übergenau bis zum Schluß. –
↗ Tüpfelchen

Irrwisch *Irrwisch* = abschätzige Bezeichnung eines flatterhaften
Mädchens. – Irrwische oder Irrlichter sind die Flämmchen auf dem
Moore, die koboldhaft nachtens hin und her hüpfen (irrlichtelieren).
Durch Entwässerung und Anbau verschwanden anmoorige, morastige
Flächen in unserer Kulturlandschaft; wir kennen diese seltsamen Moor-
lichter nur noch dem Namen nach.

J

Ja *zu allem ja und amen sagen* = mit allem einverstanden sein. ↗ Amen

Jacke *Jacke wie Juppe* oder *wie Hose* = einerlei. – Eine Jacke ist eine Joppe.

Jäger, Nimrod (im A. T.) »ein gewaltiger Jäger vor dem Herrn«. Jäger lieben ihre besondere Sprache zu reden, jeder Körperteil eines Wildes hat da seinen besonderen Namen, für jede Tierstimme gibt es bei ihnen einen besonderen Ausdruck, alles benennt die Jägersprache anders als wir in unserer Umgangssprache, sie ist in gewissem Umfange eine Geheimsprache:

naseweis = altklug. – Ein Spürhund muß eine gute, feine Nase haben, muß gleich *etw. in der Nase haben* = seine Nase muß auf die Spur »weisen« (= zeigen).

unbändig (= durch kein Halsband zu bändigen) und *vorlaut* ist ein Hund, der zu früh anschlägt = Laut gibt.

kurz angebunden = barsch, unfreundlich, grob. – Die Redensart gründet sich auf die Tatsache, daß ein Hund desto schärfer und bissiger ist, je kürzer er angebunden ist.

ein Vorstehhund ist ein dressierter Hund, der vor dem Wild stehen bleibt und diesem nach dem Flüchten nicht nachsetzt, damit der Jäger schießen kann, ohne ihn zu treffen.

sich verbeißen in etw. = nicht mehr loskommen von einer Beschäftigung. – Ein schlechter Jagdhund apportiert zwar, gibt aber das Stück Wild nicht ab, sondern verbeißt sich darin.

kuschen müssen = sich lautlos fügen müssen. – Befehl an den Jagdhund: (franz.) couche! = Leg dich!

auf falscher Fährte ist manchmal der Jäger mit seinem Hunde, wo er *auf die Spur kommen* sollte (aufspüren); er will doch *etw. auftreiben (aufstöbern)* und dabei muß er manchmal *auf den Busch klopfen* = auf den ↗ Strauch schlagen.

Na, wollen *mal sehen, wie der Hase läuft* = wie es weiter gehen wird; denn der Hase läuft nicht immer geradeaus, er *schlägt Haken* = ändert plötzlich seine Laufrichtung. Ein alter Hase ist *gerissen* und *durchtrieben* = schlau, listig, weil er noch bei jeder Treibjagd davongekommen ist, obwohl von Hunden gefaßt und gebeutelt; er weiß *sich zu drücken*, d. h. sich rechtzeitig in eine Ackerfurche zu drücken.

ein Frechdachs = ein frecher Junge, ein Frechling. – Wenn sich der Dachs in seinem Bau wütend zur Wehr setzt gegen den angreifenden Hund, dann widerspricht er frech, wie sich die Jäger ausdrücken.

sich aus der Schlinge ziehen = es verstehen loszukommen, wenn man unvermutet *in eine Schlinge gerät*, wie solche die Wilderer legen.

jm. eine Schlinge legen = ihm, ohne daß er es merkt, zu schaden suchen; auch spricht man in gleicher Bedeutung von *Fallstricken* (= Stolperdrähte fürs Wild).

Ein Hase *hat Wind bekommen*, d. h. Witterung, hat gewittert = er ist durch jemandes Geruch gewarnt worden.

ein Kesseltreiben veranstalten z. B. auf einen Verbrecher oder auf einen politischen Gegner u. dgl. Bei der sog. Niederjagd (auf Hasen) stellen sich Schützen und Treiber um eine möglichst große Fläche in einem weiten, lockeren Kreise auf und treiben, gegen die Mitte zu vorrückend, das Feld ab.

durch die Lappen geht z. B. der Polizei ein gesuchter Verbrecher (= er entwischt), sogar einem Kaufmann kann ein gutes Geschäft durch die Lappen gehen (= der Abschluß kommt leider nicht zustande). – Das Bild ist von der sog. Lappjagd (auf Hochwild) genommen: Ein großes Stück Waldgelände wird mit bunten Lappen förmlich abgeriegelt. Davor soll der Hirsch scheuen und sich wieder zurückwenden, gegen die nachfolgenden Jäger zu.

Bricht das Wild aber durch die Verlappung, so geht es »durch die Lappen« = die Jäger kommen nicht zum erhofften Abschuß.

auf Knall und Fall = sofort, d. h. nach einem guten Blattschuß muß das Wild stürzen.

Einen Keiler läßt man *anlaufen* (= zu sich herkommen) auf den Sauspieß.

den Fang (= Todesstoß) *gibt* der Jäger dem weidwunden Wild mit dem Hirsch»fänger«. *Drossel* heißt weidmännisch noch der Hals, wir kennen nur das Zeitwort erdrosseln.

den Fuchs prellen war einst eine grausige Jägerbelustigung: Auf einem prall gespannten Netz wippte man immer wieder den gefangenen Fuchs hoch, der natürlich aus Leibeskräften seine Freiheit zu erlangen suchte, aber immer wieder »geprellt« wurde. – Jungstudenten heißen Füchse (↗ Einstand); alte Semester pumpen sich gern Geld bei den Neulingen, vergessen aber noch lieber die Rückgabe. Das heißt dann auch (Füchse) »prellen«.

auf der ↗ Strecke bleiben = im Wettbewerb unterliegen.

jn. zur Strecke bringen = ihn unschädlich machen (geläufiger Ausdruck der Polizei).

das Hasenpanier ergreifen = fortrennen, ausreißen. – Das weiße Schwänz-

chen, die Blume, ist gleichsam die Fahne (das Panier) des flüchtenden
Hasen.

Am Abend nach der Jagd gibt's *Jägerlatein* zu hören = Jagdgeschichten
nach Münchhausens Art, worüber *weidlich gelacht* wird.

Jahr *nach Jahr und Tag* = nach unendlich langer Zeit. – Eine Rechts-
frist des Sachsenspiegels: 1 Jahr (= 12 Monate), 6 Wochen und 3 Tage.

Jakob »Wo finden wir den *wahren Jakob?* im »Stern« oder im »Spiegel«? so fragten die Zeitungen aus Anlaß der zweifachen Herausgabe der
Memoiren der Stalin-Tochter. Der hl. Jakob von Compostella in Spanien galt gegenüber anderen Heiligen gleichen Namens als der wirk-
samere (Grimms Wörterbuch). Zu seinem Grabe wallfahrtete man auch
aus deutschen Landen häufig; z. B. gelobte Jörg Wickram (um 1500)
eine solche Wallfahrt.

jeck *Du bist jeck* (rhein.) = närrisch, wie ein Vastelovendjeck (=
Faschingsnarr). – Geck.

Joch *ein Volk unter das Joch zwingen* = es unterjochen. – Die Gefangenen wurden früher unter einem Joch durchgetrieben (bekannt ist
aus der röm. Geschichte das Kaudinische Joch) als Andeutung, daß sie
von jetzt ab Arbeitstiere sind.

das Joch abschütteln = ein Volk befreit sich von der Fremdherrschaft,
auch ein Ochs schüttelt das lästige Joch ab.

Jota *um kein Jota nachgeben* (besonders nicht in seiner Meinung). –
Schon im alten Griechenland gab es eine Redewendung um diesen
kleinsten Buchstaben (griech. ohne i-Punkt und Jota geheißen) und
kam wohl durch die Humanisten (Erasmus und Melanchthon), die griechische Sprachstudien betrieben, auf uns. Möglich ist auch eine andere
Quelle, nämlich kirchliche Kreise: In den ersten Jahrhunderten nach
Christi Erdenwallen stritten sich zwei Lehren heftig über seine Natur,
die Lehre des Arius von der Homo*i*usia (Gottähnlichkeit Christi) und
die Lehre des Athanasius von der Homousia (Gottgleichheit Christi) =
Unterschied: ein Jota, sozusagen der Streitpunkt, wo keiner nachgab.

Jubeljahr *nur alle Jubeljahre einmal* = alle hundert Jahre einmal. –
Jubeljahr oder Jubiläum nannte man das i. J. 1300 zum erstenmal vom
Papst eingerichtete Ablaßjahr (daher Jubelablaß); der Name geht
auf das im Alten Testament erwähnte jüdische Erlaßjahr (hebr. jobel)
zurück, das alle fünfzig Jahre gefeiert werden sollte.

Judenschule *Es geht zu wie in einer Judenschule* = so laut. – Die
Synagoge heißt jüdisch »Schule«. Das Gebetsgemurmel und der unverständliche Gesang gaben Anlaß zu dieser Wendung.

Juliusturm = Begriff der Geldhortung. – In Spandau lag die französische Kriegsentschädigung als Geldreserve des Bismarck-Reiches. ↗
elfenbeinerner Turm

Jungfrau *dazu kommen wie die Jungfrau zum Kinde* = unverhofft
und ahnungslos (unerwünscht oder zufällig) zu etw. gelangen. – Un-

aufgeklärte junge Mädchen, die den Zusammenhang von Geschlechts-
verkehr und Empfängnis noch nicht kennen, können geschwängert
worden sein, ohne die geringste Ahnung von einer solchen Möglichkeit
gehabt zu haben.

Jux *aus Jux* = scherzhaft.

sich einen Jux mit jm. machen = sich einen Scherz mit jm. erlauben.

»Einen Jux will er sich machen« (Posse von Nestroy) = eine Freude. –
Das Wort stammt kaum von lat. jocus (= Scherz), sondern wohl von
(jauchzen 〉 juchzen 〉 juxen = aus Freude juchhe schreien, wozu
als bedeutungsverstärkend kommt: sein Geld ↗ verjucken 〉 verjuck-
sen.

K

Kadaver Von *Kadavergehorsam* spricht man, wenn von Menschen verlangt wird, sie sollen gehorchen »als ob sie ein Leichnam wären« = »lebendig tot« (Joh. Geh. Off. III/1).

Kaiser »*Ich bin Kaiser!*« triumphiert bei Tisch das Kind, das als erstes der Geschwister seinen Teller leer gegessen hat. (Kaiser, König, Edelmann, Bürger, Bauer, Bettelmann ist die Reihenfolge.) – Caesar hat bei den Römern zu seinen Lebzeiten (100–44 vor Chr.) Kaisar gelautet; sie sprachen C wie K und ae wie ai (die griech. Schreibung καῖσαρ zeigt es). Und wir Deutschen haben dieses Wort noch in der altlat. Lautung als Kaiser übernommen für den Titel des Trägers der obersten Herrschergewalt. Jahrhunderte später war das C zu Z geworden, das Wort wurde Zesar, wie wir es in der Schule lernen, gesprochen, und mit dieser Spätlautung haben die Slaven das Wort (mit einer Tonversetzung) als C'sar = Zar für den Herrschertitel übernommen, erstmals der Bulgaren-Khan Boris 865. – Wie doch große Männer der Geschichte die Spuren ihres Namens sogar in fremden Sprachen hinterlassen! Auch Karl der Große hat die Spur seines Namens hinterlassen: bei den Tschechen als král (= König) und bei den Madjaren als király (= König).

Das ist ein Streit um Kaisers Bart = um eine Nichtigkeit. – Bei den Römern hieß es: de lana caprina rixari und ist wohl durch die Humanisten neu aufgewärmt worden, so daß Luther sagen kann: »Es ist eine nichtige Sache um Geißwolle«, und holländisch heißt es »twisten om een geitenhaar«. Geißenhaar ist dann zu Kaisers Bart verballhornt worden.

Kakao *jn. durch den Kakao ziehen* = ihn verlästern, – verhüllend für Kacke.

Kakelores *Das ist lauter Kakelores* = alles nur Gerede. – Wortspielerei mit (gackern) Gegacker, Gegackel, angelehnt an Geseeres (jidd. = Gerede).

Kalauer *ein Kalauer* ist ein fauler Witz, angeblich nach der Schwanksammlung »Der Pfaffe von Kalenberg« (15. Jh.), aus den franz. Calembours (de Bièvre) übernommen und angelehnt an die Stadt Kalau/Lausitz.

Kalb »*dem Kalbfell nachlaufen*« hieß es seinerzeit, wenn sich ein Bursch anwerben ließ und nun hinter der mit Kalbfell bespannten Trommel marschierte.

kalendern = grübeln – über die astrologischen Hinweise in den alten Kalendern sinnieren.

kalt *kalt bleiben* = ungerührt bleiben, *das läßt mich kalt* = ist mir gleichgültig, regt mich nicht auf.
kalt wie eine Hundeschnauze ↗ Hund

jn. kaltstellen = jn. ausschalten, beiseite schieben. – Nach dem Mittagessen wurde das, was nicht verzehrt worden war, »kalt« gestellt, d. h. von der heißen Herdplatte »weg«-gestellt. Das Wort »kalt« bekam so die Bedeutung »daneben«. So erklärt sich auch die Wendung »kaltschnappen« (Umg.) = leer ausgehen, umsonst sich bemühen.

jm. die kalte Schulter zeigen = ihm kühl, abweisend begegnen, sich ihm nur halb zudrehen. – Das Gegenteil von warm = herzlich, vgl. warmherzig, ein warmer Empfang, wärmsten Dank u. ä.

etw. ist dagegen wie kalter Kaffee (Umg.) = ist weit darunter zu bewerten wie kalter gegen warmen Kaffee, ist unerheblich, witzlos.

auf kaltem Wege = unauffällig hintenherum, ohne Aufregung.

ein kalter Krieg = ohne zu schießen, nur mit Propaganda und Zollschikanen kämpfen.

Kamel *So ein Kamel!* (aus der Studentensprache) = Ausdruck der Geringschätzung. – Die inkorporierten Studenten (Burschenschafter, Corpsstudenten) nannten sich untereinander achtungsvoll: Bundesbruder, Corpsbruder, Kartellbruder, solche aber, die keiner Verbindung angehörten, hießen bei ihnen einfach Kommilitonen, abgekürzt und wenig achtungsvoll gemeint: Kamele.

Kamellen *olle Kamellen* (plattdeutsch) = allbekannte Geschichten, im Sinne von »aufgewärmter Kamillentee«.
Der Kölner Ruf am Rosenmontag: *Kamelle!* will besagen, »Karamellen« sollen Prinz, Bauer und Jungfrau werfen.

Kamin ↗ Röhre

Kamm *alles über einen Kamm scheren* = schablonenmäßig behandeln wie manche Friseure die Männerköpfe.

ihm schwillt der Kamm = er wird recht übermütig – wie ein Hahn, der sich aufplustert und einen roten Kamm bekommt.

Kandare *jn. an die Kandare nehmen* = ihn straff ↗ zügeln. – Kandare (ein madj. Wort) heißt die Gebißstange im Pferdemaul, das Pferd läßt sich damit schärfer zügeln als mit Zaumzeug ohne Gebiß (Trense, Halfter).

Kanne *in die Kanne steigen* (stud.) = trinken müssen.

in die Kanne scheißen (vulg.) = im Gefängnis sitzen.

kannegießern (lit.) = Bierbankpolitik treiben. – Holbergs Lustspiel (1722) »Der politische Kannegießer«.

kannibalisch *sich ganz kannibalisch freuen* = ungemein, außerordentlich. – Das Wort geht zurück auf Chr. Kolumbus, in dessen Tagebüchern auch canibales neben caribales steht, womit er die Bewohner der Kariben auf den Antillen meinte, die also für ihn rohe, ungesittete, grausame Menschenfresser waren (aus Ähnlichkeit mit Karnivoren = Fleischfresser).

Kanone *mit Kanonen nach Spatzen schießen* = unnötiger Kraftaufwand für eine kleine Sache.

Das ist ja unter aller Kanone = unter aller Kritik, ganz schlecht. – Richtig sollte es »unter allem Kanon« lauten. Gewöhnlich erklärt man die Redewendung als Fachausdruck in Meistersingerschulen, aber die Meistersinger nannten ihre Singevorschrift »Tabulatur«. Eine Lehrerzeitung brachte eine Geschichte von einer sächsischen Lateinschule, wo sich Professoren »einen canon« (= Maßstab) von fünf Zensuren gemacht hatten, daß aber viele Arbeiten sub omni canone (= unter allem Maßstab liegend) gewesen seien. Diese Erklärung ist richtig, allerdings ist ein solches Zensurieren im Schulleben nichts Sonderliches. Die Redewendung konnte ebensogut allerorten und jederzeit entstehen, nur mußte das lateinische Wort Kanon gut bekannt sein unter der Bedeutung: Regel, Maßstab, Vorschrift.

kanonisches Alter = über 45. – Die Wirtschafterin in einem kath. Pfarrhaushalt soll nicht unter 45 sein.

Kante *Geld auf die hohe Kante legen* = zurücklegen, aufsparen, will besagen: hochlegen (gewöhnlich auf den Tellerbord hinter die Tassen), wohin die Kinderhände nicht reichen, die sich sonst an jede Kante klammern und womöglich die Ersparnisse herunterzerren.

jn. beim Kanthaken nehmen (kriegen) ↗ Seefahrt

Kanton *ein unsicherer Kantonist* = auf ihn ist kein Verlaß. – Der Soldatenkönig (1688–1740) organisierte Rekrutierungsbezirke, Kantone geheißen, deren jeder seine bestimmte Anzahl Rekruten zu stellen hatte. Drückeberger erhielten diesen Namen. – Auch die Schweiz hat Kantone, die in Zeiten einander der Unzuverlässigkeit verdächtigt haben.

Kanzel *von der Kanzel schmeißen* (spaßhaft) = kirchliches Aufgebot, das dreimal sonntäglich von der Kanzel herab erfolgen mußte.

Kapital *Kapital aus etw. schlagen* = es verstehen, sich aus einer Sachlage Nutzen zu verschaffen, etw. dabei herausholen. – Kapital ist ein lat. Wort; Capita (= Kopfzahl des Viehes) war bei den Römern der Maßstab für Vermögen. Und »schlagen« sagt man, weil Münzen »geschlagen« wurden. Das Prägen geschah in der Weise, daß auf den unteren Prägestock das Metallplättchen aufgelegt, der obere Prägestock daraufgesetzt und mit dem Hammer zugeschlagen wurde.

Kappe *etw. auf seine Kappe nehmen* = die Verantwortung dafür übernehmen. – Kopfbedeckung stellvertretend für den Kopf selbst, mit dem man dafür haften will. ↗ Brüder

kaputt *kaputt sein (gehen, machen)* = entzwei sein, zerbrechen, zerschlagen. – Dieses Wort der heutigen Umgangssprache ist der französ. Kartenspielerausdruck être capot, faire capot und ist uns seit dem 30jährigen Kriege bekannt; es dürfte das jidd. kapores sein.

im Karacho (militärischer Ausdruck) = in gestrecktem Galopp.

karniffeln *jn. karniffeln* (österr.) = ihn in die ↗ Mache nehmen (Ma.). – Karnüffel (‹ Kardinalspiel) war einmal ein bekanntes Kartenspiel.

Karren *den Karren (die Karre) aus dem Dreck ziehen müssen*, weil *der Karren verfahren* war = eine »verfahrene« Angelegenheit wieder in Ordnung bringen. – Eine Erklärung erübrigt sich.
die Karre laufen lassen, wie sie will = den Gang der Dinge nicht im geringsten beeinflussen.

Karten Kartenspielen beschäftigt besonders die Männerwelt:
alles auf eine Karte setzen = ein Wagnis, auf die Gefahr hin zu verlieren.
auf die falsche Karte gesetzt haben = dabei verloren haben.
seine Karten aufdecken = *seine Karten offen auflegen* = seine Absicht klar erkennen lassen = *mit offenen Karten spielen.*
jm. in die Karten schauen = hinter seine Schliche kommen.
eine abgekartete Sache = vorher abgesprochen.
Karten legen (aufschlagen) = aus den Karten wahrsagen.
wie ein Kartenhaus zusammengebrochen ist ein plötzlich verunglückter Plan. – Das Bild stammt sichtlich von dem bekannten häuslichen Spiele, aus Kartenblättern ein Haus zu bauen. ↗ Spiel, ↗ Farbe

Kartoffeln *Rin in die Kartoffel, raus aus die Kartoffel!* (Barrassprache) = immer dasselbe. – Eine Manövererfahrung. – Die Kartoffel war in Deutschland schon um die Mitte des 18. Jahrhunderts bekannt. In Böhmen lernte man sie durch die Preußen (7jähr. Krieg 1756–63) kennen, sie heißen tschechisch brambory (< Brandenburger), und ein französ. Apotheker namens Parmentier lernte in deutscher Kriegsgefangenschaft die Kartoffel als vorzügliche Speise kennen und setzte sich für ihren Anbau in Frankreich ein.

Kasse *jm. zur Kasse bitten* = er soll bezahlen.

Kassel *»Ab nach Kassel!«* = Scherzwort zum Abschied. – Hessische Fürsten verkauften ihre Landeskinder als Söldner nach Englands Kolonien, Kassel war der Sammelplatz dieser menschlichen Ware. Aufgewärmt wurde die Redensart wieder, als nach Sedan der französische Kaiser Napoleon III. nach Wilhelmshöhe bei Kassel verbracht wurde.

Kasper *einen Kasper aus jm. machen* = einen Alberhans, ihn veralbern. – Über Kasperletheater ↗ Wursthans

Kastanien *die Kastanien für jn. aus dem Feuer holen* = sich für andere einer gefährlichen Lage aussetzen. – Lafontaines Fabel »Der Affe und die Katze« erzählt, wie der Affe, um sich nicht selbst die Pfoten zu verbrennen, eine Katze zu bewegen weiß, für ihn die gerösteten Kastanien aus dem Feuer zu holen.

Kasten *etw. auf dem Kasten haben* (Umg.) = recht tüchtige Kenntnisse besitzen. – Kopf = Gehirnkasten.

Kater *einen Kater haben* = Übelkeit nach durchzechter Nacht. – Wortspiel über Katze von ↗ kotzen. ↗ Katzenjammer

Katharma *die schnelle Katharina haben* (fam.) = Durchfall – umgedeutet aus med. Katharma (griech. Reinigung).

katholisch Die Rede »*jn. schon noch katholisch machen*« wird gebraucht als Drohung, ihn zu pisacken (zu karniffeln), um ihn gefügig (willfährig, kirre) zu machen. – Es ist ein Nachklang aus der Zeit der Gegenreformation, da die Rekatholisierung öfters gewaltsam geschah.

Katze *katzbalgen* = eine kleine Streiterei, wie man sie bei Kätzchen beobachten kann.

katzbuckeln = hofieren, schmeicheln. – Wenn man die Katze streichelt, macht sie einen krummen Buckel und schmeichelt.

»*Das ist (alles) für die Katz'!*« = Ausdruck der Geringschätzung und der Zwecklosigkeit. – Speisereste wirft man der Katze auch hin, die Wendung könnte vielleicht daher kommen, aber eine Katze nascht lieber selber, nur dem Hunde wirft man sein Fressen hin. Die Redewendung dürfte vielmehr zurückgehen auf eine Erzählung des Burchard Waldis († 1556), der berichtet, daß ein Schmied die Bezahlung für seine Arbeit den Kunden nach Belieben überließ. Diese begnügten sich aber mit dem bloßen Danke. Nun band er eine fette Katze in der Werkstatt an, und wenn ein Kunde ihn mit bloßem Danke verließ, sagte er jedesmal: »Katz', das geb' ich dir.« – Die Katze verhungerte, und der Schmied beschloß, es zu machen wie die anderen Handwerker, also seine Bezahlung selbst festzusetzen.

wie Katze und Hund zusammen leben = in ständigem Streit. ↗ Hund

»*Und da beißt sich die Katze in den Schwanz*« = Da fängt die Angelegenheit wieder von vorne an (brenzlich zu werden). – Die Redensart hat das Bild vor Augen, wie junge Katzen mit ihrem eigenen Schwanze spielen, aufhören und wieder anfangen.

mit jm. Katze und Maus spielen = ihn im unklaren lassen, Verstecken spielen mit ihm, ihn hinhalten und zappeln lassen. – Die gefangene Maus ist auch ganz dem tödlichen Spiel der grausamen Katze ausgeliefert.

die Katze im Sack kaufen = etw. erstehen, ohne recht hinzuschauen oder gar, ohne es überhaupt gesehen zu haben. – Hunde kann man an die Leine nehmen, wenn man sie verkaufen will, und kann sie dem Käufer zeigen, Katzen lassen sich nur in einem Sack zum Verkaufsort bringen.

die Katze aus dem Sack lassen = seine bis jetzt verschwiegene Absicht ungewollt offenbaren. – Vgl. oben: Der Sack muß möglichst lange zugebunden bleiben während des Kaufhandels, erst dann darf man aufbinden und dem Käufer einen Blick gestatten; denn sonst kratzt die Katze, faucht und springt fort.

wie die Katze um den heißen Brei = vermeiden, sich deutlich auszudrücken. – Katzen lieben es nicht, heiß zu speisen, sie schleichen darum herum.

»Mir ist *eine Katze über den Weg gelaufen*«, sagt man, wenn man fürchtet, Pech zu haben. – Wenn derart abergläubischen Leuten wirklich einmal eine Katze (sie braucht nicht einmal schwarz zu sein) über den Weg läuft, drehen sie sich um und gehen rückwärts über die Katzenspur.

sauber wie ein Kätzchen, von Mädchen gesagt; Kätzchen putzen sich immer.

Katzenmusik = unmusikalischer Lärm. – Zu gegebener Zeit veranstalten bekanntlich unsere Katzen auf den Dächern ihr schlafstörendes Konzert.

Katzenwäsche (fam.) = Morgenwaschung mit möglichst wenig Wasser; die Katzen spucken sich nur auf die Pfote und waschen sich damit das Gesicht.

nur ein Katzensprung = eine ganz kleine Strecke Wegs. – »Nur auf einen Sprung« (Ma.) geht man zur Nachbarin. »Katze« scheint also nur Verstärkung zu sein.

Katzenjammer = Zustand nach durchzechter Nacht, ist ein Gefühl, wie wenn man ↗ »kotzen« (sich erbrechen) müßte. – Der Zustand heißt anschließend ironisch dann »Kater« (was zufällig auch an Katarrh anklingt). Öfters einmal hört man das Wort »Katerfrühstück«, und wunderliche Einfälle heißen, wie wenn sie dieser Zustand eingegeben hätte, Katerideen (= Schnapsideen).

am Katzentisch sitzen = zur Strafe abseits essen. – Schon die Mönche mußten, um ein Vergehen zu büßen, gesondert in einem Winkel die Mahlzeiten einnehmen, wo auch die Katze gefüttert wurde. Nach Jakob Grimm (D. Rechtsgeschichte, 1881³, S. 490) heißt eine Stelle an der Bank bei dem Herde in Bauernhäusern die Katzenstelle.

Die Strebelkatze mit jm. ziehen = (heute verblaßt zu: mit ihm ein Hühnchen rupfen) war bis auf unser Gedenken eine Wirtshauswette, eine Art Tauziehen mit dem Nacken, muß aber früher – dem Wortlaut nach – einmal eine grausame Unterhaltung mit einer lebendigen Katze gewesen sein. ↗ prellen (Jäger)

Kauderwelsch *ein schreckliches Kauderwelsch* = ein ganz unverständliches Gerede; eigentlich Kaurerwelsch = das schlechte Deutsch der Ladiner (= Welschen) aus Kaur = Chur (Graubünden). Das mhd.-schweiz. û wurde in den Nachbargebieten zu au am Ende des Mittelalters, deshalb Chur 〉 Kaur.

Kauf Daß heute die Kaufleute diese oder jene Ware »führen«, erinnert noch an Zeiten, da die Krämer (mit ihrem »Kram« im Handwagen) von Dorf zu Dorf fuhren. ↗ Ausbund, ↗ Gewicht, ↗ Kerbholz, ↗ Kreide, ↗ Waage

etw. (mit) in Kauf nehmen müssen = nebst dem, was man anstrebt, auch unangenehme Nebenerscheinungen hinnehmen müssen. – In Geschäften wird oft ein Bund Ware nicht geteilt, so daß man Überzähliges oder Nichtgewünschtes mitkaufen muß.

leichten Kaufs davonkommen = ohne allzu großen Schaden aus einer Angelegenheit herausgelangen.

»Den kaufe ich mir aber!« (Umg.) = Man will sich ihn vornehmen und ihm den Standpunkt klarmachen.

Kegel *Kegel schieben,* umgedeutet aus Kegel »scheiben«; nach den Kegeln wurde einst mit einer Scheibe geworfen, es war ein sommerliches Eisschießen. Die Kegelkugel kam erst später auf; mit ihr wurde das Kegelspiel erst so recht volkstümlich, und das Wort ↗ pudeln (wenn die Kugel aus der Bahn gerät) wurde bekannt. ↗ Pudel

Kehraus *den Kehraus machen* = eine Gesellschaft, derer man überdrüssig ist, die sich aber von sich aus nicht zum Weggehen bequemt, mit drastischen Mitteln zum Nachhausegehen veranlassen. – Den Schluß eines Tanzvergnügens erzwangen die übermüdeten Musiker gewöhnlich durch einen langen, überschnell gespielten Tanz, wobei die herumgewirbelten Mädchen mit ihren (damals langen) Röcken förmlich den Saal auskehrten (= leer fegten).

Keim *etw. im Keim ersticken* = »den Anfängen wehren«, nicht wachsen lassen (was keimen will).

Kerbe *in die gleiche Kerbe hauen* = dasselbe beabsichtigen bzw. tun. – Zimmerleute müssen beim Behauen der Balken immer in dieselbe Kerbe hauen, damit schließlich die Fläche hübsch glatt wird.

etw. auf dem Kerbholz haben = noch etw. nicht gesühnt haben (eigentlich noch nicht bezahlt haben). – Ein Brettchen wurde entzweigebrochen, das eine Stück bekam der Schuldner, das andere behielt der Geldleiher. Gemeinsam wurde über beide zusammengehaltene Hälften die entsprechende Anzahl Messerritze gemacht. Bei der Abrechnung wurden dann beide Teile wieder zusammengehalten, die Ritze mußten stimmen. Das Kerbholz ist längst veraltet, die Redewendung lebt noch. ↗ abschneiden

Kerze *die Kerzen schneuzen* = die verkohlte Dochtspitze (Rispel, Schnuppe, Schwalg u. ä.), die das Wachsabtröpfeln verursacht, abzwicken = man schneuzt Kerzen förmlich wie Kinder, denen die Nase tropft und die man schneuzen muß, was meist der Fall ist, wenn sie den Schnupfen (oberd. = mitteld. die Schnuppe) haben.

kiebitzen *kiebitzen* beim Kartenspielen = den Spielern als Unbeteiligter neugierig in die Karten schauen. – Das Wort ist mit dem Vogelnamen rein zufällig lautgleich, es ist wohl ein gaunersprachliches.

Kieker *jn. auf dem Kieker haben* (Umg.) = es auf ihn »abgesehen« haben, ihn nicht leiden mögen.

Kind Kinderspiele haben in den verschiedenen Gegenden die verschiedensten Namen: *Butterschnitten schmieren* hieß es in Schlesien, *Mäuschen machen* heißt es in Thüringen, *flitschen* sagt man im Rheinland, wenn die Kinder flache Steine über die Wasseroberfläche werfen usw.

Das ist *kein Kinderspiel* = recht schwer, das ist *das reinste Kinderspiel* = sehr leicht. Zu dieser Betonung ↗ bombensicher.

sich lieb Kind machen bei jm. = ihm schmeicheln.

mit Kind und Kegel = mit der ganzen Familie. – mhd. kegel = uneheliches Kind.

dastehen wie das Kind beim Drecke (Umg.) = ganz hilflos.

Wir werden das Kind schon schaukeln (Slang) = die Sache schon deichseln, das Ding schon schmeißen = die Sache schon machen.

das Kind beim rechten Namen nennen = ohne Umschweife die (heikle) Sache richtig als die bezeichnen, die sie wirklich ist.

Das Kind muß einen Namen haben = Entgegnung: Wir wollen die Sache nicht verharmlosen, sondern mit dem zutreffenden Wort bezeichnen.

Wie sag' ich's meinem Kinde? = Wie sage ich das am geschicktesten? – Anspielung auf die geschlechtliche Aufklärung.

noch in den Kinderschuhen stecken = sich noch im Versuchsstadium befinden, noch nicht reif sein für die allgemeine Anwendung oder die serienweise Erzeugung.

die Kinderschuhe ausgetreten haben Mädchen nach der ersten Menstruation.

das Kind mit dem Bade ausschütten = (übereilt) mit dem Schlechten auch Gutes ablehnen. – Das gebrauchte Badewasser hastig ausschütten und das noch nicht herausgenommene Kind mit.

Den Verdacht einer zweifelhaften Herkunft lehnt man ab mit: »*Mich haben doch nicht die Zigeuner aus der Hocke verloren*« bzw. mit: »*Ich bin nicht auf der Brennsuppe dahergeschwommen.*«

Kinkerlitzchen *Kinkerlitzchen machen* = Unbesonnenheiten, Flausen machen, Alberkeiten. – Ein Wort unbekannter Herkunft.

Kippe *auf der Kippe steht etw.* (Umg. = wenn es leicht umkippen kann) = eine Angelegenheit kann leicht schiefgehen, ist gefährdet, es steht auf des Messers Schneide.

aus den Pantinen kippen (nordd.) = umfallen, (rhein.) *aus den Laatsch'n kippen*. – Das eine sind Holzpantoffeln, das andere sind Hausschlappen.

Kirche Man solle doch *die Kirche im Dorf lassen*, sagt man, wenn eine Tatsache ungebührlich aufgebauscht wird. – Die Kirche gehört ins Dorf, nicht hinaus.

mit der Kirche ums Kreuz = *die Kirche ums Dorf tragen* = riesig umständlich etw. machen.

kein großes Kirchenlicht = kein großes Lumen (lat.) ↗ Leuchte.

arm wie eine Kirchenmaus = ganz arm. – In einer Kirche findet eine Maus wirklich nichts zum Knabbern.

Kirmes *Du kannst mir zur Kirmes kommen* (schles.) = Du kannst mir gestohlen werden. – Ironisch gemeint: Ich lade dich sowieso nicht ein zum Kirchweihschmaus. – Das Wort Kirchweihmesse bzw. Kirchweihtag (zur Erinnerung an die Einweihung der Kirche) wird – als Schwundwort – über Kirchmesse/Kirchtag zu (schles.) Kirmes bzw. (südd.) zu Kirtag.

Kirschen Mit großen Herren ist *nicht gut Kirschen essen* (Sprichwort, das im 16. Jh. noch den Zusatz hatte: denn sie werfen uns die Steine und die Stiele ins Gesicht) = mit jm. ist nicht zu spaßen. – Ein Gemälde aus der Robotzeit, das uns zeigt, wieviel sich damals die untertänigen Bauern gefallen lassen mußten.

Kiste *Fertig ist die Kiste!* = Fertig ist die ↗ Laube! = Fertig ist der ↗ Lack!

Kitt Wer *bezahlt den ganzen Kitt?* (Umg.) = die ganze Summe; es ist ein Haufen Geld. – Vielleicht steckt darin das Wort, das wir als »Kette« Rebhühner (= eine Schar) kennen.

Kladderadatsch Was in Berlin der Kladderadatsch ist (= Krach, Zusammenbruch), das ist in Wien ein rechter Pallabatsch (= Durcheinander), ein Kuddelmuddel.

klagen Das Wort klagen hat einerseits die Bedeutung von »jammern«, anderseits auch von »zu Gericht gehen«. Das kommt daher, daß seinerzeit bei Entdeckung einer Missetat laut Zetermordio geschrien und der Fall mit Wehgeschrei bei Gericht vorgebracht werden mußte. Jakob Grimm (D. Rechtsaltertümer, S. 876): Mit lautem Ruf wurde dem fliehenden Übeltäter nachgesetzt, und mit Geschrei wurde über ihn vor Gericht geklagt.

klappen klappen ist das Geräusch und die Vorstellung des Zuschlagens eines Truhendeckels. Noch unsere Ururgroßmütter haben von ihrer Kleidung das wenigste in einem Schrank aufbewahrt, das meiste in einer Truhe. Das Wort »klappen« wird verschiedentlich gebraucht: *Es klappt* = geht in Ordnung, d. h. der Vorgang schließt mit »klapp!« ab. *Es kommt zum Klappen*, d. h. »zum Zuklappen« = zur Entscheidung. Ein Vergleich gibt: *Halt die Klappe!* (fam.) = Halt den Mund! *eine große Klappe haben* (Umg.) = ein Großmaul sein. Sogar das Übersich-Ziehen des Deckbettes ergibt den Vergleich: *in die Klappe kriechen* (fam.) = zu Bett gehen.

Klasse »*Das ist Klasse!*« ist das höchste Lob der Jugend von heute, wie in Geschäften für Eier und Obst die höchste Güteklasse die Handelsklasse A ist. – Ein Jahrzehnt früher sagte man: »*Prima!*«, und auch Ware wurde mit »prima« ausgepriesen, z. B. prima Landbutter u. dgl. – »*Das ist Sache!*« war auch einmal eine zeitlang so ein Modewort.

Klassik Das Latein, das seit Römerzeiten internationale Verkehrssprache war, durch die Humanisten besonders gepflegt wurde, bis 1848 z. B. in Ungarn noch Staatssprache war und bis heute in der röm.-kathol. Kirche immer noch die Liturgie- und Konzilssprache ist, hat in unserer Zeit seine Bedeutung weitgehend eingebüßt, aber immerhin sind ein paar Redewendungen sprichwörtlich noch gebräuchlich, die sich auf das klassische Altertum beziehen:

durch Abwesenheit glänzen = aus dem Lateinischen (Tacitus) »non videri« sinngemäß übersetzt.

Amors Pfeile verursachen Liebesweh.

der Ariadnefaden = ↗ Leitfaden.

ein rechter Banause = oberflächlicher Bildungsphilister; griech. = niederer Handelsmann.

jn. becircen = ihn bezaubern. – Kirke (Odyssee).

einem ein Cannae bereiten = ihm eine vollständige Niederlage beibringen. – Der Karthager Hannibal vernichtete (216 vor Chr.) bei Cannae in Apulien in einer genialen Umfassungsschlacht das gesamte Römerheer. – Ähnlich gebraucht wird *sein Waterloo finden*, wo (1815) Napoleons Stern verblich.

Damokles ↗ Schwert

ein Danaergeschenk ist ein gefährliches Geschenk. – Die Griechen (auch Danaer genannt) gaben die Belagerung von Troja scheinbar auf, segelten ab, hinterließen aber ein großes hölzernes Pferd, das die Trojaner als Göttergeschenk in die Stadt einbrachten. In der Nacht aber entstiegen diesem Pferde Griechen, öffneten die Stadttore, und die schnell wieder zurückgekehrten Belagerer konnten in die Stadt eindringen und sie einäschern.

mit Drakonischer Strenge = äußerst streng bestrafen. – Drakon veranlaßte um 620 vor Chr. in Athen die Aufzeichnung sehr strenger Gesetze.

eine Eselsbrücke (pons asini) = ein Hinweis, der schon die Lösung ist.

Eulen nach Athen tragen = ↗ Holz in den Busch tragen. – Die Eule war der Wappenvogel der Stadt Athen, deshalb überall zu finden.

ein Gordischer Knoten = ein auswegloser Fall. – In Gordion (Kleinasien) löste Alexander der Große den Knoten am hl. Wagen mit dem Schwerte, was ihm die Eroberung Asiens verhieß. ↗ Krösus

etw. mit der Laterne suchen = was kaum zu finden ist. – Diogenes suchte bei Tageslicht mit der Laterne »Menschen«.

auf seinen Lorbeeren ausruhen = nach Erfolg untätig werden. – Der Lorbeerkranz war das Symbol des Sieges. ↗ Mäzen

sein Mentor = sein Beschützer. – Heute ist dieser griechische Name verdrängt durch die Gestalt aus der Goethe-Ballade »Der getreue Eckart«.

Nektar und Ambrosia = wie Honigseim. – Nektar war die Speise der griech. Götter im Olymp.

aus der Not eine Tugend machen ⟨ lat. facere de necessitate virtutem.

zu Olims Zeiten = ganz früher einmal. – Lat. olim heißt »einst«, wird aber scherzweise als Personenname aufgefaßt.

ein panischer Schrecken = welcher eine Panik auslöst. – Nach dem bocksfüßigen Wald- und Hirtengott Pan, der urplötzlich aufzutauchen pflegte.

platonische Liebe ↗ platonisch

eine Philippika = (heute) eine Strafrede. – Einst die Reden des Demosthenes gegen Philipp von Mazedonien, den Vater Alexanders des Großen, der sich zur Eroberung von Griechenland anschickte; dann von Cicero für seine Reden gegen Mark Antonius gebraucht.

ein Pyrrhus-Sieg = ein Sieg, aber einer mit unerhörten Opfern. – König Pyrrhus von Epirus siegte 279 bei Ansculum in Apulien, aber angeblich mit sehr großen Opfern.

sein Schwert in die Waagschale werfen = durch Einsetzen seines ganzen Einflusses der Sache eine siegreiche Wendung geben. – Bei dem keltischen Vorstoß unter Brennus wurde 387/6 das Capitol belagert; der Abzug der Belagerer mußte mit reichem Lösegeld erkauft werden. Beim Abwiegen warf Brennus noch sein Schwert auf die Gewichte mit den bis heute gültigen Worten: Vae victis! (= Wehe den Besiegten!)

Die Würfel sind gefallen = die Entscheidung ist gefallen, ich habe mich entschieden. – Als C. J. Caesar an der Spitze eines Heeres in Mittelitalien einmarschierte, um sich die Alleinherrschaft zu sichern, soll er beim Überschreiten des Rubikon gesagt haben: Alea jacta esto! (= der Würfel sei gefallen).

Zankapfel (Apfel der Zwietracht), nach der griech. Sage der goldene Apfel mit der Aufschrift »der Schönsten«, den Eris, die Göttin der Zwietracht, bei der Hochzeit des Peleus und der Thetis unter die Gäste warf und den Paris der Aphrodite zuerkannte, worüber ihr Zwist mit Hera und Athene entstand, der zum Trojanischen Kriege führte.

klauen *klauen* = entwenden (mausen, stibitzen), kleiner Diebstahl. – Die Hand wird als Klaue bezeichnet (vgl. Handschrift = er hat eine schreckliche Klaue, eine fürchterliche Pfote), also ein kleiner Diebstahl mit der Hand. Ein Ausdruck aus der Bubensprache, beim Barras durch »organisieren« ersetzt.

Klee *etw. über den grünen Klee loben* = übermäßig loben. – Schon die Dichter des Mittelalters besangen die Schönheit des grünen Klees; Walther von der Vogelweide (Bitte um ein Lehen, vor 1220): sô mac der wirt baʒ singen von dem grüenen klê (= wer ein eigen Haus hat, dem fällt es leichter, den grünen Klee zu besingen).

klein *jn. kleinkriegen* = ihn gefügig machen. – Ein Bild vom Holzspalten.

Klein, aber oho! = Anerkennung der Tüchtigkeit trotz körperlicher Kleinheit.

klein beigeben = nachgeben, sich fügen, zurückstecken. – Beim Kartenspiel nur eine für den Stich unwichtige, niedrige (= kleine) Karte in der Hand haben, wenn man zugeben muß.

Klemme *in der Klemme sitzen* = mit Geldschwierigkeiten zu kämpfen haben.

Klette *wie eine Klette* (so lästig) = seine Begleitung ist nicht abzuschütteln.

wie die Kletten (so unzertrennlich) hängen sie aneinander. – Die Samen-kügelchen der Klette sind schwer von der Kleidung zu entfernen.

Klinge *jn. über die Klinge springen lassen* = (natürlich nicht ihn, sondern seinen Kopf) frivol ausgedrückt für enthaupten.
mit jm. die Klinge kreuzen = (heute) nur mehr mit Worten fechten.

Klinke *Klinken putzen* = als Stellenbewerber von Haus zu Haus betteln gehen um Fürsprache oder auch, um den Leuten Zeitschriften, Lexika u. dgl. anzubieten. – Eine uralte Form eines Türverschlusses war der Fallriegel; er wurde an einer Schnur hochgezogen und machte dann jedesmal: kling! deshalb Klinke genannt. Diesen Namen Türklinke über-trug man dann auf den modernen Türdrücker.

Klippschule *noch einmal in die Klippschule gehen müssen* = so wenig Kenntnisse haben, daß man noch einmal Elementarunterricht nehmen sollte. – Unter »Klipp«schule versteht man eine Winkelschule oder eine Vorbereitungsschule. Zur Bedeutung des Wortes vgl. Klippkram (= Ge-rümpel, Trödel), Klippware (= Kleinkram) und Klippschulden(= solche, die sich allmählich aus Kleinigkeiten anhäufen).

Klotz *ein Klotz am Bein* = ein ständiges Hindernis, so daß man sich nicht frei bewegen kann. So ist z. B. ein uneheliches Kind für eine Ledige bei der Mannssuche ein solcher Klotz. – Man denkt an Zeiten zurück, da Schwerstverbrechern eine Eisenkugel ans Bein gehängt wurde.

Kluft *sich in Kluft werfen* (studentisch, einst bei Turnern und im Wandervogel gebräuchlich) = Anzug; – hebr. klipha = Schale, vgl.: *fein in Schale* = tipptopp angezogen.

Knacks *einen Knacks weghaben* (Umg.) = durch einen gesundheit-lichen Schaden nicht mehr auf der Höhe sein. – Das Bild eines ange-brochenen, angeknickten Astes schwebt vor.

Knall *auf Knall und Fall* = urplötzlich. ↗ Jäger

Knie *in die Knie »sinken«* = niederknien aus Andacht oder aus Kraft-losigkeit.
in die Knie »brechen« = zusammenknicken.
in die Knie »gehen« = aufgeben, weil *in die Knie gezwungen* (Boxkampf).
etw. nicht übers Knie brechen können = nicht imstande sein, es übereilig zu besorgen. – Das Brechen geht zwar schnell, ist aber nicht immer an-wendbar.
»Lieber laß' ich mir ein Loch ins Knie bohren« = ↗ lieber Hunde nach Bautzen führen. – Die Kniescheibe ist überaus empfindlich.

Kniff *den Kniff kennen* = ↗ den Dreh weghaben (Umg.). – Uner-laubtes Einkneifen der Spielkarten, um sie kenntlich (fühlbar) zu machen.

Knopf *aus den Knopflöchern reißen* = *aus den Nähten platzen* = vor Dickheit die Kleidung sprengen.
Knopflochschmerzen haben = Man möchte gern etw. ins Knopfloch be-kommen, d. h. einen Orden.
aus allen Knopflöchern schießen (Barras) = schwerer Beschuß. – Ironisch

statt einfach »Löcher« = Mündung, und noch verstärkt (ironisch) wie
Mist mit Bockmist u. ä.

an den Knöpfen abzählen, so kann man zu einem Entschluß kommen.

Knoten *der Gordische Knoten* ↗ Klassik

Der Knoten ist bei ihm gerissen = sein Verstand ist bei ihm zum Durch-
bruch gekommen, (der als bisher eingeschnürt gedacht wird) bzw. bei
Kindern: das Längenwachstum beginnt sichtlich.

ein rechter Knoten = ungeschliffener Mensch, ein Knülch. – Wohl plattd.
Genote = hochd. Genosse (der dasselbe Brot »genießt, genossen« hat).
↗ Kompagnon

»Ich will mir *einen Knoten ins Taschentuch machen* = damit ich daran
erinnert werde und es nicht vergesse.

Knüppel/Knüttel *jm. Knüppel (Knüttel) vor die Füße (Beine) werfen* = ihm allerlei Schwierigkeiten bereiten bei seinem Vorhaben.

Der Knüttel liegt gleich beim Hunde = einen Grund zu einer Rüge hat
man gleich bei der Hand.

Knüttelverse hat nicht erst der Abt Knittel (um 1700) erfunden, sondern
waren unter dem Namen Knüppelverse schon vor ihm bekannt; sie
holpern dahin wie ein Fuhrwerk auf einem Knüppeldamm. Goethe hat
die unbeholfenen, vierhebigen Reimpaare durch seine Kunst herzer-
frischend veredelt.

Kobold Unter Kobolden stellte man sich
früher Wichtelmännlein vor, Heinzelmännchen, die meist wohlwollend, gelegentlich
aber auch tückisch als Hausgeister in Haus
und Hof und Stall (= »Koben«) schalteten
und »walteten«. Als zusammengesetztes
Wort verliert Kobenwalt seine tonlose Mittelsilbe -en- (wie Frankenfurt zu Frankfurt),
wird Kobwalt und schließlich zu Kobold.

Kobolz schießen – kobolzen = einen ↗ *Purzelbaum schlagen*. Die richtige Schreibung
wäre Kobolds/koboldsen, und die richtige
Betonung liegt auf der Erstsilbe.

Das Wort »schießen« in dieser Redewendung hat nichts zu tun mit
Flinte, Pulver und Blei; es ist eine rein grammatisch-stilistische Angelegenheit: Unsere Sprache zerdehnt gern ein einfaches Zeitwort (bes. am
Satzschluß: z. B. aufführen in »zur Aufführung bringen« oder klagen zu
»Klage führen« oder auftragen zu »in Auftrag geben« usw.), kobolzen
also zu »Kobolz machen«, purzeln zu »einen Purzel machen«. Das würde
jedoch zu farblos klingen, man sagt es bildhafter, weil man ja dabei mit
den Beinen förmlich hoch»schießt« (= sich auf»bäumt«) und dann
herunter»schlägt« auf die Erde wie ein gefällter Baum. Deshalb also
Kobolz »schießen« und einen ↗ Purzel»baum schlagen«.

Köchin *Die Köchin war heute verliebt* = Die Suppe ist versalzen. – Verliebte Leute sind bekanntlich mit ihren Gedanken oft nicht bei der Sache. Küchendragoner (Soldaten) gab es wirklich einmal in fürstlichen Küchen, heute ist es ein Scherzname für eine stattliche Köchin.

Kohl *»Das ist doch Kohl!«* = albernes Gerede, – jn. verkohlen = verulken (aus Kreisen der Theologiestudenten bekannt geworden) von hebr. quol = Stimme, Rede, Gerücht.

»Das ist doch alter Kohl«, d. h. aufgewärmter = eine alte Geschichte. – Schon lat. crambe repetita.

Kohldampf schieben = Hunger haben. ↗ Soldaten

Kohlen *wie auf (glühenden) Kohlen sitzen* = sehr ungeduldig sein und warten müssen. – Hitze ist schon unangenehm unter den Füßen (vgl. der Boden wird ihm zu heiß), erst recht unter dem Sitzfleisch.

Die biblische Redensart *»feurige Kohlen auf seinem Haupte sammeln«* bedeutet, ihn durch Großmut beschämen, besonders durch den großmütigen Verzicht auf Rache ihm Gewissensbisse verursachen.

Koller *den Koller kriegen* (Umg.) = wütend werden, jäh aufbrausen, – franz. colère (= Zorn).

Kommiß *beim Kommiß* = bei Militär = beim ↗ Barras = als Soldat dienen. Der Gefühlswert der drei Ausdrücke ist verschieden: normal bzw. unterbewertet. – Das noch heute sog. Kommißbrot verdankt seinen Namen dem großen Heerführer Wallenstein (so die Schreibung bei Schiller, eigentlich Waldenstein; mit der Kurzform Waldstein unterschrieb er selber), der für die pünktliche Verteilung des Soldatenbrotes Kommissionen bildete; das von ihnen ausgeteilte Brot nannte man Kommissionsbrot.

Kompagnon *Kompagnon* ‹ lat. »cum« = mit und lat. »panis« = Brot d. h. also: der dasselbe Brot mitißt; heute Geschäftsteilhaber. Davon gebildet sind *Kumpan* (= gewöhnlich Saufkumpan) und Kumpel (Bergmann) = Kamerad. ma. Kampel = tüchtiger Bursch. ↗ Knoten

Konto *Das geht auf sein Konto* = fällt ihm zur Last. – Kaufmännisch.

Konzept *sich nicht aus dem Konzept bringen lassen* = aus der Fassung. – Konzept = schriftliche Vorlage.

jm. das Konzept verderben = seine Absicht vereiteln.

Kopf Der Kopf als Sitz des Verstandes hat eine große Menge Redensarten, nicht viel weniger als das Herz, der Sitz des Gemütes:

Köpfchen! Köpfchen! (berlin.) = Da gehört Verstand zu!

Er hat nur das oder jenes im Kopfe = denkt nur immer an dieses, sonst an nichts.

den Kopf danach haben = das Zeug dazu.

einen harten Kopf haben = eigensinnig sein.

sich (s)einen Kopf aufsetzen = unnachgiebig sein.

sich etw. in den Kopf setzen = z. B. ein eigenwilliges Projekt.

mit dem Kopf durch die Wand wollen = eigensinnig handeln.

sich den Kopf einrennen = scheitern.

einen Kopf für sich haben = eigensinnig sein, widerborstig, widerspenstig.

nicht auf den Kopf gefallen sein = nicht dumm sein (infolge einer Gehirnerschütterung).

ein Brett vor dem Kopfe haben = begriffstutzig sein und dumm wie ein dummer Zugochse, dessen Joch auf der Stirn eine brettähnliche Form hat.

den Kopf (die ↗ Ohren) hängen lassen = entmutigt sein.

den Kopf oben behalten = ruhig Blut bewahren.

den Kopf in den Sand stecken (wie es angeblich der Vogel Strauß macht) = nichts sehen und nichts hören wollen. – In Wirklichkeit scharrt der Strauß nur seine Eier in den Sand. Aus der Ferne sieht das dann so aus, als stecke er seinen Kopf in den Sand.

dasitzen mit dem dicken Kopf und ein dummes Gesicht machen.

etw. ist ihm in den Kopf gestiegen = der Größenwahn.

jn. vor den Kopf stoßen = jn. (unabsichtlich) verärgern.

sich vor den Kopf gestoßen fühlen = brüskiert.

jm. etw. an den Kopf werfen = ihn anpöbeln, anranzen.

jn. kopfscheu machen = ihn unsicher, widerwillig machen. – Pferde werden leicht kopfscheu, sie brauchen Scheuklappen am Kopf.

sich etw. aus dem Kopfe schlagen müssen = den Gedanken daran aufgeben.

Das will mir nicht in den Kopf = das kann ich unmöglich glauben, das kommt mir ungeheuerlich vor.

alles auf den Kopf stellen = Unordnung machen.

nicht ganz richtig im Kopfe sein = etwas irre.

jm. auf dem Kopf herumtanzen ↗ Nase

nicht gleich den Kopf verlieren (dürfen) = nicht gleich aus der Fassung geraten.

jm. ordentlich den Kopf waschen = tadeln, derb zurechtweisen. (↗ waschen/wäschen) – Älter ist: die Kolbe lausen, was verballhornt wurde zu: mit Kolben lausen (= prügeln).

sich den Kopf zerbrechen = angestrengt nachdenken.

arbeiten, daß einem der Kopf raucht = »Viechsarbeit« haben. – Pferdeleiber dampfen bei der Arbeit.

jm. den Kopf zurechtrücken (-setzen) = ihn eindringlich tadeln.

die Köpfe zusammenstecken = miteinander verhandeln oder tuscheln.

»Und wenn du dich auf den Kopf stellst«, sagt man, wenn man ein für allemal ablehnt.

Es geht um Kopf und Kragen (= Hals) = ums Leben. ↗ Kragen

seinen Kopf hinhalten müssen (nämlich dem Henker) = die Schuld eines anderen oder die Verantwortung für etw. übernehmen müssen.

ihm den Kopf nicht gleich wegreißen, sondern Milde walten lassen.

Es kann den Kopf (Hals) nicht kosten = Es wird glimpflich abgehen, wird zu ertragen sein.

jn. einen Kopf kürzer machen = ihn köpfen. – Simplicissimus 2, 213 sagt »des kopfes kürzer machen«. – Jakob Grimm, D. Rechtsaltertümer, S. 689: Die Enthauptung erfolgte (wie heute noch in England) mit dem Beil (= mit der Barte), das ihm über den Hals gehalten wird, und mit einem Schlegel wird ein Schlag darauf getan.

eine Kopfnuß (bei Tucholsky »Mutterns Hände«: 'n Katzenkopp jeben; schlesisch: ein Kopfstückl kriegen) = ein Klaps auf den Kopf.

von Kopf bis Fuß (z. B. ein Ehrenmann) = ganz und gar (wie: *vom Scheitel bis zur Sohle*).

Kopf = Dach (Umg.): *jm. eins aufs Dach geben* = auf den Kopf schlagen im Sinne von »ihn zurechtweisen«.

leichten Dachschaden hat, wer etwas geistesgestört ist.

Korb *sich einen Korb holen* = abgewiesen werden.

jm. einen Korb geben = ihn abweisen. – In Minnesangszeiten ließen die Burgfräuleins von ihrem Fenster aus einen Korb hinunter, um ihren Liebhaber darin heraufzuziehen. Einem unliebsamen Verehrer wurde

ein Korb mit so schwachem Boden hinabgelassen, daß der Freier, wenn er dann hinaufgezogen werden sollte, unbedingt »durchfallen« mußte. Später schickte man einem nichtgewünschten Freier lediglich einen bodenlosen Korb, heute läßt man es gar nur mit der Redensart bewenden.

Wird Herr Kristian von Hamle auf dem Bild der Manessischen Liederhandschrift (um 1300) mit der Seilwinde von dem Söller aus der Burg herausgelassen? Oder wird er etwa beim Hinaufziehen schmählich in der Mitte der Wand hängengelassen zum Gespött der Leute, wie Ulrich von Lichtenstein einen Fall in seinem »Frauendienst« erzählt?

Korn *jn. aufs Korn nehmen* = es auf *jn. abgesehen haben*. – Aufs Korn der Flinte nämlich; Korn und Kimme (Grinsel) sind die Zielvorrichtung am Gewehr.

Nach der Manessischen = Heidelberger Liederhandschrift

Kotau *seinen Kotau machen* = durch eine Verbeugung seine Ehrerbietung bezeugen. – Ein chinesisches Wort.

Kotzen *Das ist ja zum Kotzen!* (Umg.) = Ärgerlicher Ausruf von Männern bei einem widerlichen Ereignis. – Kotzen = erbrechen, speien,

umschrieben mit: »Kotze«bues Werke studieren oder nach »Speyer«
appellieren. Kotzebue (1761–1819) war ein Theaterdichter, und in
Speyer war einst (bis 1693) das höchste Reichsgericht des 1. Deutschen
Reiches. ↗ Katzenjammer, ↗ Ullrich

Krach *Krach schlagen* = Lärm schlagen, – »schlagen« wegen ↗ »Alarm
schlagen«.

Kragen Kragen ist ein altes Wort für Hals:
jm. den Kragen umdrehen = ihn ruinieren, wie man einer Gans den
↗ Hals umdreht beim Schlachten.
Es geht ihm an den Kragen = es wird ihm den Kragen kosten = seine
Existenz ruinieren.
jn. beim Kragen erwischen = ihn beim ↗ Schlafittchen nehmen.
Da platzte ihm der Kragen = er ist wütend geworden, so daß ihm die
Halsadern schwollen und drohten, seinen Hemdkragen zu sprengen.

Krähwinkel *aus Krähwinkel* ist ein »Hinterwäldler«, dorther, wo die
menschenscheuen Krähen und Raben nisten. – Spottname wie ↗ Gebowitz.

Kram *Das paßt mir nicht in den Kram* = kommt mir ungelegen. –
↗ Kaufleute
der ganze Kram = lästiges Zeug, davon der Krimskrams (= Plunder),
vgl. Mischmasch.

Kränke (Umg.) *jm. die Kränke (die Pest) an den Leib (Hals) wünschen* = ihm alles Üble wünschen, Kränke = Krankheit. ↗ Mäuslein

Kranz *im Kranze gehen* = verlobt sein, Braut sein. – Am Hochzeits-
tag wird man ihr den Brautkranz aufsetzen.

Kratz *Kratzfuß* ↗ abkratzen
kratz' die ↗ *Kurve* = hau ab! (Barras)

Kraut *wie Kraut und Rüben* = alles durcheinander. – Diese blätter-
bildenden Nutzpflanzen werden auf dem Felde zwar nicht durch-, wohl
aber nebeneinander angepflanzt.
Das macht das Kraut (den Kohl) nicht fett = Das genügt noch nicht. –
Ein schmackhaftes Essen braucht reichlich Fett. – Die eine Gegend sagt
Kohl, die andere Kraut. Die Bezeichnungen des häuslichen Küchen-
bedarfs sind in Nord und Süd nicht immer die gleichen: Topf-Pott,
Ofen-Herd, Kartoffeln-Erdäpfel, Knödel-Klöße, Soße-Tunke, ↗ Rahm,
Senf-Mostrich, Sieb-Durchschlag, Fegeblech-Kehrichtschaufel, Bröt-
chen-Semmeln-Wecken-Kipferl usw. eine ganze Liste.
ins Kraut schießen = überhand nehmen, – übermäßiges Wachstum des
Blattwerkes. ↗ Blatt
Dagegen ist kein Kraut gewachsen = gibt es kein Mittel. – Heilkräuter
waren bekannte Hausmittel gegen Krankheiten.

Krebs *Den Krebsgang geht so mancher Mann* = es geht mit seiner
Wirtschaft zurück. – Der Krebs »geht« an Land vorwärts wie andere
Tiere, aber im Wasser »schwimmt« er rückwärts, und nur das sieht man.

kredenzen *jm. den Becher (einen Trunk) kredenzen* = ihm ein Getränk anbieten, – lat. credere = beglaubigen nämlich, daß kein Gift darin ist. ↗ Rechtsbräuche

Kreide *bei jm. (tief) in der Kreide stecken (stehen)* = bei ihm (viele) Schulden haben, bes. beim Gastwirt, der die Zechschulden mit Kreide auf der schwarzen Tafel anschrieb (= sie *ihm ankreidete),* als das ↗ Kerbholz außer Gebrauch gekommen war.
jm. etw. (schwer) ankreiden = ihm etw. zur Last legen, es ihm verübeln. – Vgl. dazu: gut angeschrieben sein bei jm.

Krempel *der ganze Krempel* (wegwerfend) = der ganze Kram. – Krempel = (Wollhechel und) der Wollabfall.

Kren (österr.) *seinen Kren* oder *seinen Senf dazugeben* = auch dazuquasseln. Wienerle oder Frankfurter (= Siedewürstchen) ißt man mit Kren (= Meerrettich) oder mit Senf (= Mostrich, Mostert). ↗ Kraut

Kreuz *ein Kreuz schlagen (machen)* = sich bekreuzigen, das Kreuzzeichen machen. – Im kath. Sprachgebrauch gilt ersteres meist für das »große« (= an Stirn – Brust – linke – rechte Brustseite tupfen = »schlagen«), während gewöhnlich das kleine »gemacht« wird (= Stirn – Mund – Brust bekreuzigen).
zu Kreuze kriechen = einsichtig werden und mit allem einverstanden sein, sich unterwerfen, wie ein Pilger gottergeben auf den Knien vor das Kruzifix rutscht.
sein Kreuz auf sich nehmen = sich in das Unvermeidliche schicken. – (bibl.) Jesus nahm sein Kreuz auf sich.
in ein Kreuzfeuer geraten = (milit.) Kugeln von allen Seiten, (bildl.) Fragen von allen Seiten.

kriechen Die umg. vulg. Wendungen von *kriechen mit* Arsch, After, Mastdarm bezeichnen eine ekelhaft unterwürfige Zudringlichkeit.

kriegen Wie klagen, so hat *kriegen* zwei Bedeutungen: 1. Krieg führen, 2. bekommen, erhalten, weil man durch Kriegführen Anteil an der Beute bekam. ↗ Soldaten

Krippe *an der Krippe sitzen* = einen Posten innehaben, der die Möglichkeit zu (legaler oder unlauterer) Bereicherung bietet. Eine Anekdote mag die Zwielichtigkeit dieser Redensart (= ein dummes Pferd, das vor voller Krippe steht und sich nicht satt frißt) beleuchten: Fürst Rohan, Besitzer weiter Gebiete im Iser- und Riesengebirge, brauchte für seine exotischen Orchideen zu viel Geld, als daß er hätte sein Forstpersonal entsprechend bezahlen können, von »fürstlich« bezahlen war da keine Rede, im Gegenteil, hier wurde geknausert. Kam zu ihm einmal ein Waldheger, eine grundehrliche Haut, und bat um eine Aufbesserung seiner schmalen Bezüge. Der hätte es für eine Todsünde erachtet, schwarz ein paar Hasen abzuschießen oder einmal eine Lachter Holz zu verschieben. Für solch massige Ehrlichkeit hatte Seine Durchlaucht kein Verständnis: »Sitzt an der Krippe, soll fressen.«

Krokodil *Krokodilstränen vergießen* = (grundlos oder) heuchlerisch weinen. – Aus Fabeleien der antiken Welt zu uns gekommen.

Krone *Das ist ihm in die Krone gefahren* = macht ihn überheblich; – pars pro toto: Krone = Kopf = er selbst.

sich dabei keine Zacke aus der Krone brechen = deswegen *fällt ihm kein Stein (keine Perle) aus der Krone* = Damit vergibt er seinem Ansehen wirklich nichts. – Die Krone gibt dem Herrscher Ansehen, aber sie muß unbeschädigt sein.

Das setzt allem die Krone auf! = Das ist die ↗ Höhe!

Krösus Wer ein *Krösus* ist, ist ein sehr reicher Mann. – Dieser König von Lydien (um 500 vor Chr.) war bekannt durch seinen sagenhaften Reichtum.

krumm *einem anderen etw. krummnehmen* = jm. etw. übelnehmen, es ihm verübeln. – Der Gedankengang: Die Sache ihm nicht »abnehmen«, weil sie »krumm« (schief, schlimm) ist und doch gerade sein sollte.

sich krumm lachen = ↗ Ast. – Beim Lachen beugt man sich unwillkürlich etwas vor.

Kruzitürken *»Kruzitürken!«* schimpfen die Österreicher, wenn sie einen Verdruß bekommen. – Es müßte eigentlich heißen: Kuruczen-Türken. Die Kuruczen waren türkenfreundliche Madjaren, die beim Vormarsch der Türken gegen Wien (1683) Einfälle in die Steiermark machten. In Radkersburg sind noch erbeutete Kuruczenfähnchen zu sehen.

Kuchen *»Ja, Kuchen!«* (Berlin) »Pustekuchen!« (weil man ablehnt mit: »Ich werde dir was pusten!«) Sonst noch: »Ja, Quarkspitzen!« (Lausitz, Gebäck) oder: »Ja, Schnecken!« (Sudeten, Ostergebäck) oder: »Hat sich was!« (fam.); das alles in der Bedeutung: Da wird nichts daraus; bekommst du nicht ↗ Goldschmieds Junge.

Kuckuck *Kuckuck* ist das Hehlwort für Teufel. Daß der Kuckuck eins ist mit dem Teufel, kann man sich wohl nur so erklären, weil der Kuckuck die Fähigkeit besitzt, von einem festen Sitze aus so zu schreien, daß es manchmal ganz nahe klingt, als ob er über uns säße, dann wieder entfernter, und daß er manchmal auf dieser, dann wieder auf der anderen Seite zu hören ist. Wer im Walde steht und darauf achtgibt, der wird ein unheimliches (teuflisches) Gefühl nicht los. Das Wort Kuckuck ist deshalb das Hehlwort für Teufel, weil das Wort Teufel tabu ist = nicht ausgesprochen werden darf.

»Weiß der Kuckuck (Teufel)!« – *»Das soll der Kuckuck wissen!«* = Aberglaube: Als Kinder machten wir uns den Spaß, die Zahl der Kuckucksrufe zu zählen, denn so lange sollten wir angeblich noch zu leben haben. Man schimpft: *»Zum Kuckuck (= Teufel) damit!«* – *»Das soll der Kuckuck (der Teufel) holen!«* – *»Zum Kuckuck nochmal!«* u. ä.

Es geht in'n Kucks (= zum Teufel) = geht verloren, geht entzwei.

Das ist zum Kuckuckholen = eine ärgerliche Sache.

Der soll sich zum Kuckuck (Teufel) scheren = soll sich fortmachen, u. a.

das Kuckucksei der Familie, so heißt das Kind, das ganz anders geartet ist als seine Geschwister. Es ist, als ob ein Kuckuck, der bekanntlich seine Eier in fremde Nester legt, auch in diese Familie eins gelegt hätte.

Kugel (Die Kugel) *kommt ins Rollen* = die Entscheidung naht. – Eine Wendung vom Glücksspiel.

Es ist zum Kugeln (Umg.) = es ist zum Totlachen. – Man könnte sich »wälzen« vor Lachen.

Kuh *blinde Kuh spielen* = Spiel der Kinder, einst Gesellschaftsspiel der Erwachsenen (vgl. die Bilder von Watteau, 1684–1724); – französ. coup d'aveugle = der Schlag vom Blinden, weil der eine Spieler immer mit verbundenen Augen nach den anderen schlagen muß.

Das geht auf keine Kuhhaut = unbeschreiblich viel z. B. lügt er zusammen. Das hätte auf einem gewöhnlichen Blatt Pergamentpapier (das aus Schaf-, Kalbs- oder Ziegenleder gegerbt war) nicht Platz, man müßte eine ganze Kuhhaut nehmen.

ein rechter Kuhhandel = bei dem einer den anderen übervorteilen will.

Kulissen *hinter die Kulissen schauen* = die Hintergründe ermitteln. – Theaterausdruck.

Kulleraugen *Kulleraugen machen* = erstaunt große Augen machen; – kullern ⟨ kaulern (von Kaule ⟨ Kugel), verkürzt wie juchzen aus jauchzen.

Kümmelblättchen *Kümmelblättchen spielen* = Trickspiel der Bauernfänger mit drei Karten. Das rotwelsche Wort Kümmel ist das verstümmelt auf uns gekommene semitische Wort gimel (= 3). Es erinnert uns noch daran, daß unsere Buchstaben formgewandelte Hieroglyphen sind:

Aus der ägyptischen *Bilder*schrift		machten die Phönizier die semitische *Buchstabenschrift*		die Griechen fügten die Vokale ein und kamen so zur heutigen *Laut*schrift	röm
Ochs	☒	aleph	indem sie den Anlaut als Buchstaben nahmen	alpha α¹) A	A
Zelte	⋀⋀	beth		beta β B	B
Hirtenstab	⌐	gimel		gamma Γ γ	C²)
Nilmündung	△	delat		delta Δ δ	D

»*ein rechter Kümmeltürke*« ist eine launige Bezeichnung für einen, mit dem es nicht gerade weit her ist. – Man kannte die ferne Türkei nicht (vgl. die betreffende Stelle im Faust), sie galt als rückständig. Man

---

¹) Schwenkung ४ zu α = ⊲ > A wie ʍ > B.
Ganz deutlich ist noch die Form »Wasser« = ~ im m ersichtlich und »Auge« = ○ im o.

²) C gilt altlat. für G und K (aus |<), zu Z wird C erst spät. ↗ Kaiser, ↗ Buch

schimpfte manchen Landstrich bei uns »Türkei«, so auch die Gegend um Halle, wo viel Kümmel angebaut wurde. Sie war die »Kümmeltürkei«. Die Studenten von Halle nannten ihre Kommilitonen, die aus der Umgebung der Universitätsstadt stammten, Kümmeltürken. Ein Kümmeltürke war also ein Mensch, der nicht viel in der Welt herumgekommen war, ein Mensch ohne sonderlichen Horizont, ein Spießer. Kümmeltürkei soll übrigens auch bei den Heidelberger Studenten die Umgebung geheißen haben. Auf den europäischen Gewürzmärkten soll einst auch der besonders in Nordafrika angebaute Kümmel von Türken oder zumindest von türkischen Untertanen (mit dem roten Fes auf dem Kopfe) feilgeboten worden sein.

kunterbunt *Es geht kunterbunt zu* = durcheinander, drunter und drüber, verworren. – Entstanden aus Kontrapunkt = vielstimmiger Tonsatz.

Kuppelpelz *sich einen Kuppelpelz verdienen* = einen Heiratsvermittlungslohn erhalten. – Eine einleuchtende Erklärung des Wortes stand bis jetzt noch aus; das Wort ist als gedruckt erst seit 1730 in der Form Kuppelbelz bekannt, hat aber ganz gewiß in Brauchtum und Umgangssprache schon ein längeres Leben hinter sich. Jetzt ist es – wie Otto Ludwig (Die Heiteretei) sagt – »schon längst zur bloßen Redensart geworden«. Aber wenn O. Ludwig weiter sagt, daß »es einst ein wirklicher Pelz gewesen sein muß«, so ist das eine ganz unerwiesene Behauptung, unerwiesen, auch wenn im Borchardt-Wustmann (Sprichwörtliche Redensarten im deutschen Volksmunde, 1954) behauptet wird, daß die Redensart aus dem altdeutschen Eherecht stamme, wonach ein Pelz der übliche Kaufpreis (?) für die Überlassung der »Mundschaft« über die Frau an den Gatten gewesen sein soll. Diese Meinung stützt das Buch auf Jakob Grimms D. Rechtsaltertümer (3. Ausgabe 1881, Seite 448), und zwar auf eine Stelle im langobardischen Rechte (Canciani, Leges barbarorum). Da ist zu lesen, daß nach langobardischem Gesetz der neue Ehemann für die Muntschaft geben solle: »... pro mundio det F. (dem) S. crosnam unam ...« = einen Pelz. (Das Wort crosna im lat. Text ist germanisch und gehört zu Kürschner.) Die Überreichung eines Pelzes bei der Eheschließung ist aber lediglich aus dieser einen langobardischen Quelle bekannt (ebenda Seite 429). Die deutschen Quellen (ebenda im Grimm auf den Seiten 431, 427, 428, 429) sprechen von der Übergabe von Schwert und Rock (lat. gladius et clamis), von Geldbeträgen (solidi et denarii) und vielen anderen Dingen bei der Verlobung, aber niemals von einem Pelz! Und Jakob Grimm selbst macht keinerlei Andeutung über die Möglichkeit eines Zusammenhanges unserer Redensart mit dem vor mehr als einem Jahrtausend lediglich bei Germanen in Oberitalien geübten Brauch der Überreichung einer solchen »Brautgabe (!)«. So muß übrigens diese Zeremonie richtig verstanden werden: Der Ehekandidat bringt sein Geschenk, der Schwiegervater in spe nimmt es in Empfang und legt es gleich zur Aussteuer seiner Tochter. Die Vormundschaft (lat. mundium) über die Tochter ging mit dieser Zeremonie vom Vater, der sie naturgemäß bis jetzt hatte, auf den Ehemann über, der damit ihr verpflichteter Rechtsbeistand wurde. Germanische Frauen waren frei, konnten Besitz haben, durften Vermögen erwerben, aber bei Rechtsstreitigkeiten, die ja im äußersten Falle bis zur Anrufung eines Gottesurteils durch Zweikampf (Holmgang) gehen konnten, mußten sie ihr Recht durch einen Mann vor Gericht verfechten lassen.

Die öfters abgedruckte unkritische Erklärung ist mithin m. E. genugsam widerlegt. Es muß jetzt eine richtigere beigebracht werden. Ich will sie mit Hilfe von Volkskunde und Textkritik geben: Eine berufsmäßige Ehevermittlung gab es vordem nicht. Ehen zu stiften war (und ist noch) vornehmlich weiblicher Ehrgeiz. Eine Freundin macht die andere aufmerksam auf einen möglichen Ehekandidaten, eine Nachbarin empfiehlt, die Muhme rät ihrer jungen Base usw. Ist durch solche Vermittlung eine Heirat zustande gekommen, zeigt man sich erkenntlich durch ein kleines Geschenk. Es muß passend sein und vornehmlich: es muß erschwinglich sein, womöglich selbst herstellbar. Es kann niemals ein teurer Pelzmantel gewesen sein. Im Worte (Kuppel)»pelz« steckt ein Geheimnis: Es muß da ein anderes Wort, ein ähnliches Wort dahinterstecken, ein zum Verwechseln ähnliches, aber ein anderes! Ein Puzzlespiel. – Sehen wir uns das Wort einmal genauer an. Wir wissen: Die Wörter verschrumpfen vom Wortende aus gegen die betonte Anfangssilbe zu, vgl. diesen Lautverfall an folgendem Beispiel: german. Hariowalda $\rangle$ ahd. Heriwalt $\rangle$ späterem Herold $\rangle$ heutigem Familiennamen Herlt/Held. Wie der Physiker am Uranzerfall die Zeit ablesen kann, so vermag auch der Grammatiker an einem Worte, das im Munde der Leute lebte – und das ist hier der Fall – den Alterszustand abzuschätzen, weil es sich wie eine Münze im Verkehr abnützt. Dieses Wort Kuppelbelz von 1730 kann gar nicht so uralt sein; das Wort ist sichtlich noch ziemlich intakt, es besitzt sogar noch seine Mittelsilbe – el-, die sich sonst bei Zusammensetzungen in der Wortnaht nicht allzu lange hält[1]). Aber der Wortschluß kann schon etwas verändert sein. Dort liegt demnach das Rätsel! – Dieses gesuchte Wort steht nun im Grimmschen Wörterbuche I, 1741: Betzel w., Haube, in Hessen allg. üblich, Nachtbetzel = Nachthaube, würzbg. Betzel, schwäb. Betzel, österr. Batzel, schon mhd. bezel. Ferner bei H. F. Foltin »Die Kopfbedeckungen im Deutschen« (Dtsche Philologie, Bd. 26, 1963): Betzelkappe und Haubenbätzel, auch bei J. Frischl (Hz. 103): Beltzhauben schwarz. Einst gab es demnach für eine modische Frauenhaube (oder eine Männer-

[1]) Verfasser: »Das Verhalten der tonlosen Silben in der Wortnaht von Zusammensetzungen«, Zeitschrift »Muttersprache«, September 1968. Vgl. Speisekarte neben Speisenkarte, Webmeister < Webermeister. Giesdorf, benannt nach einem Giesel(her) n. dgl. m.

mütze) die Bezeichnung »die (der) Betzel«. Noch heute ist dieses alte Wort für eine solche Kopfbedeckung allenthalben bekannt: In der Schwalm trägt die Weiblichkeit noch ganz allgemein eine Betzel (allerdings heute umgeformt zu einem Mini-Hütchen), und in Bayern (Dingelfing) heißt eine Trägerin dieser alten Trachtenhaube »Betzel«-Mam. Wenn nun seinerzeit, als die verheirateten Frauen noch Hauben trugen, wieder eine »unter die ↗ Haube gekommen« war, bekam diejenige, die sie »verkuppelt« hatte, von ihr als Dank für die Heiratsvermittlung auch eine Haube, eine solche Betzelkappe oder Haubenbätzel, aus diesem Anlaß spaßhaft benannt »Kuppelbetzel«.

Und im Laufe der Zeit hat sich das Wort etwas abgeschliffen, hat seine Laute mundgerecht umgestellt – wie Eller zu Erle, wie Vogesen zu Wasgen(wald), wie Nadel zu schles. Nolde u. ä. –, und aus dem kleinen Betzelhäubchen, dem Kuppelbeltze/Kuppelbelz (1730), ist schließlich ein ganzer Pelzmantel, der Kuppelpelz, geworden. – So und nur so muß das gewesen sein!

Kur *die Kur (↗ Cour) schneiden (machen)* = den Hof machen, hofieren. – Eine franz. Redewendung (faire la cour à q., courtiser q.) aus der galanten Zeit der modischen Liebesgeplänkel an fürstlichen Höfen.

Kurs *vom rechten Kurs abkommen* = die Richtung verfehlen. ↗ Seefahrt

Kurve *»Kratz die Kurve!«* = Hau ab und verschwinde um die Ecke! – Diese beim Barras aufgekommene Redewendung verschmilzt das ältere »abkratzen« (↗ abhauen) mit der mundartl. Wendung »(nicht) die Drehe kriegen«. (↗ Drehe)

kurz *kurz angebunden sein* = barsch, kurz und unwillig antworten. ↗ Jäger

etw. kurzhalten = nicht ausarten lassen. – Der Parkrasen wird kurz gehalten, aber diese Wendung stammt vom Kutscher, der die Zügel straffer nimmt, mehr an sich heranholt = kürzer hält.

zu kurz kommen = benachteiligt sein. – Er kommt zu spät zur Verteilung, zu kurz ist seine Anwesenheit dabei, als daß er seinen vollen Anteil zu bekommen hätte.

den kürzeren ziehen = benachteiligt werden, unterliegen. ↗ Rechtsbräuche: ausgelassen ist »Halm«, vgl. franz. il a tiré la courte paille.

Kuß *Kußhände zuwerfen.* – Man küßt sich in die Hand und macht dann eine Wurfbewegung.

L

lachen *eine Lache anschlagen* = laut auflachen. – Eine sprachliche Zerdehnung von einfachem lachen (↗ Wolle); zu »anschlagen« vgl. daß auch ein Hund anschlägt, auch eine Wachtel schlägt (= singt).

sich ausschütten vor Lachen = übermäßig (förmlich von innen heraus) lachen.

sich die Hocke vollachen = aus (Schaden-)freude über einen gelungenen Streich. – Hucke (Höcker) = er lacht sich den Buckel voll. (Umg.) ↗ Ast, ↗ schmutzig l.

Lack *Fertig ist der Lack!* = Beendet! – Der Brief war geschrieben, die Unterschrift darunter gesetzt: »↗ Punktum, basta, Streusand drauf!« Noch wurde die Adresse geschrieben, dann wurde der Briefumschlag

gesiegelt mit Siegel-Lack, und beendet war endlich die Schreiberei. Das war so in der Zeit unserer Urgroßeltern, als noch neben dem Tintenfaß und der Streusandbüchse die Stange Siegellack (rot oder grün) und der Siegelstock (Siegelring) lag und daneben der Kerzenhalter stand. Heute ist dieses ganze Schreibgerät vom Schreibtisch verschwunden, seit es gummierte Ränder an den Briefumschlägen gibt. ↗ Laube, ↗ gelackt

Laden Das Wort Laden (= der Verkaufsraum) gehört nicht etwa zum Zeitwort laden (↗ Soldat), sondern zum Wort »Latte« und bedeutete ursprünglich das Verkaufs»brett«. Die Redewendungen mit Laden sind nur in der Umg. bekannt: *der Laden klappt, den Laden schmeißen* u. a. ↗ Saftladen

ein (alter) Ladenhüter = schwer verkäufliche alte Ware, die sozusagen den Laden »hütet« (behütet), vgl. das Bett hüten.

Ladestock *Er geht so aufrecht, wie wenn er einen Ladestock verschluckt hätte*, oder auch ein Lineal, das vorbildlich gerade ist; auch ein ↗ Besenstiel verleiht diese Steifheit. – Ein Ladestock war bei den alten Vorderladergewehren nötig, mit ihm wurde die Kugel in den Lauf gestoßen. Der Vergleich mit seinem verschluckten Ladestock paßte besonders gut auf einen steif und kerzengerade daherstolzierenden Musketier.

Laie *ein blutiger Laie* = ein unerfahrener Nichtfachmann. – Nicht blutrünstig, sondern ein gedanklicher Kurzschluß nach: blutjung sein, ein junges Blut, von nd. bloot = ein bloßer Laie.

Lamm *Sein Herz hüpft ihm wie ein Lämmerschwänzchen* = er ist freudenvoll. – Die kleinen Lämmer wackeln ständig mit dem Schwänzchen.

Land *dem Landfrieden nicht recht trauen* = sehr mißtrauisch sein, Gefahr wittern. – Die Redensart erinnert an die Zeiten, da die reichsfreiherrlichen Ritterschaften trotz der kaiserlichen Landfriedenerlasse ihre Fehden untereinander ausfochten auf dem Rücken der bäuerlichen Bevölkerung.

ländlich-sittlich = Spott über vermeintliche Rückständigkeit des Dorfes; *auf dem Lande wohnen* = in einem Dorfe.

fluchen wie ein Landsknecht. – Landsknechte hießen die in kaiserlichen »Landen« angeworbenen Söldner zum Unterschied von den Schweizer Reisläufern (= Kriegsknechten), wobei Reise = Kriegsfahrt, vgl. Reisige.

Lanze einlegen ↗ Ritter

Lappen *durch die Lappen gehen* ↗ Jäger

Mit der Zeit läppert sich was zusammen (Umg.) = so kleinweis kommt eine Menge zusammen, in kleinen Lappen sozusagen.

Lappen aber als Schimpfwort = Schlappschwanz gehört zu Ma. es lappert = sitzt lose, weich. Den alten s-Vorschlag (unbekannter Bedeutung wie lecken-schlecken, wanken-schwanken, Lumpen-Schlampe, rümpfen-schrumpfen u. ä.) hat schlapp/schlaff; Schlappen sind lose sitzende Hausschuhe.

larifari *so larifari* = so ganz ohneweiters. – Vom Ableiern der Tonleiter: do, re, mi, fa, so, la, si, do.

Lärm *Lärm schlagen* = Krach machen, zu lärmen beginnen. – Aus militärisch Alarm schlagen. ↗ Soldaten

Last *jm. zur Last fallen* = ihm lästig werden, bes. durch Inanspruchnahme einer geldlichen Unterstützung.

jm. etw. zur Last legen = ihm die Schuld zuschreiben, sie ihm aufhalsen; aufladen. – Über die Verwandtschaft von laden und Last ↗ Soldaten.

Latein *mit seinem Latein am Ende sein* = sich nicht mehr weiter zu helfen wissen – wie ein Schüler mit schlechten Lateinkenntnissen, der eine lateinische Rede halten sollte (früher üblich!) und dabei aus Vokabelmangel stecken blieb.

Laterne *etw. mit der Laterne suchen müssen* = etw. schwer Auffindbares suchen. ↗ Klassik

Laube *Fertig ist die Laube!* = Vollendet! – Die Redensart entstand in der Zeit der »Gartenlaube« und der Schrebergartenbewegung: Mit dem letzten Hammerschlag war die Arbeit an der Gartenlaube beendet, die Laube war fertig. ↗ Lack

Lauf *seinem Unmut freien Lauf lassen* = ungehemmt sich geben – wie ein Kutscher seinen Pferden die ↗ Zügel schießen läßt.

Das Gerücht breitet sich aus wie ein Lauffeuer = sehr rasch. – Wenn die Buben im Frühjahr »randeln« oder »flämmeln« (= das trockene Gras an den Feldrändern abbrennen), kann man gut beobachten, wie schnell »das Feuer läuft«.

einem den Laufpaß geben = ihn wegjagen. – Einst bekamen die zu dem verhaßten Militärdienst Gezwungenen nach langer (20 jähr.) Dienstzeit ihren Laufpaß, damit durften sie sich – ohne Rente und ohne erlernten Beruf – durchschlagen, wie sie wollten und konnten.

Launen *Launen haben* = wechselnde Gemütszustände; – lat. luna = Mond, der mit seinen wechselnden Phasen nach der Volksmeinung solche Zustände bewirken soll.

Laus *jm. eine Laus in den Pelz setzen* = ihm etw. sagen, worüber er immer grübeln soll, oder ihm sonst Ärger bereiten, der nicht aufhören will. – Läuse in einem Pelze sind lästig, »denn sie wachsent fur sich selbst«. »*Ja, wenn die Laus in den (Laschen) Grind kommt*«, ist ein ma. Ausruf, wenn einer anspruchsvoller wird, sobald er in bessere Lebensverhältnisse kommt. – So eine schorfig-eitrige Wundstelle behagt einer Laus.

Laus-Leber ↗ Leber, ↗ Affe

läuten *etw. läuten gehört haben* = nur so ungefähr etw. erfahren haben, aber nichts Genaueres wissen; mit dem Zusatz: aber nicht zusammenschlagen. ↗ Glocke

Leben *Sein Leben hing an einem Faden* = er hätte beinahe sein Leben eingebüßt.

den Lebensfaden abschneiden = einem Leben vorzeitig ein Ende setzen. ↗ Aberglaube (Nornen)

sein Lebenslicht erlischt = der Mensch stirbt. ↗ Aberglaube

ihm das Lebenslicht ausblasen, heute nur mehr in der Jägersprache gebräuchlich, wenn man z. B. einen Fuchs abschießt.

jm. das Leben sauer machen = es ihm schwer machen.

Leber »*Ihm ist etwas (eine Laus) über die Leber gelaufen*«, sagt man, wenn jm. recht verärgert und mißmutig ist. – An der Leber liegt die Gallenblase, man ist also gewissermaßen gallig erregt. Laus ist lediglich Ersatz des farblosen »etwas«. Die Laus ist nämlich so ekelhaft wie der Zustand, und das Wort paßt schön in den Stabreim L-L. Aus derselben Vorstellung heraus ist der schnodderige Wortwitz von der *gekränkten Leberwurst* entstanden, wenn sich einer grundlos gekränkt fühlt. Das Wort »Wurst« ist Zugabe wie bei ↗ Bockmist u. ä.

frisch (frei) von der Leber weg reden. – Ein Ärgernis erregt die Leber, d. h. also: sich den Ärger von der Leber wegreden.

Leder *einem das Leder gerben* (Umg.) = ihn versohlen = verprügeln.

jm. ans Leder wollen = ihm zu Leibe rücken.

vom Leder ziehen = scharf, rücksichtslos reden. – Auf die lederne Schwert- oder Säbelscheide, aus der die blanke Waffe zum Angriff gezogen wurde, geht diese Redensart zurück. ↗ blankziehen

Lehrgeld *Lehrgeld zahlen müssen* = als Anfänger »draufzahlen« (Umg.), Erfahrung mit Opfern erkaufen. – Die Wendung stammt aus Zeiten, da der Vater so wie heute kein Lehrgeld zu zahlen brauchte, was nicht überall und allezeit der Fall war.

Leib *Bei Leibe nicht!* (abweisender Ausruf) = unter keinen Umständen; eigentlich bei Lebensstrafe nicht, denn »Leib« hatte einmal die
Bedeutung »Leben« (vgl. Leibgedinge = auf Lebenszeit ein Ausge-
dinge). Heute hat »Leib« lediglich die Bedeutung von »Körper« in den
Redewendungen der Umg. wie: *einem auf den Leib rücken* = sich ihm
drohend nähern, *sich jn. vom Leibe halten* = sich schützen vor ihm, der
Ruf: *Bleib mir vom Leibe!* = halte dich fern von mir! u. dgl. m.

Leiche *eine Leichenbittermiene aufstecken* = ein todernstes Gesicht
machen. – Ehemals ging ein »Leichenbitter« von Haus zu Haus bitten,
am Leichenbegängnis teilzunehmen.

Leid *es leid sein* (rhein.) = es satt haben, z. B.: Er ist es leid, dort
immer angepöbelt zu werden.

sich ein Leids antun = Selbstmord verüben.

jm. ein Leids zufügen = ihm Herzeleid verursachen.

aussehen wie das bittere Leiden oder *wie das Leiden Christi* (ergänze:
auf den Passionsbildern in der Kirche) = ungesund aussehen.

Leim *aus dem Leim gehen* (Umg.) = auseinanderfallen. – Daß die
Redensart schon von Abraham a Santa Clara gebraucht wurde, ist
sonderbar; noch bis lange nach ihm wurden die Truhenbretter nur mit
Holznägeln verbunden.

jm. auf den Leim gehen (kriechen) = sich von ihm »anschmieren« (Umg.)
lassen. ↗ Vogelstellerei

Leine *Zieh Leine!* (Barras) = Hau ab! – Die Redensart »Schluß zu
machen« ist der erste Teil der dringenden Aufforderung, in bekannter
Situation den Spülkasten zu betätigen: »Mensch, mach schon, zieh
Leine und komm 'raus!« – Die heutigen Druckspüler des Wasserklosettes
sind noch nicht alt, bei der früheren Einrichtung mußte man am Zug-
kettchen ziehen, um den Wasserfall rauschen zu lassen.

Leinkauf *Leinkauf trinken* = das Kaufgeschäft besiegeln. – Ein Kauf
ist erst dann nicht mehr rückgängig zu machen gewesen, wenn er durch
einen Trunk in aller Form Rechtens begossen worden war. Dieser
Brauch ist uralt, das Wort dafür hieß lîtkouf und sollte heute Leitkauf
heißen (vgl. noch den Namen Leitgeb = Gastwirt), ist aber nicht mehr
verstanden und in Leinkauf abgeändert worden, vielleicht in Anlehnung
an »Ein«kauf; denn plattdeutsch ist es in Wienkoop (= Weinkauf) umgedeutet worden.

Leisten *alles über einen Leisten schlagen* (wie ein schlechter Schuster)
= alles über einen ↗ Kamm scheren.

leisten z. B. Bürgschaft, Hilfe u. a. ist wie machen und bringen ein für
die Bildung von Redensarten öfters verwendetes Zeitwort im Sinne von
»befolgen, erfüllen«. Es bedeutete ursprünglich »einer Spur nachgehen«
(vgl. Geleise); heute fühlen wir es als Beziehung zwischen zwei Parteien (Geber-Nehmer) wie »lehren« (got. laisjan), das gleichen Stammes
ist.

Leithammel *Der Leithammel* ist der Anführer bei einem dummen Streich; er geht voraus wie der Widder vor der Hammelherde.

Lektion *jm. eine Lektion erteilen* = ihm einen Verweis geben, eine Zurechtweisung. – Ironisch, als ob es sich um Unterricht handelte.

letzt *zu guter Letzt* = zum (guten) Abschluß. – Das Wort gehört zum Zeitwort »sich an etw. letzen« = laben, erquicken, will also besagen: auf guten Abschiedstrunk.

Leuchte *Eine große Leuchte der Wissenschaft* kann einer sein, aber es muß nicht jeder *ein großes Licht* (ein Lumen) sein; überhaupt ist »*kein großes Kirchenlicht sein*« heute geradezu eine Beschimpfung.

Leumund *einen guten (schlechten) Leumund haben* = gut (schlecht) beleumundet sein = einen guten (schlechten) Ruf besitzen, ein großes (kein sonderliches) Ansehen genießen. – Das Wort stammt aus einer idg. Wortgruppe »hören«, got. hliuma = Gehör.

Leviten *jm. die Leviten lesen (den Text, das Kapitel lesen)* = jn. abkanzeln. – Die Mönche mußten sich nach der Morgenandacht versammeln im Kapitelsaale, wo ihnen zur Hebung der Klosterzucht ein Kapitel aus der Bibel vorgelesen wurde, besonders aus dem 3. Mose, Leviticus geheißen; daran wurden die nötigen Ermahnungen und Rügen geknüpft.

Licht *sein Licht leuchten lassen* = sich ein Ansehen geben.
sein Licht nicht unter den Scheffel stellen = (Bibel, Matth. 5,15) nicht zu bescheiden sein. – Der Scheffel ist ein altes Hohlmaß (ca. 10 Liter), vgl. das Geld nur so »scheffeln« = Geld scheffelweise (= massenweise) verdienen. Schaff.
sich selbst im Lichte stehen = sich selbst dabei benachteiligen.
etw. in milderem Lichte darstellen = es beschönigen.
bei Licht betrachtet = genau besehen.
das Licht der Welt erblicken = geboren werden.
ans Licht (= an den Tag) kommen = offenbar werden, bekannt werden.
Mir geht ein Licht auf = es dämmert bei mir = es leuchtet mir jetzt ein, ich begreife, (spöttisch) *mir geht ein Seifensieder auf;* dieser macht neben Seife auch Lichter (Kerzen).
einem ein Licht aufstecken = ihn darüber aufklären, ihm die Wahrheit enthüllen, ihn gewissermaßen erst sehend machen. – Das Wort »aufstecken« zeigt deutlich die kirchliche Herkunft; vgl. das Sprichwort »Dem lieben Gott eine, dem Teufel muß man zwei Kerzen aufstecken«; vor den kath. Heiligenbildern zünden die Gläubigen Kerzen an und stecken sie »auf« einen Dorn – im Hause haben die Leuchter eine Tülle dafür, »in« die man die Kerzen einsteckt.
Es ist Lichtmeß (bäuerlich) = die Bestände gehen zur Neige, sie sind schon stark »gelichtet«. – Ein Wortspiel mit Mariä Lichtmeß, kath. Feiertag (2. Feber), weil um diese Zeit das Winterheu im Bauernhaus über die Hälfte aufgebraucht ist.

Liebe *Das macht der Liebe kein Kind* = das richtet keinen Schaden an (tröstend gesagt), aber auch ein Kind der Liebe ist als unehelich immerhin mehr oder weniger ein Hemmnis.

Lied *Davon kann ich ein Lied singen* (iron.) = dabei habe ich schlechte Erfahrungen gemacht.

Immer das alte Lied! = *die alte Leier* = stets dasselbe, es hat sich nichts geändert.

Das ist das Ende vom Lied, u. zw. das traurige Ende einer Begebenheit. – Weil unsere Volkslieder meist wehmütig enden.

links *jn. links liegen lassen* = ihn geflissentlich übersehen. – Rechts ist die Seite der Hochachtung, links nicht; man läßt die Dame, den älteren Herrn rechts gehen.

zur linken Hand angetraut wurde beim Hochadel eine unebenbürtige Frau.

Lippen *sich auf die Lippen beißen (auf die Zunge beißen)*, d. h. damit nicht ein unangebrachtes Wort herauskommt.

Liste *jn. auf die schwarze Liste setzen* = ihn abschreiben, boykottieren, ausschließen.

Literatur In die *Literatur* sind naturgemäß vorgefundene Wendungen übernommen und durch sie erst recht in Umlauf gebracht worden. Andere Redensarten sind aber erstmals von Dichtern geprägt worden und sind dann dem allgemeinen Sprachschatz als Zitate zugeflossen, die Georg Büchmann als »Geflügelte Worte« herausgegeben hat. So ist von Schiller volksläufig geworden: *(Verflucht) verwünscht gescheit, Ich kenne meine Pappenheimer, Ich kenne dich, Spiegelberg, Tu, was du nicht lassen kannst, Gevatter Schuster und Handschuhmacher,* schließlich: *Donner und Doria!* Von Goethe stammt *des Pudels Kern* und *der rote Faden,* von Shakespeare *der Anfang vom Ende, die verlor'ne Liebesmüh* und *die ↗ Hekuba;* von Rich. Wagner die *Zukunftsmusik.* Von weniger bekannten Dichtern ist gelegentlich auch eine oder die andere Wendung als Literaturreminiszenz hängen geblieben: *Hab' Sonne im Herzen* (C. Flaischlen), *das verschweigt des Sängers Höflichkeit* (Langbein), *zwei Seelen und ein Gedanke* (Halm), *sich seitwärts in die Büsche schlagen* (Seume), ↗ Hanemann, ↗ *verflucht und zugenäht* u. a. m.

Loch *jn. ins Loch stecken,* ihn einlochen. – Freiheitsentzug kannte das deutsche Recht nicht. Das Einsperren von Übeltätern geschah erst verhältnismäßig spät (mit der Rezeption des röm. Rechtes). Man hatte demnach keine Vorkehrungen und mußte sie erst treffen, nahm deshalb Zuflucht zu allen möglichen »Löchern«. ↗ Rechtsbräuche, ↗ Haus, ↗ Knie, ↗ Musik

Der Wind pfeift jetzt aus einem anderen Loche = es ändert sich die Behandlung, sie wird strenger. – Mit der Windrichtung ändert sich das Wetter.

jm. zeigen, wo der ↗ Zimmermann das Loch gelassen hat = ihn hinauswerfen. ↗ Haus seinen *Lobschwager* (oder als ähnlich bekannt von Schlesien bis Baden) nennt zynisch wohl ein Bursche den Nachfolger bei seiner ehemaligen Freundin. – Es ist eine derberotische Anspielung, verhüllt.

Löffel *auslöffeln* ↗ einbrocken
glauben, die Weisheit mit dem großen Löffel gefressen zu haben = sich übergescheit dünken. ↗ Weisheit
den Löffel wegschmeißen (Umg.) = sterben.
jn. über den Löffel balbieren = ihn übertölpeln, übervorteilen, betrügen. – Angespielt wird da auf die hilflose Lage alter Männer, wenn ihnen der Barbier einfach einen Löffel in den Mund steckte, um ihre eingefallenen Backen herauszuwölben, damit sie rasiert werden konnten. – Ein Kunde mit noch genug Spannung in seiner Gesichtshaut, dem ein zu geschäftstüchtiger Barbier einfach den Löffel in den Mund schob und ihn auf diese Weise balbierte, konnte sich dann, wenn ein Mehrpreis für eine solche bei ihm unnötige Mehrarbeit verlangt wurde, mit Recht geneppt fühlen. Diese unsanfte Behandlung ist allmählich überflüssig geworden, als mit dem Aufkommen der künstlichen Gebisse die eingefallenen Mundpartien verschwanden.
Nach der Ähnlichkeit heißen (Umg. und Jäger) die Ohren »Löffel«: *Sperr die Löffel auf! ein paar hinter die Löffel kriegen* u. dgl. Wie »Löffel« (= Tolpatsch) ein Schimpfwort ist, so auch »Laffe« (= Geck). Die Laffe ist der Schöpfteil des Löffels (den man demnach richtiger Läffel zu schreiben hätte), das Wort gehört zu ma. lappern/schlabbern.

los *Was ist denn los?* = Was geschieht denn? – Wenn sich im Stall ein Stück Vieh von der Kette losgerissen hat, dann erschallt diese Frage, denn das ist immerhin ein kleiner Rummel im Bauernhause. ↗ ausgelassen
loslegen = zu arbeiten beginnen, anfangen zu erzählen. – Das Schiff »legt los« (oder »legt ab«), wenn die Vertäuung gelöst wird, und fährt ab.

löschen *die Schiffsfracht löschen* = nd. Wort für leermachen. In Cuxhaven gibt es Fischlöscher ⟨ Fischladungslöscher, ein Schrumpfwort. ↗ Feuerspritze

Lot *etw. ins rechte Lot bringen, im rechten Lot sein* = in Ordnung bringen, in Ordnung sein. – Hier ist das Richtlot = Senkblei (der Maurer) gemeint, nicht etwa das Gewicht (ein Lot Kaffee).

lotsen ↗ Seefahrt

Löwe *der Löwenanteil* = der größte Anteil. – Aus Äsops Fabel »Der Löwe und der Esel«.

Lücke »Ich soll *Lückenbüßer* sein?« = ungern einspringen als Ersatzmann. – Büßen = »bessern«, also die zerrissene Reihe wieder »ausbessern«.

Luder *Luder* = derbes Schimpfwort. – Fleisch als Lockköder für Jagdfalken und als Futter für Jagdhunde; der anhaftende Geruch ergab das noch gröbere »Aas«. ↗ fressen, *verludern* = verlottern.
↗ *Schindluder treiben mit etw. (mit jm.)* = mißbräuchlich behandeln.

Luft Die Redensarten mit »*Luft*« gehören zum größten Teil der Umgangssprache an; sie sind allgemein verständlich: *die Luft anhalten* = mit Atmen aussetzen, stillhalten, *nach Luft schnappen* = mühsam atmen = *keine Luft kriegen, mir bleibt die Luft weg* (d. h. vor Schreck), *an die Luft gehen* = spazieren gehen, *in die Luft springen* = vor Freude hüpfen, *jn. an die (frische) Luft setzen* = ihn hinauswerfen, *in die Luft gehen* = jäh aufbrausen, *seinem Herzen (seinem Unwillen) Luft machen* = angestauten Ärger heraussprudeln, *jn. am liebsten in der Luft zerreißen mögen* = wütend auf ihn sein, *er ist völlig Luft für mich* = er ist für mich nicht vorhanden (durchsichtig wie Luft), *jn. wie Luft behandeln* = ihn absichtlich übersehen, *sich Luft verschaffen* und *Luft kriegen,* d. h. Bewegungsfreiheit (bes. geldlich), *nicht von der Luft leben können* = nicht ohne Einkommen, *die Luft ist rein* = wir sind ungestört, *dicke Luft ist,* wenn etw. droht, Gewitterschwüle im Betrieb ist, eine Behauptung (ein Plan) *hängt in der Luft* = hat keinen festen Anhalt, ist förmlich *aus der Luft gegriffen* (frei erfunden), *etw. liegt in der Luft* = droht (es kann ein Unheil sein) oder wird erahnt, z. B. eine Idee, die man nur aufzugreifen brauchte, *etw. löst sich in Luft auf* = daraus wird nichts. *Luftschlösser bauen* = Pläne schmieden, die nicht zu verwirklichen sind, ein *Luftikus* ist ein windiger Geselle.

lügen *seine Worte Lügen strafen* = ihn der Lüge überführen, ihn bei einer Lüge ertappen.
lügen und trügen – mit ü nach Lug und Trug, die richtige Schreibung wäre: liegen und triegen (mhd. ligen, aber liegen).
Er lügt wie gedruckt. – Man traut also dem gedruckten Wort nicht die volle Wahrheit zu.
lügen, daß sich die Balken biegen = fürchterlich aufschneiden. ↗ Balken
das Blaue vom Himmel herunterlügen = drastische Redensart auf gröbste Aufschneiderei.
sich in die Tasche lügen (in den Beutel) = immer mehr Geld in seinem Besitz sehen, als wirklich vorhanden ist.

Lump *sich nicht lumpen lassen* = sich nicht schäbig zeigen wie ein abgerissener Lump, im Gegenteil: großzügig zahlen oder schenken.

Lunte *Lunte riechen* = den ↗ Braten riechen = gewarnt sein. – Die ersten Schießgewehre wurden mit einer übelriechenden Zündschnur (Lunte) entzündet, die man schon vor dem Schuß roch. ↗ Jäger, ↗ Soldaten

Lupe *etw. unter die Lupe nehmen* = es ganz besonders kritisch beurteilen. – Lupe = Vergrößerungsglas.

lynchen *jn. lynchen, Lynchjustiz üben* = das Todesurteil fällen, eigenmächtige Aneignung der Halsgerichtsbarkeit, aus Amerika bekannt geworden; einen Farmer namens Lynch soll es gegeben haben.

M

machen *machen* = das Allerweltswort, womit einfache Zeitwörter gestreckt und aufgebläht werden: Spaß machen = spaßen, ein Geständnis machen = gestehen, den Anfang machen = anfangen, die Betten machen = aufbetten, die Haare machen = sich kämmen usw., usw.
ein »gemachter« Mann (= einer, der es zu Vermögen gebracht hat) heißt so, weil er *sein Glück »gemacht«* hat (= es zu etw. gebracht hat). – Zusammensetzungen! Mit ihnen kann man fast sein ganzes Vokabular decken: abmachen = herunternehmen und erledigen, anmachen = befestigen und einheizen, aufmachen = öffnen und aufhängen, ausmachen = auslöschen und vereinbaren usw., usf.
Aber mit Recht gilt eine Sprechweise, die viel mit »machen« und »tun« erzählt, als unschön, ja ein solches Erzählen, wie es uns Peter Rosegger in den Gesprächen des Stauden-Hiesel (Geschichten des Wanderers, 1885, I, 293 f.) köstlich dargestellt hat, gilt mit Recht als geistig zurückgeblieben. Mundart und Umgangssprache allerdings bedienen sich mehr als nötig dieses bequemen Wortes: *Mach schon!* = Beeile dich! Er wird *nicht mehr lange machen* (Umg.) = nicht mehr lange leben. »*Das ist alles Mache!*« sagen wir verärgert über scheinheiliges Getue usw.
jn. in der Mache haben (Umg.) = ihn in den Klauen haben.

Made *sich wohl fühlen wie die Made im Speck* = Beim Hausschlachten mußten die Speckseiten oft monatelang auf dem Speicher hängen. Da kamen nicht nur Speckmeisen dran, auch Maden nisteten sich ein, die sich natürlich da wohlfühlten.

madig *jn. madig machen* (Barras) = ihn schlechtmachen, ihn herabsetzen. – Anspielung auf madiges Obst.

Magen *Das schlägt mir auf den Magen* = verärgert mich (wie ein Schlag unter die Gürtellinie). – Wenn man sich ärgern muß, schmeckt einem bekanntlich das Essen nicht;
das liegt mir im Magen (Umg.) = daran trage ich schwer (wie an etwas Schwerverdaulichem).
Ja, da dreht sich mir der Magen um! (Umg.) = Das ist unausstehlich! – Der Magen will ein solches Ärgernis gar nicht annehmen, er revoltiert dagegen.

mahlen »*Wer* (von euch Bauern) *zuerst kommt, der mahlt zuerst*«, (auf der für das ganze Dorf gemeinsamen Mühle) sagt der Müller.

Mamsell *die Kalte Mamsell drücken* = mit dem Serviermädchen schäkern. – »Kaltmamsell« heißt in Großwirtschaften, auf Gutshöfen und in Pensionaten die Anrichterin der »kalten Platten« (Butterbrot mit Belag). Diese leichte Aufgabe oblag gewöhnlich der jüngsten Anfängerin in der Kochkunst.

Mann *Mann Gottes!* ↗ Bibel

Mein lieber Mann! (Umg.) = wenig respektvolle, meist etwas ironische Anrede.

an den Mann bringen (die Tochter) = verheiraten; auch Ware verkaufen bzw. einen Witz anbringen.

(nicht) Manns genug sein, um ... = (nicht) energisch genug sein, um ...

seinen Mann finden, d. h. an den Mann geraten, der einem gewachsen ist.

am Mann bleiben = die Verbindung nicht abreißen lassen. – Fußballer-ausdruck. ↗ Ball

seinen[1]*) Mann stehen* = sich standhaft und tapfer durchzusetzen wissen. – Das Wort »stehen« deutet darauf hin, daß gemeint war: im Gefecht aushalten.

seinen Mann »stellen« = seine Pflicht erfüllen. – Vielleicht klingen die Zeiten noch an, da man für sich noch einen vollwertigen Ersatzmann beim Militär »stellen« durfte?

den wilden Mann spielen = nur spielen, nicht eigentlich sein. – Aus Sagen bekannt, auf Schildhaltern öfters abgebildet ist der ungebärdige Riese.

Männchen machen (Barras) = stramme Haltung annehmen, wogegen das österr. *Manderl machen* = Umstände machen.

Das Schiff geht unter mit Mann und Maus = mit allem, was an Bord ist. – »Maus« steht wohl wegen des Stabreims für Ratten, die sehr zahlreich im Laderaum vorhanden sind, denn »mit Mann und Ratten untergehn« will man denn doch nicht sagen, dafür ist die Sache zu ernst, und an holländ. Meisje zu denken, ist zu entlegen. ↗ Ratten,

Manoli *total manoli sein* = plemplem, verrückt. – Eine in den dreißiger Jahren viel gebrauchte Redensart nach einer neuen Zigarettensorte »Manoli«. Sie hatte die erste bewegliche Reklame: einen Mohrenkopf mit beweglichem Turban, was aussah wie »im Kopf durcheinander«.

Manschetten *jm. Manchetten anpassen* = Handschellen anlegen.

Manchetten haben vor jm. (veraltet) = Angst haben vor ihm, *jm. Manschetten machen* = ihm Angst machen, (älter) *einem wackeln die Manschetten* = die Hände zittern ihm vor Angst. – Die Stutzer mit den langen Spitzenmanschetten (um 1700) galten in der damaligen duellfreudigen Zeit bei Studenten und Offizieren als feige. ↗ Gamaschen

Mantel Der *Mantel* spielte im altdeutschen Rechtsleben eine große Rolle: In der Wartburgsage flüchtete Heinrich von Ofterdingen unter den Mantel der Landgräfin. Solchen Schutz versinnbildlichen auch die Darstellungen der Muttergottes als Schutzmantelmadonna (die schönste in Ravensburg von 1480). Wer vom Adel die Halsgerichtsbarkeit besaß, konnte das Begnadigungsrecht ausüben, indem er dem Schuldigen seinen Mantel umhängte. *Deckmantel*, heute nur mehr spöttisch: *einer Sache*

[1]) Vgl. Annemarie Hassenkamp, »Frauen stehen ihren Mann«, Eugen Diederichs Verlag.

ein Mäntelchen umhängen = sie verharmlosen, und *etw. bemänteln* = beschönigen.

mit dem Mantel der christl. (Nächsten-)Liebe zudecken = als verzeihbar hinstellen. – Voreheliche Kinder nahm die Mutter bei der Trauung unter ihren Mantel, um sie ehelich werden zu lassen.

den Mantel nach dem Winde schmeißen (drehen) = Gesinnungswechsel nach: Wes Brot ich ess', des Lied ich sing'.

Märchen *Wie im Märchen! – Märchenhaft!* = Ausruf: bezaubernd schön, traumhaft hübsch. – Märchen ist die Verkleinerung des Wortes Mär (= Sage), mit dem unser Nibelungenlied beginnt: *Uns ist in alten maeren wundersvil geseit* (< gesagt) *von heleden lobebaeren* ...
Die bekanntesten Märchen sind die Grimmschen Kinder- und Hausmärchen; sie wurden aus dem Volksmund aufgezeichnet und nur leicht überarbeitet. Die meisten wußte den Brüdern Grimm ihre Niederzwehrener »Märchenfrau« Dorothea Viehmann zu erzählen. Sie hatte zur Mutter eine Lothringerin gehabt, die sicherlich die Märchen (Contes de ma mère Oye, 1697) von Charles Perrault gekannt haben muß; anders wäre die Gleichheit vom Dornröschen = la Belle au bois dormant und vom Aschenputtel = Cendrillon nicht erklärlich.

das reinste Märchen, lauter Märchen = schön, aber frei erfunden. – So hießen gegen Ende des zweiten Weltkrieges die Goebbels-Pressekonferenzen, auf der die grausige Wirklichkeit zweckentsprechend in Rosa umgedichtet wurde, nurmehr »Klumpfüßchens Märchenstunde«.

Ammenmärchen bedeutet geradezu »alberne Erfindung«.

Mark *Es gellt durch Mark und Bein* = es schrillt. – Richtig wäre die Reihenfolge: Bein (= Knochen) – Mark.

jn. bis ins Mark treffen = sein Innerstes aufwühlen.

Markt *den Markt drücken* (kaufm.) = billiger verkaufen als zu Normalpreisen wie die anderen, dadurch die Preise sinken lassen.

(einen neuen Artikel) *auf den Markt bringen* (kaufm.) = in den Handel bringen. die ↗ Haut zu Markte tragen

Marotten *Marotten* (franz. marottes) = Mucken haben (südd. für Mücken) = Schrullen = Grillen = Launen haben.

Marsch *jm. den Marsch blasen* = jn. herunterkanzeln, ihn ausschelten. – Bild von der aufrüttelnden Wirkung der Musik.

Maschen *durch die Maschen (des Gesetzes) schlüpfen* = geschickt durch die Lücken, die jedes Gesetz hat, sich durchwinden. ↗ Vogelstellerei

Das ist die Masche = eine großartige Sache, ist das, was heute gefragt wird, was dzt. en vogue ist, die allerneueste Gepflogenheit. – Ein schillerndes Modewort.

Maske *die Maske fallen lassen* = sein wahres Gesicht (= Absicht) zeigen. – Vgl. Demaskierung am Maskenball.

jm. die Maske vom Gesicht reißen = ihn gewaltsam bloßstellen, ihn gewissermaßen »demaskieren«.

Maß *maßhalten sollen*, d. h. das richtige Maß oder die richtige Menge beachten.

Die vulgären Redensarten mit **Mastdarm** bedeuten: widerlich schmeicheln.

matt *jn. mattsetzen* = einem seine weitere Tätigkeit unterbinden. – Ein Schachzug, nach dem der gegnerische König sich nicht mehr rühren kann.

Matthäi am letzten = zu Ende sein. – Der Schluß des Matthäus-Evangeliums lautet: ... bis an der Welt Ende.

Mätzchen *Das sind Mätzchen! Mätzchen machen* = kleine Dummheiten machen, sich ein wenig sträuben, wie es kleine Kinder machen, wie Hosenmatze oder Hemdenmatze.

Mauer *Mauerblümchen spielen* = nicht zum Tanz aufgefordert werden. – Heute wird bei einer Tanzunterhaltung nicht mehr »gewechselt«. Wenn ein Mädchen auf einer Tanzveranstaltung tanzen will, dann muß es sich einen Freund mitbringen; der ist dann den ganzen Abend ihr Tanzpartner, mit anderen Mädchen tanzt er nicht. Mädchen ohne Freund würden bestimmt Mauerblümchen, sie wissen es und kommen nicht erst.

Maul ↗ Mund, Mundwerk, Schnauze, Gosche (von ital. gorcia = Kehle), Fresse, Rüssel, Schnabel u. dgl. sind alles Bezeichnungen für ein und dasselbe, aber immer mit einem anderen Gefühlston behaftet:

ein loses Maul haben = gern anzüglich reden.

so ein ungewaschenes Maul, das gern schmutzige Worte gebraucht.

das Maul (den Mund) zugefroren haben = schweigsam sein, nicht reden mögen.

das Maul (weit) aufreißen = großsprecherisch sein.

nicht aufs Maul (auf den Mund) gefallen sein = treffende Antworten geben können.

den Mund halten = schweigen.

das Maul hängen lassen = beleidigt tun. – Gute Beobachtung der Mimik eines Beleidigten, weil solche

ein schiefes Maul ziehen.

jm. das Maul (den Mund) wässerig machen = ihm köstliche Versprechen machen; denn beim Anblick eines guten Essens *läuft einem das Wasser im Munde zusammen.*

einem das Maul (weniger derb: den Mund) *stopfen* = ihm so viel geben, daß er *den Mund hält* (= schweigt).

sich das Maul zerreißen = unverschämt darüber reden.

Maulaffen feilhalten = müßig herumstehen und gaffen. – Die Redensart hat mit »Affe« nichts zu tun. Kinder mit Rachenmandelwucherung bekommen durch die Nase keine Luft und müssen deshalb den Mund (ma. »s Maul«) »offen«halten (und sind außerdem durch die Störung des Blut- und Lymphkreislaufes etwas geistesschwach), deshalb stehen sie oft müßig herum, als ob sie etwas feilzubieten hätten. – Am Rande eines

Wochenmarktes oder außerhalb eines Festplatzes sieht man (sah man) öfters Personen stehen, die feilbietend vor sich am Boden irgendein Selbsterzeugnis oder billigen Kram liegen haben und geduldig auf einen Käufer ihrer dürftigen Ware hoffen. Mit diesen Gestalten vergleicht man die auch so untätig herumstehenden Kinder mit dem »offenen Maul«. – Aus diesem Gedankenkreis stammt auch das bekannte Scheltwort »Du *Maulaff!*« und kommt nicht – wie man geraten hat – vom tönernen Kienspanhalter in Form eines Kopfes mit Mundspalte, wobei gar keine Bedeutungsbrücke bestünde. Übrigens hatten unsere Kienspanhalter im allgemeinen eine andere Form: Er war nämlich ein verstellbarer Holzfuß mit einer Eisenzwinge oben zum Einklemmen des brennenden Spanes. *jm. einen Maulkorb anlegen* = ihm das Reden verbieten. – Bissigen Hunden wird ein Maulkorb umgehängt.

Maus *so naß wie eine gebadete Maus* = Ein ganz ausgefallener Vergleich, dessen Entstehung man sich wohl nur so denken kann, daß man die in der Falle gefangene Maus nicht anders zu töten weiß, als daß man sie im Wasserschaff ersaufen läßt.

sich am liebsten in ein Mauseloch verkriechen = sich ungemein schämen.

Er sieht schon weiße Mäuse = hat Sinnestäuschungen. – Die Medizin begründet die Sehstörung mit Delirium tremens.

»Daß dich das Mäuslein beiß'!« = Der Satz ist heute eine harmlos drohende Redewendung des Erstaunens oder eine nichtssagende Beteuerung der Wahrheit *(Da soll mich das Mäuschen beißen)*, war aber einst eine recht garstige Anwünschung: Man wünschte dem anderen oder – bei Unwahrheit – sogar sich selbst »die ⁄ Kränke an den Leib«, d. h. den Aussatz (= die mhd. miselsucht). Es ist die schreckliche Krankheit, von der »der arme Heinrich« bis in Italien Heilung suchte (mhd. Epos von Hartmann von Aue, um 1200). Das Wort lebt noch unverstanden in obersächsischen und schlesischen Mundarten als mäuseldrähtig, mejsldrehtsch, mejstldrehende und miesldrehtich (= verwirrt im Kopfe).

sich mausern = sich herausmachen, reifer bzw. geschäftstüchtiger werden. – In der Mauser (= Federwechsel) ist Federvieh teilnahmslos, gleichgültig, aber nach der Mauser wächst ihm wieder der Mut = *sich mausig machen* (fam.) = frech werden und kecktun. – Von lat. mutare = wechseln (u. zw. die Federn).

Mäzen Maecenas hatte Horaz, Virgil, Properz u. a. durch großherzige Geschenke gefördert, deshalb bezeichnet man heute noch mit dem Namen Mäzen einen freigebigen Kunstförderer.

meckern *meckern*, mit dem Hinblick auf Ziege umgedeutet aus bemäkeln = einen Makel daran finden.

Medaille *Das ist die Kehrseite der Medaille* = die andere, ungünstige Seite der Angelegenheit. – Auf Münzen und Medaillen sind Vorder- und Rückseite bekanntlich verschieden.

Meinung *eine Meinung hegen*, d. h. (meist) eine vorgefaßte Meinung haben und sie liebevoll pflegen.

jm. seine Meinung (seinen Glauben) *erschüttern* = wankend machen. – Vgl. an einem Baum »schütteln«.

jm. ordentlich seine Meinung sagen (Umg.) = offen und rücksichtslos ihm sagen, was man von ihm hält.

Menge *in rauhen Mengen* = massenweise. – Dieses Wort »rauh« hier ist nicht der Gegensatz zu »glatt«, sondern hat eine alte Bedeutung »dicht« (mhd. rûher Wald = dichter Wald).

Mentor ↗ Klassik

Messer *Messer* ist das Wort für eines der ältesten Werkzeuge, es hat eine lange Geschichte: ahd. messi-sachs (= der Speise Schwert), wobei mas = Speise = engl. meat und sachs = Schwert ist, letzteres urverwandt mit lat. saxum (= Fels, Stein). Unser Messer muß also ursprünglich ein Feuersteinmesser gewesen sein, wie solche von manchen Volksstämmen bei kultischen Handlungen noch bis auf unsere Zeit gebraucht worden sind. Über messiras – messirs ergab sich schließlich die heutige Form Messer.

Es steht auf des Messers Schneide = d. h. zwischen Erfolg und Mißerfolg, der Ausgang ist ungewiß.

Krieg bis aufs Messer = bis zum äußersten. – Damit ist natürlich kein Krieg im großen gemeint, sondern eine Messerstecherei im kleinen. ↗ Heft

Das Messer sitzt ihm locker = er greift im Streit leicht zum Messer.

jm. das Messer auf die Brust setzen = jm. unter Drohung etw. abnötigen. ↗ Gurgel

Das Messer sitzt ihm an der Kehle = er ist in großen wirtschaftlichen Nöten, er steht vor dem Ruin (kann jeden Augenblick abgeschlachtet werden).

jn. einem anderen ans Messer liefern (daß er ihm *unters Messer kommt)* = ihn jm. ausliefern, der ihn ins Unglück stürzen kann. – »ans Messer« = zum Abstechen, wie der Fleischer auch dem Kalb mit dem Messer den Hals durchschneidet.

Metzgergang *einen Metzgergang (einen Fleischergang) gemacht haben* = einen erfolglosen, einen nutzlosen Weg. – Die Metzger gingen früher auf den Dörfern von Hof zu Hof, ihr Schlachtvieh sich selbst einkaufen. Da wird natürlich öfters ein Weg umsonst gemacht worden sein; denn ein Stück Vieh wächst nicht alle paar Wochen heran.

Michel *der deutsche Michel*, noch Mitte 17. Jh. ein Ehrenname, wird endgültig im 18. Jh. der schlafmützige Geselle.

Das Bild vom deutschen Michel entsteht – gleichzeitig mit dem der sieben ↗ Schwaben – in einer Zeit, da man die im 30jährigen Kriege konfessionell entzweiten und politisch ganz zersplitterten und finanziell total abgewirtschafteten Deutschen nicht mehr ernst zu nehmen brauchte, als Karikatur ihres nationalen Symbols: Der Erzengel Michael war Schutzpatron des Deutschen Reiches.

Ihm hat man zugesellt *Lieschen Müller*, das zwar nicht dumme, aber hausbackene und reichlich naive deutsche Mädchen.

Miene *gute Miene zum bösen Spiel machen* = seinen Ärger verschlucken, auch wenn einem *»böse mitgespielt wird«* (= man schlecht behandelt wird), und trotzdem noch ein gutmütiges Gesicht zeigen.

Milch *die Milch der frommen Denkungsart* ist von Schiller.

eine Milchmädchenrechnung ist eine primitive Schätzung mit Trugschlüssen. – Man hatte also in der Stadt kein großes Vertrauen in die Mathematikbegabung der Mädchen vom Lande, die die Milch ins Haus brachten.

Minen *alle Minen springen lassen* = alle verfügbaren Mittel einsetzen. – Ein militärischer Ausdruck von einer Festungsbelagerung.

Minna *jn. zur Minna machen* = (Barras-Ausdruck wie zur Sau machen, fertigmachen u. ä.) ihn ordentlich zusammenstauchen. – Den Namen Minna gab wohl das geduckte Hauswesen, das alle Launen der Herrschaft geduldig hinnehmen mußte.

Minne *Minnedienst haben* (spaßhaft) = zu einem Stelldichein eilen müssen. – Im Mittelalter war »Minne« das übliche Wort für Liebe (vgl. Minnesang), heute wird es nur noch altertümelnd gebraucht.

Minute *auf die Minute* = ganz pünktlich. – Die lat. Übersetzer der auf Keilschrifttafeln gefundenen Berechnungen der babylonischen Astronomen bezeichneten den 60. Teil einer Stunde mit »pars minuta prima« (= erster verminderter Teil) und den 60. Teil hiervon mit »pars minuta secunda«, woraus dann später die Ausdrücke Minute und Sekunde entstanden sind. – Die Babylonier hatten das Sexagesimalsystem mit der Grundzahl 60, nicht wie wir das Dezimalsystem mit 10 als Grundzahl, unsere Computer haben das Dualsystem mit nur zwei Zahlen.

Miß- *jn. in Mißkredit bringen* = seinen Kredit (lat. credere = glauben), seine Glaubwürdigkeit untergraben, ihn in üblen ↗ Leumund bringen.

Mist *Mist* hat in der Umg. die Bedeutung von »wertlos« *(Mist* bzw. *Bockmist machen)*, von »anrüchig« *(faul wie Mist* = stinkfaul) und von »Unsinn« *(Red' keinen Mist)*.

»Das ist nicht auf seinem Mist gewachsen«, sagt man, wenn es nicht sein geistiges Eigentum ist.

mit- *nicht mitkommen* (Umg.) = nicht folgen können (in der Schule nicht aufsteigen, den Gedankengang nicht erfassen u. ä.). – Es ist das Bild von zwei Wanderern, von denen der eine nicht *Schritt halten* kann.

eine Mitgift bekommen = eine Aussteuer, ein Heiratsgut erhalten. – Die Redewendung hat mit einem ↗ Gifttrank natürlich nichts zu tun, aber beide Wörter gehören zur Wortwurzel »geben« (alter Übergang von bt 〉 ft wie bei Grube-Gruft, bei halb-Hälfte u. a.). Bei »mit«geben und eingeben hat sich die Bedeutung gespalten, aber nicht so ganz: Giftbude ist die Bezeichnung eines Wirtshauses am Strande, wo Erfrischungen »gegeben« werden; vgl. auch engl. gift (= Gabe) und giftshop (= Andenkenladen).

mitmischen wollen = mitreden und mitbestimmen wollen. ↗ Kartenspiel *jm. böse mitspielen* = ihn schlecht behandeln. – Man sieht es gelegentlich, wie eine Katze mit der Maus böse spielt = ihr böse mitspielt.

Mittel *sich ins Mittel legen* = vermitteln. ↗ Ritter

mogeln *mogeln, jn. bemogeln* = schwindeln, jn. beschwindeln, beschummeln, betrügen. – (hebr.) Beschneiden der Karten zur Kenntlichmachung. ↗ Kniff

Mohr *Mohrenwäsche* nennt man heute das Bemühen, jm. eine »weiße Weste« zu verschaffen. – Mohr = ein Schwarzer. Aber Othello, der Mohr von Venedig, war kein Neger, sondern ein Maure (in franz. Aussprache) aus Mauretanien = Marokko.

Mond Der Mond übt angeblich einen Einfluß aus auf Mensch und Tier, doch sind nicht alle Mondviertel gleichwertig für das Anwachsen gepflanzter Bäume, für das Aufgehen der Saat, für das Wachstum von Vieh und Mensch.

Es ist nicht gut *»im falschen Monde geboren«* zu sein: *»So ein Mondkalb!«* (= Schimpfwort für dumm), weil ein solches Kalb eine Mißgeburt ist. – Nach mittelalterlicher Ansicht hängen auch die Stimmungen der Menschen stark von dem wechselnden Monde ab. Das aus lat. luna (= Mond) entlehnte Wort »Laune« wurde so zur Bezeichnung des wechselnden Gemütszustandes = *Launen haben.*

leben wie auf dem Monde = *hinterm Mond daheim sein* = weltabgewandt, wirklichkeitsfremd sein.

die Uhr geht wie der Mond = ganz ungenau (im Gegensatz gedacht zur pünktlich gehenden Sonnenuhr).

der Mond geht bei ihm auf (fam.) = er bekommt eine Glatze.

in den Mond gucken können = vergeblich darauf warten müssen = in die ↗ Röhre/Kamin, was auch zwecklos ist.

der kann mir im Mondschein begegnen ↗ A...

Montag *blauen Montag machen*, heute einfach *»blaumachen«* = nicht zur Arbeit gehen. – Blauer Montag ist eine alte Bezeichnung; am Montag vor Faschingdienstag, d. i. heute der Rosenmontag, wurde ehemals nicht gearbeitet, und die Kirchenfarbe ist an diesem Tage blau (eigentlich violett).

blau sein = betrunken sein, was an arbeitsfreien Tagen öfters der Fall ist als sonst.

Moos *Moos* (↗ rotwelsch) = Moses und die Propheten, (studentisch) Wortspiel für Geld.

Mops *sich mopsen* = sich langweilen. – Deshalb sagt man so, weil auch die Witzblätter die Mopse bei alleinstehenden älteren Damen als fett, faul und gelangweilt auf dem Sofa liegend darstellen.

Mord Es hätte bald *Mord und Totschlag* gegeben, d. h. es wäre bald eine wüste Schlägerei entstanden. – Es ist der laute Hilferuf bei solchen Anlässen.
Man kann sogar auch »*auf Mord und Brand*« z. B. Holz hacken!
einen Mordshunger haben. – »Mord« ist lediglich eine Verstärkung; man sieht es an der versetzten Betonung (vgl. ein Mordskerl). ↗ Bombe

Mördergrube ↗ Bibel

Mores *jn. Mores lehren* = (witzelnd) ihn *moritzen* = ihm Benehmität beibringen; von lat. mores (= Sitten).

Morgen *Morgenluft wittern* = eine günstige (oder ungünstige) Wendung der Dinge ahnen. – Literarisch, Bürgers »Lenore«.

Muck *Keinen Muck!* = *sich nicht mucksen* = nicht aufmucken, keinen Laut von sich geben = *weder Gicks noch Gacks sagen*.

Mucken/Mücken *Sie hat ihre Mucken* = Launen, ist launenhaft. – Mucken ist die südd. umlautlose Form von Mücken, die lästig fallen und schlechte Stimmung bewirken.
aus einer Mücke einen Elefanten machen = arg vergröbern, übertreiben.

Mumm *keinen Mumm haben* (Umg.) = Mut, auch Geld. – Studentisch oder rotwelsch.

Mumpitz *Red' keinen Mumpitz! So ein Mumpitz!* = Unsinn, dummes Gerede, Pflanz, Tand, albernes Zeug. – Was da geredet bzw. gemacht wird, ist »vermummt« (unkenntlich) und »putzig« (drollig, spaßhaft), also eine unklare Nichtigkeit. Nach der Angliederung des Sudetenlandes an das Reich (1938) entfuhr einem ganz hohen Bonzen einmal der Ausdruck »Mumpitzindustrie« für die Gablonzer Schmuckwarenindustrie (vielleicht weil sie auch Karnevalsorden u. dgl. machte). Das war natürlich »Mumpitz«, was der Mann da sagte; denn sie war schon damals vor 1945 im sudetischen Gablonz a. d. Neiße eine Weltindustrie und ist heute im bayrischen Neu-Gablonz bei Kaufbeuren wieder eine.

München Einschneidende geschichtliche Ereignisse (z. B. Cannae, Yalta u. a.) braucht man lediglich beim Namen zu nennen, und schon weiß der andere, was man damit sagen will. So auch bei:
Niemals mehr ein München! = kein Nachgeben mehr als politischen Vorschuß. – In München wurde 1938 das deutsche Sudetenland, das 1918 in Versailles der CSR zugesprochen worden war, dem Deutschen Reich angeschlossen; es sollte Hitlers letzte Gebietsforderung sein. Da

er später an Polen noch Forderungen stellte, entstand der zweite Weltkrieg.

Mund *einen mundtot machen* = »zum Schweigen bringen« (durch Bestechung, durch belastendes Material u. ä.). Die Redensart wird heute aufs Sprechen mit dem Munde bezogen, hat aber eine andere Grundlage, nämlich das gleichlautende Wort »Mund« in der Bedeutung »Schutz«; das Mündel wird gleichsam des Schutzes der Vormundschaft beraubt.
↗ Kuppelpelz
den Mund recht voll nehmen = großsprecherisch sein; ein solcher will
in aller Munde sein = sehr bekannt. Man soll
den Mund halten = schweigen, auch wenn man
nicht auf den Mund gefallen ist = im Gegenteil recht schlagfertig ist, sonst *verbrennt man sich* (wie an einer heißen Suppe) *den Mund* (das Maul, sein loses Mundwerk) mit einer unbedachten abfälligen Bemerkung, und *man fährt* (↗ abfahren) *uns gleich über den Mund* = wird auf die Bemerkung hin sofort zurechtgewiesen, auch wenn man sich
nicht den Mund verbieten läßt, ja,
man dreht einem sogar das eigene Wort im Munde um.
jm. nach dem Munde reden = ihm zu Gefallen.
einem den Mund (die ↗ Zähne) *wässrig machen* = angenehme Versprechungen machen; ähnlich =
den Mund (schon) nach etw. spitzen, nämlich aus lauter Vorfreude auf den zu erwartenden Schmaus.
Mund und Nase aufsperren = ↗ *Maul und Ohren aufreißen* = sich überschwenglich wundern.

Münze *Münze* ist das sehr früh übernommene lat. Lehnwort moneta. Im Tempel der Juno Moneta (Ermahnerin, Warnerin) auf dem Kapitolinischen Hügel, berühmt geworden durch die der Göttin geheiligten Gänse, die einst das Kapitol retteten, war nach Einführung der Silberwährung eine Prägestätte errichtet worden. ↗ Geld
Das war auf ihn gemünzt = das zielte auf ihn, wie Gedenkmünzen auf einen Potentaten gemünzt werden.
etw. für bare Münze nehmen = etw. (Scherzhaftes) arglos glauben, für ernst nehmen. – Bares Geld, aber nicht eine Schuldverschreibung.
mit gleicher Münze heimzahlen = Vergeltung, Rache üben auf gleiche Art.
»*Dem werde ich 'was münzen*« ist die grobe Zurückweisung einer Bitte, eines Wunsches oder eines Ansinnens, wenn man das unflätige Wort »scheißen« vermeiden will. ↗ Goldschmieds Junge

Murmeltier *schlafen wie ein Murmeltier* = ganz fest. – In den Alpen ist von den Murmeltieren bekannt, daß sie einen sehr langen Winterschlaf halten.

Musik Wir Deutschen haben seit Mozarts Zeiten (1756–1791) durch hundert und mehr Jahre im Reich der Töne unbestritten die Herrschaft inne gehabt. Die Musikalität unseres Volkes hat sich in Einzelpersönlich-

Hausmusik
nach einem Stich von Chodowiecki

keiten zu Höchstleistungen gesteigert. Daraufhin könnte man einen entsprechenden Niederschlag in der Sprache vermuten. Das ist auch der Fall:

»*Stimmung*« bedeutete früher lediglich das Festlegen der Töne eines Musikinstrumentes, aber seit dem 18. Jh. wird »Stimmung« bei uns auf die Gemütslage des Menschen übertragen: Eine Gesellschaft z. B. kann nun in »Stimmung« sein (= gut aufgelegt), noch genauer: in guter, froher, gehobener, freudiger, ausgelassener Stimmung, aber auch in gedrückter oder gedämpfter. Etw. kann zur Stimmung beitragen, kann für Stimmung sorgen, kann die Stimmung heben, aber auch beeinträchtigen usf.

Der Ton macht die Musik = auf die Begleitumstände kommt es an. – Ob falsch oder richtig gespielt, ist nicht gleichgültig. ↗ Ton

den Takt (den Ton) angeben = tonangebend sein. – Vor dem Einsatz gibt der Dirigent (mit der Stimmgabel) den Ton an.

die erste Geige spielen = die erste ↗ Rolle. – Der Primgeiger ist der wichtigste Mann.

gleich»gestimmt« sind Gleich»gesinnte«.

in Einklang bringen = übereinstimmend machen, *im Einklang stehen* = passend sein, richtig sein, übereinstimmen.

verstimmt = mißlaunig, ärgerlich.

jn. umstimmen = ihn zu einer anderen (= zu seiner) Meinung bekehren.

Stimmungsvoll ist es, wenn Raum und Zeit und Menschen aufeinander *abgestimmt* sind.

andere Saiten aufziehen (andere = bessere) = etw. strenger verfahren

die Saiten (↗ Zügel) *etwas straffer anspannen (anziehen)*.

einen Dämpfer aufsetzen = den Übermut zügeln. – Den Dämpfer setzt man auf die Geige, um den Ton abzuschwächen.

Das ff (= fortissime) der Musik und das ff (= sehr fein) bei Lebensmitteln ist eine zufällige Gleichheit. ↗ Effeff

jm. die Fötentöne beibringen ↗ Flötentöne

auf dem letzten Loch pfeifen = am Ende seiner Kräfte sein. – Am letzten, höchsten Ton pfeifen, so daß es nicht mehr höher geht, er bald (Umg.) »ausgepfiffen« haben wird.

auf die Pauke hauen = großtuerisch auftreten. – Die große Trommel macht am meisten Krach.

mit Pauken und Trompeten = geräuschvoll. – Gedacht ist an laute Kirchenmusik. – Von der Redewendung »die Pauke *schlagen*« verselbständigt sich die Bedeutung »Pauke« und führt zu: pauken = fechten, einpauken, Pauker.

nach Noten z. B. lügen = unverschämt aufschneiden.

Gott sei's getrommelt und gepfiffen = gottlob, gottseidank. – Dankgottesdienst.

etw. nur so herunterleiern = eintönig, uninteressiert hersagen. – Art der Leierkastenmänner (mit dem Affen auf dem Kasten), deren Zeit allerdings vorbei ist, die Kurbel zu drehen; *immer dieselbe Leier*, das alte Flaschinett hatte nur wenig Melodien auf seiner Walze, deshalb auch: *immer dieselbe Walze*, heute (Plattenspieler und Tonband): *immer dieselbe Platte*.

Klangfarbe = Gehör und Gesicht gehen förmlich eine Ehe ein.

nichts verstehen von Tuten und Blasen = rein gar nichts.

Mütchen *sich sein Mütchen kühlen an jm.* = seinen Zorn an jm. auslassen. – Heute die Verkleinerung Mütchen, noch mhd. seinen Mut kühlen an den Feinden.

Mutter *mutterseelenallein sein* = ganz verlassen sein. – An dem Worte ist viel herumorakelt worden. In Grimms Märchen Sneewittchen heißt es: »Nun war das arme Kind in dem großen Walde mutterseligallein.« Dieselbe Wortform haben auch die mitteldeutschen Mundarten, nur daß da noch ein n (wohl verkürztes und) eingeschoben ist, also mutterselig-undallein, was – wenn man das Begriffspaar Mutter-Kind sinngemäß ergänzt – deutlich in Satzverkürzung den Gedankengang enthält: (die) Mutter (gott)selig und (das Kind nun) allein; d. i. ein Vergleich mit einem Kinde, dem die Mutter gestorben ist und das nun verlassen und ganz allein in der Welt steht.

bei Mutter Grün nächtigen = im Freien schlafen. – Vgl. franz. dormir à la belle étoile.

schon mit der Muttermilch eingesogen = eine Eigenschaft, die angeboren ist (die Muttermilch allein täte es nicht).

N

N.N. ein gewisser *N.N.* = ein Unbekannter. – Aus dem Latein der Pandekten (= Rechtssprüche): n(omen) n(escio) = den Namen weiß ich nicht.

Nachsehen *das Nachsehen haben* = leer ausgehen, benachteiligt sein. – Man schaut sich um und sieht der entglittenen Hoffnung nach.

Nacken Der *Nacken* wird geradezu als Sitz der Gesinnung angesehen (vgl. nackensteif, hartnäckig): *den Nacken beugen* = sich demütigen, *jm. den Nacken steifen* = ihn zum Widerstand ermutigen.

einer sitzt dem anderen auf dem Nacken = zu nahe beieinander, sie bedrängen sich gegenseitig.

er hat den Schalk im Nacken sitzen = er ist ein Schelm, treibt Schelmereien.

einen Nackenschlag bekommen = (geschäftlich) empfindliche Einbußen erleiden.

nackt Auf die Frage: »Wie geht's?« antwortet man ausweichend, wenn es nicht sonderlich gut geht (Umg.): »*Wie dem Nackten im Dörnerstrauche*«. – Man macht keinen Unterschied zwischen leicht lösbaren Dornen und festgewachsenen Stacheln.

Nadel *sitzen wie auf Nadeln* = vor Unruhe und Gespanntsein nicht stillsitzen können.

eine Nadel in einem Heuhaufen suchen = suchen, was ganz unwahrscheinlich zu finden sein wird.

etw. wie eine (Steck-)Nadel suchen = in allen Ecken und Winkeln übereifrig Nachschau halten.

Nagel *den Nagel auf den Kopf treffen* = für einen Sachverhalt das treffende Wort finden, das Wesentliche daran zum Ausdruck bringen. – Man denkt heute daran, daß man mit einem Hammerschlag den Nagel zentriert einzuschlagen versteht. Man legt heute der Redewendung einen anderen Sinn unter, als sie früher hatte. Ursprünglich war es ein Ausdruck aus der Sprache der Schützen, die beim Preisschießen »den Nagel auf den Kopf treffen« mußten, d. h. den Nagel im Mittelpunkte der Schießscheibe. ↗ Zweck, Zwecke = Nagel.

seinen Beruf an den Nagel hängen (man hört auch: *an die Wand hängen*) = den erlernten Beruf aufgeben. – Man zieht den benutzten Rock oder die nicht mehr benötigte Uniform aus, wirft aber diese Kleidung nicht weg, hängt sie allerdings auch nicht an den Kleiderständer, sondern beiseite an die Wand oder an einen Nagel.

sich etw. unter den Nagel reißen (Umg.) = es sich mühe- und (womöglich) kostenlos aneignen.

Die Arbeit *brennt* mir *auf den Nägeln* = ich bin in Zeitnot. – Die Redensart soll aus dem Klosterleben herstammen: Die Mönche klebten sich in der

Frühmette Kerzenstümpfchen auf einen Fingernagel, um besser lesen zu können, wobei es geschehen konnte, daß der glühende Docht Schmerzen verursachte, bevor noch die Andacht zu Ende war.

die Nagelprobe machen = (Grimmsches Wörterbuch N, Sp. 269). Man stülpt das geleerte Glas auf den Nagel des linken Daumens zum Zeichen, daß auch nicht ein auf den Nagel fallender Tropfen zurückgeblieben ist. – Dieses Brauchtum entstand durch ein Mißverständnis. Ursprünglich hieß es nur: (Sp. 566) die neige austrinken, (Sp. 577) trinken bis uffs neigle, aufs neiglein, (Sp. 264) aufs nägelein austrinken (exsiccare poculum) u. a. m. – Alte mhd. ei (gesprochen e + i) sind in mitteld. Ma. bis heute erhalten[1]), klingen aber fast wie ee (vgl. Gerh. Hauptmann »Weber«: *a Neegl Pottermilch*). Wir schreiben nun (und denken) Nägel, weil unsere Umg. das offene lange $\bar{e}$ kaum kennt[2]). Das Wort Neegl/Nägel hielt man für die Mehrzahl von Nagel, und dieses Mißverständnis brachte es mit sich, daß man den Daumennagel darunter halten zu müssen glaubte, und so entstand eben die »Nagel«probe.

Die leidige Gewohnheit, dem Alkohol zu »frönen«, hat eine Unzahl Redewendungen entstehen lassen, von denen einige als Proben gebracht werden sollen: trinken, zechen, saufen, bügeln, picheln, pietschen (= poln. piti = trinken) u. a. Zunächst die Selbstentschuldigung fürs zweite Glas: »Auf einem Bein sind wir nicht hergekommen«, »So jung kommen wir nicht wieder zusammen«, und dann geht es weiter: sich die Nase begießen, einen auf die Lampe gießen, sich einen hinter die Binde kippen, sich einen zu Gemüte führen, sich einen genehmigen, einen heben, einen kippen, einen stemmen, einen pfeifen, einen zwitschern, sich vollaufen lassen, die Nase tief ins Glas stecken, zu tief ins Glas schauen, das Geld durch die Gurgel jagen, ein Vermögen an die Wand pinkeln u. a. m. ↗ bürsten, ↗ picheln, ↗ Affe, ↗ Mäuse, ↗ kotzen

endlich Nägel mit Köpfen machen = endlich etwas Vernünftiges tun. – Ein Nagel ohne Kopf hält die Bretter nicht zusammen, er ist wertlos.

ein Nagel zu seinem Sarge = ein Kummer, der ihn ins Grab bringen kann.

Napoleon so viel zu tun haben *wie Napoleon an seinen letzten drei Unglückstagen* (spaßhaft) = sehr viel.

Narr Der Onkel hat gerade an unserem Jüngsten *(s)einen Narren gefressen* = ist außerordentlich für ihn eingenommen. – Man muß bei »Narr« nicht gleich ans Irrenhaus denken, sondern an eine gelindere Dosis Narretei, wie sie z. B. das närrische Volk zu Fasching zeigt. Weniger

---

[1]) In Süddeutschland hat sich der alte Zwielaut ei über ai weiter verändert zu oa, vgl. Stein = bayr. Stoan. Wir verstehen also, daß die im Münchener Hofbräuhaus bekannten Typen der Noagerltrinker keinen Nagel suchen, sondern die herzhaft-bitteren Bierreste = die Neigerl.

[2]) Vgl. Schwankungen in der Schreibung seltener Wörter, wie bei Fehe - Fähe, Fleez/fleezen - fläzen (Küpper), sich rekeln - räkeln (bei Paul und Pelzer), beta (im Duden) — bäta (in Schulbüchern), Schäbe - Schebe = (ma. ausscheben = ausschütteln) Abfall aus Stroh oder Flachs u. ä.

schwulstig würde man sagen: Er ist über den Jungen »närrisch erfreut«. – Hans Sachs hat einen Schwank »Der Narrenfresser« und ein Fasnachtsspiel »Das Narrenschneiden«, in dem der Arzt einem Kranken die »gefressenen Narren« (d. h. seine verschiedenen Narrheiten) aus dem Leibe schneidet.

jn. zum Narren halten = aus jm. einen Narren machen, ihn veralbern, ihn hänseln.

Nase Der *Nase*, unserem Riechorgan, werden mancherlei Eigenschaften zugeschrieben, auch ihre überhöhte Stellung im Gesichte gab Anlaß zu verschiedenen Redensarten:

eine gute Nase haben = einen feinen Spürsinn besitzen, vorausschauend sein (↗ naseweis unter Jäger).

jn. mit der Nase draufstoßen müssen = ihn unmißverständlich darauf aufmerksam machen, weil er begriffsstutzig ist oder sich so stellt.

jm. etw. unter die Nase reiben = ihm sagen, was wahr ist, aber nicht gern gehört wird, er soll es zu »riechen« bekommen. (Nicht einfach »halten«; die Blätter »reiben« verstärkt den Geruch bei Pflanzen.)

Das fuhr ihm in die Nase = verschnupfte ihn, machte ihn verdrießlich.

die Nase voll davon haben (Umg.) = nichts mehr davon wissen wollen.

etw. jm. an der Nasenspitze ansehen = seine Gedanken schon am Gesichtsausdruck erraten (-spitze ist Zusatz).

verliebte Nasenlöcher machen (Umg.) = eine Weiblichkeit anhimmeln.

die Nase rümpfen = unangenehm berührt sein, etw. mißbilligen. – Die Nase krausziehen; als Wort gehört rümpfen zu schrumpfen (mit altem s-Vorschlag wie wanken-schwanken, Leim-Schleim, brodeln-sprudeln u. a.).

die Nase hoch tragen = hochmütig sein, eingebildet. Das Gegenteil:

die Nase hängen lassen = entmutigt sein.

eins auf die Nase kriegen (Umg.) = gedemütigt werden.

mit langer Nase abziehen = beschämt, erfolglos abgehen.

auf die Nase fallen = hinfallen, sich wehtun.

Nach Hans Weiditz 1513

die Nase in die Höhe recken (Umg.) = tot sein.

nicht weiter sehen (denken), als die Nase reicht = kurzen Verstand haben.

um eine Nasenlänge voraus sein = ihn überflügelt haben. – Ein Bild vom Pferderennen.

immer der Nase nach (Umg.) = immer gerade aus.

einem nicht alles auf die Nase binden = weil er alles weitersagt = wo es alle sehen. ↗ Würmer

sich nicht auf der Nase herumtanzen las-

sen = mit uns sich nicht alles erlauben dürfen, wie verwöhnte Kinder uns ins Gesicht greifen.

jn. an der Nase herumführen = jn. nasführen = ihn mit Ausreden hinhalten. – Bärentreiber (meist Savoyarden) zogen früher von Dorf zu Dorf mit ihren Tanzbären, die sie an einer Kette mit Nasenring führten und zum Kastagnettengeklapper tanzen ließen.

die Nase in alles stecken (in jeden Dreck, in jeden Quark) = sich um alles und jedes bekümmern.

Zupf (Zieh) dich bei (an) der eigenen Nase! = Kümm're dich um deine eigenen Angelegenheiten, nicht um meine. – J. Grimm, D. Rechtsaltertümer (I, 198): Beim Widerruf von Schmähungen mußte sich der Verurteilte mit der einen Hand an der Nase fassen und mit der anderen sich auf sein Lästermaul schlagen. ↗ verleumden

jm. eine Nase drehen oder *ihm eine lange Nase machen* = ihn verspotten, verhöhnen. – Gassenbuben halten die gespreizten Finger an die Nase (und strecken meist auch noch die Zunge heraus).

eine Nase bekommen = einen Tadel. ↗ Zigarre

jm. einen Nasenstüber geben = ihm eine kleine Ermahnung zuteil werden lassen, eigentlich: ihm einen »Stubs« auf die Nase geben. – Wie Schubs und schubsen (einen Stoß geben) zu schieben, so gehört Stubs und stubsen (einen Puff geben; auch ein Hund »stubst« seinen Herrn ans Bein) zu einem alten Zeitwort stieben mit der Bedeutung »schnelle Bewegung machen« (vgl. auseinanderstieben). – Eine *Stubsnase* hat einen Stubs von unten bekommen.

nassauern *nassauern* = ungeladen unentgeltlich mithalten bei einer Gasterei. – Die Herkunft des Wortes ist nicht mehr so recht zu deuten; denn die hübsche Geschichte von den nassauischen Studenten in Göttingen, die am Freitisch ihres Landesvaters schmarotzten, ist wohl eine Namenssage, nachträglich vom Wort auf den Namen hin erfunden, wie die Schildbürger (↗ Spießbürger) aus Schilda sein sollen. Die Redensart dürfte viel eher von jidd. nossen (= schenken) über das rotwelsche »naß« (= umsonst) gekommen sein.

Neid *gelb und grün werden vor Neid* = mißgünstig, scheelsüchtig werden. – Man glaubt an neidischen Menschen eine fahle Gesichtsfarbe zu sehen, deshalb: *ihn faßt der blasse Neid* = er wird neidisch.

vor Neid platzen (bersten) stammt aus Phaedrus »Der Frosch und der Ochs«.

Neige *den Kelch des Leidens bis zur (bitteren) Neige leeren müssen* = alle Schicksalsschläge des Lebens über sich ergehen lassen müssen. – Neige ist der letzte Flüssigkeitsrest im Glase. ↗ Nagelprobe, ↗ Hefe

Neigung *zu jm. eine Neigung (eine Zuneigung) fassen* = ihn liebgewinnen.

Nenner *alles auf einen gleichen Nenner bringen* = alles übereinstimmend machen. – Ausdruck aus der Mathematik.

Nerven *etw. fällt uns auf die Nerven, geht uns an den Nerv* = bereitet uns ein unangenehmes, widerliches Gefühl. – Die Nerven sind sehr empfindlich, sie vermitteln uns auch ohne körperliche Berührung gewisse Gefühle.

Nesseln *sich gehörig in die Nesseln setzen* (Umg.) = in eine recht mißliche Lage geraten. ↗ Brennesseln

Nest *sich in ein warmes Nest setzen* = sich gut verheiraten.

sein eigenes Nest beschmutzen = über die eigene Familie, die eigene Stadt, das eigene Volk schlecht reden. – Manche Vögel sind da aber sauberer.

Nesthäkchen = das kleinste Vögelchen (Kind). Falsch zu Papier gebracht statt: Nesthöck(er)chen, das am längsten im Nest »hocken« bleibt.

Netz *jm. ins Netz gehen* (↗ Fischer oder ↗ Jäger) = *ins Garn gehen* (↗ Jäger), verleitet, überlistet werden.

nicken *ein Nickerchen machen* = ein Schläfchen, ein wenig einnicken (wobei man den Kopf neigt); neigen und nicken sind verwandt (wie versiegen – versickern u. ä.).

Nieder *etw.* (z. B. eine Ansicht) *findet einen Niederschlag* = hat eine Nachwirkung. – In Flüssigkeiten »schlägt sich etw. nieder« = sondert sich als Bodensatz ab.

Nieren *Das geht mir an die Nieren* = das trifft mich ganz besonders empfindlich. – Ein Schlag auf die Nieren (Niere bedeutet sowohl Niere als auch Hode) ist äußerst schmerzvoll (wurde bei der Einlieferung ins Gefängnis praktiziert).

niesen Wenn einer *niesen* muß, dann rufen gewöhnlich gleich die anderen: »*Helf Gott!*« oder: »*Gesundheit!*« – Es ist eine Erinnerung an die heute bei uns längst verschwundene Pest, die aber auch einmal bei uns zu Lande immer wieder ihre Opfer gefordert hat. Die Symptome der Krankheit begannen sich zuerst in der Nasenschleimhaut zu zeigen. Und wenn nun jemand zufällig niesen mußte, so befürchtete man bei ihm schon den Ausbruch der Pest und wünschte ihm, daß er gesund bleiben möge.

Nießbrauch *den Nießbrauch von etw. haben* = die Nutznießung, das Nutzungsrecht an fremdem Eigentum besitzen. – Ein Rechtsausdruck, wobei genießen und benutzen übrigens als Wörter etymologisch miteinander verwandt sind.

Niete *eine rechte Niete* = ein Versager, eine Sache ohne Erfolg, ein Mensch ohne Kenntnisse dafür. – Das Wort wurde zuerst gesagt von einem Los ohne Gewinn, es ist das ital. Wort niente (= nichts).

nimmer *etw. auf den Sankt Nimmerleinstag verschieben* = auf gänzlich unbeschränkte Zeit hinausschieben, mit dem Nebensinn: wohl auf Nimmerwiedersehen. – Es gibt nämlich keinen hl. Nimmerlein, dessen Festtag im Kalender stünde. Die Römer sagten dafür: ad calendas graecas (= auf den griech. Monatsersten), weil die Griechen auch keinen solchen Namen in ihrem Kalender kannten. Ähnlich heißt es: Wenn Ostern und Pfingsten auf einen Tag fallen.

Nitsche Mit: »... sagte schon der alte Nitschke«, pflegen wir mit einem Anflug von Geistreichität eine Behauptung zu bekräftigen. – Wenn Friedrich Nietzsche (wohl auf Grund des tzsch in seinem Namen) einmal polnische Abstammung vermutete, so ist diese Annahme bestimmt falsch; zeigen doch ein tsch auch die Koseformen von deutschen Vollnamen wie Fritsche von Friedrich, Rutsch und Rietschel von Rudolf, Heintschel (Hentschel) von Heinrich, Gotsche (vgl. Schafgotsch) von Gottfried. Und überdies ist für den Namen Nitsche die Herkunft als Koseform von Nikolaus sicher aus Urkunden in Zittau und Görlitz nachgewiesen. Die sonderbare Schreibung mit tzsch ist »sächsisch«, vgl. Kötzschenbroda.

Nixe *eine Nixe* ist die Frau eines Nöck (Schrat), also eine Nöckse = eine Wortbildung auf -se wie Färse (Jungkuh) zu Farren (Jungstier).

Not *aus der Not eine Tugend machen* ↗ Klassik

nach Noten = gründlich. – Wohl so gesagt nach dem Glauben, »nach Noten« singt man richtiger als nach dem bloßen Gehör.

seine Notdurft verrichten = der gewählte Ausdruck »nötiges Bedürfnis« steht für das vulgäre Wort.

Notiz *keine Notiz von ihm (etw.) nehmen* = nicht beachten. – lat. notitia (= Kenntnis, Bekanntschaft).

Null Er ist *eine rechte Null* = ein ganz unbedeutender Mensch. – Daß die Null unbedeutend sei, ist ein grober Irrtum; unser Zahlensystem ist ohne die Null nicht denkbar.

Nummer *eine gute Nummer bei jm. haben* = gut angeschrieben sein bei ihm. – Auf Zeugnissen heißt »Nummer« in manchen Gegenden, was anderswo »Note« heißt.

auf Nummer Sicher gehen = nichts wagen, vorsichtig sein.

nach Numero Sicher kommen = ins Gefängnis.

nuscheln *nuscheln, nusseln* = undeutlich reden (so wie einst Hans Moser), eigentlich durch die Nase reden; das Wort steht im Ablaut zu näseln, vgl. Nase – Nüstern.

Nutz *zu Nutz und Frommen* (veraltet). – Fromm hatte zwei Bedeutungen: tüchtig und nützlich. Hier hat das Wort die zweite, während im Turnerwahlspruch »Frisch, fromm, froh, frei« die erste Bedeutung steckt, ebenso in der Bezeichnung »die frumben Landsknechte«.

O

Obdach *jm. Obdach gewähren* = ihn in sein Haus aufnehmen, d. h. ihm ein »Dach über« dem Kopfe bieten.

ober *die Oberhand gewinnen* = die Überlegenheit erringen. – Vom Ringkampf.

im Oberstübchen nicht ganz richtig (sauber) sein = im Kopfe stimmt etw. nicht, er ist etwas dämlich = er hat einen Hieb weg. ↗ Holzhammer *Oberwasser haben (bekommen)* = (wieder) mehr Handlungsfreiheit haben, obenauf sein. – Müller mit oberschlächtigen Mühlen, denen das Gebirgswasser von oben aufs Mühlrad »schlägt«, mahlen schneller, also vorteilhafter als unterschlächtige Mühlen am Strom, denen das langsam fließende Wasser von unten her das Rad drehen muß.

obligatio (lat. = Verbundenheit) *außer Obligo sein* = der Verantwortung enthoben, aller Verpflichtung ledig.

Ochs *dumm dreinschauen wie der Ochs vorm neuen Tor* = verdutzt schauen. – Wenn das Vieh abends von der Weide kommt und den Eingang zum Stall verändert findet, wird es stutzig.

ohne *Das ist nicht ohne* (Umg.) = Die doppelte Verneinung ergibt die starke Bejahung = Da ist was ↗ dran! – Der Zusatz wird gedacht.

oho ↗ klein

Ohr/Ohren *jm. ein geneigtes Ohr leihen* = seine Bitten und Beschwerden willig anhören. – *ein geneigtes Ohr finden* = gütig angehört werden. *zu einem Ohr hinein, zum anderen heraus* = wirkungslose Ermahnungen. *einen übers Ohr hauen* (Umg.) = ihn betrügen. – Es könnte ein Fechterausdruck sein, hat man verschiedentlich gemeint. Und beim Fechten gibt es wirklich einen Ohrenschlag, er lähmt den Gegner für Augenblicke. Aber von dieser fechterischen Tatsache aus führt kein Weg zu der Bedeutung »übervorteilen, betrügen«. Es steckt vielmehr hinter dieser Wendung sichtlich eine der häufigen Praktiken der gerissenen Pferdehändler, wenn sie jemandem eine Rosinante andrehen wollen: Die mit Pferden handelnden Zigeuner verstehen es z. B., einer alten Mähre geschickt eine Nadel so unter den Schwanz zu plazieren, daß der dann ständig hoch getragene Schweif dem alten Klepper das Aussehen eines stolzen Rosses verleiht. Ähnlich pflegen die berufsmäßigen Roßtäuscher (wie die Pferdehändler mit anderem Namen heißen, der zwar von tauschen kommt, aber haargenau auf ihre Geschäftsmoral zutrifft) ihre lebende Handelsware zu verjüngen, indem sie die alten, müden Gäule vor dem Verkauf mit einer weichen Lederpeitsche über die Ohren schlagen (die beim Pferde besonders empfindlich sind), worauf ihre altersschlappen Ohren steil nach oben stehen wie bei jugendlich lebhaften Rennpferden. – Der vollständige Gedankengang »jemanden mit einem über die Ohren gehauenen Pferde betrügen« wird sprachlich eingekürzt zu: ihn übers Ohr hauen.

sich aufs Ohr hau'n (Barras) statt (fam.) sich ein wenig aufs Ohr *legen*.
in welchem Ohre klingt's? – Aberglaube, daß man in Abwesenheit Gegenstand eines Gespräches ist; links ist dann schlechter, rechts ist guter Leumund.

die Ohren steif halten = standhaft bleiben,
die Ohren spitzen = gut zuhören, horchen,
die Ohren hängen lassen = mutlos sein.

mit den Ohren schlackern sagt man, wenn einer mit den Ohren wackeln kann. Bei Hund und Pferd nennt man das schlaffe Klappen und Schlagen mit den Ohren meist »schlacksen«. Schlacksig ist auch ein Bursch, bei dem die Arme und Beine gar zu leicht in den Gelenken »schlenkern«.
jm. (sich) etw. hinter die Ohren schreiben = eine handgreifliche Drohung, bei »sich« verspricht man, es sich gut merken wollen. – In Zeiten, da es noch kein Grundbuch und keinen Kataster gab, wurden bei Grenzsteinsetzungen die Jungen als ↗ Zeugen zugezogen (natürlich an den Ohren, nicht wie Erwachsene bei der Hand), man kniff sie da kräftig (Jakob Grimm, D. Rechtsaltertümer, 1881³, S. 143ff, erwähnt Ohrkneifen der Knaben bei Grenzsteinsetzungen) und gab ihnen schließlich eins tüchtig hinter die Ohren, damit sie sich ja den Ort sehr gut merken sollten; aufschreiben konnten sie es sich nicht, so »schrieb« man es ihnen auf diese Weise »hinter die Ohren«. *Sie hatten es (faustdick, knüppeldick)* sowieso schon *hinter den Ohren sitzen* (↗ Schalk), jetzt um so mehr.
hinter den Ohren noch naß (feucht) sein = geschlechtlich noch nicht aufgeklärt sein oder noch zu jung zum Mitreden. – Vergleich mit einem eben geborenen noch nassen Kinde.
jm. kommt etw. zu Ohren = es kommt ihm durch Hörensagen zur Kenntnis.
einem ständig in den Ohren liegen = ihm ständig mit Bitten kommen.
jn. bei den Ohren nehmen = heute nur noch andeutungsweise für »tadeln«, früher einmal sehr häufig praktiziert; die Lehrjungen hatten früher oft verdächtig rote Ohren.
auf den Ohren sitzen (fam.) = nicht recht zuhören.
die Wände haben Ohren = einer lauscht an der Tür.
jm. das Fell über die Ohren ziehen = ihn betrügen und ausplündern. Beim Schlachten von Kleintieren (Kaninchen) wird der Balg über den Kopf gestreift.
sich die Nacht um die Ohren schlagen (Umg.) = nicht zum Schlafen kommen.
eine Ohrfeige ist keine Feige, sondern eine Fege (von fegen = wischen), wie die Umg. ja auch sagt: *jm. eine wischen*. Backenstreich kommt übrigens von: die Backe »streicheln«.

Öl *dastehen wie ein Ölgötze* = klotzig, steif und stumm. – Ölgötze aus Ölberggötze nach Friso Melzer, Der christliche Wortschatz der deutschen Sprache, Lahr/Baden 1951: In katholischen Prozessionen wurden auch die Figuren des Ölberges mitgetragen, der im Gebet kniende Christus und die schlafenden Jünger. Diese Gestalten zeigten natürlich starre Gesichter. Luther verspottete sie seit Juni 1520 als »Ölgötzen« und wendete später das Wort auch gegen die kath. Kleriker und andere Träger jener Figuren an, die wohl mitunter ähnlich unbelebte Gesichter gezeigt haben mochten. ↗ Feuerspritze

Öl ins Feuer schütten = in die Flammen blasen = einen Streit noch mehr schüren; Öl brennt bekanntlich gut.

Öl auf die Wogen gießen = beruhigend wirken. – Die Wogen glätten sich, wenn man Öl daraufgießt, weil es zähflüssiger ist als Wasser und dadurch glättend wirkt.

Öl (Balsam) in die Wunde gießen (träufeln) = den seelischen Schmerz lindern. – (Bibel Lk. 10, 23–37: Der Samariter goß Öl und Wein auf seine Wunden.)

olim *zu Olims Zeiten* ↗ Klassik

Onkel *über den Onkel latschen* (Umg.) = fußeinwärts gehen. – Enkel ist der (mundartl.) Name für den Fußknöchel innen am Fuße. In Gegenden, wo man diesen Sonderausdruck nicht kannte, machte man aus dem Enkel einen Onkel. Da die Wendung aus der niederen Umg. kommt, ist kaum an das franz. ongle (= Finger- und Zehennagel) zu denken.

Operetten ↗ Sprüch

Order *Order parieren* = gehorchen. – Der Ausdruck stammt vom Reitsport.

organisieren *organisieren* = früher einfach »beschaffen«, im Kriege (mit Bedeutungsverfall) »klauen«, heute meist: zu etw. kommen »auf die krumme Tour«.

Orgel *Kinder wie die Orgelpfeifen* = abgestuft nach der Größe, eins neben dem anderen.

Orgien *Orgien feiern* = ausschweifen. – Ein griech. Wort aus dem Bacchusdienst.

Oskar *frech wie Oskar* (Barras bzw. Berlin) = sehr frech. – Warum gerade Oskar, ist nicht mehr erfindlich (↗ Willem). Ebensowenig ist mir bekannt, warum denn Filmgrößen ausgerechnet einen »Oskar« bekommen.

P

Paar *zu Paaren treiben* (drohend) = kirre (zahm) machen, schurigeln, karnüffeln. – Grimms Wörterbuch (Bd. 1–2, 1138) bemerkt unter Barn (= Krippe, Raufe): Daher ist unter den vielen Redensarten mit Barn auch unser heutiges »zu Paaren treiben« nichts anderes als »das wilde Roß zum Barn treiben«; der Ausreißer wird also (etwas unsanft!) heimgetrieben zur Futterkrippe (= Barn) in den Stall. ↗ bärbeißig. – Wohl zu Unrecht hat man auch an ein Fisch- oder Jagdnetz gedacht.

paff *»Ich bin paff*, daß ich so was hören muß« = sprachlos, überrascht, wie wenn ein Ahnungsloser plötzlich piff-paff-puff einen Schuß hört.

Palme *Das bringt mich auf die Palme* = das erbost mich, versetzt mich in Wut. – Die Redewendung war zwar bekannt, ist aber erst nach dem zweiten Weltkrieg so recht in Umlauf gekommen. Sie ist ↗ rotwelschen Ursprungs. Das Buch von Dr. L. Günther »Die deutsche Gaunersprache« (Quelle & Meyer, 1919) bringt: Palm = Soldat, Verkürzung des hebräischen ba'al milchâmâh, und das »Wörterbuch des Rotwelschen« von Siegmund A. Wolf (Bibliogr. Institut, Mannheim 1956) hat: rotw. Balmilchome = Soldat von jidd. baal milchomo (= Soldat) und *auf der Palme sein* = wütend, zornig sein von jidd. baal allim (= Soldat, gewalttätiger Mann). – Die sonderbare Rede »auf Palme« besagt also wörtlich: Das (bringt) macht mich »zum kriegerischen Menschen«.
Die Redensart ist wie ein Zwillingskristall gebildet, das Wort Palm (wütender Mensch) schiebt sich in den Ausdruck jn. auf-bringen (wütend machen) ein und verwächst mit ihm zu: ihn auf Palm bringen. Dieses unverständliche Ganovendeutsch wird dann zurechtgedeutet als »Baum« (und »kriechen«) nach dem Vorbild (da könnte man) die Wände hochgehen, und es entsteht: auf die Palme bringen.

panisch *ein panischer Schrecken* ↗ Klassik

Panne *Panne* = Mißgeschick, Steckenbleiben. – Die Duden-Etymologie gibt an: Im Anfang unseres Jahrhunderts aus dem Französischen übernommen. Die Pariser Umg. hätte das Wort aus der Bühnensprache entlehnt und diese wiederum aus der Seefahrt, wo »rester en panne« bedeutet »in der Flaute bleiben« = mit dem Segelschiff nicht weiterkommen.

Pantoffel *unter den Pantoffel kommen* = ein Pantoffelheld werden, ein willensschwacher Ehemann, der ein Weiberregiment im Hause duldet. – Nach altem Brauche ist unmittelbar nach der Trauung jeder der beiden Gatten bemüht, dem anderen auf den Fuß zu treten. Wem das gelingt, dem ist angeblich die Herrschaft in der Ehe gesichert. Es ist ein letzter Rest alter Unterwerfungssymbolik; einem Unterworfenen setzte einst der Sieger den Fuß auf den Nacken. – Der Pantoffel gilt als die ↗ Fuchtel der Frau.

Pappe *Das ist nicht von Pappe* – sondern ist kernig, nicht so breiig wie Kinderbrei, wie der pappige Grießbrei, der Grießpapp. Als Lallwort ist baba bei Kindern auf der halben Welt bekannt in allen möglichen Formen.

Papperlapapp! = ach Unsinn, schweig doch! – Mit diesem Worte weist man eine Entgegnung als kindisch zurück; denn das kindliche Plappern (= Schwatzen) heißt babbeln, pappeln.

Das ist keinen Pappenstiel wert = nichts.

Das kostet einen Pappenstiel = ganz wenig. – Pappenstiel hat nichts zu tun (wie man öfters noch lesen kann) mit der Pappenblome, wie der Löwenzahn (Taraxacum off.) in einem Teil Norddeutschlands heißt, auch nichts mit dem lat. pappus, wie die Haarkrone, das Laternchen dieser Wiesenblume, botanisch heißt. Das Grimmsche Wörterbuch bringt in Band 7, Sp. 1445 und 1447 die ältere Form Pappelstiel. Die Stiele – denn von Stielen ist die Rede – für Äxte und Schaufeln macht man nämlich aus Hartholz, man macht sie weder aus Löwenzahnstengeln noch aus Stengeln der Malve (= Pappelrose), man macht Stiele aber auch nicht (auf dem »nicht« liegt der Nachdruck) aus dem Holz der brüchigen Pappel, denn solche brechen gleich = sie sind nichts wert. – Der Übergang der Mittelsilbe -el- zu -en- ist nichts Einmaliges; z. B. ist Wolfram von Eschenbach ebensooft noch als von Eschelbach beurkundet, und der gefährliche Donaustrudel zwischen Ybbs und Grein gab dem Strudengau den Namen usw.

»Das ist für uns *kein Pappenstiel*« (= keine Kleinigkeit) = klagen die Bauern, wenn sie nach einer schlechten Ernte Steuern zahlen sollen. – Die doppelte Verneinung ergibt den Begriff »viel«. (Ausführlichere Begründung vom Verfasser in der Zeitschrift der Deutschen Sprachgesellschaft »Muttersprache«, Januar 1962, S. 25)

Ich kenne meine Pappenheimer (sowohl ironisch als auch anerkennend) = Ich kenne diese Sorte von Menschen. – Schiller »Wallenstein« 3, 15: Daran erkenn' ich meine Pappenheimer.

Papst *noch päpstlicher sein als der Papst* = überpeinlich genau, hartnäckige Rechthaberei. – Der Papst gilt (allerdings nur in dogmatischen Fragen) den Katholiken als unfehlbar.

Parade Ich will ihm schon *in die Parade fahren* = Ich will ihm schlagartig seine Absicht vereiteln. – Ein Fechter sucht dem anderen mit seinem Hiebe zuvorzukommen, indem er ihm in die deckende Ausgangsstellung (= Parade) hineinschlägt (↗ fahren).

Pardon *keinen Pardon geben* = keine Nachsicht üben. – Milit. Ausdruck: keine Gefangene machen, alle erschießen; franz. pardonner = begnadigen, verschonen.

Paroli *jm. Paroli bieten* = mit einem anderen in Wettstreit treten. –

Zum Beispiel wollten die Kölner Jecken 1964 den Mainzer Karnevalisten endlich einmal Paroli bieten = mit ihnen in Wettstreit treten. Paroli = das gleiche wie im ersten Einsatz. In dem Glücksspiel »Faro« (Pharao) kann der Spieler, dessen Karte mit dem Einsatz herauskommt, die Ecke der Karte einbiegen, wodurch sich sein erster Einsatz verdoppelt, d. h. Paroli, faire paroli, und aus Paroli »biegen« wurde »bieten«.

passen zu *Passe* (↗ Wolle) kommen = *zupaß kommen* = gerade recht kommen.
Mit »passe« (= ich warte) kann man bei manchen Kartenspielen den Trumpf zurückhalten und auf eine noch bessere Gelegenheit warten. Kommt sie nicht, dann hat man *die Gelegenheit »ver«paßt.*

Pate *Pate stehen bei etw.* = beim Beginnen mithelfen, das Unternehmen sozusagen *aus der Taufe heben.*

Patsche *Patschhanderle geben* (fam.) = kindliches Handgeben mit einem patsch!-Geräusch. Solche Schallnachahmung (wie wenn man in morastigen Sumpf gerät) steckt auch im Worte Patsche = Notlage, Verlegenheit *(in der Patsche sitzen, jm. aus der Patsche helfen).* Ist Regen dabei, dann *patscht es,* man wird *patschnaß.* Auch *im Wasser planschen* ist onomatopoetisch (schallnachahmend), auch *plätschern.*

Pauke einmal anständig *auf die Pauke hauen* (Umg.) = tüchtig (alkoholisch) feiern. Pauke ist die große Trommel.

Pech *ein Pechvogel sein* = Mißgeschick haben. ↗ Vogelstellerei
eine Pechsträhne haben = Mißgeschick hintereinander haben wie ein Knäuel, der sich abwickelt; vgl. ein Strähn Wolle, ein Strang Garn.
Pech an den Hosen haben (Umg.) = zu lange im Wirtshaus sitzen bleiben.
wie Pech und Schwefel zusammenhalten = ganz innig in jeder Lage. – Beide Stoffe bilden beim Verbrennen sofort einen Klumpen und verkleben sich innig mit der Unterlage, sie lassen sich nicht wie etwa brennendes Holz auseinanderstoßen.

Pelle *jm. nicht von der Pelle gehen* = sich an seine Fersen heften.
↗ Hacken, ↗ Hals, ↗ Klette
wie aus der Pelle geschält = adrett angezogen. – Schale = Pelle ‹ lat. pellis (= Haut).

Pelz *jm. den Pelz waschen* = ihn gehörig tadeln.
ihn hat der Pelz (↗ das Fell) gejuckt = ist übermütig geworden.
jm. eine Laus in den Pelz setzen ↗ Laus
jm. dichter auf den Pelz rücken wollen (Drohung) = ihm schärfer zusetzen wollen.
»Wasch mir den Pelz, und mach mich nicht naß«, sagt man bei einer unmöglichen Forderung.

Penaten *den heimischen Penaten zusteuern* = nach Hause gehen. –
↗ Klassik
Die Penaten waren die römischen Hausgeister wie etwa unsere guten
↗ Kobolde.

Penne *Penne* = höhere Schule. Das Wort gehört zu Pennal (= Feder-büchse von lat. penna = Feder), welche angehende Studenten (Pen-näler) stets mit sich führten, aber
Penne, pennen (= Schlafstelle, schlafen) sind rotwelsche Ausdrücke der Pennbrüder (Landstreicher).

Persil *sich damit einen Persilschein erkaufen* = bei der Möglichkeit eines Umsturzes sich für später mit einer Guttat schon vorher die Gunst der Gegenpartei sichern. – Persil ist ein bekanntes Waschmittel, mit dem sich also dann leicht die Vergangenheit abwaschen läßt.

Peter ↗ schwarz

petto *etw. in petto haben* = etwas in Vorbehalt haben. – ital. petto = Brust ⟨ lat. pectus, also etwas in der Brust haben. – Wir denken an Faust: Zwei Seelen wohnen, ach! in meiner Brust, und auch die homeri-schen Helden wälzten die Gedanken in der Brust.

Pfahl *in seinen vier Pfählen* = im eigenen Haus = *in seinen vier Wänden* ist man »zu Haus«, da fühlt man sich wohl. ↗ Haus

Pfanne *jn. in die Pfanne hauen* = ihn ganz und gar als schlecht hin-stellen. – Wenn man Eier in die Pfanne schlägt, gehen sie entzwei, ver-lieren ihre schöne Form. – Eier zer-deppern (niederd. und mitteld.) = sie zer-töpfen = sie wie einen irdenen Topf zerschlagen. ↗ Bank
noch etw. auf der Pfanne haben = ein Vorhaben noch bereit haben. – Vor Erfindung der Zündkapsel mußte bei den alten Musketen das Pul-ver im Lauf erst vorgezündet werden durch einen Funken mittels Schlag des Hahnes auf Feuerstein und Stahl, der das Häuflein Pulver auf der Pulverpfanne am Gewehrlauf entzündete und dann das Pulver im Lauf zur Explosion brachte – vorausgesetzt, man hatte noch etwas im Pulverhorn zum »Aufschütten« (↗ abblitzen), dann konnte man schießen, sonst nicht, natürlich auch noch vorausgesetzt, daß es nicht regennaß war. ↗ sein Pulver trocken halten.

Pfau *stolz wie ein Pfau*, der, wenn man ihn bewundernd anschaut, auch ein paarmal sein Rad schlägt.

pfeifen *Auf das pfeif' ich* = (erbost) Das (den) will ich nicht haben (sehen) = *Das (der) ist mir piepe*. – Schon eine Handbewegung und ein Pfeifton genügt, um das anzudeuten. Piepe ist die nd. Form von Pfeife, vgl. die Familiennamen Piper = Pfeifer.
Ich werde dir was pfeifen (husten, niesen) = Umg. Ablehnung. ↗ münzen
nach seiner Pfeife tanzen = sich willenlos nach ihm richten. – Äsops Fabel »Der flötenblasende Fischer«, der vergeblich versucht, durch sein Flötenspiel Fische anzulocken, schließlich aber zum Netz greift und sich dann über die am Strande zappelnden Fische freut, die vorher nicht zu seinem Flötenspiel tanzen wollten.

Pfeffer *(Scher dich) bleib, wo der Pfeffer wächst* = recht weit weg von mir. – Der Pfeffer kommt weither, aus unbekanntem Lande.

Pferd *das beste Pferd im Stall* = die beste Kraft im Betrieb.

vom Pferd auf den Esel kommen = herunterwirtschaften, verarmen. – Vielleicht steckt darin noch die mittelalterliche Strafe »Schandesel reiten«.

das Pferd (den Gaul) beim Schwanze aufzäumen = die Sache verkehrt anpacken. – Um ungefährdet Pferde anschirren zu können, muß man zuerst das Zaumzeug des Kopfes anlegen, sonst schlagen sie aus.

Da wiehern (lachen) ja die Pferde (Umg.) = so unglaublich ist die Geschichte. – Die Pferde, die doch weniger gescheit sind als wir Menschen, müßten schon darüber lachen.

Keine zehn Pferde bringen mich dazu (Umg.) = nicht um alles in der Welt!

Mit dem kannst du Pferde stehlen = er ist verläßlich und verschwiegen und zu jeder Schandtat bereit.

Da schaut der Pferdefuß heraus = das versteckte Unangenehme kommt da heraus. – Der Teufel ist sozusagen dabei im Spiele, der bekanntlich einen Pferdefuß hat, d. i. eine Bockspfote, ↗ Teufel als Bockspan.

Pfiff *den Pfiff kennen, sich auf den Pfiff verstehen* = schlau sein, sich auskennen, *halt ein Pfiffikus sein* = ein gewiefter Bursche. ↗ Vogelsteller

eine Frau mit Pfiff = eine sehr hübsche, elegante Frau. – Es gibt Männer (bes. in südlichen Gegenden), die beim Anblick eines weiblichen Wesens, das ihnen gefällt, leise (oder auch lauter) zwischen den Zähnen pfeifen.

Kleid mit Pfiff = eins mit Schick.

keinen Pfifferling darum geben = nichts, und

keinen Pfefferling wert sein = nichts wert sein. – Die Pfifferlinge (mit Pfeffer gewürzt zuzubereiten) sind die massenweise wachsenden Gelbschwämmchen.

Pfingst- *aufgedonnert wie ein Pfingstochse* = übertrieben aufgeputzt (von Frauen gesagt). – Beim Auftrieb auf die Alm werden die Kühe, der Zuchtbulle voran, festlich aufgeputzt. ↗ aufgedonnert. Ähnlich wird gebraucht: aussehen wie eine *Schießbudenfigur*, die reinste *Vogelscheuche*, (bayr.) wie ein *Palmesel* u. dgl.

Pflaster *ein Pflaster bekommen* = nach einer Zurücksetzung eine Belobigung (= Trostpflaster), um die Wunde zu schließen.

ein teures Pflaster (Umg.) = ein Ort mit hohen (= gesalzenen, gepfefferten, geschmalzenen) Preisen.

Pflaume *eine rechte Pflaume* (Umg.) = ein lappiger Geselle. – Man denkt dabei wohl an eine madige Pflaume oder an eine Flaum(feder).

Pflicht *seiner Pflicht genügen* = gemeint war lange Zeit: seiner Militärpflicht nachkommen. ↗ Genüge leisten

seine Pflicht und Schuldigkeit tun (das Gegenteil ist: seine Pflicht verletzen) – »... hat nur seine verfluchte Pflicht und Schuldigkeit getan«, soll Friedrich II. dem Grafen Dohna geantwortet haben, als dieser für seine Bemühungen in der Heranholung der Tänzerin Berberina nach Berlin eine Belohnung erwartete.

Pflock Manche Redensart verstehen wir ohne weiteres, aber wie sie entstanden sein mag, das ersehen wir nicht mehr, weil ein wichtiges Glied weggefallen ist: Hitler *steckte zurück*. Das verstehen wir = gab nach, aber die vollständige Redewendung lautet: Er mußte *einen Pflock zurückstecken*. So sagt auch der Bauer beim Pflügen, wenn er sieht, daß es seine Zugtiere nicht mehr recht schaffen. Er »steckt also zurück«, der Pflug greift seichter, die Tiere haben es leichter, er hat sich sozusagen ihren Wünschen gebeugt, hat »nachgegeben«. So entstand der Sinn der Redewendung. Nun das Sachliche daran: Der alte Hakenpflug hatte von der Pflugschar über das Sech zu den Rädern eine kurze Deichsel mit einer Reihe Löchern. Da hinein wurde der Bolzen (Pflock genannt) gesteckt mit den daran befestigten Zugseilen. Je nachdem der »Pflock« nun weiter vorn oder weiter zurück stak, griff der Pflug tiefer bzw. seichter. – Nun noch das Sprachliche: Warum »einen« Pflock und nicht »den« Pflock? Es ist doch immer derselbe! – Nun, nicht nur der Bolzen mit den Strängen heißt bei den Bauern Pflock, sondern auch der Zwischenraum von einem Loch zum anderen. Die sprachliche Formung des Vorganges müßte demnach lauten: Ich muß jetzt den Pflock (um) einen Pflock(zwischenraum) zurückstecken. Der Gedankengang wird aber sprachlich eingekürzt zu: einen Pflock zurückstecken = (um) ein Stück zurückstecken = etwas nachgeben. – Der Herkunft nach kann man »zurückstecken« ohne »Pflock« nur ergänzungslos gebrauchen (= nachgeben), aber jetzt beginnt man es bereits transitiv (mit Ergänzung) zu gebrauchen (= aufgeben); z. B. Er mußte sein ganzes Projekt vorläufig zurückstecken.

Pfoten   *sich die Pfoten verbrennen* ↗ Finger

Pfund   *mit seinem Pfunde wuchern* = seine Begabung klug anwenden, *sein Pfund vergraben* = seine Fähigkeiten nicht ausnutzen. ↗ Bibel

pfuschen   *pfuschen* = Schluderarbeit leisten. ↗ Handwerk

Pharisäer   *ein echter Pharisäer* (Bibel) = Typus des Selbstgerechten.

Philippika   ↗ Klassik

Philister   *ein (rechter) Philister* (Bibel) = Nichtstudent, Spießbürger, trockener Mensch. – Jena war einst wegen seiner wüsten Raufstudenten berüchtigt. Bei ihren groben Studentenstreichen soll öfters der biblische Ruf erschollen sein: »Philister über dir!«

Phönix   *wie ein Phönix aus der Asche sich erheben* = nach Zusammenbruch sich wieder aufrichten und neu erstehen. – Der fabelhafte Wundervogel ist Sinnbild der Unsterblichkeit.

Phrasen   *Phrasen dreschen* = Wortschwall, leeres Gerede. – Phrase hier weniger in dem engen deutschen Sinne von »Redewendung« als vielmehr im weiteren (= franz.) Sinne von »Satz«. ↗ abgedroschen

picheln   *tüchtig picheln* (auch *bügeln)* = zechen. – Die Trinkgläser hatten früher ein Eichzeichen oben, das man »Pegel« nannte wie den Wasserstandsmesser am Ufer; sich danach richten, hieß also »pegeln«, in der Mundartform picheln, bügeln u. ä.

piepen *Das ist zum Piepen* (Umg.) = zum Lachen.
Das ist mir piepe = Darauf ↗ pfeif' ich.
Bei ihm piept 's wohl? = Er hat wohl einen ↗ Vogel?
Pike *von der Pike auf, eine(n) Pik auf jn. haben, pikiert sein* ↗ Soldaten.
Pille *die bittere Pille schlucken müssen* = das Unangenehme über sich ergehen lassen müssen. – Pillen sind meistens bitter, man schluckt sie nicht gern.
Pilze *wie Pilze schießen aus dem Boden* zuzeiten an manchen Orten Häuser, Fabriken, Bohrtürme u. dgl. Baulichkeiten. – Pilze wachsen schnell, meist werden sie, nachdem es geregnet hat, über Nacht groß.
Pimok *= Mann aus östl. Gebieten.* ↗ Böhmen.
pingelig Konrad Adenauer pflegte seine Mitarbeiter zu ermuntern mit: »Meine Herren, sin Se nich eso *pingelich!*« = so empfindsam, so kleinlich. – In Köln ist der Rhein der Rhing (ng gesprochen wie span. ñ und wie eau de Cologne), Ping = hochd. Pein (Zahnping, Buchping, Kopping = hochd. Zahn-, Bauch-, Kopfschmerz), also ist »pingelich« = peinlich im Sinne von empfindlich, kleinlich. Das eingeschobene e ist rheinisch wie in (kölsch) fünef für fünf.
pisacken *jn. pisacken* = ihn drangsalieren. – nordd. Ossenpesek (Ochsenziemer), durch Blumauers Travestien literarisch geworden.
Pistole *wie aus der Pistole geschossen*, so geschwind kam z. B. seine Antwort.
einem die Pistole auf die Brust setzen = einen Widerstrebenden zwingen, ihn erpressen. – Dem Überfallenen läßt man nur die Wahl: einwilligen oder erschossen werden.
Plan *»auf den Plan treten«* sagt man, wenn ein neuer Mann als Bewerber auftritt. Plan = Kampfplatz.
Pläne »schmiedet« man = ausdenken, aushecken.
Plato *platonische Liebe* ist der Gegensatz zur geschlechtlichen. Sie heißt platonisch, weil man sich – nach Platons Worten – nicht durch Sinnenreiz hingezogen fühlt, sondern durch Schönheit der Seele und des Charakters.
Platte *immer dieselbe Platte* (Umg.) = *immer dieselbe Leier* (Umg.) = immer dasselbe Gerede. ↗ Musik (Leier)
eine andere Platte auflegen (Umg.) = den Gesprächstoff wechseln. – Plattenspieler.
Das kommt nicht auf die Platte (Umg.) = das kommt nicht in Betracht. – Gemeint ist die Servierplatte.
Ich bin platt = überrascht, erstaunt. – Kraftausdruck: Ich liege platt am Boden.
jn. plattschlagen = ihn willfährig machen. – Neubildung nach ↗ breitschlagen.
Platz/platzen *Platz nehmen* = sich setzen.

Platz »greifen« = sich ausbreiten.

stets *auf dem Platze sein* = immer zur Verfügung stehen.

fehl am Platze sein = nicht in diese Stellung passen, falsch beschäftigt werden.

auf dem Platze bleiben = der Unterlegene sein. – Um 1446 belegt als: auf dem Kampfplatze tot liegen bleiben.

die anderen *auf die Plätze verweisen* (Sport) = sie besiegen.

eine Unternehmung *ist geplatzt* (wie ein Kinderballon platzt).

ihm platzt der ↗ Kragen.

jemand platzt uns ins Haus = kommt hereingeschneit (als unerwünschter Besuch).

Plausch *auf einen kleinen Plausch kommen* = zu einem kleinen Schwatz. – plaudern.

Plauze *es auf der Plauze haben* (ostd. Ma.) = die Lungenschwindsucht haben. – Ein slav. Wort.

pleite *pleite gehen* = Konkurs machen. – hebr./jidd. peleta/plete.

plemplem *plemplem sein* (Umg., bekannt von Görlitz bis Mainz) = etw. dämlich sein. – Wortdoppelung von:

plump *ein rechter Plumpsack* (Umg.) ist der »Dumme«, der den Plumpsack nicht findet. – »Dreh dich nicht um, der Plumpsack geht um« ist ein kindliches Gesellschaftsspiel, bei dem ein Säckchen oder ein geknotetes Tuch reihum geht und gesucht werden muß.

Plunder *den ganzen Plunder* z. B. seinem Chef hinschmeißen (Umg.) = die Arbeit wegwerfend »unnützen Kram« schelten.

pomade *Na, pomade!* = nur langsam! – polnisch po malu (d. h. kleinweis) = langsam.

Pontius *von Pontius zu Pilatus laufen müssen* = von einem zum anderen geschickt werden. – Richtiger wäre: von Kaiphas zu Pilatus; denn Jesus wurde von Kaiphas zum röm. Statthalter Pontius Pilatus, von da zu Herodes und dann wieder zu Pilatus zum Verhör gebracht. Dieses Hin- und Herschicken wurde sprichwörtlich zur Bedeutung der »Unzuständigkeit« der Behörden, für »langwierige Behördengänge«.

Porzellan *Porzellan zerschlagen* = (bes. in der Politik) viel Schaden anrichten. ↗ Elefant

Positur *sich in Positur setzen* = eine herausfordernde Haltung annehmen. – Die »Pose« annehmen, in der man am besten Eindruck zu machen glaubt.

Posse Die Wörter *Posse* (= ein kleines Lustspiel), *possenhaft* (= übertrieben scherzhaft) und *possierlich* (= spaßhaft, drollig) leiten sich her von bossieren, bosseln, die sich wieder vom mhd. Wort bôʒen (= schlagen, vgl. Amboß) herleiten, u. zw. meinte man mit Posse in der Renaissancezeit, die recht verschnörkeltes Beiwerk liebte, groteske Köpfe und spaßige Figuren an Brunnen, an Häusern, am Kirchengestühl und an Wasserspeiern.

Possen reißen (treiben) = Faxen machen, grob-drollige Verrenkungen des Körpers machen. Am Worte »reißen« (vgl. Reißbrett) sieht man, daß die Wendung vom Zeichnen possierlicher Figuren kommt.

jm. einen Possen spielen = ihm einen ↗ Schaber-nack antun.

Post *Antwort postwendend* erbeten = schnell-stens. – Die alte Pferdepost kam mit »Trara, die Post ist da!« angefahren, die Briefe wurden ab-gegeben, neue Post übernommen, dann stieß der ↗ Schwager ins Horn, knallte mit der Peitsche,

Nach einer Figur am Ulmer Chorgestühl

und weiter ging's. Jetzt hieß es schnell die Antwort schreiben, denn wenn die gelbe Postkutsche wieder zurückfuhr, mußte der Antwortbrief fertig geschrieben und gesiegelt sein. Das war einst die schnellste Brief-beförderung.

Posten *Posten stehen* (milit.) = Wache stehen.

auf dem Posten sein = in Bereitschaft (wie im Wachtdienst) oder wohl-auf sein.

Potemkin *Potemkin'sche Dörfer* = Vorspiegelung falscher Tat-sachen. – Zarin Katharina II. erkundigte sich auf ihren Reisen gern nach den Fortschritten in ihrem Reiche. Fürst Potemkin (die Russen sprechen Patjomkin) zeigte ihr stolz die vielen Dörfer in seinem Gou-vernement, aber nur von weitem, denn meistens sollen es Attrappen gewesen sein.

Potztausend! = erstaunter Ausruf. – ↗ Teufel

präsentieren *wie auf dem Präsentierteller* sitzen = so offen, allen Blicken ausgesetzt. – Der Lakai bringt die Karten auf silbernem Tablett (= Präsentierteller) der Herrschaft.

Pranger *Pranger stehen* ↗ Rechtsbräuche. – Das Wort gehört nicht etwa zum Zeitwort prangen/prunken, sondern zu einem lautgleichen mit der Bedeutung »Klemme«. – Am Pranger (an der Schandsäule) hing üb-licherweise der Schandstein (Lasterstein), der durch die Stadt und wieder zurück getragen werden mußte (z. B. von Prostituierten).

Preis *etw. preisgeben* = etw. aufgeben, darauf verzichten. – Als See-beute (= Prise) hingeben, – etw. dem Verderben bzw. dem Gelächter preisgeben = überantworten.

einen Preis »aussetzen« = die Preise wurden ausgestellt.

den Preis davontragen = einen Preis erringen. – Es waren Gegenstände, die man mitnahm.

prellen ↗ Jäger

Prise *eine Prise nehmen* = eine Prise Schnupftabak.

als Prise aufbringen = Seebeute machen (vgl. oben).

Probe *jn. auf die Probe stellen* = auf die Bewährungsprobe, ihn testen.

die Probe aufs Exempel machen = etw. versuchen, ob es so ausfällt, wie erwartet; trachten, daß die Angelegenheit nach Wunsch verläuft.

proppenvoll *proppenvoll* = ganz voll = pfropfenvoll, also voll bis an den Pfropfen (Stöpsel, Korken) herauf.

Proselyt *Proselyten machen* = sich Gesinnungsanhänger schaffen; – griech.-lat. Wort der Kirche = neubekehrt.

Protokoll *etw. zu Protokoll geben* oder *nehmen* = für eine amtliche Behandlung des Falles den Sachverhalt zu Papier bringen. – griech. protos (= erst) und kolla (= Leim), das erste vorgeleimte Blatt mit Inhaltsangaben bei einem Buche.

Prozeß *kurzen Prozeß machen* = energisch sein und durchgreifen. – Gewöhnlich dauern Prozesse lange. ↗ Strick

prüfen ein *Prüfstein* ist etwas, womit man die Zuverlässigkeit erprobt. – Juweliere machen auf einem Prüfstein verschiedene Abstriche, um den Goldgehalt festzustellen = Strichprobe, nicht zu verwechseln mit der ↗ Stichprobe.

prügeln *Ich will nicht der Prügelknabe sein, nicht den Prügelknaben abgeben* = nicht die Schuld anderer Leute büßen. – Wie sich im 17. Jahrhundert die Fürsten für ihre Unterhaltung »Hofnarren« hielten (z. B. ein Kurfürst bei Rhein auf seinem Heidelberger Schloß den liedbekannten Zwerg Perkeo), so hielten sie für die Erziehung ihrer Söhne Prügelknaben, die – weil Prinzen nicht geschlagen werden durften – die Hiebe bekamen, die eigentlich dem anderen gebührt hätten.

Pudel *abziehen wie ein begossener Pudel* (Umg.) = mit Vorwürfen überschüttet abgehen. – Die lästigen Hundebesuche bei einer Hündin im Haus vertreibt man mit Wasser. Den glatthaarigen macht das wenig aus, aber die kraushaarigen Pudel sind da triefnaß.

des Pudels Kern (Faust) = der Clou, der Witz der Sache.

pudelnaß sein = naß wie ein aus dem Wasser gekommener Pudel, gekürzt aus Pudelhund; diese Hunderasse planscht gern in einer Wasserpfütze = in einem Pfuhl = in einer (ma.)[1] Pfudel und ist oft pfitschepatschepfudelnaß. – Worterklärung: Bei Pfuhl hat sich vor l ein Sproßlaut d entwickelt wie bei johlen ⟩ jodeln, suhlen

---

[1] E. A. Seeliger, Geschichte des Reichenberger Bezirkes, Heimbtkunde Heft III/₁ (1936), Seite 77: 1540 ließ Nikolaus von Dohna zwei Männer auf den Spieß setzen, die in Grottau mit einer Magd Unzucht getrieben, sie ermordet und in eine Pfudel geworfen hatten. (Zeugenaussagen)

❭ sudeln, und P im Anlaut wechselt gelegentlich mit schriftsprach-lichem Pf: Persche – Pfirsiche, die Pfalz heißt in Heidelberg die Palz, und Pudelhund mit P steht also neben Pfudel/Pfuhl.

Ein ganz anderes Wort ist der Pudel = Fehlwurf beim Kegelschieben *(einen Pudel machen):* Wenn auf einer der früher ganz primitiven Kegelbahnen im Wirtshausgarten die Kegelkugel einmal abseits der festen Lehmbahn auf das lockere Erdreich geriet, so war das ein Pudel; die Kugel hatte in der Erde »gebuddelt«. Das mehr nordd. Wort »bud-deln« stimmt genau zum mitteld. wudeln (im Sande) ❬ wühlen. Zum verschiedenen Anlaut vgl. Wanst = Banse = Pansen.

Puls *jm. den Puls fühlen* = ihn ausfragen, um seine Absicht zu er-fahren. – Der Arzt fühlt den Puls beim Kranken.

Pulver *Der hat das Pulver auch nicht erfunden* = er ist keine Geistes-leuchte, ist etwas beschränkt. – Angeblich soll der deutsche Mönch Berthold Schwarz das Pulver erfunden haben, sein Denkmal steht in Freiburg/Br. Er ist aber eine sagenhafte Figur. Doch ein anderer Schwabe, Albertus Magnus, neben seinem englischen Zeitgenossen Roger Bacon der erste überragende Naturwissenschaftler des Abend-landes, geb. 1193 in dem kleinen Städtchen Lauingen, beschreibt schon das Schießpulver als ein Gemisch aus Salpeter, Kohle und Schwefel samt der Eigenschaft dieser Mischung, Blitz und Donner zu erzeugen. Aber vor ihm war es den Chinesen bereits bekannt; denn in der Schlacht bei Liegnitz (1241) haben Deutsche und Polen erstmals Pulver aufblitzen gesehen. Chinesische Artillerie (die Mongolen unter Dschingis-Khan hatten 1215 China erobert) ließ pulvergefüllte Papierballone (Drachen) über ihren Köpfen explodieren.

Der hat noch kein Pulver gerochen = er hat noch kein Gefecht mitgemacht.

sein Pulver schon verschossen haben = keine Gegengründe mehr anzu-führen wissen. – Eine Redeschlacht ist mit einer wirklichen verglichen, in der Pulvermangel so viel wie Niederlage war.

sein Pulver trocken halten = (nicht gleich losschießen) zurückhaltend sein bis zum geeigneten Augenblick. – Aus der Zeit, da man noch Pulver auf die Pfanne schütten und es trocken halten mußte, um schießen zu können. ↗ abblitzen, ↗ Pfanne

keinen Schuß Pulver wert sein = nichts. – Um das Quantum Pulver zum Erschießen ist es bei ihm schon schade.

sitzen wie auf einem Pulverfaß = gefährlich; denn das Verhängnis kann jederzeit losbrechen.

Punkt *Nun, mach einen Punkt!* = Hör auf! – Zum Schluß eines Satzes macht man einen Punkt.

Das ist der springende Punkt (lat. punctum saliens) = darum dreht es sich, das ist der Kern der Sache. – Noch Schiller: »... das große Ge-setz ... verborgen im Ei, regt den hüpfenden Punkt«; schon nach antiker Ansicht ist das Fleckchen im Ei der Urquell des Lebens.

auf dem toten Punkt anlangen = mit einer Angelegenheit nicht vorwärtskommen. – Ein Ausdruck der Technik (Pleuelstange).
Das ist sein wunder Punkt, der dunkle Punkt bei ihm = daran wird er
nicht gern erinnert. – Ein Krankheitsfall dient als Vergleich bzw. ein
unschöner Vorfall in seinem Leben.
in puncto puncti (lat.) = was das Geschlechtliche anbelangt ...
Punktum, basta[1]), *Streusand drauf* = Schluß damit! – Wir trocknen
längst schon mit Löschpapier (Fließpapier), nicht mehr mit Streusand,
und auch das nicht mehr, seit es Füllfederhalter gibt und Kuli. Aber
als man noch mit dem Gänsefederkiel schrieb und ständig in die Tinte
eintauchen mußte, stand auch zum Abtrocknen immer die Streusandbüchse auf dem Schreibtisch.
»*Fertig ist der* ↗ *Lack*«, sagte man schließlich, wenn der Brief nicht nur
geschrieben und die Schrift abgetrocknet worden war, sondern wenn er
auch gesiegelt war mit Siegel»lack«.

Puppen *bis in die Puppen* = immerfort. – Berliner Redensart: ein
weiter Weg in einen entlegenen Teil des Tiergartens, wo Standbilder
antiker Gottheiten standen, Puppen geheißen.

Purpur *den Purpur bekommen* = Kardinal werden. – Purpurrot (oder
kardinalsrot) ist die Farbe der Kardinäle.

Purzelbaum *einen Purzelbaum machen/schlagen*. – Purzeln (= über
den Bürzel abrollen) wird zu »einen Purzel machen«, was zu farblos
klingt und zu »einen Purzelbaum machen« wird, weil man sich dabei
»aufbäumt« (= in die Höhe »schießt« wie beim ↗ Kobolzschießen) und
schließlich hinfällt = ma. »hinschlägt«. Der Gedanke »einen Baum
fällen« (= schlagen) stützt das Wortbild.

Pustekuchen ↗ Kuchen

Pyrrhussieg ↗ Klassik

[1]) basta < ital. abastanza (= genug).

Q

Quacksalber *Quacksalberei* = Kurpfuscherei betreiben. – Das Wort Quacksalber, das uns schon seit der Lutherzeit bekannt ist, hat man verschiedentlich erklärt: als Dilettanten mit einer mittelalterlichen Heilmethode, die viel mit Quecksilber dokterten, oder als quakende (= schreiende) Salbenverkäufer auf Jahrmärkten. ↗ salbadern

Quark *Das geht dich einen Quark an* = nichts. – Das Wort ist nicht der Milchkäse (slaw. twaroh), sondern ist – wenn man bedenkt: nicht < ni + Wicht = kleines Ding (Wichtel) – das mhd. Wort twerc (nhd. Zwerg). Denn mhd. Anlaut tw wurde je nach Gegend zu nhd. Zw bzw. zu Qu und ë > ma. a.

Quatsch *Was soll der Quatsch? So ein Gequassel!* = ein Gerede, eine Rederei, ein Geschwätz. – quatschen und quasseln sind Weiterbildungen zu mhd. queden (= reden); mhd. e > ma. a.

Quelle *an der Quelle sitzen* = gewöhnlich »Nachrichten«quelle oder Erzeugungsort. ↗ Krippe

Quere *jm. in die Quere kommen* = ihm im Wege stehen, hinderlich sein. ↗ Wurf

ein Quertreiber sein = ein Ränkeschmied, ein Hetzer.

Quintessenz *die Quintessenz* = das Wesen einer Sache. – »Fünfter Stoff« hieß bei den Jüngern des Pythagoras der Äther als der feinste Stoff im Gegensatz zu den vier Elementen (Erde, Wasser, Luft und Feuer).

quitt *»Wir sind quitt miteinander«* = Ich will mit dir nichts mehr zu tun haben; – lat. quietus = ruhig, still.

R

Rabe *ein Rabenvater, eine Rabenmutter, Rabeneltern* = Der Name vertritt die alte Ansicht, daß die Raben ihre Jungen aus dem Neste werfen, wenn sie keine Freude mehr an ihnen haben und wenn sie die Kinderpflege verdrießt. Diese volkstümliche Ansicht, die den Raben ungenügende Brutpflege vorwirft, trifft aber nicht zu; richtig ist vielmehr, daß die Alten aus kluger Rabenweisheit darauf drängen, die kaum flügge gewordene Brut möglichst rasch in den Daseinskampf einzuführen, und daher den Horst möglichst bald leeren.

stehlen wie die Raben = etwas ungenau ausgedrückt; das Diebsgelichter in der Vogelwelt sind die Elstern.

ein weißer Rabe = eine seltene Ausnahme; denn die Raben sind alle rabenschwarz.

Rachen *jm. den Rachen stopfen* = seinen Schlund, sein Giermaul mit Geld stopfen und ihn damit zum Schweigen bringen. ↗ Maul

Rad *das fünfte Rad am Wagen* = überflüssig. – Der Wagen hat und braucht nur vier Räder.

unter die Räder (unter den Schlitten) kommen = geschäftlich zugrunde gehen. – Das bekannte Bild vom Überfahrenwerden.

eine Sprache nur radebrechen = die Worte nur zusammenstoppeln, die Sprache nur »gebrochen« sprechen. – Das Rädern (jn. aufs Rad flechten) war im Mittelalter eine Hinrichtungsart, wobei die Glieder gebrochen wurden. ↗ Rechtsbräuche

radschlagen (wie sie *ein Rad schlagen*) sieht man die Buben in Düsseldorf. Der Pfau schlägt auch ein Rad. Lautgleich durch die deutsche Auslautverhärtung ist ↗ ratschlagen.

ein Rädelsführer = der Anstifter von Unfug oder einer Untat. – Jakob Grimm, D. Rechtsaltertümer, S. 624: Rädelsführer (um 1500) der Anführer von einem Kreis oder Rad, welches bewaffnete Haufen um ihn herum bildeten.

ein Radfahrer ist, wer nach unten (= die Untergebenen) tritt und nach oben (= den Vorgesetzten) einen krummen Buckel macht.

Rage *jn. in Rage* (sprich rasche) *bringen* = ihn in Wut versetzen (Umg.). – Franz. rage = Tollwut der Hunde.

Rahm *den Rahm (das Fett) abschöpfen* = den Hauptgewinn einheimsen. – Der Milch den Rahm (der Suppe das Fett), d. h. den besten Teil abschöpfen. Rahm = Obers = Schmetten = Sahne = Schmant = Flott = Nidel u. ä.

Rahmen *aus dem Rahmen fallen* = nicht in das »Bild« passen, das man sich von einem Sachverhalt macht, von einer Person erwartet, die *nicht in den Rahmen paßt*. – Gedacht ist an ein gerahmtes Bild.

Rampe *Lampenfieber haben* = Furcht vor dem öffentlichen Auftreten.

im Rampenlicht (der Öffentlichkeit) stehen = im Blickpunkt der
Leute. – Bei Beleuchtung der Rampe (= des Bühnenbodens) sieht man
die Schauspieler ganz deutlich, und alle Blicke sind auf sie gerichtet.

Rand *zu Rande kommen mit etw.* = etwas Schwieriges doch bewälti-
gen. – Ein Bild von der Getreideernte aus der Zeit, als noch mit der
Sense gemäht und noch garbenweise »abgerafft« werden mußte: Nach
anstrengender Tagesarbeit in glühender Sonne war man froh, endlich
am Rande des Kornfeldes angekommen zu sein.

außer Rand und Band sein (geraten) = (von einem Kinde gesagt) übermütig sein – ein Faß, das auseinanderfällt.

Rang *einem den Rang ablaufen* = ihn überrunden, überflügeln, übertreffen. – Rank ist die richtige Schreibung. Wer beim Laufen eine Wegkrümmung (= einen Rank) mitnimmt, der wird von einem anderen
überholt, der den Weg auf der geraden Strecke (= Sehne des Bogens)
abschneidet; er läuft ihm auf diese Weise den Rank ab. – Das Wort
gehört zu Ranke, sie ist auch gebogen.

Ränke *Ränke schmieden*, Ränkeschmied, Ränkespiel = Intrigen aushecken, anzetteln. – Das Wort ist dasselbe wie obiges, also auch dem
Sinne nach: dem anderen listig den Weg abschneiden wollen.

Ränzlein *sein Ränzlein schnüren* = an Abschied denken. – Mit einem
Ranzen auf dem Rücken (wie heute die Schuljungen) ging man seinerzeit auf Wanderschaft, siehe die bekannten Bilder von Schwind. Heute
würde man sagen: *die Koffer packen* für die Reise.

Rappel *einen (den) Rappel (Raptus) haben*, rappeln (Umg.) = zornig
aufgelegt sein bzw. verrückt sein, ein Rappelkopf.

Räson *jn. zur Räson bringen* (Drohung) = (mit Prügeln) ihn ver-
nünftig machen; – franz. raison = Verstand, Vernunft.

Rat Das Wort *Rat* hatte ursprünglich – wie noch die Wörter Hausrat
und Gerät zeigen – die Bedeutung »Mittel« und sogar zunächst nur zum
Lebensunterhalt (vgl. Vorrat); denn *etw. zu Rate halten* heißt: sparsam
(den Vorrat) verwalten, und einer Sache *nicht entraten können* bedeutet:
ohne sie (vgl. Gerät) nicht auskommen.

Ferner: *Rat schaffen* und *Rat wissen* (= Abhilfe kennen, bringen) hieß:
das Mittel kennen oder herbeischaffen, das hilft. Erst später kam die
Bedeutung zu »gut gemeinter Rat«, wie wir jetzt *sich Rats erholen* (= sich
einen Rat holen), *mit sich zu Rate gehen* (= besinnlich nachdenken),
einen Arzt zu Rate ziehen (= sich mit ihm beraten) u. ä. gebrauchen.

(be)rat»schlagen«, gesagt statt einfach beraten, weil der Beratungskreis
der am Rat Teilnehmenden vorher abgegrenzt = »geschlagen« wurde,
vgl. mit dem Zirkel einen Kreis »schlagen« (= ziehen, beschreiben).

Ratten *Die Ratten verlassen das sinkende Schiff* = die Unzuverlässigen
ziehen sich vor dem drohenden Unheil zurück. – Hier wird (im Gegensatz zu ↗ mit Mann und Maus untergehen) »Ratten« gesagt, weil das
Wort hier paßt.

Das zieht einen ganzen Rattenschwanz nach sich = eine lange Reihe unangenehmer Folgeerscheinungen. – Die Ratten haben verhältnismäßig (im Vergleich zu Mäusen) lange Schwänze.

ratzekahl alles auffressen ⟨ radikal, aber in Anlehnung an Ratz = Ratte.

rauben *Raubbau treiben mit etw.* = die Anlagen (die Maschinen, seinen Körper) überbeanspruchen. – Ein Ausdruck des Bergbaues: unsachgemäß und raubgierig das Erz abbauen.

rauben und *raufen* sind Wortgeschwister wie heben – Hefe, Haber – Hafer u. ä. Eine *Rauferei* hat deutlich (weil man auch sagt: sich die Haare raufen) ihren Namen davon, daß man bei solcher Gelegenheit eben *Haare lassen* mußte.

Rauchfang eine Schuld *in den Rauchfang schreiben* können = auf die Rückzahlung verzichten müssen. ↗ Röhre (Kamin)

raunzen *raunzen* = ärgerlich reden, halblaut nörgeln wie die bekannten Wiener Raunzer. – Vgl. mhd. rûnazzen und ↗ anranzen.

Recherchen *Recherchen* (sprich Rescherschen) *anstellen* = polizeiliche Nachforschungen. – franz. recherchen (= suchen).

Rechnung *etw. in Rechnung stellen* (kaufm.) = mitberücksichtigen.

für die Rechnung aufkommen (kaufm.) = für die Bezahlung gutstehen.

etw. in Rechnung ziehen = es erwägen.

einer Sache Rechnung tragen = sie berücksichtigen.

auf seine Rechnung kommen = aus einem Vorhaben reichlich Gewinn schöpfen, mit dem Ergebnis zufrieden sein können, gut ↗ abschneiden.

die Rechnung ohne (den) Wirt machen = sich täuschen, weil ein anderer querkommt. – Vor der Bezahlung überschlägt man, wieviel die Zeche betragen kann, und ist erstaunt, daß der Wirt einen höheren Preis errechnet hat.

ihm einen Strich durch die Rechnung machen = seine Planung vereiteln; der eine stellt die Rechnung auf, der andere streicht sie durch, weil er sie nicht anerkennt.

jn. zur Rechenschaft »ziehen« = ihm die Verantwortung abfordern; er muß *Rechenschaft ablegen* = sich verantworten. – Vgl. Zeugen herbei-»ziehen« – einstmals angeblich – wohl nur symbolisch – an den Ohren.

Recht *Recht* ist »das Richtige«, was

recht und billig ist = was richtig ist und was man billigen muß.

Recht sprechen = richten, Urteile fällen.

zu Recht bestehen = mit dem geltenden Rechte im Einklang sein.

ein Recht darauf haben = ein Anrecht, einen Anspruch besitzen.

sein Recht suchen = bei Gericht klagen.

sich sein Recht wahren = es nicht vergeben oder nicht verjähren lassen, u. dgl. m.

recht bekommen = mit seiner Meinung anerkannt werden.

jm. recht geben = dessen Meinung als richtig anerkennen.

recht haben (behalten) = die eigene Meinung von den Tatsachen bestätigt sehen, usw.

nach dem Rechten sehen = Nachschau halten, ob alles in Ordnung läuft. *an den Rechten geraten* (iron.) = an den Falschen, usw.

recht und schlecht z. B. sich durchs Leben schlagen = kümmerlich, d. h. rechtmäßig, aber mehr als schlicht.

Rechtsbräuche Das mittelalterliche Gerichtswesen, das sich z. T. aus dem germanischen weiterentwickelt hatte, besaß sehr viele symbolische Handlungen; denn in Zeiten, da niemand lesen und schreiben konnte, mußte alles ganz drastisch sinnbildlich ausgedrückt werden.

Nach einem Holzschnitt
von Blockbuch 1470

Heute haben wir keine solchen Bräuche mehr, aber in der Sprache hat sich noch ein Nachklang davon erhalten: Das germanische Wort Thing für Gerichtsversammlung ist unter ↗ Thing erklärt. Daß »klagen« heute zugleich »jammern« und auch »bei Gericht Anzeige erstatten« bedeutet, hat seinen Grund darin, daß z. B. bei einem entdeckten Mord laut jammernd ein »Zetermordiogeschrei« erhoben werden mußte. Dem Gerichtsverfahren wurden *Zeugen zugezogen*, und die Schöffen, die das Recht »schöpfen« (= schaffen) sollten, mußten sich nach den Aussagen der Umstehenden richten. Diese hießen »der Umstand«, deshalb unsere Redensart: *sich nach den ↗ Umständen richten*. Der Richter verkündete das Urteil.

»Über«zeugen konnte nur, wer mehr Zeugen beibrachte als der andere. Das Los war die einfachste Form, einen Rechtsfall zu entscheiden, deshalb noch die Redensart: *den kürzeren ziehen* (= verlieren), zu ergänzen ist Halm, Stäbchen. Auch ließ man die beiden Gegner des Streitfalles kämpfen, suchte das Urteil so in einem Gottesgericht (wie bei der ↗ Feuer- und Wasserprobe). Der Helfer bekam eine Stange, um seinen Mann, wenn er strauchelte, und fiel, vor weiteren Schlägen zu schützen *(jm. die Stange halten* = begünstigen, ↗ Ritter).

Das altdeutsche Recht hatte eine Menge von Ehrenstrafen: z. B. Pranger stehen; solche Schandpfähle sieht man noch gelegentlich in alten Städten, sie sind außer Gebrauch, aber eine Redewendung ist uns noch geläufig: »*Das muß angeprangert werden!*« = muß öffentlich bekannt gemacht und gerügt, ↗ gegeißelt werden. Vielfach hing dem Betroffenen ein *(↗ Denk-)Zettel* um den Hals, worauf seine Schandtat verzeichnet war. Andere mußten einen *Schandfleck* am Gewande tragen (davon: *einem etwas ↗ anhängen* = üble Nachrede). Die Ehre abschneiden *(Ehrabschneider)* konnte man einem, indem man ihm das Haupthaar (stellvertretend den Mantel) kürzte; der frei fliegende Haarschmuck war seit Germanenzeiten das Kennzeichen des rechtschaffenen freien Mannes. Daß Ehrenstrafen statt Todesstrafe verhängt wurden, ist unter ↗ Hund gebracht.

Die Prügelstrafe wurde viel angewendet, die drei letzten Hiebe mit verkehrtem Stock, deshalb: *das dicke Ende kommt nach* = das Schlimmste kommt hinterher. Stockprügel heißen »eine Handvoll ungebrannte Asche«. Bei »herhalten müssen« (= heute »aushelfen m.«) ist »den Hintern« zu ergänzen (↗ Kopf). Statt die Delinquenten an den Pranger zu binden, setzte man sie in den Stock, der Hände und Füße einzwängte; die ↗ »Verstocktheit« eines Sünders kommt aber nicht daher.

Eingesperrt wurde in die Stadttürme, deshalb: *»in den Turm sperren«* (auch russ. Tjurma = Gefängnis) oder einfach in ein Loch *(eingelocht werden* = eingesperrt werden).

Um ein Geständnis zu erpressen, hatte das Mittelalter sehr derbe Polizeimethoden: die Folter in allen möglichen Formen, davon heute als Redensarten: *»Du folterst mich, du spannst mich auf die Folter*, heute gesagt, wenn einem eine Neuigkeit vorenthalten wird. Die Leute wurden gestreckt = (heute verblaßt als) *jn. aufziehen* (= hänseln); ↗ *Daumenschrauben* wurden ihnen *aufgesetzt*, sie wurden gebrannt, mit Brandmalen gezeichnet *(brandmarken)*. Heute sagt man so leichthin bei Rückenschmerzen: »Ich fühle mich wie gerädert«. Rädern war besonders grausam: mit einem in Schwung gesetzten Rade die Gliedmaßen zertrümmern. (Vgl. *»radebrechen«* = die Sprache mangelhaft beherrschen.) Der Henker mußte ihnen dann in der Regel den »Gnadenstoß« geben. Wenn einer schließlich (dem Henker aus-)*geliefert* (= ma. verloren) war, wurde der Urteilsspruch feierlich verkündet, indem der Richter über dem Haupte des Missetäters seinen *»Stab brach«* (= heute: ein hartes Urteil fällen). Der zerbrochene Stab wurde dem Verurteilten vor die Füße geworfen = *ein »wegwerfendes« Urteil fällen*. Er bekam noch eine *»Galgenfrist«*, am Abend vorher noch eine *»Henkermahlzeit«* (= heute abgeschwächt: vor der Abreise), vom Henker höchstpersönlich serviert, und mußte letztlich *»durchs hänfene Fenster schauen«*, um *»mit Seilers Tochter kopuliert«* (= aufgehängt) zu werden, oder aber man ließ ihn *über die Klinge springen* (natürlich nicht den ganzen Mann, sondern nur seinen Kopf).

Die Strafen waren sogar dem Range nach gestaffelt.

Kaufgeschäfte wurden ebenfalls unter symbolischen Handlungen vollzogen, wie unter ↗ Besitz und ↗ Hand schon ausgeführt wurde: *unter den Hammer kommen* = öffentlich versteigert werden. Der Zuschlag erfolgte (wie noch heute) mit einem Hammerschlage, was das Zeichen rechtmäßigen Kaufes ist. Der Hammer war das Werkzeug des Gottes Donar, mit dem er Blitze schleuderte und Riesen zerschmetterte, aber auch Friedenstaten befestigte. Noch heute werden die Grundsteine öffentlicher Gebäude, sogar die der Kirchen, durch drei Hammerschläge geweiht. Unsere Redewendung *»auf keinen grünen Zweig kommen«* entstammt ebenfalls einem alten Rechtsbrauche, desgleichen die vom »*hinter* ↗ *die Ohren schreiben*«. ↗ Mantel

Nach der Rezeption des Römischen Rechtes (um 1500) verschwindet dann nach und nach das symbolische Brauchtum, nur Redensarten blieben übrig. Die Einführung von Protokollen, Registraturen, Grundbüchern, Katastern u. ä. beginnt, es entstehen andere Redensarten: z. B. »*aufs Tapet bringen*« = zur Sprache bringen, (Tapet = ursprünglich Wandbehang, hier Tischbelag des Richtertisches); – »*Auf die lange Bank schieben*« = die Erledigung hinauszögern, indem man die betreffenden Akten immer weiter hinaufschiebt auf den Banktruhen (Aktenschränke kamen erst später auf); sie mußten erst »*spruchreif*« werden oder wurden gar »*ad acta gelegt*« = als erledigt angesehen, u. dgl. m.

Rede/reden *Es ist von etw. (von jm.) die Rede* = man spricht davon.

Das war schon immer meine Rede = meine Meinung.

Davon kann keine Rede sein = das ist ausgeschlossen.

nicht der Rede wert = (nicht der Erwähnung wert) = ganz unwichtig.

jm. die Rede abschneiden = *ihm ins Wort fallen;* die Entschuldigung, wenn damit ein Themawechsel verbunden ist: *Vergiß deine Rede nicht.*

nicht viel Redens (Rühmens) von einer Sache machen = sie nicht übermäßig loben.

in Rede stehen = der Gegenstand des Gespräches sein.

jm. Rede (und Antwort) stehen = ihm Auskunft geben, sich verantworten vor ihm.

jn. zur Rede stellen = *mit ihm ein Wörtchen zu reden haben* = ihn zur Verantwortung ziehen. – Sprachlich verkürzter Gedanke: ihn »stellen« (= anhalten) und zum »Reden« zwingen.

Mir verschlägt es die Rede = ich bin sprachlos (erstaunt) darüber. – Ein Schlag (z. B. auf den Rücken) kann uns für Augenblicke tatsächlich die Sprache nehmen.

eine Rede »schwingen« (Umg.), weil die Handbewegungen des Redners an einen Fahnen»schwinger« erinnern.

jn. mit Redensarten abspeisen = ihn mit leeren Worten abwimmeln. ↗ abspeisen

reden, wie einem der Schnabel gewachsen ist ↗ Leber.

darüber läßt sich reden = das ist annehmbar.

Er läßt mit sich reden = ist entgegenkommend.

Er hat gut reden = er hat es leicht, ihm geht's gut, er hat Erfolg.

von sich reden machen = Publicity gewinnen, auf sich aufmerksam machen.

Regel *nach allen Regeln der Kunst* = ganz gehörig. – Gemeint sind die Regeln der Meistersingerkunst. Ihre letzte Singschule wurde in Ulm erst 1828 geschlossen.

Regen/regnen *ein Gesicht machen wie drei Tage Regenwetter* = eine verdrossene Miene zeigen.

vom Regen in die Traufe kommen = aus einer mißlichen Lage in eine noch schlimmere geraten. – In den meisten (aber nicht in allen) Landschaften haben die Häuser traufseitigen Eingang (also nicht an der Giebelseite). Da Dachrinnen früher nicht so ganz allgemein und überall üblich waren, plätscherte das Regenwasser vom Dach herunter vor die Tür gerade auf den, der im strömenden Regen in dieser Haustür Schutz suchen wollte.

Es regnet Bindfäden; bekannt ist der Salzburger Schnürlregen. – Eine Gegend sagt Schnur, eine andere Bindfaden, eine dritte Spagat u. dgl.

Es regnet wie mit Mulden, es schüttet wie mit Eimern, es gießt wie aus Krügen u. ä.

es regnet ihm in die Nase (iron.) = hat eine Stupsnase mit allzu deutlich sichtbaren Nasenlöchern ↗ Nasenstüber.

Register *alle Register ziehen, alle Register spielen lassen* = alles in Bewegung setzen und alle Kräfte aufwenden. – Ein Bild vom Orgelspiel; wenn man alle nur möglichen Töne möglichst stark erklingen lassen will, zieht man alle Register.

Reigen *den Reigen eröffnen* = den Anfang machen; – als Erster in der »Reihe«; wegen g – h ↗ zeihen.

Reihe *aus der Reihe tanzen* = sich nicht einfügen mögen; – Das gesellschaftliche Zusammenleben wird mit einem Gesellschaftstanz verglichen, wo einer auf den anderen Rücksicht nehmen muß.

bunte Reihe bilden = ♂ ♀ ♂ ♀ ♂ ♀ = abwechselnd ein Bursch, ein Mädchen. – Die Zeichen (männl., weibl.) stammen aus der Astronomie, wo ♂ den Mars bedeutet und ♀ die Venus.

Reim *sich keinen Reim darauf machen können* = vergebens einen Sinn hineinzubringen suchen; es will sich etw. nicht *zusammenreimen*.

rein *Er ist rein weg* = hingerissen, begeistert.

rein unmöglich = ganz unmöglich.

rein nichts = sozusagen nichts.

mit sich im reinen sein = sich klar sein darüber, wissen, was man will.

mit jm. ins reine kommen = einig werden, übereinkommen mit ihm.

etw. ins reine bringen = etw. klären, in Ordnung bringen. ↗ Luft, ↗ Wein, ↗ Weste

ein Reinfall (Umg.) ist es, wenn man »'reinfällt« = hereinfällt, in die Patsche fällt.

Reise *sich auf die Reise machen* (Umg.) = aufbrechen (iron. auch sterben). – Wieder eine unschöne Wendung mit ↗ machen.

Reklame *Reklame machen* für etw. oder für jn. = dafür werben. – Bei der Fülle von Fremdwörtern in unserem Wortvorrat ist es geradezu verwunderlich, wie verschwindend wenig fremde Wörter an der Bildung von Redensarten beteiligt sind, und die schon vorhandenen sind noch nicht volksläufig, z. B.: *ein gutes Renommé haben* = Ansehen genießen, *auf Reputation bedacht sein* = viel auf Äußerliches geben, *sich Reserve* *auferlegen* = Zurückhaltung üben, *keine Resonanz finden* = keinen Widerhall, *eine Retourkutsche* = die Vergeltung einer Beleidigung, *Revue passieren lassen* = an sich vorbeiziehen lassen, *Repressalien ergreifen* = Vergeltungsmaßregeln u. dgl. m.

Remmidemmi *Remmidemmi machen* = einen Trubel. – Eine Wortdoppelung zu Rummel wie Schlampampe zu Schlamperei u. ä.

Rennen *gut im Rennen liegen* = Aussicht auf Erfolg haben. – Sportausdruck vom Pferderennen; *das Rennen aufgeben* = ausscheiden.

Rest *Das gab ihm vollends den Rest* (Umg.) = hat ihn ganz zugrunde gerichtet, zu ergänzen: was noch zum völligen Zusammenbruch fehlte.

richten/richtig »richtig« steht oft für »recht« und umgekehrt: das Herz auf dem rechten Fleck haben = richtig und tapfer zu handeln wissen, er ist im richtigen Fahrwasser = spricht von seinem Lieblingsthema usw.

als Richtschnur dienen = als Vorbild. – Maurer, Zimmerleute, Erdarbeiter u. a. ziehen eine Schnur, nach der sie sich »richten«.

riechen *einen guten Riecher haben* = etw. voraussahnen. – Man schreibt dem Menschen eine »gute Nase« zu, wie wenn er einen so feinen Spürsinn hätte wie manches Tier.

Er kann diesen Menschen nicht riechen (nicht schmecken) Umg. = nicht ausstehen, nicht leiden. – Die Süddeutschen sagen für »riechen« auch »schmecken«, vgl.: Ein Schmeckerchen Kamille, ein Rüchlein Rosmarin (bei Weinheber).

Riegel *einen Riegel vorschieben* = zu verhindern wissen. – Die Sprache lebt noch in der Zeit, da man die Häuser verriegelte, heute haben wir Patentschlösser.

Riemen *den Riemen (Schmachtriemen) ein Loch enger schnallen* oder *den Gürtel enger um den Leib ziehen müssen* = Hunger leiden müssen. – Das Hungergefühl läßt etwas nach, wenn man sich schnürt. Die Stadt X wollte 1967 sogar den Finanzriemen enger schnallen.

Adam **Riese** Das ist so *sicher wie* 2×2 *vier nach Adam Riese* = (richtig gerechnet =) ganz sicher. – Dieser Bergbeamte aus Annaberg im sächsischen Erzgebirge gab in Erfurt ein Rechenbuch heraus »Rechnung auff der Linien unnd Feldern, gemacht durch Adam Rysen, 1522«. Er erlangte seine Berühmtheit wohl im Zusammenhang mit der Einführung der arabischen Ziffern statt der bis dahin üblichen lateinischen, mit denen zu rechnen recht umständlich war; vgl. z. B. röm. MMMDCCCCLII = arab.

Nach einem Holzschnitt 1550

3952. Bis dahin rechnete man deshalb hauptsächlich auf dem Rechenbrett (röm. Abacus). Das war durch Linien eingeteilt in Spalten für

Einer, Zehner, Hunderter usw. In diese Kolumnen hatte man Rechenmarken (aus Glas, Stein oder Metall) zu legen in der jeweiligen Anzahl der Einer, Zehner usw. So konnte man addieren, subtrahieren und mit einigem Geschick auch multiplizieren. Aber es war doch ein umständliches Häufeln von Rechensteinen, die nachgezählt werden mußten. Daher stammt auch die Redewendung »*vom Hundertsten ins Tausendste kommen*« = ständig abschweifen vom Thema. – In Deutschland sagte man auch Rechenbank, deshalb unser Name »Bank« für ein Geldinstitut. ↗ hundert

Das indische Ziffernrechnen, durch die Araber über Spanien uns (um 1150) bekannt geworden, überwand diese Stufe elementaren Rechnens und erlaubte erst höhere Mathematik, aber bis sie sich durchsetzte, vergingen Jahrhunderte! Zum Beispiel fanden diese viel praktischeren arabischen Ziffern erst gegen 1500 in der damaligen Welthandelsstadt Augsburg Eingang in die Kontore der Fugger und Welser, sie waren allerdings – wie der Allgäuer Heimatbetreuer Weitnauer berichtet – bei den ins Allgäu (Kl. Walsertal) eingewanderten Wallisern schon ab 1300 gebräuchlich gewesen.

Rippen *es nicht durch die Rippen schwitzen können* (Umg.) = nicht urplötzlich etw. (z. B. Geld) beschaffen können, auch gesagt: um die Notwendigkeit geschlechtlichen Verkehrs zu begründen.

Bei ihm kann man alle Rippen zählen = so abgehungert und mager ist er.

jm. einen Rippenstoß geben = ihn unsanft an etw. erinnern. – Man schubst ihn dabei tatsächlich manchmal in die Seite = der Rest einer »Lautgebärde«, wie sie (je weiter zurück, desto häufiger) zur Verständigung gebraucht wurde. Heute hat sich bei den Lautgebärden (Gesten mit Ruflauten) die Gebärde weitgehend verloren, und man drückt sich lediglich mit der Lautsprache aus. Umgekehrt ist hier in unserer Redensart einmal die Gebärde festgehalten. ↗ Schnippchen

Riß *Das gibt mir förmlich einen Riß* (fam.) = da bin ich aber mehr als überrascht. – Es »reißt« an den Nerven.

Ritter Unvergänglich sind die Spuren des einst so glänzenden Rittertums in unserer Sprache. Wörter und Wendungen aus dem ritterlichen Leben führen wir im Munde, meist ohne ihren ursprünglichen Sinn zu empfinden.

Heidelberger Liederhandschrift um 1300

Die bunte Farbenpracht der

Turnierkämpfe des Hochmittelalters entfalteten noch nach der Zeit Kaiser Maximilians, des letzten Ritters, auch die reichen Bürger der Städte vor den Augen ihrer Zeitgenossen.

einen zum Ritter schlagen = ihm den Ritterschlag geben = ihn zum Ritter erklären. – Die Zeremonie der Aufnahme in den Ritterstand endete damit, daß dem knienden Knappen ein leichter Schwertschlag auf die Schulter versetzt wurde.

sich die Sporen verdienen = der Anfangserfolg als gutes Zeichen für jds. Tüchtigkeit. – Der Knappe hatte sich durch ritterliches Verhalten die Ritterwürde zu erwerben.

sich rüsten = seine Vorbereitung treffen. – die Rüstung anlegen, *rüstig* = gerüstet. Aber »sich entrüsten! ↗ entrüsten

sich wappnen, gewappnet sein = sich gut rüsten, gut gerüstet für eine kommende Aufgabe. – Wappen ist die niederd. Form für Waffen (wie schlapp = schlaff).

gestiefelt und gespornt (Umg.) = bereit, fertig.

gut gesattelt = gut vorbereitet.

fest im Sattel sitzen = nicht zu verdrängen sein.

sattelfest sein = sein Fach kennen.

umsatteln = einen anderen Beruf ergreifen.

in allen Sätteln gerecht = vielseitige Kenntnisse haben (erweitert: mit allen Salben geschmiert). ↗ Wassern …

fertig = zum Ausritt (= Fahrt) bereit.

jn. in Harnisch bringen = ihn in Zorn bringen. – Ein Ritter wirft sich sofort in seine Rüstung, wenn er beleidigt wird.

jn. aufbringen, aufgebracht sein = in Zorn versetzen, zornig. – Eine Erklärung wie »in der schweren Ritterrüstung durch die Knappen aufs Pferd hinaufgebracht werden« ist unhaltbar. Die einfache Tatsache ist: Wenn man aufgeregt wird, wenn man zornig gemacht wird, richtet man sich unwillkürlich auf, stellt sich auf die Füße. Gleichbedeutend damit ist »empört« von »empor«. ↗ entrüstet

jm. die Spitze bieten (seiner Lanze nämlich) = die Stirn bieten.

Stich halten = die Probe bestehen. – Im Turnier den Lanzenstich aushalten mit dem Schilde, der *hieb- und stichfest* sein mußte = wie heute eine Beweisführung, wo »stichhaltige« Gründe vorgebracht werden müssen.

jn. ausstechen = ihn übertreffen, d. h. ihn aus dem Sattel stechen oder aus dem Sattel heben. ↗ Spieler

hurtig = behende; – mhd. hurt = schneller Lanzenstoß.

für jn. in die Schranken treten = für ihn einstehen. – Der Turnierplatz war beschrankt.

für jn. eine Lanze brechen = ihn verteidigen.

für jn. eine Lanze einlegen = Fürsprache für ihn »einlegen«. – Die Lanze wurde zwischen Oberarm und Brust »eingelegt« und so der Zweikampf ausgefochten; danach: für jn. ein gutes Wort »einlegen« = seinen Fürsprech machen.

mit offenem Visier kämpfen = (heute) »mit offenen Karten spielen« = ohne Hintergedanken handeln.

sich ins Mittel legen (d. h. sich in die Mitte dazwischen legen) = zwischen beiden vermitteln.

Der Grießwart trennte die beiden verbissenen Kämpfer mit einer Stange: *einem die Stange halten* = jn. auf alle Art unterstützen. Der Verletzte wurde vom Kampfwart in Schutz genommen = eine uralte Einrichtung; schon in germ. Zeit gab es »Stängler« beim gerichtlichen Zweikampf (= Holmgang), in der Ritterzeit war es der »Grießwart« (Grieß = Grus, also der Schiedsrichter auf dem »sand«bestreuten Kampfplatze), der beim Turnier die Stange über den in den Sand (Grieß) Geschleuderten hielt.

gegen jn. etw. im Schilde führen = etw. Arges gegen jn. planen. – Die Ritter des Hochmittelalters erkannten einander am Wappen auf ihren Schilden; sie waren geschult in Heraldik. Die Raubritter der Spätzeit hatten allerdings Grund, ein falsches Wappen zu führen; daher die abwertende Bedeutung. ↗ Farbe bekennen

einem das Wasser nicht reichen können = an Tüchtigkeit nicht an ihn herankommen, eigentlich »nicht ebenbürtig sein«. – Man kannte im Mittelalter nicht den Gebrauch eines Mundtuches; da man aber (Gabeln waren in Kleinformat nicht bekannt) viel mit den Fingern zulangen mußte, gingen Edelknaben mit Waschwasser herum, ein Ehrendienst, den die standesstolzen Herren keinem Knaben geringeren Standes zukommen ließen.

bereit bedeutete einmal auch »beritten«, stammt aber nicht aus der Ritterzeit, sondern ist viel älter (got. garaiþs). ↗ entrüstet, ↗ Fehdehandschuh, ↗ Hut, ↗ Stegreif

Röhre *in die Röhre gucken (schauen) können* = *in den Kamin schreiben (gucken)* = um den erhofften Ertrag gebracht werden, leer ausgehen, das Nachsehen haben. – Unter »Röhre« war wohl die Abortröhre gemeint, bei Kamin ist es unzweideutig: Dort ist alles schwarz, man sieht nichts. – Neuerdings gebraucht man die erste Wendung unverfänglich: für das Zuschauen beim Fernsehen.

Rolle Unter »*Rolle*« versteht man die auf einem zusammengerollten Papier aufgezeichnete Sprechpartie einer Person, die der Schauspieler auf der Bühne darzustellen hat.

eine große Rolle, eine kleine Rolle spielen = gesellschaftlich mehr oder weniger tonangebend sein.

aus der Rolle fallen = gesellschaftlicher faux pas (= schlechtes Benehmen).

die Rollen tauschen = die Aufgabe miteinander wechseln.

sich in die Rolle eines anderen versetzen = Verständnis für ihn haben.

Das spielt keine Rolle = das kommt nicht in Frage, ist unwesentlich.

Rose *Rosenmontag* = am Rhein der Faschingsmontag. Sein Name hat mit der Rose, der Königin der Blumen, nichts zu tun. An diesem Tage schwärmt unter dem Szepter der hohen Tollitäten das närrische Volk in den Straßen und tobt und tollt und rast; von letzterem Worte hat der Tag seinen Namen.

sub rosa (lat.) = durch die ↗ Blume. – Jakob Grimm (D. Rechtsaltertümer, 1881³, S. 941) ... quo quisque sit secreti tenax ... haec sint *sub rosa* acta sive dicta.

nicht auf Rosen gebettet sein (lat. jacere in rosa = auf Rosen liegen) = (verneinend gesagt, was bedeutet:) in mißlichen Verhältnissen leben.

Rosinen *große Rosinen im Kopfe haben* (Umg.) = überspannte Pläne haben, hoch hinaus wollen.

sich die Rosinen vom Kuchen klauben = sich das Beste aussuchen.

Roß *sich aufs hohe Roß setzen* = überheblich werden. – Unwillkürlich verbindet sich mit dem Obensitzen und Herunterschauen ein gewisser Hochmut.

eine Roßkur (eine Pferdekur) ist eine grobe medizinische Behandlung, sie paßt eher auf ein Pferd als auf einen Menschen.

Das hält kein Roß aus (Umg.) = so schmerzhaft ist es.

rot *Er sieht rot* = wird wütend. – Sieht ein Stier ein rotes Tuch, gerät er in Wut. ↗ (roter) Hahn, (keinen roten Heller) ↗ Geld, ↗ (rotes) Tuch

Rotwelsch Das *Rotwelsch* ist die Gaunersprache, sie besteht aus verständlichen, aber auch verballhornten deutschen Wörtern, als solchen der Zigeunersprache und aus jiddischen Bruchstücken. Das letztere deshalb, weil nach dem Erliegen ihres Fernverkehrs (beim Aufkommen der Städte mit ihrer Bürgerschaft) den Juden auf der einen Seite der Zutritt zu den Zünften verweigert wurde und auf der anderen Seite den Christen durch das Laterankonzil 1215 streng verboten war, Zins zu nehmen. Infolgedessen wurden die Juden aufs Geldgeschäft, auf Pfandleihe und Kramhandel verwiesen, wobei sie naturgemäß mit Leuten der Unterwelt in Berührung kamen, die von ihnen einige Ausdrücke aufschnappten.

Eine Probe (mit Verdeutschung) von der Sprache des Hölzerlipps, der (wie der Räuberhauptmann Schinderhannes im Hunsrück) mit einer Bande im Odenwald sein Unwesen trieb und 1812 gehenkt wurde:»Und bei der Strade, do b'stiebt der Bausert die Jente in der Charette, wann mer d'Zusam kappt und mit de grandige Stenze dalckt uf de Rädlinge Mantel und dupft mit de Spade und läßt se die Glassaium roine und schnellt ihne unter die Muffer ...« – »Und bei dem Straßenraube, da befällt die Angst die Leute im Wagen, wenn man die Pferde anhält und mit dicken Prügeln auf das Chaisendach einschlägt und sticht mit dem Säbel und läßt sie die Gewehre sehen und schießt ihnen unter die Nasen ...«

Von dieser Redeweise, die sich anhört wie ein unverständlicher Dialekt mit einigen bekannten Wörtern, ist eine Redewendung volksläufig geworden: *wissen, wo Barthel (den) Most (her)holt* = alle Kniffe kennen. Darin ist Barthel das Brecheisen (hebr. schebar-barthel) und Moos (hebr. ma'oth, jidd. maos) = Geld. ↗ *hochgehen*

Rübchen *Rübchen schaben* = ausätschen, austschischen, einen verhöhnen. – Die Kinder schürfen mit dem rechten Zeigefinger über den linken, wie sie die Mutter die gelben Rüben (Möhren) schaben sehen. Ein Begleitsprüchlein dazu ist z. B.: Tschischaus, tschischaus, schäm' dich, alle Leute seh'n dich.

Rübezahl *ein rechter Rübezahl* = ein alter Mann mit struppigem Vollbart. – Abbildungen und Flurnamen zeigen: Rübezahl = Teufel. Der Gebirgsgeist wird verärgert, wenn er »Rübezahl!« hört; er will respektvoll »Ruprecht« gerufen werden. Ruprecht ist der Teufelsname, die

Detail aus einer Landkarte 1561

Kurzform dazu ist Rüpel. In Hexenprozeßakten heißt der Teufel »Rübel«, in dieser Form muß also der Teufelsname damals volksläufig gewesen sein, als das waldbedeckte Riesengebirge erschlossen wurde. Das zweite Wort zahl (< zagel) ist das – in der Mundart Schlesiens angehängte – Schimpfwort »Schwanz«. Über der Baumgrenze wurde – ehemals wie heute noch – das Echo geweckt und damals dabei nach der im Walde überstandenen Angst der darin hausende Teufel verspottet mit »Rübelzahl!« (= in der Bedeutung: du Teufelrülz, du Teufelschlüffel, Teufeltölpel, Teufellümmel, Teufelsimpel). Das Wort veränderte bald -el- zu -en- (vgl. 1561, wie Pappelstiel > Pappenstiel), wurde dann nicht mehr verstanden und wurde schließlich zu »Rübezahl«.

Ausführlicher in den Mitteldeutschen Blättern für Volkskunde, Leipzig, 8. Jhg. (1933), Seite 131 ff.: H. Dittrich, Der Name »Rübezahl«.

ruchbar *etw. wird ruchbar* = wird allmählich bekannt. – Das Wort stammt nicht von riechen, Geruch, sondern vom Worte Gerücht (= umlaufendes Gerede).

Rücken *Das hab' ich im Rücken* = (hinter mir) das ist glücklich vorbei, ich habe es geschafft.

hinter seinem Rücken etw. machen = ohne daß er davon wußte.

jm. den Rücken kehren = sich von ihm abwenden.

sich den Rücken freihalten = an einen etwaigen Rückzug denken.

jm. den Rücken decken = ihm kräftig helfen, indem man ihm den Rücken schützt.

jm. in den Rücken fallen = hinterrücks sich gegen ihn stellen.

jm. den Rücken steifen (stärken) = ihn ermutigen, weil er zu wenig Rückgrat hat.

einen breiten Rücken (Buckel) haben = so daß man Anwürfe und Nachreden mit Gelassenheit ertragen kann.

Es läuft mir eiskalt über den Rücken = mich fröstelt (wenn ich an das Grausige denke).

einen Rückfall erleben = eine neuerliche Verschlimmerung der Krankheit erleiden.

rückfällig werden = dieselbe Straftat wieder begehen.

kein Rückgrat haben = zu nachgiebig sein, nicht nackensteif genug.

an jm. einen Rückhalt finden = an ihm eine Stütze haben.

keine Rücksicht auf jn. nehmen = ihm gegenüber rücksichtslos sein.

im Rückstand sein = nicht nachkommen, z. B. mit der Arbeit, mit den Abzahlungen u. dgl.

einen Rückzieher machen (Umg.) = zurückweichen, nachgeben, zurückzucken vor der Ausführung.

Ruder *ans Ruder kommen* = die Leitung übernehmen; das Ruder steuert den Kurs.

das Ruder in der Hand behalten ↗ Heft

Ruf *sich seinen Ruf verscherzen* = seinen guten Leumund leichtsinnig vertun.

Rüffel *einen Rüffel (bekommen) erteilen* = streng tadeln. – Der Lein wird an der Sonne und im Regen »geröstet« und wird dadurch zu Flachs. Die Stengel werden »gebrochen« (= geknickt) und die Fasern von den noch anhaftenden Rindenteilen gereinigt, indem man sie mehrmals durch einen Kamm zieht, der Riffel oder auch Hechel geheißen wird, deshalb »durchhecheln« = gehässig bekritteln.

Ruhe *sich zur Ruhe setzen* = sich in den Ruhestand versetzen lassen.

Rummel *Ich habe den Rummel satt* = ich finde den lauten Trubel nicht mehr lustig. – Das Hauptwort gehört zu den Zeitwörtern rumpeln und rumoren.

Rumpel- *etw. aus der Rumpelkammer hervorholen* = etw. halb Vergessenes wieder aufs Tapet bringen. – Die Ablegestelle alten Gerümpels ist eine Dachkammer.

rund *Es geht rund* (Umg.) = es geht lebhaft zu.

rund herausgesagt = offen gesprochen.

eine Runde geben (schmeißen) = der Tischgesellschaft (der Tischrunde) einen Umtrunk zahlen.

die Runde macht a) ein Gerücht, b) der Wachtoffizier.

gut über die Runden kommen = Gefahren ohne sonderlichen Schaden überstehen. – Die Rede bezieht sich auf den Boxkampf, wo auch nach »Runden« gezählt wird.

Rüpel *sich rüpelhaft benehmen* = sich flegelhaft und anmaßend betragen. – Rüpel ist die Kurzform von Ruprecht, dem Teufelsnamen (↗ Rübezahl und ↗ Schembart).

Rüste *Die Sonne geht zur Rüste* = ist im Begriff unterzugehen, sie geht »rasten« = sich ausruhen von der Tagesarbeit. – Rüste und Rast stehen im Ablaut wie Nüstern und Nase. ↗ entrüstet

Rute *der Rute ent-wachsen* = er-wachsen. – Das alte Erziehungsmittel existiert kaum mehr, seit der kinderprügelnde Ruprich seine Rute dem freundlichen Nikolo übergeben hat. Der kinderliebe Bischof Nikolaus aus dem Westen hat den alten »Scheuchteufel«, unseren unheimlichen Ruprich, verdrängt. In der Vorweihnachtszeit erschien z. B. in Berchtesgaden eine weiße Berchta mit ihrem garstigen Begleiter Ruprecht, in Schlesien ging von Haus zu Haus das weiße Christkind, nachdem vorher der vermummte und kettenrasselnde Ruprich die Kinder mit seiner Rute gezüchtigt hatte. Und auch in Leipzig erschien seinerzeit (Grimm, Mythologie I², 472) Ruprecht, rauh gekleidet, den Sack auf dem Rücken und die Rute in der Hand. Diese verschiedenen Ruprechte, Rupperiche, Ruppige, Ruppas u. ä. in deutschen Gegenden sind sicher einmal Rutenberchte gewesen; denn der Ruprecht trug immer eine Rute in der Hand als Abzeichen der Züchtigung, er hat sie sogar als Dekorationsstück dem braven Nikolo vererbt. Der lautliche Zusammenfall von Rut(en)bercht und dem altgerm. Namen Ruprecht (aus Hruodberacht = der Ruhmstrahlende) ist rein zufällig.

Rutsch »*Guten Rutsch!*« = Gute Reise! – rutschen = gleiten; wohl erstmals zu einer Schlittenpartie gesagt.

S

Sache Wie aus der Redensart »sachfällig werden« (= sich strafbar machen), aus der Textstelle in Bekanntmachungen »in Sachen X gegen Y«, aus dem Wort »Widersacher« u. ä. hervorgeht, ist das Wort »Sache« ein Wort der Rechtssprache, und zwar ein sehr altes, schon indogermanisches; vgl. lat. sag-ire (= nachspüren). Unser Hauptwort »Sache« hat sich also durch mehr als dreitausend Jahre das s und das kurze a unverändert erhalten. Im zugehörigen Zeitwort »suchen« ist aber das ursprüngliche lange â zu germ. ô geworden (got. sôkjan) und weiter über ahd. uo zu heutigem u (nhd. suchen). Das alte idg. g ist um 500 vor Chr. in der german. (= 1.) Lautverschiebung mit den anderen g zu k geworden, und um 500 nach Chr. sind auf hochd. Gebiet (in der 2. Lautverschiebung) die k weiter zu ch geworden, sind jedoch k geblieben auf plattd. Gebiet und in den übrigen german. Sprachen (holl. zaak = Sache, aengl. sacu = Rechtsstreit, schwed. sak = Rechtssache). Heute ist die Bedeutung des Wortes Sache auf »Gegenstand, Angelegenheit« eingeschränkt.

zur Sache sprechen = zum Gegenstand der Verhandlung sprechen.

nicht bei der Sache sein (von der die Rede ist) = unaufmerksam sein.

gemeinsame Sache machen mit jm. = (in abwertendem Sinne) sich mit ihm verbinden für ein Vorhaben.

Wie die Sache liegt (steht) = demgemäß, usw.

Die Umgangssprache hat:

Das sind keine Sachen = das gehört sich nicht.

Machen Sie keine Sachen = keine Umstände.

Das ist so eine Sache, das sind so Sachen = Verlegenheitsfloskel: Das kann wohl sein.

seine sieben Sachen packen = alles, was man besitzt (Nebensinn »geringfügige«). ↗ sieben

Als Modewort wird bei Erwachsenen gebraucht: *Das ist Sache!* wo die Jugend sagt: Das ist prima!

sachte *sich ganz sachte drücken* = heimlich, unbemerkt und langsam davonschleichen; – sachte ist das plattd. Wort sanft; cht entspricht ft wie bei Niftel = Nichte.

Sack *mit Sack und Pack* (z. B. ausreisen) = mit der ganzen Habe.

in eine Sackgasse geraten = in eine ausweglose Lage kommen wie in eine Gasse ohne Durchfahrt.

jn. in den Sack stecken = ihm haushoch überlegen sein; ihn betrügen. – Wer früher (z. B. auf Volksfesten) im Ringkampf unterlag, wurde buchstäblich in einen Sack gesteckt. Auch[1]) Kaiser Maximilian II. ließ um

---

[1]) Nach Herrmann Mostar »Weltgeschichte höchst privat«, Ullsteinbuch, Seite 75.

die Hand seiner (unehelichen) Tochter die zwei Bewerber miteinander ringen, einen kärntnerischen und einen spanischen Freiherrn, beide Riesen an Gestalt und Kraft. Und der Kärntner ringt den Spanier nieder, steckt ihn in einen Sack und legt ihn vor dem Kaiser auf die Erde und gewinnt die »schöne Helena von Österreich«, die bildhübsche Helene Scharsegin.

Deshalb sagt man: *Den hab' ich im Sacke* = der kann mir nicht mehr aus, den habe ich sicher.

Saft *jn. im eigenen Safte schmoren lassen* = zappeln lassen (ohne Hilfe), bis er kirre wird. – Einen Braten kann man auch ohne Zugabe von Fett im eigenen Saft schmoren.

ein rechter Saftladen = ein Schimpfwort wie »Kramladen« auf ein Geschäft, wo man nicht die richtige Ware bekommt, oder auf ein Büro (Amt), wo man nicht wunschgemäß Bescheid erhält. – Kleinere Kramläden führten seinerzeit neben ihrem ansonsten lückenhaften Warenbestand bisweilen im Jahre auch hausgemachte Säfte in bescheidenen Mengen (wie Himbeersaft und Holundersaft, Kroatzbeersaft, auch Jachanelsaft von Wacholderbeeren). Die Redewendung ist also ein Vergleich mit dem dürftigen Warenangebot solcher Winkellädchen.

Saiten *andere Saiten aufziehen* ↗ Musik

Salamander *einen Salamander reiben* = der gemeinsame Umtrunk der Studenten, um jn. zu ehren, bes. einen Verstorbenen: Zu Beginn der Zeremonie wird das volle Glas auf dem Tische gerieben, und nach dem Trunke wird das Glas hart aufgesetzt, bei einem Trauersalamander zerschellt. – Das Reibegeräusch dürfte vielleicht an Stelle einst gemurmelter Zauberworte getreten sein. Bei Paracelsus finden sich die Salamander als Elementargeister des Feuers; vgl. auch in Goethes Faust (1. Teil, Faust mit dem Pudel): »Salamander soll glühen, ... verschwind' in Flammen, Salamander!«

salbadern *salbadern* = seicht (frömmelnd) schwätzen. – Wortgebilde nach ↗ Quacksalber, die angeblich eine Gebetformel hersagten, die mit den lat. Worten begann: salve pater (= heile dich der himmlische Vater).

Salm *einen langen Salm darüber machen* = ein langes Gerede davon machen. – Der Psalmengesang dauert lange.

Salz *sich nicht das Salz in die Suppe verdienen* = nichts. – Das bißchen Salz in einer Suppe ist wirklich so viel wie nichts. ↗ Scheffel
Salz verschütten, das bedeutet Verdruß, es war schon in Römerzeiten ein böses Vorzeichen (= ein Omen).

Samt- ↗ Glacé-

Sand *jm. Sand in die Augen streuen* = ihn täuschen, übervorteilen. – Wenn man Sand in den Augen hat, sieht man schlecht.
»*Der Sandmann kommt*«, sagt man, wenn das Kindchen schläfrig wird und sich die Augen reibt; denn dann hat ihm der Sandmann »Sand« in die Augen gestreut.

etw. verläuft im Sande = erlahmt allmählich, wird schließlich vergessen.
Sand ins Getriebe streuen = einen glatten Ablauf hindern.

Sang *ohne Sang und Klang* = ohne Aufsehen. – Ein Vergleich mit einem ärmlichen Begräbnis; jeder Bauer wollte mit Musik begraben sein, nur die Armen im Dorf begrub man unauffällig.

Sattel *sattelfest sein, gesattelt sein* = Kenntnisse haben. ↗ Ritter

Sau *etw. zur Sau machen* (Barras) = etw. herabsetzen, in den Kot ziehen.

jn. zur Sau machen (Barras) = ihn zur ↗ Minna machen.

die Sauglocke läuten = eine Zote erzählen. – In Wirtshäusern hängt öfters über dem Stammtisch eine Glocke, die bei obiger Gelegenheit geläutet wird (wie ein Tusch als Ehrung geblasen wird). – Der hl. Antonius, der Schutzheilige gegen Seuchengefahr, vertreibt durch das Läuten seiner Glocke die unreinen Gedanken, die durch das Schwein symbolisch dargestellt sind (↗schweinigeln).

ein Sauglück haben (Umg.) = Schwein haben (Umg.) = Glück haben. – Im Kartenspiel hieß früher das Schellenaß die »Sau«. (Wegen der Endbetonung bei Verstärkungswörtern ↗ bombensicher.)

Nach einem Holzschnitt

sauer *sich's sauer werden lassen* = an sich große Anforderungen stellen.

auf etw. sauer reagieren (= dadurch verärgert, mißgelaunt werden); verkürzt: *sauer auf etw. sein.*

Sauregurkenzeit = die Flaute im Nachrichtendienst, wenn die Zeitungsleute in Urlaub sind, was Ende August trifft, da gerade auch die Gurken reif sind; übertragen dann auf jeden flauen Geschäftsgang.

Saulus ↗ Damaskus

Schabernack *einen Schabernack verüben*, *Schabernack treiben* = einen Ulk machen, *jm. einen Schabernack spielen (antun)* = (Possen, Fopperei, Neckerei) jm. einen ulkigen Streich spielen. – Das Grimmsche Wörterbuch (8. Bd., Sp. 1951) gibt unter den vielen Erklärungsversuchen derjenigen Erklärung den Vorzug, die die Redensart auf einem alten Rechtsbrauche fußen läßt, wonach das Abschneiden des Haupthaares als ein Schimpf galt. Aber eine Zeitwortzusammensetzung mit »schaben« kann es unmöglich sein; denn dann ist das r nicht erklärt, und das r im Worte ist alt, ist schon um 1200 bezeugt.

Eine freundliche Auskunft von Herrn Dr. Weidenhaupt, Stadtarchivdirektor von Düsseldorf, gibt jetzt die Unterlage zur Aufstellung einer handfesten Etymologie: »In Düsseldorf-Eller erhielt um 1913 unter Verwendung einer älteren Bezeichnung für zwei Feldwege eine Straße den Namen ›Am Schabernack‹. Diese alte Flurbezeichnung kommt auch vor bei Herchen/Sieg, Götzerath, Kreis Bernkastel, Bonn, Burscheid, Berrendorf, Kreis Bergheim, Simmerath, Kreis Monschau und in Neuß. Historisch ist sie belegt um etwa 1200 und im 16. und 17. Jahrhundert. Im Düsseldorfer Adreßbuch wird der Straßenname als ›am scharpen Nacken = an der scharfen Krümmung‹ erklärt.«

Diese Etymologie »scharper Nack« befriedigt (r – r Dissimilation). Ist die Wegkrümmung horizontal, so entstand die Redensart, weil primitive Gemüter Spaß daran finden, Ortsunkundige den falschen Weg geradeaus zu schicken. Ist aber – man sollte eben bei Flurnamen immer die Stelle in Augenschein nehmen können – eine Wegknickung in vertikalem Sinne gemeint (= etwas ansteigende und dann steil abfallende Wegstelle), dann erklärt sich die Entstehung ganz ähnlich: Man schickte (besonders bei Nacht) einen der Wege Unkundigen – gar wenn er schon »Stolperwasser« getrunken hatte – schadenfroherweise auf die halsbrecherische Wegstrecke.

Schach *jn. in Schach halten* = ihn nicht ausarten lassen, ihn förmlich belagern. – Im Schachspiel immer wieder den König bedrohen.

schachmatt sein = entkräftet. – (Persischer) Zuruf beim letzten Zug. ↗ mattsetzen

Schaf *das schwarze (das räudige) Schaf der Familie* = das ungeratene Kind, mit dem man keinen Staat machen kann, wie auch schwarze Wolle nicht gefragt ist und wie Tiere mit Räude abgesondert und nicht gezeigt werden.

sein Schäfchen ins trockene bringen = den Gewinn einheimsen und *sein Schäfchen im trockenen haben* = sein Vermögen gesichert haben.

Auch plattdeutsch heißt es: he het sine Schääpken in 't dröge. Schon aus diesem Grund ist die frühere Herleitung von Schepken (= Schiffchen) hinfällig. Auch verwenden die Meeranwohner kaum dieses Wort, sagen höchstens Boot. Sie kennen überhaupt keinen solchen Sammelbegriff, weil sie jede Gattung Schiff für sich benennen mit: Schaluppe, Barkasse, Dingi, Jolle u. ä. Weit weg vom Meer, in Mitteldeutschland, ist das Verbreitungsgebiet der Redensart, wo man Kähne kaum kennt, und da heißt es z. B. im laus.-schles. Dialektgebiet ganz deutlich »Schaf«: A hot sei Schouf en Troigen. Die Einzahl fällt uns nicht auf, wir sagen doch auch »der gemeine Mann auf der Straße« und meinen damit »alle Leute«. Daß eine Schafherde ein Kapital darstellt (vielmehr einst darstellte), ist uns auch klar. Aber was hat die Trockenheit damit zu tun? Sie alle werden glauben, die Schafe dürften nicht in den Regen kommen, sie könnten sich verkühlen und verenden. Weit gefehlt! Ein Regen macht den Schafen gar nichts; ihr Vlies hat so viel Wollfett (das sogar genutzt wird), daß ihnen kein Regen etwas schadet, sie werden doch auch auf freiem Felde in Pferchen gehalten.

Nicht darum ↓

sondern deshalb ↑

Der wahre Sachverhalt, der der Redewendung zugrunde liegt (der aber durch die Einführung der Baumwolle und den dadurch bedingten rapiden Rückgang der Schafhaltung in Vergessenheit geriet), ist folgender: Früher (jetzt durch die Veterinärmedizin verhütet) verursachte die Leberegelseuche (Distomatosis) oft ein Massensterben unter den Schafen; sie infizierten sich auf sumpfigen Weiden. Die Infektionsgefahr war so gut wie ausgeschlossen, wenn man sie nicht am Wasser oder an moorigen Stellen weiden ließ. Glücklich also der, dem trockene Schafweide zur Verfügung stand, er brauchte nicht zu bangen, daß seine Herde Verluste erleide, er hatte sein Kapital (= die Schafe) in Sicherheit, er hatte es im Trockenen bzw. ins Trockene bringen können.

ein Schäferstündchen miteinander verbringen. – Den Sinn verstehen wir Erwachsenen ohneweiters. Aber was der Hirte einer Herde Schafe bei einer Stunde heimlich-trauten Beisammenseins zu tun hat, das mutet uns komisch an. – Den Ausdruck »Schäferstündchen« prägte zwar erst die galante Gesellschaft des 17. Jahrhunderts, aber die Hirtendichtung zum Preise der Idylle (naturnahes, ländlich einfaches Leben) geht auf den Griechen Theokrit zurück und fußt auf den Eklogen Virgils. Derartige Liebesgedichte gaben im 16. Jahrhundert dem Sehnen der Zeit nach Natur poetischen Ausdruck, und im 17. Jahrhundert wurde zur

[1]) Zeitschrift der D. Sprachgesellschaft, Maiheft 1961, 154/155: H. Dittrich »Sein Schäfchen im Trockenen haben«.

Verherrlichung höfischer Feste das Unschuldsleben der Hirten auf der Bühne dargestellt in der Form von Singspielen mit leichten Liebesversprechen, lustigen Verwechslungen und charmanten Zweideutigkeiten; dem Zwang zeremonieller Formen entging die höfische Welt damals gern in wirklicher Nachahmung der Schäferspiele mit solch idyllischen Zuständen.

reißt aus wie Schafleder = witzig, wobei ausreißen = davonlaufen und ausreißen = zerreißen ausgewechselt werden. ↗ Tennisspieler

Schale *fein in Schale* (Umg.) = vornehm gekleidet. ↗ Wichs, ↗ Gala

Schalk *Er hat den Schalk im Nacken sitzen* = er ist ein neckisch-humoriger Mensch. – In der Redensart steckt vielleicht ein ganzer Wust von Aberglauben, möglich auch in der Wendung »*es faustdick hinter den Ohren (sitzen) haben*« = gerissen und erzschlau sein.

Scham *Die Schamröte sollte ihm ins Gesicht steigen, er sollte vor Scham vergehen* = sich bodenlos schämen. – Zum Zeitwort sich schämen und zum Hauptwort Scham gehört (vgl. geloben – Gelübde) *Schande;* -md- ⟩ -nd- ist Dentalassimilation. Und zu Scham gehört auch (ohne s-Vorschlag) ahd. hamo (= Hülle) und wieder dazu mit obiger Endung -de unser nhd. Wort Hemde. Wer dächte das!

Schandflecke ↗ Rechtsbräuche. – Heute noch bekommen in der Ob. Lausitz die Kinder »Schampflecke« = werden gescholten. Aber nicht hierher gehört ↗ *zuschanden werden.*

Schanze *sein Leben in die Schanze schlagen* = es aufs Spiel setzen. – Man würde denken, die Wendung komme daher, daß man beim Erstürmen einer Schanze sein Leben riskiert, aber dem ist nicht so; es ist eine Übersetzung: sein Leben »aufs Spiel« setzen, aufs »Würfeln«. Denn beim Würfelspiel heißt der Wurf franz. chance (vgl. Chancen haben = Erfolgsaussichten); *jm. etw. zuschanzen* (= zuwürfeln) = gewinnen lassen.

Schar *in hellen Scharen* ↗ hell

scharf *es scharf auf jn. haben* (Umg.) = ihn nicht leiden mögen. – Hunde, die niemanden an sich herankommen lassen, sind »scharf«. Aber wenn es der Toni scharf hat auf die Vroni (Umg.), dann ist das der umgekehrte Fall. ↗ abgefeimt (Doppelwertigkeit).

einer Angelegenheit *die Schärfe nehmen* = mäßigend einwirken. ↗ Spitze

Scharte *die Scharte auswetzen* = den Fehler wieder gutmachen. – Der Bauer wetzte mit dem Wetzstein, den er in einem Kuhhorn mit Wasser (= Wetzkumpf ⟨ Wetzsteinkumpf, ↗ Feuerspritze) rückwärts am Gürtel hängen hatte, die Scharte, die ein angeschlagener Stein in der Sensenschneide hinterließ, fein säuberlich wieder aus. Auch bei Messern und Säbeln muß der Wetzstein die Schärfe wieder herstellen durch Auswetzen der Scharte.

scharwenzeln *herumscharwenzeln* = liebedienerisch sich benehmen. – Das Wort ist eine spielerische Zerdehnung des einfachen Zeitwortes (herum)schwänzeln wie schlampen zu Schlampampe, wie mengen zu Menkenke, wie mischen zu Mischmasch u. ä. Goethe hat (im Götz) »schlenzen und scherwenzen«.

Schatten *nicht über seinen Schatten springen können* (lit.) = sein inneres Wesen nicht verleugnen können.

alles in den Schatten stellen = alles andere übertreffen = es *ins rechte Licht setzen* = herausstreichen.

Schau *etw. zur Schau stellen* = absichtlich offen zeigen, damit es jedermann schauen kann.

schaukeln *Wir wollen das Kind schon schaukeln* (Slang) = die Sache schon ↗ deichseln.

Schaum *ein rechter Schaumschläger* = einer, der schöne, aber leere Worte macht, die wie die Seifenbläschen im Schaum nur Luft beinhalten.

scheel *jn. scheel ansehen* = argwöhnisch über die Achsel. – scheel = schielend.

Scheffel Die zwei Eheleute werden *keinen Scheffel Salz miteinander essen* = *keine Seide miteinander spinnen* = nicht lange miteinander gut auskommen. – Auch im Russischen heißt es bei Iwan Gontscharow (»Die Schuld« II/2): Wir sehen uns hier den Mann erst an, prüfen ihn gehörig, *essen erst einen Scheffel Salz mit ihm* – dann bekommt er das Mädchen. – Auch Goethe rät: Eh' du *den Scheffel Salz* mit dem neuen Bekannten verzehrt, darfst du nicht leichthin ihm trauen. – Der Scheffel Salz ist scheinbar so eine Art Zeitmaß.

das Geld nur so scheffeln (Umg.) = Geld massenweise einnehmen, wie der Bauer sein Getreide mit dem Scheffel (= kleines Schaff) schöpft. ↗ Bibel

Scheibe *sich eine Scheibe abschneiden können* = das nachahmenswerte Beispiel befolgen sollen. – Man sagt: eine Scheibe Brot, eine Scheibe Wurst. Das Nachahmenswerte ist als ein Laib Brot bzw. als eine ganze Wurst gedacht, wovon der Gerügte ein Stück gut brauchen könnte.

Scheiße Ein ganz kräftiges »Nein!« drücken Männer unter sich aus mit: *Scheiße!* Das ist unflätig, das wissen auch sie, und viele mildern in: Scheibenhonig, Scheibenkleister oder nehmen die weniger bekannte plattdeutsche Form Schiet. Bei den Franzosen ist das ihr mot national, sie sprechen es allerdings auch nicht aus, sondern setzen fürsorglich statt dessen »Cambronne«, den Namen desjenigen der napoleonischen Generale, der bei Waterloo die Aufforderung zur Übergabe seiner umzingelten Garde begreiflicherweise nicht mit dem schönen Sprüchlein (wie im Geschichtsbuch steht): »Die alte Garde stirbt, doch sie ergibt sich nicht!« zurückwies, sondern einfach »Merde!« sagte. – Nun, wir können unser Wort nicht mit patriotischem Lorbeer bekränzen, es nicht mit Nationalstolz verteidigen, ein solches »Nein!« bleibt unflätig, auch wenn es die Männer sagen. Das vulg. Schimpfwort »*Scheißkerl*« und die Wendung »*eine Scheißangst haben*« (↗ Herz in den Hosen) beruhen auf der Erfahrung, daß bei Anwandlung von Furchtsamkeit der Stuhlgang drückt.

in einer Scheißgasse sich befinden (auch übersetzt als Rue de caque) = in einer unausweichlich mißlichen Lage sein.

jm. etw. scheißen (vulgär) = ihm die Bitte abschlagen. – Es ist die Denkweise von ✗ Goldschmieds Jung'.

jn. bescheißen (in der Ma. gebräuchlich) = betrügen. – Auch Frau Aja sagte so, der Bankier Fürstenberg und viele andere.

ein Klugscheißer ist ein Schwätzer, der alles besser wissen will.

Schema *nach Schema F* = bürokratisch gleichartig. – Der ✗ Amtsschimmel kommt aus Österreich, das Schema F lieferte Preußen; dort stand ehedem auf den Vordrucken für regelmäßige Berichte »simile« (lat. = ähnlich), hier in Preußen verlangten die Militärs »schematische F (= Front-) Rapporte«.

Schembart laufen = der Nürnberger Ausdruck für »*einen Faschingsnarren machen*«. – Gesprochen wird Schembert, Schembart ist lediglich

Schreiberetymologie. Nach den entsprechenden älplerischen »Perchten gehen« war also das Schembartlaufen ein Perchten laufen; das Wort lautet mitteldeutsch an mit B (Bercht), und die Endsilbe ist in dem zweiteiligen Worte regelrecht zu -bert eingeschrumpft. Das Wort als Bartmaske erklären zu wollen, ist erstens sprachlich unmöglich, weil eine bärtige Maske[1]) doch Bartscheme heißen müßte, und ist zweitens sachlich unrichtig, weil die Leute (nach zeitgenössischen Abbildungen) keine Schemen (= Masken, Larven) vor dem Gesichte trugen. Diese Nürnberger Faschingsnarren waren eben keine »schiachen Perchten« mit schreckhaften Masken wie besonders in Süddeutschland bei solchem Mumenschanz, es war erst recht kein Schoduvel lopen wie einst in Niederdeutschland, sondern man war bei diesem Treiben in Nürnberg (wie am Rhein die Jecken) lediglich kostümiert. Es waren »schöne Berchten«, die da herumliefen, es war ein Schönberchtelaufen. nb>mb wie bei Schömberg u. ä.

Nach Schembartbuch (Rickert), Nürnberg

(Verfasser darüber in den Mitteldeutschen Blättern für Volkskunde, Leipzig 1941, Jgg. 16, Heft 3/4 »Das Wort Schembart und der Name Ruprecht«)

schenken *schenken* hatte ursprünglich nur die Bedeutung »Getränke« einschenken (vgl. Schenke, Ausschank); das Wort leitet sich ab von Schenkel, weil das allerälteste Beförderungsmittel für Flüssigkeiten eine Tierhaut war, und an der Stelle des Schenkels wurde abgelassen. – Von damals bis zur heutigen Bedeutung »unentgeltlich überreichen« war ein weiter Weg!

---

[1]) Schembart hieß das Kehlstück eines Ritterhelmes, was wirklich »maskierter Bart« bedeutet haben muß.

Schererei *Schererei: Es schiert mich nicht* = es stört mich nicht, *er scher sich um nichts* = er kümmert sich um nichts, Gedicht (Heine): *Was schert mich Weib, was schert mich Kind*; Laßt mich *ungeschoren* = verursacht mir keine Schererei: ↗ Geschrei, aber ↗ ausscheren (scher dich fort).

Scherflein *auch sein Scherflein beisteuern* = seinen (bescheidenen) Beitrag leisten. – Scherflein war einstmals eine geringe Münze; das Wort besagt so viel wie »Scherben«, ist also der »Stückwert« des Wertes einer ganzen Vollmünze. (f – b nach Verners Gesetz wie Hefe – heben, darben – bedürfen u. ä.) ↗ Geld

Scheuklappen *Scheuklappen haben* = nicht links und nicht rechts sehen, beschränkt im Gesichtskreis sein. – Das Pferdegeschirr hat Scheuklappen, die Pferde scheuen leicht.

Scheune *essen wie ein Scheun(en)drescher* = sehr viel mit gutem Appetit, kein Wunder bei der schweren Arbeit in der Kälte (denn gedroschen wurde im Winter).

Schick *schick sein, Schick haben* = gefällig gekleidet; – franz. chic ist das deutsche Wort »schicklich«, das wieder zurückkam.

Schicksal *sich in sein Schicksal schicken*, denn: Was die Schickung schickt, ertrage! (Herder)

Schiebewurst *Schiebewurst* (fam.) heißt ein mit einer Scheibe Wurst spärlich belegtes Butterbrot, auf dem man die Wurst immer weiter hinaufschieben muß, um sich ein gut belegtes Brot vorzutäuschen.

schief *schief gewickelt* = schlecht gelaunt, nicht gut aufgelegt. – Wickelkinder greinen auch, wenn sie nicht gut gewickelt sind. »Wickelkinder« werden übrigens heute nicht mehr »gewickelt«, sondern gebettet. *»Nur Mut! Es wird schon schiefgehn«*, sagt man und erwartet das Gegenteil (aus abergläubischer Furcht vor den neidischen Dämonen). ↗ Hals und Beinbruch
rechnen wie auf einer *Schiefertafel* ↗ Tennisspieler

schießen *ihm schießt das* ↗ *Blatt* (wild ins Kraut schießen) ↗ Bock, ↗ Zügel, ↗ Vogel
Das ist ja zum Schießen (Umg.) = das ist ärgerlich bzw. lächerlich. – Verhüllend ei in ie umgestellt.
saust herum wie ein Schießhund = ganz unstet. – Ein Schießhund hat beim Jagen das Ende der Schießerei abzuwarten (um sich nicht zu gefährden), dann aber fleißig hin und her zu rennen, um das geschossene Wild aufzuspüren und zu apportieren.

Schikane *mit allen Schikanen* = mit allen modischen Sachen und Einrichtungen versehen. – Modewort: Das deutsche Wort *»sich in etw. schicken«* ging nach Frankreich, kam als chic (= kleidsam) zurück, aber auch als chicaner (= schikanieren) und als Schikane, d. h. einmal in sehr guter Bedeutung, zum anderen allerdings auch in schlechter. ↗ schick

Schild *einen auf den Schild erheben* = ihn zum Anführer (einer Bewegung) machen. – Jakob Grimm, D. Rechtsaltertümer (1956), S. 323: Der neue könig, nicht bloß der gewählte, auch der erbliche, wurde »auf einen schild gehoben« und, damit er von jedermann erblickt werden konnte, »dreimal« im kreise des versammelten volks »herum getragen«, das durch handschlagen seinen beifall zu erkennen gab.

Das *Wirtshaus*»*schild*« hat seinen heutigen Namen davon, weil einst die Ritter in der Herberge, in der sie (vom Pferde) »abgestiegen« waren, ihren Schild vor die Türe zu stellen pflegten. Später sorgte die Kurliste für die Bekanntmachung. Man würde auch heute im Automobilzeitalter – wenn sich die Sprache ebenfalls mauserte – (aus dem Auto) »ausgestiegen« sagen.

etw. im Schilde führen ↗ Ritter

Das *Schilderhaus* ist ein Bretterhäuschen vor der Wache zum Untertreten des Postens bei Unwetter. – Schildwache war im Mittelalter die Wache mit dem Schilde in der Hand, d. h. in voller Rüstung, in vollständiger Kampfbereitschaft zum Schutze des Lagers der kämpfenden Truppe. Den Wachtdienst versehen nannte man deshalb »schildern« oder »schillern«, die Wachtmannschaften hießen »Schilder-« oder »Schillermänner«. Das Postenhäuschen nennt man deshalb »Schilderhaus«.

Schildbürger ↗ Spießbürger

schildern, mhd. schildern = einen Schild bemalen, noch holl. schilderen = malen. Wir sagen auch noch: etwas in grellen »Farben« schildern, meinen aber: mit »Worten« schildern = eine Schilderung geben (im Gegensatz zu einer Beschreibung).

Schimmer *keinen Schimmer davon haben* (Umg.) = gar nichts davon verstehen. – Ein Bild von der Netzhaut auf den Verstand übertragen.

Schimpf *mit Schimpf und Schande davonjagen* (formelhaft) = schmachvoll und schändlich entlassen.

jm. einen Schimpf antun = eine Schmach, eine Demütigung (durch Beschimpfung).

schinden *mit etw. (mit jm.) Schindluder treiben* = mit etw. gröblich verfahren, jn. schändlich behandeln, ihn förmlich wie ein gefallenes Stück Vieh (Luder geheißen) abhäuten (= schinden). – Der Schinder (Abdecker, Wasenmeister) zieht der verendeten Kuh, dem umgestandenen Pferde, der verreckten Katze die Haut ab, die sich aber schwerer löst als die bei geschlachteten Tieren, wie sich ja auch eingetrocknete Rinde schwerer vom Stamm löst als bei frisch gefälltem Holze. So kam das Wort schinden zur Bedeutung »sich plagen« = sich schinden müssen, und weiterhin zu »ausnutzen« (Leuteschinder). Heute »schinden« die Studenten Kollegs, die Schüler »schinden« Fahrkarten u. dgl., andere wollen »Eindruck schinden« = Aufmerksamkeit für sich zu erhaschen suchen u. ä.

Von schinden hat auch der Schönhengstgau (ehem. Sprachinsel mit 120 Dörfern) seinen Namen. Nur deutsche Bauern mit ihren schweren Eisenpflügen konnten damals (Besiedlung 1250) auf dem Böhm.-Mähr. Höhenzuge den gerodeten Waldboden zwingen, noch Frucht zu tragen, aber es kostete viel Mühe und Schweiß bei Mensch und Tier. Der Name entstand aus schind' (de)n Hengst. ↗ aus wilder Wurzel

Schippe *»jn. auf die Schippe nehmen«* hat dieselbe Bedeutung wie *»jn. auf den* ↗ *Arm nehmen«* = ihn veralbern. – Schippe = Schaufel, das Wort wäre mit ü zu schreiben; es gehört zur Familie: schieben, schubsen, (südd.) schupfen und (mittel- und niederd.) schippen.

jm. die Schippe geben (Umg.) = ihn wegjagen (abschieben).

Schiß *Schiß haben vor etw.* (vulgär) = verhüllend für ↗ Scheißangst.

Schlaf *Schlafmütze (Schlafhaube)* = schläfriger, verträumter Mensch. – Kleidungsstücke an Personen bzw. ihre auffallenden Gegenstände werden statt der Person selbst genannt, z. B. Blaujacke (= Matrose), Schürze (= weibliches Wesen), Flegel (= roher Bauernbursche) u. a. m.

jn. beim Schlafittchen erwischen = ihn beim Flügel nehmen = ihn beim ↗ *Wickel kriegen* = ihn derb anfassen, zurechtweisen. – Schlafittchen ⟨ Schlagfittich (= Gänseflügel = Schwungfedern), übertragen auf die Rockschöße, welche flattern, wie wenn Gänse auffliegen.

Schlag *ein Schlag ins Wasser* = ein Fehlschlag, ergebnislos. – Ein Schlag ins Meer ändert nichts.

»Ich denk', mich trifft der Schlag«, sagt man bei einer bösen Überraschung, als ob einen der Schlagfluß träfe.

etw. wirft ein Schlaglicht darauf = das hebt die Tatsache hervor, wie wenn der Maler einen Bildteil durch grellen Lichteinfall hervorhebt.

sich zu einer Partei »schlagen« – zu ihr übertreten. – Der Ausdruck klingt soldatisch.

Schlagseite haben = betrunken sein. – Wie »schief geladen sein« ein Ausdruck der Seefahrt.

Schlange *falsch wie eine Schlange.* – Alles im Tierreich, was am Bauche kriecht, ist uns Menschen unsympathisch, was aufrecht geht – wie die Pinguine – macht einen gewinnenden Eindruck auf uns.

Schlange stehen = anstehen hintereinander und warten.

»Da beißt sich die Schlange in den Schwanz«, sagen wir, wenn wir wieder dort angekommen sind, wo wir angefangen haben. Bekannter ist: ↗ die Katze

Schlaraffen *das reinste Schlaraffenland* = ein Land für Schlemmer und Faulenzer, wo alles in Hülle und Fülle vorhanden ist. – Hans Sachs hat Schlauraffenland, andere schreiben sluderaffe. In den Formen steckt das Mundartwort schludern = träg und liederlich arbeiten (Schluderarbeit = die nur so hinge»schleudert« wird); eine Wortbildung nach dem Vorbild von Maulaffe, mit Tonumstellung wie z. B. bei Schmalkalden, das in der Ma. Schmaalkale betont wird.

Schlawiner *ein rechter Schlawiner* (österr. Umg.) = ein pfiffiger, windiger Geselle. – Daß er ein Bewohner von Slawonien (zwischen Drau und Save) ist, möchte er uns gern glauben machen, aber bei genauerem Zusehen entdecken wir: Er ist der als Schlaumeier geborene Deutsche in fremdem Gewande.

Schleier *den Schleier nehmen* = Nonne werden.
den Schleier lüften = das Geheimnis erkennen lassen. – Vom weiblichen Schleier verallgemeinert.

Schlendrian *ein rechter Schlendrian* = eine Schlamperei, ein saumseliger Betrieb; – schlendern = müßig herumgehen.

Schlepptau *einen ins Schlepptau nehmen* = ihn mitnehmen, ihm behilflich sein. – ↗ Seefahrt

Schliche *einem auf die Schliche kommen* = *seine Schliche kennen* = seine Schleichwege.

schlichten *eine Streitigkeit schlichten* = sie beilegen, sozusagen sie ebnen, glätten, sie »schlicht« (d. h. gerade-)machen. – Vgl. den Unterschied: schlichtes Haar – gewelltes, lockiges Haar. Vgl. ferner: Die Weber »schlichteten« (d. h. bestrichen mit Mehlbrei = Schlichte) die Kettenfäden, damit sie hübsch gerade nebeneinander lagen und das Weberschiffchen glatt hindurch geschossen werden konnte.

Schliff *jm. den nötigen Schliff beibringen* = ihn Lebensart lehren, ihn »schleifen« (wie beim Barras).

Schlinge *sich aus der Schlinge zu ziehen wissen* (wenn ihm eine solche gelegt worden war) = es verstehen, sich vor drohendem Schaden zu retten. ↗ Jäger

Schlips *Er fühlt sich auf den Schlips getreten* = ist beleidigt, man ist ihm zu nahe getreten. – Schlips ist hier nicht = Krawatte, sondern es sind die Frackschöße (die Schleppe), die Rockzipfel.

Schlitten *unter den Schlitten kommen* = ↗ unter die Räder.
mit jm. schlittenfahren = mit ihm als willenlosem Wesen gröblich verfahren – so daß er hin und her schlittert.

Schlitzohr (ein Ausdruck bei der Marine, erwähnt von Fritz Reuter, bekannt in Ob. Bayern, in der Eifel, unbekannt aber z. B. in Thüringen, in der Ob. Lausitz) = *ein listiger, findiger Mensch, dem man nicht so recht trauen kann, bei dem man auf der Hut sein muß.* – Das Ohrschlitzen wird u. a. erwähnt in der Lex Frisionum, Add. 11, wo der Heiligtumschänder entmannt und an den Ohren geschlitzt wird, ferner bei Gregor v. Tours, Geschichten V, 48, als Strafe an einem geflüchteten Knecht. Im übrigen ist das seltenere Ohrschlitzen mit den viel häufigeren Fällen von Ohrabschneiden derart eng verzahnt, daß ein Grund für eine solche unterschiedliche Bestrafung von Spitzbuben nicht anzugeben ist (nach einer freundlichen Auskunft von Herrn Dr. Strauch vom Seminar für Deutsches Recht an der Universität zu Köln und nach Jakob Grimm, Deutsche Rechtsaltertümer, 1899[4], II, 296). Der Sachsenspiegel erwähnt unter den verschiedenen körperlichen Strafen nichts über Ohrabschneiden oder Ohrschlitzen. Die Vermutung, daß früher die „Betrüger" mit Ohrschlitzen bestraft wurden, wird somit hinfällig, Im Gegenteil: Schlitzohr dürfte wohl überhaupt kaum aus der mittelalterlichen Strafjustiz stammen. Sein Urbild könnte vielmehr eher im häuslichen Bereich zu finden sein: Ist es denn nicht etwa der alte Hauskater, dieser gewiefte, verschlagene Bursche auf Samtpfötchen mit Krallen, der bekanntlich nach nächtlichen Erlebnissen des öfteren einmal heimkehrt mit einem blutigen Schlitz am Ohr?

Schloß *heulen wie ein Schloßhund* = anhaltend bitterlich weinen. – Gemeint ist natürlich ein Hund, der mit einem Schloß an die Kette »angeschlossen« ist (nicht etwa einer vom herrschaftlichen Schlosse).

Schlüssel *zu etw. den Schlüssel finden* = die Erklärung für eine Verhaltensweise entdecken, Aufschluß bekommen.

Schlußlicht *das Schlußlicht machen* = als Letzter gehen, weil ein Vehikel hinten auch ein Schlußlicht hat.

Schmachtriemen *den Schmachtriemen (↗ den Gürtel) enger schnallen* = zu hungern beginnen. – Wenn man den Leibriemen enger schnallt, spürt man das Hungergefühl weniger, man denkt nicht ans »Verschmachten« vor Hunger.

schmackhaft *jm. etw. schmackhaft machen* = ihm die Sache in rosigem Lichte darstellen. – Ein minderes Gericht mundet auch besser mit guten Zutaten und bei hübscher Aufmachung.

Schmarren *Das geht dich einen Schmarren an* = gar nichts. – Ein bayr.-österr. Wort für einen ganz einfachen Brei (aus Buchweizen), den man sich auf der Jagdhütte leicht selbst bereiten kann.

schmeißen *sich nicht schmeißen (unterkriegen) lassen* (Umg.) = sich behaupten. – Ausdrücke vom Ringkampf. *Wir werden das Ding schon schmeißen* (burschikos = das Kind schon schaukeln) = gut durchführen.

Schmerz *den Schmerz stillen* = beruhigen, wie sich ein Kind an der Mutterbrust beruhigt = still wird.

Schmiede *vor die rechte Schmiede kommen* = (heute) sich an die richtige Adresse wenden. – Nach dem Sprichworte »Man soll gleich zum Schmied gehen, nicht erst zum Schmiedel« – zum Fachmann, der selbst gut »beschlagen« ist (wie die Rösser, die er beschlägt) = sich gut auskennt in der betreffenden Materie.

Schmiere *Schmiere stehen* = den Aufpasser machen, die Diebskollegen vor Überraschung sichern. – Rotwelsch von hebr. Schimrah = Wache.

Schmiß *Schmiß haben* = trefflich sein. – Nicht studentische Schmisse (Fechtnarben), sondern die Künstler »schmeißen« etwas leicht und treffsicher auf die Leinwand.

schmollen *sich in den Schmollwinkel setzen* = eine Zerdehnung des einfachen Zeitwortes schmollen, weil man sich zum Schmollen (= den Verärgerten spielen) gern abseits setzt.

Schmollis trinken = Bruderschaft machen. – Studentisch.

Schmu *Schmu machen* = übervorteilen. – Wendung der Markfiranten, wohl rotwelsch.

schmusen = schwatzen. – Schmus (hebr.) = leeres Gerede.

schmutzig *schmutzig lachen* (fam.) = höhnisch lächeln = »schmunzelnd« lachen, verballhornt zu »schmutzig« (und unverstanden öfters durch »dreckig« ersetzt).

Schnabel *reden wie einem der Schnabel gewachsen ist* = frei heraus, ungezwungen.

Schnecke *jn. zur Schnecke machen* (Kommißausdruck) = ihn so »fertig«machen, daß er nur noch kriechen kann. ↗ Minna, ↗ Sau

Schnee *ein rechter Schneesieber* (schles.) = Schimpfwort auf einen dämlichen Menschen, verharmlost aus (Ma.) Schniesejcher = ein alberner Kerl, der nichts weiter kann als in den Schnee pissen.

sich freuen wie ein Schneekönig (von Thüringen bis Schlesien bekannt) = sich riesig freuen. – Schneekönig ist der ma. Name für den Zaunkönig, in Westfalen heißt er Nesselkönig, Winterkönig heißt er in Sachsen. – Wir wissen aus der Fabel, daß der Zaunkönig den Adler bei der Königswahl überflügeln wollte, dann aber verspottet wurde und nun sein Königreich hinter Zäunen und Hecken eingerichtet hat. Da schmettert er immer lustig sein Liedchen, selbst im strengen Winter, besonders wenn die Sonne den flimmernden Schnee bescheint. Da hüpft dieses Vöglein mit dem steilen Schwänzchen lustig und munter im Heckenzaun herum, so recht ein Herrscher über Winter und Schnee.

Schneid *Schneid haben* (österr.) = Mut, Tatkraft haben, schneidig sein. – Es ist die Vorstellung des Scharfen, Schnittigen, Zackigen, Straffen.

jm. den (die) Schneid abkaufen = ihn in die gebührenden Schranken weisen.

schneiden *sich schneiden* (Umg.). – Wie die Wendung »sich schneiden« zur Bedeutung »sich täuschen« kam, das kann man sich allenfalls erklären (= sich aus Unaufmerksamkeit in den Finger schneiden), aber daß die Redensart »jn. schneiden« (Umg.) zur Bedeutung »ihn bei der Begegnung auf der Straße geflissentlich übersehen« kam, das ist wohl nur so zu erklären, daß man »den Weg« abschneidet, wenn man ihn kommen sieht.

Schneider *laufen wie ein Schneider* = schnell und geschäftig. – Dem Vergleich liegt die Erfahrung zugrunde, daß die Schneider erst in allerletzter Minute mit dem Staatsrock und mit dem Ballkleid fertig werden und dann rennen müssen, um noch rechtzeitig abliefern zu können; *aus dem Schneider sein* = heraus aus dem Schlimmsten bzw. dreißig Jahre alt geworden. – Wenn man beim Skat bereits 31 hat, dann ist man

»aus dem Schneider«, dann kann nicht mehr viel passieren, man gewinnt zwar noch nicht, wird aber auch nicht mehr allzu viel bezahlen müssen. – Der frohe Ausruf der flotten Studenten im neuen noch unbezahlten Flaus: »Wieder dem Schneider glücklich ausgekommen!« besagte: »Ich habe wieder *nicht zahlen brauchen*«. Der Schneider, der ihnen mit seiner Geldforderung nachstellte, war eine unbeliebte Person. Daher gebraucht man heute noch als sprichwörtliche Redensart, wenn es an unsere Tür klopft: »Herein, wenn's kein Schneider ist.« (Älter: Herein mit Ihm, wenn Er kein Schneider ist.)

Schnickschnack = Geschwätz; – nd. snaken = reden; eine Wortdoppelung wie Menkende von mengen u. ä.

Schnippchen *jm. ein Schnippchen schlagen* = ihm einen (wohlwollenden) Streich spielen. – Mit Daumen und Mittelfinger »schnippt« man aus Schadenfreude mit der entsprechenden Grimasse. Vgl. unten.

Schnitt *Schnitt haben* = die Geschäfte gehen gut. – Wendung aus der Landwirtschaft: Der Getreide»schnitt« ist die große Jahreseinnahme des Landwirtes.

Schnitzer *einen Schnitzer machen* (Umg.) = einen Fehler begehen. – Bei der Holzbearbeitung mit dem Schneidemesser daneben rutschen.

schnuppe *Das ist mir schnuppe* bzw. *schnaps* (Umg.) = gleichgültig (wie: das ist mir piepe, das ist mir wurscht). – Die Herleitung vom verkohlten Kerzendocht[1] (= Schnuppe) geht fehl; es ist vielmehr die Fingergeste der Geringschätzung (= Da schnippe ich bloß mit dem Finger) = ein Schnapper, wie Schnippchen eine solche der Schadenfreude ist. Die Freude am Ablaut i – a – u spielt mit herein; es gab z. B. ein Kartenspiel Schnippschnappschnurr.

Schnürchen *Es geht wie am Schnürchen* = schnell und reibungslos wie beim Rosenkranzbeten, wo nach jedem Ave Maria die Perlen schnell durch die Finger gleiten und immer weiter am Faden.

Schnur *über die Schnur hauen* = des Guten zu viel tun, z. B. zu lange kneipen. – Die Zimmerleute zeichnen sich mit Rötelschnur den abzuhackenden Rand genau vor. Erweitert wird durch den Zusatz: Das geht über die ↗ Hutschnur = das ist allzu viel.

Schnurr- *Schnurrpfeifereien* sind leeres, eitles Gerede. – Das Wort gehört ebensowenig wie Schnurrbart (= Schnauzbart) zum Zeitwort schnurren/schnarren, sondern zu einem mhd. Hauptworte Schnorre = Maul (deshalb Maultrommel). Die Schnurrpfeife war ein ganz primitives Blasinstrument, mit dem die Bettelmusikanten, die Schnurranten, herumzogen; so kam auch »schnorren« zu der üblen Bedeutung: jn. anbetteln, um einen Geldbeitrag bitten.

Schnute *eine Schnute machen* (fam.) = einen Schmollmund. – nd. Snute = hd. Schnauze.

---

[1] ↗ Kerze (Schnuppe = Rispel = Schwalg u. ä.)

Schock *jm. einen Schock versetzen* = ihn bestürzt machen; – franz. choc, mit der medizinischen Schocktherapie aufgekommen.

Schockschwerenot! = Fluch. – Walther von der Vogelweide klagt einmal: Das war ein nôt vor aller nôt.

Schopf *eine günstige Gelegenheit beim Schopf ergreifen, fassen, nehmen, packen* = sie nicht verstreichen lassen, sondern energisch nutzen. – Einem bösen Jungen fährt man mit der Hand in die Haare und hält ihn so fest. – Haarschopf = Haarbüschel.

Schornstein *Das kannst du in den Schornstein schreiben* = das Geld mußt du als verloren ansehen. – Im Schornstein (Kamin, Feueresse) ist alles dunkel, da sieht man die angekreidete Schuld nicht. ↗ Röhre

Schoß *Es ist ihm in den Schoß gefallen* = ein glücklicher Zufall hat es ihm geschenkt. – Aus dem Märchenbuch.

ein Schoßkind sein = der Liebling, weil er immer von der Mutter auf den Schoß genommen wird.

Schranken *jn. in die Schranken weisen* = ihn zurechtweisen, weil er zu weit gegangen ist, sich einen Übergriff hat zuschulden kommen lassen. – Absperrung am Turnierplatz, im Gerichtssaal.

für jemand in die Schranken treten (poetisch) = für jn. einstehen, sich jemandes annehmen. – Turnierausdruck.

Schraube *Das ist eine Schraube ohne Ende* = eine Sache, bei der kein Ende abzusehen ist.

Bei ihm ist eine Schraube (ein Rädchen) locker (Umg.) = er ist nicht recht zurechnungsfähig. – Sein Gehirn-Uhrwerk funktioniert nicht recht.

Schrecken *jn. in Schrecken versetzen* = ihn erschrecken, ihn so ängstigen, daß er vom Sitz aufspringt = aufschreckt (vgl. Heuschreck = Grashüpfer = Springhahn).

schröpfen *jn. schröpfen* = ihn übervorteilen, neppen. – Man setzt ihm gewissermaßen Schröpfköpfe an, um ihm das Blut abzuzapfen.

Schrot *ein Mann von echtem Schrot und Korn* = urwüchsig, rechtschaffen wie eine vollwertige Münze von richtigem Rauhgewicht und Feingehalt.

Schub *jn. auf Schub bringen* (heute veraltet) = ihn mit der Polizei in seine Heimatgemeinde abschieben, damit er nicht einer fremden zur Last fällt. – Die Heimatzuständigkeit ist heute anders geregelt.

Schuh *wissen, wo uns der Schuh drückt* = den Grund unserer Sorgen kennen. – Die Herkunft ist ohneweiters verständlich.

jm. etw. in die Schuhe schieben = ihm die Schuld aufhalsen, sie ihm zur Last legen. – Diebe und Schmuggler schoben gern das Diebsgut oder die Schmuggelware einem Unverdächtigen einst in der Herberge in dessen Schuhe, um der Nachschau zu entgehen.

etw. schon an den Schuhsohlen abgelaufen haben (Umg.) = schon längst gekannt oder gewußt haben, was da gemeint ist.

»*Die Schuhe knarren*«; damit will die Umg. sagen, sie seien noch nicht bezahlt. (Volkswitz)

Schulden *Schulden eintreiben (beitreiben)* = Schulden (gewöhnlich) gerichtlich einklagen. – Die Redensart gibt das Bild, als ob man sich von der Herde des Schuldners die geschuldete Summe an Vieh wegtriebe. So mag es früher wohl auch einem hörigen Bauer ergangen sein, wenn er nicht zahlen konnte. Der Schultheiß, wie einst der Bürgermeister (Gemeindevorsteher) hieß, hatte die Pflicht, für den regelmäßigen Eingang der Abgaben zu sorgen, er hatte die Bauern zu »heißen« (= ermahnen), ihre »Schuld« (so hießen damals die Steuern) an die Obrigkeit abzuführen. Die Amtsbezeichnung Schultheiß ist in verschiedener Form als Schuldes, Scholtes, Scholze, Schulte, Scholl noch als Familienname erhalten geblieben. – Im Osten hießen sie auch Richter oder Kretschmer, benannt nach dem Kretscham, der das größte Bauerngut im Dorfe war. Auf ihm haftete dinglich die niedere Gerichtsbarkeit = die Gerechtsame. Dieses Wort nahm im Munde der slawischen Nachbarn die Form Kretscham an und ist dann ein sog. Rückwanderer geworden wie Robot (< deutsch Arbeit). Die Herleitung dieses Wortes von einem slaw. Wort für Schenke geht deshalb fehl, weil zwar der Schank in der Regel im Kretscham (als dem größten Hause) war, aber nicht immer und vor allem nicht dinglich (= gesetzlich); die niedere Gerichtsbarkeit haftete aber immer auf diesem Hofe.

Schule *Das wird Schule machen* = diese Handlungsweise wird voraussichtlich Nachahmer finden. – Bekannt ist, daß die Schüler, besonders die kleinen, sich gern so geben wie der Lehrer.

aus der Schule plaudern = kleine Geheimnisse ausschwatzen – wie die Schulkinder.

die Schule schwänzen (Umg.) = dem Unterricht absichtlich fernbleiben und lieber draußen (herumschlendern =) herumschwänzeln. – ↗ scharwenzeln.

Er kann sich das Schulgeld wiedergeben lassen = ist dumm, hat in der Schule nicht viel gelernt. – Vor noch nicht gar so langer Zeit mußten die Eltern für ein schulpflichtiges Kind ein Schulgeld bezahlen.

die Schulbank drücken = noch zur Schule gehen. – Heute ist die Zeit der Schul»bänke« schon fast vorüber; die Schüler sitzen vielfach schon auf Stühlen an Tischen. ↗ Bank

Schulter *etw. auf seine Schultern nehmen* = eine Aufgabe übernehmen.

etw. auf die leichte Schulter nehmen = leichtfertig handeln. – Man unterscheidet also leichte und schwere Schultern, wie man auch die geschickte rechte Hand manchmal gegen die ungeschickte linke ausspielt.

jm. die kalte Schulter zeigen = sich ihm gegenüber kühl ablehnend verhalten, sich ihm nicht voll zuwenden.

Schuppen *Es fällt ihm wie Schuppen von den Augen* = er erkennt plötzlich die Zusammenhänge.

Schure *jm. etw. zu Schure tun* (Ma.) = ihn damit ärgern, ihm Schererei verursachen. – Zur Wortbildung vgl. Schaf-schur. ↗ Geschrei

schurigeln *jn. schurigeln* = ihn ständig zurechtweisen, peinigen. – Dieses Wort »schurigeln« muß wegen des fehlenden Umlautes (vgl. Bruck gegen Brücke) süddeutsch sein, mitteldeutsch heißt das Wort schürgen. Mhd. und ma. ist das Zeitwort schürgen gut bekannt; es bedeutet »stoßen, schieben«, vgl. Schürge = Stoßbähre, Handwagen. Die Grundbedeutung von schurigeln ist demnach »stößeln« = mit kleinen Stößen peinigen; das i im Worte ist lediglich ein Sproßvokal zur leichteren Aussprache des Mitlauterklumpens rgln.

Schürze *am Schürzenzipfel hängen* = sich nicht von der Mutter trennen können, unselbständig sein. – Kleinkinder klammern sich an die Kleider der Mutter und verstecken sich hinter ihrer Schürze.

Schuß *im Schusse sein* (= in Ordnung sein) und *in Schuß bringen, in Schuß kommen* (= in Gang) sind Weberausdrücke: Kette oder Werft sind die Längsfäden; durch sie »schießt« man mit dem Weberschiffchen den »Schuß« (= die Querfäden) durch. Wenn also die Fäden nicht verfilzt sind und geschlichtet, kann das Weberschiffchen glatt hin und her schießen, man ist hübsch »im Schusse«.

Schuster *Schuster bleib bei deinem Leisten* = Sprichwort = Man soll sich nicht um anderer Leute Sachen kümmern, von denen man nichts versteht. *Gevatter Schuster, Schneider und Handschuhmacher* = nur kleine gewöhnliche Leute. – ↗ Literatur (Schiller, Wallensteins Lager, 11. Auftr.); ↗ Bibel (Krethi und Plethi), ↗ Hinz und Kunz.
auf Schusters Rappen = zu Fuß (per pedes Apostolorum), in schwarzen Lederschuhen.
zuschustern = Geld »zuschießen«. – Mit Geld ein Loch stopfen, wie der Schuster ein Loch zuflickt? – Nein, einfach eine Wortbildung von Zuschuß, Zuschüsse, wie zu Vorschuß bevorschussen. Ein anderes Wort dafür ist »zubuttern«.

Schutt *in Schutt und Asche legen* = formelhaft für einäschern, wenn (im Kriege oder durch Erdbeben) Dörfer oder Städte gänzlich verwüstet werden.

Schützen Meyer: Ich denke, Schulze hat da wieder einmal weit *übers Ziel hinausgeschossen.* Bobby: Ja, geht denn der alte Mann noch immer auf Schützenfeste?
Jahrhundertelang waren Schützenfeste eine große Volksbelustigung. Für viele Redensarten, die vom Schießen herstammen, ist die Herleitung noch durchsichtig, andere müssen heute erst erklärt werden.
den Vogel abschießen = die beste Lösung finden. – Die Schießscheibe auf der Vogelwiese war ein Adler auf einer Stange. Wer das letzte Stück von diesem Vogel abschoß, bekam den Preis (wurde Schützenkönig).
den Zweck verfehlen = das Ziel verfehlen, das Gegenteil: *den Zweck erreichen* = ans Ziel gelangen. – Zwecke = ↗ Nagel.

auf etw. abzielen = etw. beabsichtigen, bezwecken.

jn. auf dem Strich haben = ihn nicht ausstehen können, nicht leiden mögen. – Strich ist die Zielvorrichtung (aber vgl. ↗ »Strich« von streichen), ebenso das Korn, deshalb

jn. aufs Korn nehmen = es auf jn. abgesehen haben = ihn mit (neidischer) Aufmerksamkeit in seinem Tun verfolgen, um vielleicht Vergeltung zu üben. – Absicht oder Absehen heißt die kleine Kerbe (Grinsel) am Gewehrlauf, über die man zum Korn hin zielt, plattd. *jn. auf dem Kieker haben* = ihn nicht verknusen mögen.

es auf etw. angelegt haben = zielstrebig vorbereiten. – Obzwar gleichbedeutend mit »auf etw. abzielen« (= beabsichtigen), gehört es doch wohl zu ↗ liegen, legen.

die Tragweite (seines Tuns) *nicht ermessen* = die Folgen seiner Handlungsweise im voraus nicht einzuschätzen wissen. – Man sagt: Dieses Gewehr »trägt« x Meter und nicht: Es schießt so und so weit.

als Zielscheibe dienen (zu ergänzen: des Gespöttes). ↗ zum besten halten

bei jm. eingeschossen sein = in Gunst stehen. ↗ Beste, ↗ Nagel

Hängt das Wort *Schütze* = *Damm* auch mit Schützen und schießen zusammen? – Nein, das ist eine Schüttse, gehört zu anschütten mit Schutt = anschüttsen, -ts- schreibt man als -tz-, verdeckt also in der Schrift die Herkunft, vgl. Hüll-se (Hülse), Wand-se (Wanze), zu ↗ Hacken Haxe, falt-sen (falzen), blind-seln (blinzeln), zu Hund (verhunzen) u. a.

Schwaben *ins Schwabenalter kommen* = die Schwaben werden angeblich erst mit vierzig Jahren gescheit. ↗ die Sieben Schwaben

Schwager In Lenaus Gedicht heißt es: *Schwager ritt auf seiner Bahn stiller jetzt und trüber.* Die Turn und Taxis'schen Postreiter hießen Chevalier (= Reiter), woraus Sch'waljer – Schwager (= Postillion) wurde. – Übrigens hat die Post ihren Namen von den auf der ganzen Strecke »postierten« frischen Pferden.

Schwamm *Schwamm darüber!* = Nichts mehr davon! – Im Wirtshaus wird »angekreidet« auf einer schwarzen Tafel und abgelöscht mit einem Schwamm (wie in der Schule).

schwanen *Mir schwant etwas* = ich ahne so etwas. – Der Schwan hat – so glaubte man – Prophetengabe. Ob die germ. Glaube an die Verwandlung von Jungfrauen in weissagende Schwäne vielleicht noch anklingt? Vgl. die weissagenden Meerfrauen (Schwanenjungfrauen) im Nibelungenlied (Av. 25). Nach Wasserzieher »Woher?« (17. Aufl.) kaum zu erklären aus »mir schwebt vor« und »mir ahnt« oder »es wanet mir« (= wähnen); vielmehr ein Lateinerwitz, der *olet mihi* (= mir ahnt) mit *olor* (= Schwan) verband.

Schwanz *den Schwanz einziehen* (Umg.) = zurückstecken, nachgeben. – Ein Hund zieht den Schwanz ein, wenn er furchtsam wird.

Schwänzelpfennige machen = franz. faire danser les anses (= die Korbhenkel tanzen lassen). – Wenn ein Dienstmädchen vom Einkauf auf dem Markte zurückkam und mit der Hausfrau abrechnete und dabei eine Kleinigkeit für sich zurückbehielt, dann hieß das: »Schwänzelpfennige machen«.

Die Redewendung ist bestimmt von den Dienstmädchen, die ja alle vom Lande stammten, vom Dorfe in die Stadt gebracht worden. Denn sie alle kannten von daheim das Wort »Schwanzgeld«; sie hatten oft genug gesehen, wie sich die kleinen Jungen schon auf den Augenblick freuten, wenn der Fleischer nach Kaufabschluß (der ↗ Leinkauf wurde in der Stube getrunken) aus dem Hause treten und die Kuh (oder das Kalb oder das Schwein) forttreiben würde. Dann erwischte einer der Knirpse den Schwanz und ließ nicht los, bis er nicht »Schwanzgeld« bekommen hatte. Gar manche Dienstmagd hatte zu Hause als kleines Mädchen auch mal bei einem verkauften Schwein, besonders wenn sie es selbst mit großgefüttert hatte, das »Schwänzel« halten dürfen und die übliche Ablöse bekommen. Aus dem bäuerlichen Brauch ist also ein Wort sinngemäß in die Stadt verpflanzt worden = nach Kauf, dann bei der Ablieferung eine kleine Gebühr erheben.

Schwarte *einem die Schwarte gerben* (Umg.) = ihn so verprügeln (verhauen, verdreschen, vermöbeln), *daß ihm die Schwarte kracht (knackt)*.

schwarz *Ich sehe schwarz* = bin pessimistisch. – Schwarz ist die Farbe der Trauer.

Mir ist (ganz) schwarz und blau vor Augen (vor lauter Überraschungen). – Unwohlsein kann Sehstörungen auslösen.

ins Schwarze treffen = das Richtige sagen (tun). – Auf der Schießscheibe ist die Mitte ein schwarzer Kreis, den ein guter Schütze treffen soll.

so viel, wie Schwarzes unter den Nagel geht = nichts.

einem nicht das Schwarze unter dem Nagel gönnen = nichts. – Noch am Hofe Ludwigs XIV. fällt die gute Liselotte von der Pfalz als höchst unanständig auf, weil ihr das Schwarze unter den Nägeln fehlte. Sie hatte es, fi donc, beseitigt.

etw. schwarz auf weiß besitzen = es schriftlich mit schwarzer Tinte auf weißem Papier beglaubigt in der Hand haben.

warten müssen, bis man schwarz wird = unendlich lange wartend stehen müssen. – Eine ma. Übertreibung.

jm. den Schwarzen Peter zuschieben = ihm die Schuld aufhalsen. – Der »Schwarze Peter« ist ein Gesellschaftsspiel mit Kindern, wobei man dem Verlierer einen schwarzen Punkt auf die Nase (Stirn) macht.

schwarzfahren, schwarzhören = ohne zu bezahlen. – Vgl. »Schwärzer« = Pascher = Schmuggler. ↗ weiß

Schwebe *Das bleibt in der Schwebe* = wird nicht entschieden, wird offengehalten, zurückgestellt. – Eigentlich im labilen Gleichgewicht gehalten.

Schwede Man hört gelegentlich einmal etwas von einem »Schwedentrunk«. – Die Schweden haben bekanntlich 1630 während unseres 30jährigen Konfessionskrieges (1618–1648) mit ihrem König Gustav Adolf einen Kreuzzug zur Verteidigung der evangelischen Religion unternommen: Einem Bauern, der keine Lebensmittel herausgeben wollte (oder in der damaligen kargen Zeit nicht konnte), dem wurde gewaltsam Mistjauche (Gülle) in den Hals geschüttet. Die Drohung: »*dem werde ich es eintränken*«, wurde von der schwedischen Soldateska tätsächlich als eine Art Kriegsbrauch an unseren Leuten vollzogen. (Grimmelshausen »Simplizissimus«, 1. Bd., 4. Kap.) – Fußt die Redewendung etwa auf einer noch ältern Wurzel (↗ Gift) und ist sie damals auf diese Prozedur übertragen worden? (wie Auf nach Kassel!).

Die Bezeichnung »*ein alter Schwede*« (= anerkennend gesagt von einem mittelmäßigen, aber tüchtigen Manne) soll entstanden sein, nachdem der Große Kurfürst altgediente schwedische Soldaten als Unteroffiziere eingestellt hatte, die sich gut bewährten.

Schwefel *So eine Schwefelbande!* = Schimpfwort auf eine ausgelassene Bubenschar. – Angeblich nach einer berüchtigten Jenenser Studentenverbindung »Sulphuria«, die sich aber wohl diesen Namen zugelegt haben mochte, weil man schon damals sagte: *wie Pech und Schwefel zusammenhalten.* ↗ Pech

ein Schwefel, ein Geschwefel = albernes Gerede. – Ob das Wort von »schwäbeln« kommt oder aber ein rotwelsches Wort ist, wird sich kaum mehr ausmachen lassen. – Bekannt ist bei Studenten der sog. *Bierschwefel* (auch scherzhaft lat. sulphur geheißen), zu dem ein junger Fuchs verdonnert wird, um recht großen Unsinn zusammenzuquasseln zum Gaudium der anderen älteren Kneipbrüder.

Schweigen *sich in Schweigen hüllen* = beharrlich schweigen. – Die Sprache drückt sich so aus, als hülle man sich in einen Mantel.

Schwein Die Umgangssprache verwendet das Wort Schwein gern für »niemand«: *Das kann kein Schwein lesen, daraus wird kein Schwein klug,* das frißt kein Schwein (weil es ein Saufraß ist) u. dgl. Beim Barras war die Rede vom »inneren Schweinehund« (= Feigheit).

»*Schwein gehabt!*« sagt man, wenn man zufällig noch Glück hatte, und: »*Das war ein Sauglück*« (= großes Glück). – Dabei stimmen nicht nur die Bedeutungen überein, auch die Wörter sind etymologisch dieselben: mhd. sû (⟩ Sau) und su-în (= kleine Sau) ⟩ swîn/Schwein. – Bei den Schützenfesten um die Jahre 1400 und 1500 bestanden die Preise aus Tieren (erst viel später aus Geld, heute aus der Ehre, Schützenkönig zu werden). Der schlechteste Schütze bekam als Trostpreis ein Ferkel; er hatte »*Schwein gehabt*«. Allerdings liegt eine andere Erklärung etwas näher, auch zeitlich näher, und kreuzt sich vielleicht mit ihr: Im Kartenspiel hieß die höchste Karte »die Sau«. Wenn man sie zog, so war das »ein Sauglück«. ↗ Bock

weglaufen wie das Schwein vom Trog (fam.) = ohne Tischgebet, ohne Dank für die Einladung, ohne das Eßbesteck richtig zu legen, formlos vom Eßtisch wegeilen. – Ob Hunde und Katzen immer ihren Freßnapf

viel säuberlicher hinterlassen als ein Schwein seinen Trog, sei dahinge
stellt; jedenfalls traut man einem Schwein alles zu.

Schweine hüten = ein Grund zum Duzen? – Bei Gerh. Hauptmann (»Die
Weber«, 4. Akt) schreit der Polizeiverwalter den Weber an: »... wie
heißt Du?« – Der Weber: »Hab' ich mit Dir schon Schweine gehüt't?«
d. h. der Weber verbittet sich mit dieser Redewendung schroff das
Duzen des Polizisten. Wir beschweren uns mit diesen Worten gewöhnlich
hinterher, wenn sich ein wenig Bekannter unerwünscht mit uns auf den
vertrauten Duzstandpunkt gestellt hat. – Wie kommt diese doch weit
hergeholte Redewendung zustande? Es gibt zwar Gänsemädchen, die
ihre Gänse hüten, es gibt Ziegenhirten, die ihre Ziegen hüten, auch Kuh-
hirten, die auf das Milchvieh achtgeben, sogar Pferdehirten wie die
Csikos auf der Puszta, aber von Schweinehüten hat man bei uns sehr
selten etwas gehört. Also kann unsere Redewendung kaum von der Sache
her erklärt werden, aber vielleicht von der Sprache aus. Nun: Es gab
einst in der Großfamilie Schwager, Schwäher, Schwieger und sweine (vgl.
den Namen des nord. Bischofs Sveinsson). Man konnte sich also ehemals
über allzugroße Vertraulichkeit eines Fremden sehr wohl entrüsten mit:
»Er ist doch gar nicht mein swejn (= Verwandter)«; denn damals lautete
das heutige Wort Schwein ganz anders, nämlich swîn (mit langem i).
Erst als in der vorlutherischen Zeit die ej und auch die î beide zu ai
wurden und swein (= Verwandter) und swîn (= Schwein) in ein einziges
Wort zusammenfielen[1]), da war die alte Verwandtschaftsbezeichnung
swein unmöglich geworden und konnte nicht mehr als solche gebraucht
werden. Man sagte zunächst – nach Vetter/Gevatter – Geschwein (Gerh.
Hauptmann hat im »Florian Geyer« noch den Verwandtschaftsgrad »Ge-
schwey«), gab aber dann das Wort auf und drückte sich in einem solchen
Falle der Vertraulichkeit etwas weniger verfänglich aus durch das Bild
vom Schweinehüten. – Heute ist auch diese Redewendung schon zu
derb, man sagt in einem solchen Falle lieber: »Mit dem habe ich doch nicht
auf derselben Schulbank gesessen.«

schweinigeln = Zoten reißen. – Die Umg. sagt »schweinische« Witze. Bei
»schweinigeln« liegt die Bedeutung auf »Schwein«, die Endung -igeln ist
ganz bedeutungslos und hat hier mit »Igel« (Swinigel) nichts zu tun.

ein Schweinstrab (Umg.) = beschleunigter Schritt. – Daß Schweine auch
tüchtig »rennen« können, hat der tolle Bomberg den Offizieren bewiesen.

Schweinfurt, dieser auffällige Städtename, hat mit dem Borstentier
»Schwein« nichts zu schaffen, der Name kommt her von den Sueben/

---

[1]) Die alten ei (ej) und die jungen ai (< î) fallen heute in der Schulsprache zusammen (in
den Mundarten nicht!), weil die Schrift für beide fast durchweg die Schreibung ei eingeführt hat und weil für beide — ohne Rücksicht auf Herkunft — eine Aussprache als
ai gefordert wird (Siebs »Bühnenaussprache«).

Sueven, es ist die Swevenfurt/Schwe'nfurt = die Furt der Sueben, wie Frankfurt die Furt der Franken ist. – Einstmals saß der schwäbische Stamm in der Mark Brandenburg, die Römer nannten die Ostsee »mare suevicum« (schwäbisches Meer). Dann aber, zu Cäsars Zeiten, sind die Sueven/Swêben auf Völkerwanderung gegangen, haben auf der Durchreise 406 mit Wandalen und Alanen Mainz gebrandschatzt und sind schließlich (ê war inzwischen zu â geworden) bis in ihr heutiges Schwabenland gekommen. Ihr Name am Main hält die Erinnerung fest, daß die Sueben/Schwaben auf ihrem Wege südwärts an dieser Furt einst den Main überschritten haben.

Schwert *ein zweischneidiges Schwert* = eine heikle Aufgabe, die gefährlich werden kann, eine Aufgabe mit guten und mit schlechten Erfolgsaussichten. – Gewöhnliche Schwerter haben nur auf einer Seite eine Schneide.
sein Schwert in die Waagschale werfen = durch sein Auftreten den Ausschlag gewaltsam geben. ↗ Klassik
Das Schwert des Damokles hängt über ihm = jeden Augenblick kann eine drohende Gefahr über ihn hereinbrechen. – Damokles war der Höfling des Tyrannen Dionysius von Syrakus (405–365 vor Chr.), der seinen Herrn die köstlichsten Speisen unter einem an einem Pferdehaar aufgehängten Schwerte verzehren ließ, um ihm das gefährliche Glück eines Herrschers zu verdeutlichen.

schwimmen *etw. schwimmen lassen* (Umg.) = es »fahren« lassen, nicht zurückhalten (es mag ruhig fortschwimmen).

Schwips *einen Schwips haben,* leicht *beschwipst sein* = leichte Trunkenheit, einen »über den Durst« getrunken haben. – Es handelt sich um ein Mundartwort: Beim Wassertragen darf die Kanne nicht »geschwievelt« (= übervoll) sein, sonst »schweppert« man, das Wasser »schwappt« über den Kannenrand; eine Wortbildung wie Klecks (von kleckern), Knicks (von knicken) u. ä. Das schwankende Gehen wird verglichen mit dem Hin- und Herschwappen einer Flüssigkeit.

Schwung Die Redewendungen mit »*Schwung*« (*in Schwung bringen, geraten, sein*) gleichen denen mit »Fahrt« (in Fahrt sein) und denen mit ↗ »Schuß« (in Schuß kommen) und auch denen mit »Gang« (in Gang bringen); es sind alles bekannte Wendungen der Bewegung.

Seefahrt ist not:
Den Sinn der meisten Redensarten verstehen wir sofort, aber ihre Herleitung will uns oft nicht gleich einleuchten. Stellt man die Redensart aber in ihren ursprünglichen Zusammenhang, dann erschließt sich auch gleich das Verständnis für die Erklärung:
mitlotsen = mitschleifen (ins Wirtshaus, ins Kino, in eine Gesellschaft). – Der Lotse führt das Schiff in den Hafen; er kennt die Untiefen (Riffe, Sandbänke) in Ufernähe, weil die Wassertiefe mit dem Senkblei (Lot) vermessen und ihm bekannt ist;

jn. ausbooten = aus seiner Stellung verdrängen. – Aus der Gesellschaft
am Schiff wird der einzelne mit einem Boot an Land gesetzt;
eine Rede vom Stapel lassen (iron.) = eine Rede halten. – Schiffe läßt man
vom Stapel;
jn. ins Schlepptau nehmen = ihn mitnehmen, ihm behilflich sein. – Ein
Schleppkahn zieht an einem Tau die schweren Frachtschiffe nach sich.
mit vollen Segeln = abenteuerlustig (Ausfahrt);
die Segel (die Flagge) streichen = nachgeben. – In Zeiten der alten Segel-
schiffahrt erfolgte die kampflose Übergabe des Schiffes durch das Streichen (Reffen) der Segel, das Schiff blieb dann liegen;
jm. den Wind aus den Segeln nehmen = ihm den taktischen Vorteil
nehmen;
Das ist Wind für seine Segel = kommt ihm gelegen;
aufgetakelt = auffällig herausgeputzt. – Das ganze Takelwerk (= alle
Segel) bläht sich im Winde, und über alle Toppen ist geflaggt;
flott = wendig. – niederd. an vlot bringen = in Fluß bringen, fahrbereit
machen;
scheitern = (in Scheite =) in Trümmer gehen = Schiffbruch leiden;
gut gelandet sein = gut angekommen.
unter falscher Flagge segeln = getarnt unter falschem Namen;
Schlagseite haben = angetrunken sein. – Bei falscher Verteilung des
Ladegewichtes oder bei Havarie neigt sich das Schiff auf die Seite;
jn. durchschleusen = jm. durch Schwierigkeiten hindurchhelfen, wie
durch eine Schleuse vorsichtig gefahren werden muß;
etw. über Bord werfen = wegwerfen. – Alles Unnütze wird auf See über
die Bordwand ins Meer geworfen;
jn. beim Kanthaken nehmen = einen beim Kragen erwischen. – Mit
dem Kanthaken packt man die Kantjes, wie die Heringstonnen auf
den Fischdampfern heißen. Das »mit« wird hier zu »beim« nach dem
Muster ähnlicher Redewendungen (z. B. beim Schopf ergreifen u. ä.);
Wir liegen richtig (nämlich auf Kurs) = den Zeit- und Geschäftsläufen
angemessen können wir handeln;
in See stechen = ausfahren. – Die Redewendung datiert aus Zeiten, da
ein Schiff zur Ausfahrt wie ein Boot mit einer Stange von Land abge-
stoßen werden (abstechen = afsteken) mußte;
die Anker lichten (= leicht) wird als übertragen nicht verwendet, aber
loslegen (= die Taue lösen) sagt man als Aufmunterung, mit der Rede
anzufangen: Na, dann leg mal los! – Die Schiffer sagen da allerdings
meist »ablegen«;
auf dem trockenen sitzen = gestrandet sein = aus der Bahn geworfen =
auf dem Nichts stehen = ohne Geld sein;
Wrack = körperlich und geistig heruntergekommener Mensch wie ein
geborstenes Schiff. – Das Wort scheint zu brechen, brach, Brocken zu
gehören (vgl. ma. Ausbracke = Ausschußware), ist aber niederl. Herkunft;

ausscheren ist zwar ein Seemannsausdruck (= aus dem Schiffsverband herausfahren), ist aber auch sonst bekannt in den Mundarten als: sich ausscheren = sich absondern, jn. ausscheren = ihn nicht mit einladen. Das Wort gehört zu Schar;

Seemannsgarn spinnen = Lügengeschichten erzählen. – Die Seeleute mußten sich während der langen Fahrt auf Segelschiffen viel mit Garn beschäftigen.

Seele »*Nun hat die arme Seele Ruh*« (Luk. 12, 19) wird gesagt, wenn sich das Gemüt beruhigt hat, mit Anspielung auf die armen Seelen im Fegefeuer;

einem etw. auf die Seele binden = ihm etw. recht ans Herz legen;

eine Seele von Mensch = ein seelenguter Mensch. – Vgl. ein Bild von einem Weibe = ein bildschönes Weib; dieselbe Konstruktion auch im Franz.: un drôle de corps;

einem aus der Seele sprechen = ganz und gar seiner Meinung sein;

sich etw. von der Seele reden = alles, was das Gemüt bewegt, erzählen;

sich die Seele aus dem Leibe reden = lang und inständig, aber erfolglos auf jn. einreden;

seine Seele aushauchen = sterben.

Sehnsucht *sich vor Sehnsucht* »*verzehren*« spielt auf die Tatsache an, daß man bei großer Sehnsucht abmagert;

Seide *keine Seide miteinander spinnen* ↗ Scheffel Salz

Seifensieder ↗ Licht

Seil (Das Kind ist) *wie vom Seile los (vom Bandel los)* = ist übermütig, ungebärdig, wie ein Stück Jungvieh, das sich losgerissen hat;

mit des Seilers Tochter kopuliert werden = am Galgen enden;

Seite *jm. zur Seite stehen* (mit Rat und Tat) = ihm behilflich sein;

jm. zur Seite treten (springen) = ihm beistehen;

auf seine Seite treten = sich auf seine Seite schlagen = seine Partei ergreifen;

jn. auf seine Seite ziehen = ihn für sich gewinnen; ↗ grün

jn. von der besten Seite nehmen = seine guten Eigenschaften berücksichtigen;

jn. von der Seite ansehen = ihn mißachten;

jn. auf die Seite schaffen = ihn umbringen;

lange Seiten haben (Umg.) = ein starker Esser sein.

Semmeln *abgehen wie (warme) frische Semmeln* = Die Töchter gingen weg wie frische Semmeln; eine nach der anderen machte Hochzeit. Semmeln (südd.) = (nordd.) Brötchen.

Senf *seinen Senf dazugeben* (Umg.) = seine Meinung (ungefragt) zu etw. äußern. – Senf = Mostrich/Mostert; ostd. *seinen Kren dazugeben*. Kren = Meerrettich.

Seuche *einer Seuche erliegen* = an ihr sterben, wenn *(eine Epidemie grassiert)* eine Masseninfektion um sich greift. – Am Anfang der großen

Entdeckungen der vergleichenden Sprachwissenschaft (Bopp 1816 und Grimm 1819) hatte man angenommen, daß alle unsere Wörter aus einer nur einsilbigen idg. Wurzel hervorgegangen seien, aber bald sah man, daß z. B. eine zweisilbige Wurzel wie sewok je nach Betonung s'wok »schwach« bzw. sew'k »Seuche/siech« ergeben konnte; auch Humpen = Napf (ahd. hnapf) u. a. m. erklären sich ungezwungen aus zweisilbigen Wurzeln mit jeweils verschiedener Betonung. Ja, die Silben konnten einst anscheinend sogar vertauscht werden; denn dieselben Wörter sind: Kahn – Nachen, Geiß – Ziege, Zicke – Kitz, Loch – Kule u. a.

sich = das Ich als Körperlichkeit:

aus sich herausgehen = mitteilsam werden, die Schüchternheit ablegen.

außer sich sein = über alle Maßen erregt; ↗ aus der Haut fahren

nicht (nicht ganz) bei sich sein = von Sinnen sein, nicht bei klarem Verstande;

wieder zu sich kommen = das Bewußtsein wiedererlangen;

in sich gekehrt = nachdenklich gestimmt;

von sich eingenommen = sein Ich überbewerten, einen Dünkel haben;

nur für sich sein = allein, egoistisch;

von sich aus = ohne fremden Einfluß;

an sich = *an und für sich* = in Wirklichkeit.

sieben *Die Zahl sieben* spielt in unserem Denken eine ganz bedeutende Rolle, wohl deshalb, weil wir 7 Wochentage haben. Wir haben 7 Todsünden, in der Bibel gibt es die anderen 7 Geister und ein ↗ Buch mit 7 Siegeln, im Koran gibt es ein wunderbares Leben im 7. Himmel. Man kennt die 7 Weisen des Altertums und die 7 Weltwunder. Eine böse Frau

ist eine »böse Sieben«, vielleicht nach der 7. Bitte (»Erlöse uns von dem Übel«), wahrscheinlicher aber von einem alten Kartenspiel des 16. Jahrhunderts, »des Teufels Karnöffelspiel« genannt, wo der Siebener »der Teufel« hieß oder »die böse Sieben«. Später wurde statt des Teufels das Bild einer Frau darauf angebracht, wohl deshalb, weil in der Reihe der Sakramente (der kath. Kirche) die Ehe an der 7. Stelle genannt wird. Weiter: Man packt seine 7 Sachen zusammen, auch wenn es ihrer 20 sind. Bekannt sind die 7 Raben, ganz besonders aber die 7 Schwaben, diese 7 furchtsamen Gesellen mit ihrem Spieß gegen ein Häslein! Seltsam, daß man solche Unmännlichkeit gerade jenem deutschen Stamme zuschreibt, der jahrhundertelang als

tapferster Vertreter der deutschen Stämme das Vortrittsrecht (Artikel
31 des Schwabenspiegels) hatte, nämlich die Reichssturmfahne mit dem
schwarzen Adler in die Schlacht vorantragen zu dürfen! Und weltbe-
kannt sind die sieben Zwerge hinter den sieben Bergen (Himmelberg,
Heimberg, Lauensberg, Ostenberg, Nesselberg, Tafelberg, Hörtzen), die
von den Brüdern Grimm, als Jakob 1830–1837 Professor in Göttingen
war, von Alfeld/L. aus öfters besucht worden sind. Ob ihre Märchen-
zwerge dort hinten im Hildesheimer Walde noch immer hausen, weiß
man nicht, aber weiter fort in Kinderherzen leben sie.

Siede *siedesackgrob = grob wie Siedestroh.* – (ostd.) Siede = Häcker-
ling/Häcksel mit Spreu als Viehfutter gebrüht; sieden = brühen.

Siegel *unter dem Siegel der Verschwiegenheit etw. versprechen* = versprechen, es nicht weiterzusagen; der Mund wird gewissermaßen zuge-
siegelt.

Sielen *in den Sielen sterben* = (in höherem Alter) mitten in der Arbeit
sterben, wie Zugtiere ja auch bis zum Tode Arbeit leisten müssen in den
Zugsträngen. – Die Redensart wurde von Bismarck gebraucht und dadurch ein geflügeltes Wort.

Silberblick = ein leichtes Schielen.

Simpel *ein Simpel (ohnegleichen)* = ein ganz einfältiger Mensch, ein
Tropf. – Der Name stammt von dem einfältigen, naiven Helden des
Romanes »Der abenteuerliche Simplicius Simplicissimus« von Grimmels-
hausen (1668).

Sinn *etw. im Sinne haben* = es beabsichtigen;
nicht aus dem Sinn kommen = nicht vergessen können (H. Heine).

sit *ein »sit in« machen* = sich zum Protest als Hindernis hinsetzen. –
Ein neuartiger Boykott.

sitzen *sitzen bleiben* Schüler in der Schule (= sie steigen nicht auf),
Mädchen (werden nicht zum Tanze geholt bzw. werden nicht geheiratet).
sitzen lassen = ein Mädchen nicht zum Tanze holen bzw. nach Verlobung
sie nicht heiraten;
etw. auf sich nicht sitzen lassen = sich wehren gegen üble Nachrede;
eine Sitzung wird anberaumt = ihr Termin wird festgesetzt; die Raum-
vorstellung wird auf die Zeitvorstellung übertragen;
kein Sitzfleisch haben = unruhig auf der Bank hin und her rutschen (bes.
von Kindern gesagt), (↗ Hummeln), sie springen lieber auf der Wiese
herum. So auch von Erwachsenen gesagt, die unstet herumzureisen
pflegen.
mit seinem Sitzfleisch auf jedem Kirtag sein (südd.) = überall dabei sein
müssen, alles mitmachen wollen. ↗ Hochzeit

Sklave Die Redewendung: »*Ich will nicht sein Sklave sein*« (= mag
nicht von ihm geknechtet werden, will frei sein, mein eigener Herr) und
Pidder Lüngs stolzes Friesenwort: »*Lewwer duad üs Slaav!*« zeigen, daß

das Wort Slawe bestimmt das Wort Sklave ist, mögen es auch Slawen gern von slovo (= Wort) herleiten. Denn Slawe ist nicht unsere ursprüngliche Bezeichnung für unsere Nachbarn im Osten. Dieses Wort kam sonderbarerweise zu uns erst, als die Zeit der Durchfuhr slawischer Unfreier (noch im 10. Jh.) längst vorbei war, und kam sogar aus dem Süden und Westen durch romanische Vermittlung. – Wir Deutschen nannten die (später) Slawen Geheißenen in altdeutscher Zeit Winida (im Mittelalter Winden), das heißt »Befreundete«. Es liegt das alte Wort wini zugrunde, das schon in altgermanischer Zeit die Eltern gern ihren Kindern im Namen mit auf den Lebensweg gaben: Ortwin = Schwertfreund, Albwin (Alboin, Albin) = Albenfreund, Baldwin (Balduin, Baudouin) = der Kühnheit Freund u. ä. Der Name Winden hat also bestimmt über das Jahr 568 (als der große Avarensturm[1]) die Slawen westwärts trieb) zurückgereicht in Zeiten, da Germanen noch in den Weichselniederungen saßen und die anderen noch in den Gegenden am Dnjeper um die Pripjatsümpfe siedelten. Sie saßen sich damals vor 568 nicht so nahe auf der Pelle, ein Grund mehr für gute Freundschaft. Aber des ungeachtet haben wir auch nachher noch den schönen Namen beibehalten für die Wenden (um Bautzen) und für die Windischen an der Kärntner Südgrenze. ↗ Hüne

so (in der Umgangssprache)

Ja, das geht so = auf diese Weise.

Es geht so so = einigermaßen.

Mal so, mal so = einmal schlechter, einmal besser.

Ich bin doch gar nicht so = wie du denkst (z. B. so wenig gefällig).

So mir nichts, dir nichts = so ohne weiters.

Das ist mal so = da kann man nichts gegen machen.

Socken *sich auf die Socken machen* = (in Eile) aufbrechen. – Wenn wir heute »Socken« ersetzen und sagen: *sich auf die Strümpfe machen* oder *sich auf die Lappen machen* (man trug früher Fußlappen), dann verkennen wir die ehemalige Bedeutung von Socken, die früher so viel wie »Schuh« bedeuteten; vgl. die Nietlessocken im Thür.-Fränk. Walde, die gestrickte Winterschuhe sind, mit denen man auf die Straße geht. – Von lat. soccus = leichter Schuh.

jm. auf den Socken sein = ihn scharf verfolgen.

Soldat *Soldat* kommt vom spätlat. Worte solidus (kurz für solidus nummus = gediegene Münze), davon Sold, Söldner und Soldat. Ein Kriegszug hieß früher einmal »Reise« und die dafür ausgerüsteten Soldaten hießen »Reisige« (↗ Landsknechte).

---

[1]) Nach Friedr. Kluges Etymolog. Wörterbuch, 1957[17] unter dem Stichwort Slawe und nach der Übersichtstafel der Ausstellung Monumenta Judaica 1963/64, wo der Fernweg des Sklavenhandels eingezeichnet war: von Kiew über Prag, Passau, Regensburg einerseits und von Magdeburg her nach Koblenz und weiter über Metz nach Nordafrika oder über Lyon (als Eunuchen) weiter ins Kalifat.

Wie sich die Jäger »weidmännisch« ausdrücken, so die Soldaten »militärisch«, heute wie einst:

kriegen = bekommen, nämlich seinen Anteil an der »Kriegs«beute.

der Vorteil war der größere Teil der Beute, den sich der Anführer »vorweg«nahm vor der Teilung.

Die Werbetrommel rührte man einst (auf dem Dorfplatz), weil die Soldaten angeworben wurden.

Man diente *von der Pike auf* = vom gemeinen Soldaten hinauf. – Die Pike (Spieß) war die Landsknechtslanze (franz. piquer = stechen), dazu gehört unser *pikiert sein* = verstimmt sein und *Pik haben auf jn.* = Groll (gemeint: die Pike auf ihn gerichtet haben).

(Haube) Sturmhaube, Pickelhaube sind »Haupt«bedeckungen.

Ein *Seitengewehr* ist eine Wehr (vgl. Wehrgehänge = Schulterkoppel), womit man sich wehrt; das tut man auch mit einem *Ge-wehr*, wofür man früher *Flinte* sagte, weil sie mittels eines Flints (Flint = Feuerstein) durch Funkenschlag abgefeuert wurde. Daß die Kugeln heute nicht mehr rund sind, wundert uns Fortschrittleute nicht, daß aber das Wort »laden« dasselbe Wort ist wie »be-lasten« (auch rot und Rost sind verwandt), das muß man erklärt bekommen: Die ersten Feuerwaffen waren ungefüge Mörser, in die man schwergewichtige Steinkugeln laden mußte.

etw. verpufft = vergeht ergebnislos;

verpulvern = heute vom Geldverschwenden gebraucht;

die Flinte ins Korn werfen = aufgeben, davonlaufen. Ein Bauernknecht würde sagen (Ma.): die Hacke ins Kraut schmeißen;

Fühlung nehmen, einst »mit dem Feinde«, heute: Geschäftsverbindung suchen;

ins Treffen führt man heute hauptsächlich Gründe zur Beweisführung, einst waren es Soldaten, die man gegeneinander führte;

sich durchschlagen = (einst) durch die feindlichen Linien, heute: durchs Leben;

Lärm »schlagen« ⟨ Alarm trommeln;

Bagage = Troß und was sonst noch hinterher läuft, gesprochen Pakkasche und eingekürzt zu Pack = Gesindel.

Neueren Datums sind: *einem den Marsch blasen* = ihn abkanzeln. – Die Marschmusik belebt wie eine Strafpredigt. Aber Marschmusik ist bei Militär nur möglich bei Gleichschritt, und dieser wurde erst vom alten Dessauer eingeführt; früher liefen die Söldner so, wie jeder eben wollte.

Ganz neu ist die Wendung: *Kohldampf schieben* = Hunger leiden müssen. – Wohl rotwelsch, durch Soldaten aus der Großstadt-Unterwelt in Umlauf gesetzt.

Weiteres: ↗ abblitzen, ↗ ausfällig werden, ↗ Barras, ↗ Bau (= Arrest), ↗ brandschatzen, ↗ Fuchtel, ↗ Geld, ↗ ins Hintertreffen geraten, ↗ Kommißbrot, ↗ Lärm schlagen, ↗ vom Leder ziehen, ↗ Lunte riechen, ↗ Rädelsführer, ↗ Spießrutenlaufen.

Soll *Soll und Haben* = ich soll (= ich schulde) und ich habe (= besitze). – Der Anlaut von sollen war im Ahd. sk, wir sollten »schollen« sagen und schreiben; denn das Hauptwort dazu ist »Schuld«.

Sonne Das erhabene Naturschauspiel des Sonnenaufganges, das die Griechen so prachtvoll in den Sonnenmythos kleideten, wie der Sonnengott Helios, die Sonnenpferde vor seinen Sonnenwagen gespannt, die Wolken heraufgefahren kommt, dieses Erleben ist uns Heutigen zu alltäglich, um darüber noch zu staunen. Deshalb haben wir – außer einer Menge stilistischer Wendungen – so gar keine eigentliche Redensart mit Sonne, außer man nimmt das Sprichwort »*Die Sonne bringt es an den Tag*« für eine Redensart = macht es offenbar. Erst ein Dichter (Flaischlen) hat uns eine »sonnige« Redensart beschert: *Sonne im Herzen haben* = heiteren Gemütes sein. ↗ Tag

Sorge *Sorge tragen für etw.* = dafür sorgen. – Eine der häufigen Zerdehnungen, um dem einfachen Zeitworte mehr Gewicht zu geben. ↗ Besorgungen machen

Späne *Späne machen* = Schwierigkeiten bereiten, Hindernisse in den Weg legen. – Das Grimmsche Wörterbuch (1854–1961) führt X, Sp. 1867 unter Span 1) Hader, Zank, Meinungsverschiedenheit Stellen an wie: »ich hab ein span oder zanck mit ihm, oder: eyn sach in einen span oder hader unnd zweytracht bringen.« Auch der Kanzler des Landgrafen hatte bei der Eröffnung des Marburger Religionsgespräches zwischen Luther und Zwingli gebeten, »den Span von des Sakramentes vom Nachtmahl Christi beizulegen«. Das Wort Span ist demnach das endungslose Wort »Spannung« (vgl. ein gespanntes Verhältnis), und zwar mit Länge, wie solche Einsilbler in den mittel- und süddeutschen Mundarten alle gelängt werden, vgl. der graue und der grüne Star von starren, Pflugschar von scharren.

Dasselbe Wort (Grimm IV/1, 4129) haben wir (auch mit Länge) im Worte »der Gespan« (= Gefährte) in der Grundbedeutung »zusammengespannt[1]), Nebenformen dazu sind Gespon und Gespons – Gesponse (= der und die Verlobte); davon stammt das südd. Wort a G'spusi (= Liebschaft). Gespons (Sp. 4157) ist nicht das lat. Wort sponsa, sondern hat sein s aus der Mundart, vgl. ein Lumps, ein Gecks, ein Schlorks, ein Schlamps, ein Rülz u. a. Dieses s ist ein Bildungselement (wohl zur Verkleinerung) und auch in der Namengebung gebräuchlich: Udo-Uz, Lude(wig)-Lutz, Kuno-Kunz, Fried(rich)-Fritz usw.

Spanien *stolz wie ein Spanier* = sehr stolz und steif. – Hatte schon der spanisch erzogene deutsche Kaiser Karl V. (1519–1556) spanisches Zeremoniell einführen wollen, so bekam man erst im 30jährigen Kriege (1618–1648) in Deutschland in den habsburgischen Söldnern wirkliche Spanier zu Gesicht mit ihrer Grandezza.

[1]) Wie der »Gespan« = der im selben Gespann, so got. gajukô = der im selben Joch (= der Gefährte).

Das kommt mir spanisch vor = etwas seltsam, unbekannt, wie das steife spanische Zeremoniell zur Zeit Karls V. ↗ böhm. Dörfer
in Spanische Stiefeln einschnüren (Goethe) = etw. sehr einengen. – Folterwerkzeug.

Sparren *einen Sparren zu viel haben* = rappelköpfig sein.

Spaß machen = zerdehntes »spaßen«.

Spatzen *schimpfen wie ein Rohrspatz* = sehr heftig. – Der Vergleich ist seit dem 18. Jh. bekannt, das Wort Rohr- scheint verballhornt, wir würden erwarten: wie eine Schar Spatzen.
Das pfeifen die Spatzen auf den Dächern = das Gerücht ist ganz allgemein bekannt.
Spatzen (Vögel) unterm Hut haben Buben, wenn sie beim Grüßen den Hut nicht ziehen; denn sie fürchten, daß sie ihnen davonflögen.

Speck *'Ran an den Speck!* = Heran an die Arbeit! – So denkt man sich wohl die Anrede des Mäusehäuptlings an seine Gefolgschaft.
im Speck sitzen = reichlich zu leben haben. (↗ wie die Made im Speck)

spenden *die Spendierhose anhaben* (nd. Spendeerbüxen) = in Geberlaune sich befinden (Umg.). – Spendieren von spenden.
Beifall »spendet« man als eine freiwillige Spende (= macht ihn förmlich zum Geschenk), während: *Beifall »zollen«* sozusagen eine »Zollgebühr« erheben bedeutet, die man entrichten muß, weil es sich so gebührt.

Sperenzen *Sperenzen machen* = sich zieren, sich sträuben, sich »sperren«. – Eine Doppelwortbildung (wie schwänzeln ⟩ scharwenzeln).

Spesen *Spesen (= Unkosten) erwachsen Ihnen keine* = das wird Sie weiter kein Geld kosten. – ital. spesa (= Spende).

Spiegel *Den Brief kann er sich hinter den Spiegel stecken* = zur unliebsamen Erinnerung an das, was ich ihm alles gesagt habe. – Zwischen Rahmen und Glas steckte man (als die Post noch seltener war) in der Stube die Briefschaften, besonders schöne Ansichtskarten.
Eine Spiegelfechterei ist ein heuchlerisches Getue. – Gemeint ist unmöglich ein Übungsfechten vor einem Spiegel; denn damals hätte ein so großer Spiegel ein ganzes Vermögen gekostet, sondern gemeint war damit das Herumwirbeln der spiegelblanken, blitzenden Schwerter der Schaufechter vor ihrem Auftritt, wobei aber niemand verletzt wurde = es war eben *eine rechte Vorspiegelung falscher Tatsachen.* ↗ Fechter

Spiel Der Spielbetrieb ist dem Menschen angeboren wie dem Tier. Die Art der Spiele wechselt nach Geschlecht, nach Alter und nach Zeit und Gegend:
alles aufs Spiel setzen = ein gewagter Einsatz, ein Risiko;
Es steht dabei viel auf dem Spiele = die Sache ist riskant;
etw. (Neues) ins Spiel bringen = z. B. einen neuen Gesichtspunkt bei einer Verhandlung;
ein doppeltes Spiel spielen = es heimlich mit dem anderen Partner halten;

ein falsches (abgekartetes) Spiel spielen = hinterhältig handeln;
sein Spiel mit jm. treiben = ihn am Narrenseil führen. – Wie »ein Kinderspiel« und »eine Spielerei« ein Ausdruck der häuslichen Sphäre;
jm. das Spiel verderben = seine Unternehmung vereiteln;
jn. aus dem Spiele lassen = ihn ungeschoren lassen;
jm. etw. zuspielen = ihm etw. zuschanzen;
jm. übel (arg) mitspielen = ihn unsanft, ungerecht behandeln;
das Spiel verloren geben = den Vorsatz aufgeben;
verspielt haben = verloren haben;
Weiteres dazu unter: ↗ Bank, ↗ Hand, ↗ Karten, ↗ Kümmelblättchen, ↗ Paroli, ↗ Schwarzer Peter, ↗ Trumpf;
sich abspielen (= sich ereignen) und *sich groß aufspielen* (= großtun) sind Theaterausdrücke;
das Spiel rühren = die Trommel schlagen (= rühren) ist eine militärische Wendung.

Spieß *den Spieß umdrehen* = die Nachgiebigkeit ins Gegenteil verkehren. – Man denkt sich einen Arglosen, der sich unverhofft angegriffen sieht, dem Angreifer den Spieß entreißt und nun selbst zum Angriff übergeht;
schreien wie am Spieße, er schreit, als ob er am Spieße steckte. – Missetäter wurden hingerichtet, indem man sie »auf den Spieß setzte«. Das geschah öffentlich, und die Schreie der so zu Tode Gemarterten sind weit zu hören gewesen. ↗ Pudel
Spießbürger (ein *Spießer*) = kleinlich denkende Menschen, engstirnig, (ein Mucker). – Das Wort stammt aus der pulverlosen Zeit, da das Kriegsvolk noch mit Spießen bewaffnet war. Einst war es eine ehrenvolle Bezeichnung für Vollbürger, die das Recht hatten, einen Spieß zu tragen, damit aber auch die Ehrenpflicht übernommen hatten, die Stadt in etwaigen Gefahren zu verteidigen. Aber mit Einführung der Feuerwaffen erschienen sie rückständig, rückständig wie die Schildbürger, die Schilde trugen und als Bürger von Schilda lächerlich gemacht wurden.
Spießgeselle hat einmal so viel bedeutet wie heute etwa Regimentskamerad; solche Kameradschaft wurde aber später geringschätzig beurteilt, als die Spieße altmodisch wurden, heute Komplize, Mittäter.
Spießruten laufen müssen = die unangenehme Lage, einen Gang tun zu müssen, bei dem rechts und links neugierige Augen auf einen gerichtet sind. – Gustav Adolf führte die grausame Strafe des Spießrutenlaufens ein. Dazu verurteilte Soldaten mußten – wenn auch nicht durch die Spieße – durch eine Gasse rutenschwingender Kameraden laufen, und zwar mit entblößtem Oberkörper. Erst Friedrich Wilhelm III. hat diese Strafe in Preußen abgeschafft. In österreichischen Heeren gab es sie nicht.

spinnen *spinnen* = einen Spleen haben, Mucken, Schrullen, Grillen haben. – Man könnte an das Spinnhaus denken, wohin früher zu den

Arbeitsscheuen auch harmlose Narren gesteckt wurden. So endete 1728 der letzte in Preußen geführte Hexenprozeß damit, daß eine irre Müllerstochter auf Lebenszeit ins Spandauer Spinnhaus eingewiesen wurde. Aber weil man sagt: Er ist ganz *in seine Gedanken versponnen* (= gedankenverloren) und auch bei »Hirngespinst« gleich an Fäden denkt, so spinnt sich – wie die Raupe des Seidenspinners sich in ihren Kokon einspinnt – auch ein Mensch in seine Gedanken ein; *spinne(n)feind* = arg verfeindet, weil eine Spinne die andere tötet. – Die tonlose Silbe -en- wird öfters geschwächt zu e. ↗ Rübenzahl ⟩ Rübezahl.

spitz *etw. spitzkriegen* (Umg.) = dahinter kommen, spitzfindig sein, d. h. überspitzt scharf denkend;
eine spitze Zunge haben = eine, die gern »stichelt«;
etw. auf die Spitze treiben = es (absichtlich) aufs äußerste ankommen lassen;
einem die Spitze bieten ↗ Ritter;
der Sache die Spitze abbrechen = *ihr den Stachel nehmen*, der wehtut; ↗ Schärfe;
auf etw. spitzen (Umg.) = sich etw. erhoffen. – Man kostet mit spitzem Munde bereits den Vorgeschmack;
ein Spitzbube ⟨ Spitznasenbube, weil eine spitze Nase Schlauheit verrät. – Ein Schwundwort wie ↗ Feuerspritze.

Splitter *ein Splitterrichter* ist ein Mensch, der alles bekrittelt, jede Kleinigkeit beanstandet. – Deutlich ein Wort, das nach dem bekannten Sprichwort vom Splitter im fremden Auge gebildet ist, den man sieht, aber nicht den Balken im eigenen.

Sporen *sich die Sporen verdienen* = das in uns gesetzte Vertrauen durch ausgezeichneten Anfangserfolg rechtfertigen. ↗ Ritter;
spornstreichs = eilends, raschestens. – Wenn man *dem Pferde die Sporen gibt*, geht es rascher. Streich = Schlag.

Sprache Die *Sprache* ist das gebräuchlichste Verständigungsmittel, das der Mensch allein besitzt, aber sie ist nicht das einzige Mittel der Verständigung; auch Taubstumme können sich untereinander durch ihre Zeichensprache verständigen, Neger können meilenweit durch den Urwald mit Trommeln Nachricht geben, Telegraphisten durch eine Wand mit Morsen sich unterhalten, auf See dienen Flaggensignale zur Nachrichtenübermittlung; die Ureinwohner der Kanarischen Inseln haben sogar eine Pfeifsprache entwickelt, mit der sie von Berg zu Berg »sprechen« u. dgl. Aber unser hauptsächlichstes Verständigungsmittel ist und bleibt doch die lautbildende menschliche Sprache, hervorgezaubert durch das Wunderwerk eines kleinen Apparates im Kehlkopf, nicht größer als eine Nuß, in der zwei Häutchen gespannt sind. Um die Reichweite der Sprache zu vergrößern, hatte man frühzeitig das Sprachrohr, heute kann man um den Erdball herum telefonieren. Indes einen Fehler hatte die

Sprache lange noch: Ihr Hauch war in Augenblicksschnelle verweht. Ihm
Dauer zu verleihen, war ein Hauptanliegen schon früher Menschheit.
Von der ägyptischen Bilderschrift kamen die semitischen Phönizier zu
einer Buchstabenschrift, welche die Griechen durch Einschaltung der
Vokale zu unserer heutigen Lautschrift verbesserten (↗ Kümmelblättchen). Das war aber vorderhand nur ein Mittel, die Sprache dauerhaft
zu machen, noch fehlte das Mittel, die Originallaute eines Sprechenden
festzuhalten. Wir Heutigen besitzen es in der Grammophonplatte (Tonband), welche die Möglichkeit bietet, die Sprechweise eines Gegenwarts-
menschen aufzufangen, sie wiederzugeben, ja sie sogar noch nach Jahrhunderten wieder hörbar zu machen.
Die Sprache ist die Verbindungskette, die ununterbrochen durch Tau-
sende von Geschlechtern zurückführt und uns, die wir jetzt leben, mit
den Vorvorfahren aus der grauen Zeit der Urgeschichte verknüpft. Vgl.
dazu noch Seite 4: idg., germ., ahd., mhd., nhd. und ↗ Seuche.
eine deutliche Sprache reden = deutsch mit ihm reden, Fraktur mit ihm
sprechen;
mit der Sprache nicht herausrücken = mit der Sprache nicht heraus-
wollen = zögernd und widerwillig sich zu einer Äußerung bequemen, es
aber dann *zur Sprache bringen* = darüber reden.
Ich bin sprachlos = *mir verschlägt es die Sprache* = bin im Augenblicke
unfähig zu sprechen, bin erstaunt, entsetzt. – Den Atem »verschlagen«
kann es einem wirklich durch einen Schlag, Stoß oder Fall, damit natürlich auch die Sprache.
Spreu *die Spreu vom Weizen sondern* (Matth. 3, 12) = Gutes und
Böses trennen, Echtes und Falsches auseinanderhalten.
Spruch *Mach keine Sprüch'* (südd.) = *Red' keine Operetten* (Rhld.) =
ungereimtes Zeug quasseln, große Töne schwingen.
Sprung *auf einen Sprung zu uns kommen* (Umg.) = zu einem kurzen
Besuch. ↗ Katzensprung
jm. auf die Sprünge kommen = hinter seine Schliche kommen, sein Verhalten aufdecken;
jm. auf die Sprünge helfen = jm. anfänglich hilfreich beistehen. – Manchem Stück Jungvieh (Kälbern) muß man am ersten und zweiten Tage
nach der Geburt noch helfen, daß es auf die Füße zu stehen kommt; ganz
allein von sich aus ist es oft nicht imstande, an der Mutter zu trinken;
keine großen Sprünge machen können = nicht viel haben, um große Aus-
gaben zu machen;
etw. springen lassen = Freibier geben. – Großtuerisch die Münzen auf
den Tisch werfen, daß sie wieder hochspringen.
Spucke *Da bleibt einem die Spucke weg* (Umg.) = da bleibt einem der
Bissen im Halse stecken. – So sagt man, wenn man erschrocken, überrascht oder empört ist. Das Trockenheitsgefühl im Halse hängt mit
seelischen Erregungen zusammen. (sympathisches Nervensystem)

große Bogen spucken (Umg.) = prahlen, aufschneiden.

Spundus *Spundus haben* (schles.), *Spuntes vor jm.* (schwäb.) = Furcht, Abscheu. – Herkunft unbekannt.

Spur *Keine Spur!* (Umg.) = überhaupt nicht;
einer Sache auf die Spur kommen = einen Vorgang entdecken;
einer Person auf der Spur sein = Anhaltspunkte für sein ungutes Verhalten gewinnen;
jn. auf die richtige Spur bringen = ihm weiterhelfen;
in seine Spuren treten = ihm folgen in seinem Denken und Handeln;
spuren (meist verneinend: Er spurt nicht so, wie der Vater will) = nicht genau in der vorgetretenen Spur folgen. Barras »spuren« = geschäftig sein.

Staat *Damit ist kein Staat zu machen* = kein Ansehen zu gewinnen, keine Ehre einzulegen. – Auszugehen ist von der Grundbedeutung: prunken im Festgewand (im sog. *Staatsrock*), »Staat« in der älteren Bedeutung von »Aufwand in der Hofhaltung eines Fürsten«.

Stab *den Stab über jn. brechen* = ihn verurteilen. ↗ Rechtsbräuche

Stachel Veraltet (nur noch in der Luther-Bibel) ist die Wendung: *wider den Stachel löcken* = sich widersetzen. – »löcken« vom Zugtier gesagt, das gegen den Stachelstock des Viehtreibers »mit den Hinterfüßen ausschlägt«. In meiner Heimat am Jeschkengebirge hatte sich in einem alten Sprüchlein der andere Ausdruck »Geißelstecken« erhalten. (Reichenberger Heimatkunde, Unsere heimische Mundart, II$_2$, 1933, S. 147). Über Geißel und Peitsche ↗ geißeln. – Das veraltete »löcken« gehört zum selben Stamme wie got. laikan (= tanzen), mhd. Leich (= Tanzlied), nhd. frohlokken (= vor Freude hüpfen), Wetterleuchten (bedeutete Wettertanz).

Stand *in den Stand der hl. Ehe treten* = heiraten. – Verheiratetsein ist sozusagen ein eigener »Stand«; die Sprache lebt gewissermaßen in einem Ständestaate: Bauernstand, Bürgerstand usw., nur in den Adelstand kann man nicht mehr erhoben werden.
einen schweren Stand haben = sich schwer behaupten können, schwer kämpfen müssen.
etw. gut im Stande halten = in gutem Zustande.
jn. in den Stand setzen, etw. zu unternehmen = ihm die Möglichkeit dazu bieten.
etw. instand setzen = in Ordnung bringen.

standhalten = aushalten, seinen Standpunkt halten.

imstande sein = vermögen, können.

außerstande sein = nicht vermögen.

etw. zustande bringen = fertigbringen.

zustande kommen = fertigwerden.

jm. ein Ständchen bringen = eine Ehrenmusik aus Anlaß einer Feierlich keit.

jm. den Standpunkt klarmachen = ihm tüchtig seine Meinung sagen = *ihm eine Standpauke halten.*

das Standrecht verkünden = den Ausnahmezustand bekanntmachen.

Stange *bei der Stange bleiben* = ausharren bei der Sache, nicht abschweifen.

jm. bei der Stange halten = ihn (in einer Sache) nicht erlahmen lassen. – Grimm (X 2, 806) verweist auf Borchardt-Wustmann, der die Redensart vom Fechten hergeleitet wissen will. Aber die ungewöhnliche Rede der Fechter, die angeblich statt: an der Klinge bleiben »bei der Stange bleiben« sagen, rechtfertigt eine solche Herleitung noch nicht. Ungezwungener ist es jedenfalls, einen Fuhrmannsausdruck darin zu sehen, indem man die Abkürzung Stange = Deichselstange nimmt; denn Stange = Deichsel ist z. B. bei der reitenden Artillerie ganz gebräuchlich: Der Stangenreiter (mit dem geschienten rechten Bein) führte die Stangenpferde. Übrigens müssen alle Fuhrleute darauf achten, daß ihre Zugtiere immer hübsch an der Deichsel (= Stange) bleiben (Kräfteparallelogramm).

jm. die Stange halten = ihn in Schutz nehmen. ↗ Ritter

eine hübsche Stange (Latte) Geld = hübsch viel Geld. – Geldrollen in Stangenform.

einer »von der Stange« (witzelnd) = kein (vornehmer) Maßanzug, sondern ein gewöhnlicher Konfektionsanzug aus der Massenanfertigung, wie sie in Kleidergeschäften nummernweise nebeneinander auf der Stange aufgereiht sind. Auch z. B. Krimi von der Stange gibt es = serienweise hergestellt wie fabriksmäßige Anzüge.

Star *jm. den Star stechen* = ihm die Augen öffnen, ihn aufklären über etw. – Starblinde befreit man durch eine Operation vom grauen oder grünen Star.

der Star, starblind sein: Die Augenkrankheit, der Star, hat nichts mit dem Vogel gleichen Namens zu tun, das Wort wäre richtig Starr, starrblind zu schreiben; Leute mit dieser Augenkrankheit haben einen starren Blick, sie stieren, haben einen sturen Blick. (Ebenso hat eine Pflugschar nichts mit einer Schar Leute zu tun, auch sie sollte Scharr geschrieben werden, weil sie den Boden aufscharrt.) ↗ Späne

Staub *sich aus dem Staube machen* = unauffällig davonlaufen. – Der aufgewirbelte Staub des Kampfgetümmels deckt sein Verschwinden.

Das hat Staub aufgewirbelt = Aufsehen erregt. – Bei den heutigen Asphaltstraßen ist ein in Staub gehüllter Wagen gar nicht mehr denkbar, war aber seinerzeit an der Tagesordnung.

Stecken *sich hinter jn. stecken* = jn. als »Vorwand« benutzen (sich verstecken hinter ihm, hinter dieser Wand).

es einem stecken = hinterbringen. – Das Wort soll noch zurückgehen auf einen Rechtsbrauch der Feme, deren Vorladungen nachts heimlich an die Tür mit einem Messer »angesteckt« worden sind. Unsere Polizei erläßt jedenfalls heute auch noch »Steckbriefe« und sucht »steckbrieflich« die Rechtsbrecher. ↗ Dreck

Nach dem Holzschnitt vom Meister J. R. 1600

sein Steckenpferd reiten = seine Lieblingsbeschäftigung, seine Liebhaberei, sein Hobby. – Wie die Kinder immer wieder den Stecken mit dem Pferdekopf reiten, so ausdauernd »reitet« auch gar mancher Erwachsene »sein« Steckenpferd.

etw. suchen wie eine Stecknadel (Spenadel) = übereifrig. ↗ Nadel

Stegreif *aus dem Stegreif* = unvorbereitet reden (= aus dem Steigbügel). Ein Ritter hatte – zum Ausritt aufs Pferd gebracht – nicht Zeit, in wohlgesetzter Rede noch seine Anordnungen zu geben. – Aber auch an reitende Eilboten wäre zu erinnern.

Stehauf *das reinste Stehaufmännlein* = Name für Kinder, die unruhig sitzen und sich ständig aufrichten. – Stehaufmännchen heißen Stäbchen, selbst gefertigt aus Holundermark mit einer Schuhzwecke unten als Beschwerung.

Stein *ein (der) Stein des Anstoßes* = der Ärgerniserreger. – Auf der Straße stößt man ungern an einen Stein, man stolpert sonst.

den Stein ins Rollen bringen (er kommt ins Rollen) = den Anstoß geben. – Man denkt an Lawinen.

Stein und Bein schwören = übermäßig (seine Wahrheitsliebe) beteuern. – Bein = Knochen (vgl. Gebein, Beinhaus, Schlüsselbein), schwören also beim Altarstein, unter dem die Reliquie eines Märtyrers aufbewahrt ist. – Man sagt (südd.) auch: Es friert heute Stein und Bein = steinhart und beinhart = sehr hart.

den Kindern einen Stein in den Garten setzen, wird in der Ob.-Lausitz gesagt, wenn der verwitwete alte Vater noch einmal heiratet. – Gewöhnlich läßt sich die zweite (jüngere) Frau einen Teil des Besitzes grundbuchmäßig übereignen, der Garten wird also durch einen Grenzstein halbiert, die Kinder aus erster Ehe kommen zu kurz.

Mir fällt ein Stein vom Herzen = ich bin von einem schweren Druck befreit, bin eine Sorge los. – Sorgen verursachen Brustbeklemmungen. ↗ Herz *bei jm. einen Stein im Brett haben* = bei ihm gut angeschrieben sein, sein Wohlwollen genießen. – Hier ist ein »guter« Stein gemeint, nämlich der beim Brettspiel über die anderen hüpft und gewinnt. Der Jemand ist Kenner des Brettspiels, er kennt auch meine Art zu spielen, sie gefällt ihm, er findet mein Spiel sympathisch, einnehmend, in seinem Geiste hat ein Spiel von mir schon im voraus eine gute Nummer. Und weil er Sympathie für mein Spiel hat, bringt er auch mir Sympathie entgegen.

Das ist ein Tropfen auf einen heißen Stein = völlig unzureichend, nutzlos.

jm. Steine in den Weg legen = ihm Schwierigkeiten bereiten. Man soll *keinen Stein auf ihn werfen* (Bibel) = ihn nicht verleumden. – Die alten Juden steinigten mißliebige Leute zu Tode: Apg. 6, 7 und Joh. 8, 46ff.

Stelzen *wie auf Stelzen* = so gespreizt, so geschraubt, so gedrechselt reden. – Stelzen sind Stangen mit Tritthölzern zum Stelzenlaufen der Buben.

stempeln *stempeln gehen* = arbeitslos sein. – Die Karte der Arbeitslosenunterstützung wird jedesmal bestempelt.

sterben Redensarten für *sterben*: Es geht ans Sterben, im Sterben liegen, in den letzten Zügen liegen, seine Stunde hat geschlagen, das Leben lassen, vom Leben Abschied nehmen, den Geist aufgeben, die Seele aushauchen, das Zeitliche ↗ segnen u. a. m.

kein Sterbenswörtchen dazu sagen = nichts. – Auf dem Sterbebette redet der Mensch nichts mehr.

Stern *unter keinem guten Stern geboren* = ein Pechvogel. – Glaube an die Astrologie. ↗ Mond

Steuer *das Steuer herumwerfen* (polit.) = entgegengesetzt regieren. – Ein Bild von der Seefahrt.

Stich *einen Stich haben*, z. B. Nahrungsmittel, bes. Milch, die ansäuert, oder Fleisch, das bereits riecht.

jn. im Stich lassen = ihn ohne Hilfe lassen, weglaufen statt ihm Beistand zu leisten. – Wenn auch das Turnier »Stechen« geheißen hat, so ist hier (schon der Bedeutung wegen) nicht daran zu denken. Aber wenn man die Redensart so leichthin mit »jn. im Kampfe allein lassen« erklärt, so bedenkt man nicht, daß uns Deutschen bei dem Worte »Kampf« ja gar keine »Stecherei« in den Sinn kommt. Wir würden bei »Kampf« vielmehr von einem »Dreinschlagen« reden; eine Schlacht (von schlagen) ist nach unserem Dafürhalten eine große »Schlägerei«, wo hauptsächlich mit Hiebwaffen gekämpft wurde: mit Schwertern jeder Art, sogar mit Bihendern, mit Streitkolben und Streitäxten, mit Hellebarden (= langstielige Beile zum Einschlagen der Helme) und Säbeln. Der Ursprung der Redensart »im Stich« lassen muß also doch wohl in einer anderen Sachlage gesucht werden, nämlich in den ehemaligen schlechten Wegverhältnissen, als gegenseitige Vorspannhilfe noch sehr nötig war. Wenn man den Wechsel von ch – ck bedenkt: Dach – decken, wach – wecken

und sticken = feststechen, so entpuppt sich die Redensart als Fuhr-
mannausdruck: ihn im Stiche lassen = ihn »stecken« lassen, wo er
stecken geblieben ist, nämlich im Hohlwege, der bezeichnenderweise
schweizerisch »Stich« heißt. ↗ wieder am Damme

sticheln = anzüglich reden und so förmlich kleine Nadelstiche versetzen.
jn. zum Stichblatte nehmen, jm. zum Stichblatte dienen = als ständiges An-
griffsziel. – Beim Säbel muß das Blech über der Faust (= das »Stich-
blatt«) immer und immer wieder die Schläge des Gegners aushalten. Ein
Fechterausdruck.

stichhaltig = hieb- und stichfest. ↗ Ritter
die Stichprobe machen = aus einer gleichartigen Menge ein beliebiges
Stück herausgreifen, untersuchen und dann auf die Güte aller anderen
Stücke schließen. – Stichprobe heißt sie, weil beim »Anstich« des Hoch-
ofens entnommen. – Eine Strichprobe auf Goldgehalt machen Juweliere
auf dem ↗ Prüfstein.

Stiefel *einen Stiefel zusammenreden (-schreiben)* = viel, aber nicht
geistreich. – Der Name Stiefel ist studentischer Herkunft und kommt
vom Humpen (in Stiefelform), der »Unsinn« vom Alkohol darin. – Bei besonders trinkfesten Zechern sagt man noch heute: »Der kann einen (ordentlichen) Stiefel vertragen« = sehr viel, eigentlich: den Inhalt eines
Humpens in Stiefelform, wie man derartige Trinkgefäße noch vielfach in
Schenken sehen kann. Diese Form ist seit 1500 bezeugt und zeigt wohl,
daß man einst in übermütiger Zecherlaune das Bier tatsächlich aus
einem Reiterstiefel getrunken haben mag. ↗ Bierschwefel

Stier *den Stier bei den Hörnern packen* = eine gefährliche Aufgabe
stracks angehen. – Beim Angriff eines wütenden Stieres (so denkt man
es sich) greift man am wirksamsten nach seinen Hörnern, mit denen er
stoßen will, und hält sie fest. Ungleiches Spiel, außer man wäre so
bärenstark wie jener germ. Gladiator in Felix Dahns Roman. Männer,
die mit Rindvieh umzugehen wissen, greifen dem Stier fest in die Muffel
(= Nasenlöcher), und der Stier hält still.

stiften *stiften* bedeutete zunächst »gründen« (z. B. ein Kloster), die
Bedeutung entfernte sich dann (z. B. einen Preis stiften), wurde dann zu
»verursachen« (Frieden stiften, ein Brandstifter) und schließlich zu
»schenken« (d. h. eine milde Stiftung machen).
Stift (= kleiner Stab) gehört zu steif. – *Stift* (= kleinster Lehrbub) ist
als rotwelsch Stifftgen (= Knäblein) bezeugt. –
stiften gehen (= abhauen, türmen) dürfte rotwelsch sein.

Stirn *jm. die Stirn bieten* = seinem Angriff mutig entgegentreten.
Da muß man sich an die Stirn greifen = plötzlich der Verkehrtheit einer
Handlung inne werden.
Er hat die (freche) Stirn = er erdreistet sich (z. B. mir das ins Gesicht zu
sagen). – Die Redewendung ähnelt der franz. Konstruktion: il a le
toupet de me dire cela.

die Stirne runzeln = ärgerlich werden, *die Stirne in Falten legen* = nachdenklich werden. – Wortgruppe: Runzel, Runse, Rinne, Rinnsal, Rille.

Stock *über Stock und Stein* = geradeaus über alles hinweg. – Mit
Stock sind Wurzelstöcke (Baumstümpfe, Stubben) gemeint.

ins Stocken geraten = stocken, stehen bleiben, vgl. ↗ verstockt

Storch *»Der Storch hat die Mama ins Bein gezwickt«*, sagt man seinen
kleinen Kindern, wenn die Mutter nach einer Geburt das Bett hüten
muß.

Gott *Strambach!* (Ausruf) ⟨ Gott straf' mich.

Strang *am selben Strange ziehen* = dasselbe Ziel verfolgen. ↗ Strick
sich selbst den Strang (Strick) drehen = sich selbst schaden, seinen Untergang verursachen.

über die Stränge schlagen = übermütig und leichtsinnig sein. – Ein Bild
vom Fuhrwesen, wenn die Pferde hinten ausschlagen und über die Zugstränge zu treten kommen.

Wenn alle (Stricke) Stränge reißen ... = im äußersten Notfall.

Straße *jn. auf die Straße setzen* = ihn rücksichtslos entlassen.

auf die Straße gehen = auf den ↗ Strich gehen.

seine Frau von der Straße auflesen = aus der Gosse holen = ein zweifel-
haftes Frauenzimmer heiraten.

Straubing *ein Bruder Straubinger*. – Dem Ort Straubing sagte man
nach, daß die Leute von da gern lustig auf Wanderschaft gingen mit
Knotenstock (Ziegenhainer) und Ränzlein.

Strauch *auf den Strauch
schlagen* = *auf den Busch klopfen* = jn. geschickt ausfragen,
damit er das Geheimnis preis-
gibt. – Hasen wissen sich geschickt unter Blattwerk zu
ducken und lassen die Menschen an sich vorbeigehen, man
muß sie deshalb oft erst auf-
scheuchen.

Strauß *einen Strauß ausfech-
ten* = eine Streitigkeit mit jm.
haben. – Dieses deutsche Wort ist mit dem folgenden Lehnworte
nicht verwandt:

Vogel-Strauß-Politik treiben = *den Kopf in den Sand stecken* = um sich
herum nichts Unangenehmes sehen wollen. – Vom Strauß behauptet
man, er stecke den Kopf in den Sand, was aber nicht der Fall ist. ↗ Kopf

Strecke *auf der Strecke bleiben* = (heute) wirtschaftlich scheitern.

jn. zur Strecke bringen = einen ausschalten, wenn z. B. der Polizei gelang,
einen Verbrecher zu verhaften. – »Strecke« heißt in der Jägersprache die
Gesamtheit des an einem Tage geschossenen Wildes, das »ausgestreckt«

in Reihen gelegt wird. Und manches Häslein hoppelt nicht mehr ins Kornfeld, weil es *auf der Strecke geblieben* ist. – Auch das Wort »verreckt« (= verendet) enthält die Tatsache, daß der Tod »reckt« (= länger macht, streckt).

Streich *jm. einen Streich spielen* = ihm einen Possen antun. – »Streich« in der Bedeutung: kleiner, neckischer Schlag (vgl. Backenstreich).

Streit *einen Streit schlichten* = ihn beilegen. ↗ schlichten

jm. etw. streitig machen = einem anderen nicht nachgeben wollen in einer strittigen (= umstrittenen) Sache, sein Anrecht anzweifeln.

einen Streit (leichtfertig) vom Zaune brechen = mutwillig und ohne Grund einen Streit beginnen, wie einer aus reinem Mutwillen vom Zaune eine Latte bricht.

die Streitaxt begraben = *das Kriegsbeil begraben* = Frieden schließen.

ein (sinnloser) Streit um ↗ *Kaisers Bart*

Strich *einen Strich durch seine* ↗ *Rechnung machen*

»*auf den Strich gehen*«, von Dirnen gesagt, weil sie dabei darauf ausgehen, sich Männer zu schnappen (vgl. Schnepper = Messer, dessen Klinge »schnappt«; und rhein. ein Schnäppchen machen = etwas billig »schnappen«), deshalb auch ihr Name »Schneppe«. Man hat die Redensart mit Schnepfe – Schnepfenstrich in Verbindung bringen wollen. Mit Unrecht; in Schwaben bedeutet »auf den Strich gehen« so viel wie »betteln gehen«. Die Redensart ist also eine der vielen bekannten Zerdehnungen des Zeitwortes: sie »streichen« herum – beide, Dirnen wie Bettler – »gehen auf den Strich«. – Grimm X 3, 1526: einen strich thun durch ein land (Fischart), auf meinem Strich durch Deutschland (Heinse); die Mundarten: Wu strechste denn schun wieder hie? = Wuhie hoste denn heute wieder a Strich?

noch auf dem Strich gehen können = noch nicht ganz betrunken sein. – Die Redensart ist veraltet, weil heute die Polizei die Probe auf den Grad der Trunkenheit nicht mehr mit einem Kreidestriche macht, auf dem der Verdächtige geradlinig gehen mußte, sondern mit Tüteblasen oder Blutentnahme.

jn. auf dem Strich haben (= ihn nicht leiden mögen) wurde (↗ Schützen) meist von der Zielvorrichtung abgeleitet. Da aber Strich = Kimme nicht üblich ist (man sagt nur: über Kimme und Korn zielen), könnte höchstens die »Visierlinie« damit gemeint sein. Möglich wäre auch, Wilhelm Oppermann (Aus dem Leben unserer Muttersprache, Leipzig 1928[2], Seite 66) könnte recht haben: Es gab auch eine Art berittener Polizei, die sogenannten Strichreiter, die das Gelände zu durchstreifen oder zu durchstreichen hatten, um auf Verbrecher zu fahnden; sie *hatten diese* also *auf dem Strich.*

jn. nach Strich und Faden verprügeln, ihn förmlich längs und quer durchbleuen, wie Kette und ↗ Schuß im Gewebe übereinander liegen.

Das geht mir gegen den Strich = ist mir zuwider, wie der Katze, wenn man ihr das Fell verkehrt streichelt.

Strick *am gleichen Strick (Strang) ziehen.* – Aus Wilhelm Funk »Alte deutsche Rechtsmale«, Bremen-Berlin, 1940, Seite 87: Nach germanischer Auffassung konnte ein »auf frischer Tat« ertappter Dieb, Mörder oder sonstiger Kapitalverbrecher (bis ins frühe Mittelalter) von einem sofort gebildeten »Notgericht« nach »kurzem Prozeß« am nächsten Morgen aufgehängt werden. Dabei mußten alle Gerichtsgenossen – um ihre Mitverantwortung für das Urteil zu verdeutlichen – bei der Hinrichtung *»am gleichen Strick ziehen«.* – Ebenso Jakob Grimm, D. Rechtsaltertümer, Band I, S. 526, Hinrichtung: ..., wie die »gemeinde« selbst das urteil fand, mußte sie auch an dessen vollstreckung hand anlegen ...

Die ursprüngliche Bedeutung von »die gleiche Verantwortung tragen« hat sich also seither verschoben zur heutigen Bedeutung »dieselben Interessen verfolgen«;

jm. aus einer Kleinigkeit einen Strick drehen = sie aufbauschen, um ihn zu schädigen. – An »aufhängen« ist dabei natürlich nur ganz entfernt gedacht. Früher knüpfte man übrigens die Galgenvögel einfach mit einer Weidenrute auf; Walther von der Vogelweide beginnt einen seiner drei Kaisersprüche mit: Hêr keiser, swenne ir Tiutschen fride
gemachet staete bî der wide, ...

(= Herr Kaiser, wenn Ihr erst einmal für die Deutschen bei Strafe des Hängens einen dauerhaften Landfrieden geschaffen habt, dann ...)

Strippe *jn. an der Strippe haben* (Umg.) = mit ihm telefonisch verbunden sein.

Stroh *leeres Stroh dreschen* = nichtssagende Worte machen über Bekanntes und oft Wiederholtes. – Wenn die Getreidehalme bereits leeres Stroh sind, kommt bei nochmaligem Drusch nichts mehr heraus.

Stroh im Kopfe haben = dumm sein. ↗ Grütze

sich an einen Strohhalm klammern = auch auf die allerschwächste Hoffnung noch bauen. – Ein Ertrinkender greift in seiner Angst nach allem, auch nach einem Strohhalm.

ein Strohmann = ein vorgeschobener Stellvertreter, nicht der richtige Geschäftspartner. – Die mit Stroh ausgestopften Kraut- und Vogelscheuchen sind auch keine wirklichen Männer.

Eine Strohwitwe ist keine wirkliche Witwe, sie hat ja noch ihren Mann, nur ist er längere Zeit abwesend, sie daher im Bett auf ihrem Strohsack[1]) eine Zeitlang verwitwet. Das Langwort Strohsackwitwe schrumpft ein

---

[1]) Bettmatratzen kamen erst in der Zeit unserer Urgroßmütter in Gebrauch; früher schliefen alle Leute, nicht nur die Bauern, auf Strohsäcken: Als z. B. der Herzog von Weimar sich bei Goethes in Frankfurt zu Besuch angemeldet hatte und Mutter Goethe ihren Sohn fürsorglich fragte, was denn noch alles gerichtet werden solle, da erhielt sie zur Antwort: »Nichts weiter als den Strohsack neu stopfen«. Da wird also auf dem Wochenmarkt vom Bauer ein Gebund Langstroh gekauft worden sein.

zu Strohwitwe wie ↗ Feuerlöschspritze zu Feuerspritze. – Das deutsche Wort Witwe ist mit slaw. vedova (= Witwe) und lat. viduus (= leer) stammverwandt.

O du heiliger Strohsack! (Umg.) = Ausruf des Erstaunens. – Profanierung der Anrufung von Heiligen.

Strom *gegen den Strom schwimmen* = es anders machen als die anderen, nicht in der Masse mittun.

Strümpfe *sich auf die Strümpfe machen* = ↗ Socken

Stube eine Sache ist *nicht stubenrein* = sie ist anrüchig, schmutzig. – Hunde müssen stubenrein sein. – Oft: *nicht astrein.*

Stücke *große Stücke auf jn. halten* = ihn wertschätzen. – Einst mußte man für eine teuere, begehrte Ware wirklich große Geldstücke geben; man sagt heute noch: *ein hübsches Stück Geld kosten*, natürlich nicht eins, sondern hübsch viele. (Die Einzahl wie »der gemeine Mann auf der Straße« = viele Leute, ↗ Schäfchen) ↗ Gewicht

Studenten Aus der Studentensprache sind einige Ausdrücke in die Umgangssprache geflossen, wie: mit jm. anbinden, sich eine Abfuhr holen, einen Brandbrief schreiben, die Nagelprobe machen, schwefeln, einen Stiefel reden, sich in Wichs werfen u. a. m. Gar manche studentischen Ausdrücke werden zwar zur Not in anderen Kreisen auch verstanden, aber nicht gebraucht, d. h. sie gehören unserem sog. »toten Wortschatze« an. Studenten sind bis auf unsere Zeit viel gewandert (vgl. Hans Sachs »Der fahrend Schüler im Paradeis«) – natürlich nicht wie heutzutage per Anhalter, sondern ehedem auf Schusters Rappen. Sie sind da auf ihren Wanderfahrten zusammengetroffen mit Handwerksburschen auf der Walze und auch (notgedrungen) mit Tippelbrüdern verschiedenster Sorte und haben da ↗ rotwelsche Wörter aufgelesen; ferner haben sie – leichtlebig, wie Studenten nun einmal sind – natürlich auch mit Manichäern zu tun gehabt: Klamotten = Kleidung, schofel = schäbig, mogeln = schwindeln, mies = unschön, den Dalles haben = Kassenebbe, einen Rebbach machen = Gewinn, so 'ne Chutzpe = Frechheit und natürlich Moos = Geld.

Stuhl *einem (gleich) den Stuhl (den Schemel) vor die Tür setzen* = jn. gleich abweisen, ohne ihn sonderlich anzuhören. – Eine Enteignung ging folgendermaßen vor sich: Man setzte dem ehemaligen Eigentümer einfach den Stuhl buchstäblich vor die Tür und zwang ihn, darauf Platz zu nehmen. Damit war sein Eigentumsrecht erloschen. – Der Stuhl als Rechtssymbol hatte stets drei Beine (Jakob Grimm, D. Rechtsaltertümer 1881³, S. 187). ↗ in Besitz nehmen

zu Stuhle gehen, Stuhl haben = die Verdauungsangelegenheit besorgen. – Die Worte sind genommen vom Abortstuhl im Krankenzimmer.

sich zwischen zwei Stühle gesetzt haben, sagt man, wenn man zwei Möglichkeiten zur Wahl hatte, mit beiden liebäugelte, aber so alle zwei sich entgehen ließ.

Stumpf *etw. mit Stumpf und Stiel ausrotten* = es gänzlich austilgen. Die Wörter sind »gestabt« (St : St) und nur durch diesen Anlautreim zusammengehalten; denn Baum»stumpf« und Pflanzen»stiel« wollen sich nicht so recht paaren, auch »roden« wäre besser.

stümpern, ein Stümper = mangelhaftes Arbeiten, es ist kein ganzes Können, nur ein Stumpen davon.

Stunk *Stunk machen, stänkern* (Umg.) = Unfrieden stiften wollen.

stur *stur wie ein Panzer* (Barras) = so starrköpfig, unnachgiebig, unbeugsam wie ein Panzer, der unberührt von der Umgebung eisern weiterfährt.

Sturm *ein Sturm im Wasserglas* = eine große Aufregung im engen Kreise, die kleinlich wirkt.

stutzen (die Flügel stutzen, Stutzen = ein Kurzgewehr, Wadelstutzen = gekürzte Strümpfe) ist entweder eine Wortbildung wie ↗ blitzen, d. h. ab»stückeln«, oder aber es ist ab-»stoßen« (vgl. ma. a Stutz = ein kindlicher Neckstoß mit dem Kopf), d. h. eine Bildung wie naß – benetzen, gleißen – glitzern, heiß – heizen u. ä.

stutzen, stutzig werden, machen = staunen, verwundert sein, argwöhnisch machen.

Suche *der Suche nach einer Stecknadel (Spennadel) im Heuhaufen gleichen* = eine Suchaktion, die aussichtslos ist. ↗ Nadel

Sünde *nicht der Sündenbock sein wollen* = nicht für die Schuld anderer büßen wollen. – (Bibel, 3. M. 16, 21) Der vom Hohenpriester sinnbildlich mit den Sünden des Volkes beladene und in die Wüste gejagte Ziegenbock.

jm. sein Sündenregister vorhalten = ihm alle seine Fehler vorhalten. – Man liest ihm förmlich seine begangenen Sünden von einer Liste ab, wie man sich in der Jugend eine solche vor der Beichte anzulegen pflegte.

eine wahre Sündflut = wenn alles im Wasser schwimmt. – Eigentlich Sintflut = eine lange während Flut (Bibel).

Suppe *jm. die Suppe versalzen = ihm in die Suppe spucken* = ihm etw. gründlich verleiden. – ↗ Köchin und das Gedicht »Pidder Lüng« von Liliencron.

Er muß seine Suppe allein auslöffeln, d. h. was er sich eingebrockt hat. ↗ eingebrockt

Er hat sich eine Suppe eingebrockt! = Der hat sich was Schönes eingebrockt! = ganz große Unannehmlichkeit bereitet. – Den Sinn ergibt erst die richtige Betonung.

sein eigenes Süpple kocht gern der Schwabe, weil er ein Eigenbrödler ist.

ihr Süppchen am Feuer anderer kochen solche, die auf anderer Leute Kosten Vorteil suchen.

Süßholz raspeln (einem Mädchen) Liebenswürdigkeiten sagen. – Eine Raspel ist eine Holzfeile, und Süßholz sind die Wurzeln des orientalischen Glabrastrauches (griech. liquirizia, eingedeutscht als Lakritze), sie geben einen schwarzen, würzigen Saft. – Hat man sie etwa auch selbst zum Hausgebrauch geraspelt? denn Lakritzen waren einst sehr beliebt.

Szene – Theaterausdrücke sind:

eine Szene machen = (gewöhnlich in der Ehe) lärmende Vorhaltungen machen.

sich in Szene setzen = sich zur Geltung bringen wollen.

T

Tabula *mit etw. Tabula rasa machen* = gründlich aufräumen damit; –
lat. leere Tafel.

Tacheles »Jetzt *reden wir mal Tacheles* miteinander«, ist eine Wendung
der Zeitungsleute (= wir wollen einmal ganz offen sprechen), die unter
Berufsgenossen schon üblich war, als in der Zeit Gustav Freytags
»Journalisten« noch Zeitungsschmock hießen. ↗ deutsch und ↗ Fraktur

Tafel *die Tafel aufheben* = die Mahlzeit
beenden. – Die Tischplatte war früher ab-
nehmbar (wie heute noch in Gartenrestau-
rants), sie wurde zur Mahlzeit mit den Speisen
darauf hereingetragen (vgl. Bilder des Bauern-
Brueghel) und zum Schluß wieder (mit den
Speiseresten) hinausgetragen. ↗ Tisch

Nach Bauernhochzeit
von Breughel

Tag Den Tagesanbruch, den die Griechen
sich so lieblich dachten, wie die Morgenröte
mit ihren Rosenfingern durch die Wolken
greift, drückt ein mhd. Tagelied herber, aber
auch erhaben so aus:

Sîne klauwen durch die wolken sind geslagen,
er stîget ûf in hoher pracht,
ich seh ihn tagen,
den tag, der alls erwenden mag.

etw. an den Tag geben, legen, bringen = etw. eröffnen, erwähnen, was
unbekannt ist, aufklären.

in den Tag hinein leben = unbekümmert um das, was morgen werden
soll.

dem Tag die Augen ausbrennen, wird gesagt, wenn man nach Tagesanbruch noch das Licht brennen läßt. – Wenn man bei Tageslicht die
Lampen brennen läßt, schmerzen einem die Augen.

Es ist noch nicht aller Tage Abend, sagt man, wenn man noch etw. dagegen zu unternehmen gedenkt, etw. erhofft oder befürchtet.

bessere Tage gesehen haben = von einem Heruntergekommenen gesagt,
der früher einmal gut gestellt war.

ein Tagedieb ist, wer *dem lieben Gott den Tag stiehlt* = faulenzt.

sich einen guten Tag machen = einmal gut leben.

sich aus jm. einen guten Tag machen (Umg.) = ihn als willenlos ein-
schätzen.

Tanz *jm. einen Tanz machen* (Umg.) = *ihm eine Szene machen* = ihm
gehörig aufspielen = ihm lautstark seine Meinung sagen.

das Tanzbein schwingen = *eine flotte (kesse) Sohle aufs Parkett legen.*

Tapet *etw. aufs Tapet bringen* (franz. mettre une affaire sur le tapis), etw. zur Sprache bringen. – Tapet = Tapete = Tischbelag im Sitzungszimmer. ↗ Rechtsbräuche

Tarantel aufspringen *wie von einer Tarantel gestochen* = jäh aufspringen. – Der Stich der ital. Tarantelspinne erzeugt körperliche Zustände wie der »Veitstanz«.

Tarnkappe *sich tarnen* = sich unkenntlich machen, heute ein militärischer Ausdruck. Siegfried »tarnte« sich mit einer Kappe als Helfer König Gunthers auf Isenstein.

Tasche *tief in die Tasche greifen müssen* = tüchtig berappen müssen. *die Hand auf der Tasche halten* = sparsam sein. ↗ Geld
sich in die Tasche lügen = sich selbst mehr Geld einbilden, als man wirklich hat.
jm. (bes. den Eltern) auf der Tasche liegen = sich aushalten lassen. ↗ Beine
etw. kennen wie seine eigene Tasche = ganz ausgezeichnet; »wie seine Westentasche« (Umg.) ist ein verstärkender Zusatz. ↗ Hutschnure
jn. ganz in der Tasche haben = nach Willkür mit ihm verfahren können. – Weil Hosentasche = ma. Hosensack, so werden die zwei Wörter ausgewechselt ‹ ihn in den ↗ Sack gesteckt haben.

Tassen *nicht alle Tassen im Schrank (im Spind) haben* = etwas dämlich sein, wirr im Kopfe. – Der Kopf wird als Geschirrschrank betrachtet. In Cuxhaven sagt man: *nicht alle auf der Latte haben*, weil an der Waterkant die Fische an Latten hängen zum Räuchern. Beide Redensarten und andere ähnliche gehen zurück auf das Muster: *nicht alle Sinne beisammen haben*.

Tauben *die gebratenen Tauben, die einem ins Maul fliegen* (= arbeitslos gut leben), stammen aus dem Märchen vom Schlaraffenlande des Hans Sachs.
Es geht zu wie in einem Taubenschlage = es herrscht ein lebhaftes Kommen und Gehen. So mag es einst am kunstsinnigen Thüringer Fürstenhofe zugegangen sein; Walther von der Vogelweide sagt: der ein' fährt ûs (aus), der andre în (ein).

Taufe *ein Kind aus der Taufe heben* = sein Taufpate sein. – Das Kind wird dem Paten bei der Taufe auf die Arme gelegt = er hebt es.

Techtelmechtel *ein Techtelmechtel miteinander haben* = eine kleine Liebelei, einen Flirt. – Österr. aus ital. tecomeco = mit dir mit mir.

Teenager *Teenager* (engl. »10-alter-ig«) sind Mädchen von vier-zehn, fünf-zehn, sechs-zehn Jahren. – Dieses Alter hat heute eine eigene Sprache entwickelt, den Teenagerjargon (vgl. »steiler Zahn« = schönes Mädchen, eine dufte Sache = ein schönes Ding u. dgl.), von dem aber noch wenig in den allgemeinen Sprachschatz eingegangen ist außer ↗ Ankratz haben = umworben werden.

Tempel *jn. zum Tempel hinausjagen* = ihn aus dem Hause hinauswerfen. – Matth. 21, 12f.

Tenne *flach wie eine Tenne* = ganz eben, meist von einer Gegend gesagt. – Der Lehmestrich in einer Bauernscheune war durch den ständigen Flegelschlag beim Winterdrusch ganz platt.

Tennis *ein guter Tennisspieler* = ein Prahler!

Wie kommt ein solcher Wortwitz zustande?

Wegen des gleichen Wortlautes ein Worttausch:

kann gut angeben (Kommiß) = ein großer *Prahler* ⎱
gute Angabe (service/Tennis) = *guter Tennisspieler* ⎰

Weitere solche Sprachspielereien sind:

Einfälle wie ein altes Haus: Mir fällt etw. ein: das alte Haus fällt bald ein.

ausreißen wie Schafleder = ausreißen = fortlaufen, Schafleder reißt auch leicht aus.

Auf mir können Sie rechnen wie auf einer Schiefertafel: sich auf jn. verlassen können = auf ihn rechnen können = auf ihn bauen können 〉 *auf ihn kannst du Häuser bauen.*

Ähnlich entstand die Bezeichnung für einen gräßlichen Luftzug (Durchzug) = *Es zieht wie Hechtsuppe* u. dgl. m.

Teufel *Da ist ja der Teufel los!*

Teufel ist das kirchengriechische Fremdwort diabolos. Es verdrängte die einheimische Bezeichnung vâlant (= Unhold). Hagen (im Nibelun-

*Nach einem Stich,
Schongauer zugeschrieben, vor 1500*

genlied) schleudert noch dieses gräßliche Wort der Kriemhilde ins Gesicht, die dem eigenen Bruder das Haupt abschlagen ließ, um das Geheimnis des Nibelungenhortes von ihm zu erfahren: »Das soll dir, vâlantinne, immer sîn verholn (= verhohlen bleiben)!« Als letzter Überrest lebt das Wort literarisch fort als Junker Volant (im Faust) und in den Ma. als »verfullt« (= verflucht).

»Den Teufel nicht an die Wand malen!« mahnt man (sonst kommt er) = man soll ein mögliches Unheil nicht erwähnen, sonst könnte es eintreten. – In der Redensart klingt immer noch die magische Anschauung vergangener Zeiten nach, da man einst im Volke wirklich noch

an ein körperliches Vorhandensein des Teufels glaubte, wie übrigens sogar noch ein Luther!

Die verschiedenen Hüllworte für Teufel, z. B. ↗ Kuckuck oder seine Bezeichnung als »der oder jener« erinnern immer noch an das einstige

Namens-tabu. »Unberufen!« ist die Abwehrformel. Den Teufel dachte man sich einst in vielerlei Gestalt: zottig, mit Fledermausflügeln, Greifenfüßen, Doppelgesicht, mit offenem Rachen, drachenartig u. dgl., aber seit dem 12. Jahrhundert ist (nach O. Erich, Die Darstellung des Teufels in der christl. Kunst, Diss. Berlin 1931) die Vorstellung des Bocksteufels (Tiergesicht, Hörner – ↗ Bockshorn – Schwanz und Bocksfüße) im Abendlande verbreitet. Der griech. Bockspan und der röm. Satyrtyp waren sichtlich Vorbilder (vgl. Athen/Nationalmuseum und Berlin/Antiquarium) für den christlichen Teufel. Heute hat er allerdings sein erschreckendes Kostüm in die Rumpelkammer verwiesen und tritt menschlicher auf.

Er (sie) ist des Teufels = teuflisch bösartig.

Sie hat den Teufel im Leibe = ist ein Teufel von einem Weibsbild.

Dich reitet wohl der Teufel! = gesagt bei einem gefährlichen Beginnen.

Der Teufel ist wohl in dich gefahren? = du hast jede Überlegung verloren.

In drei Teufels Namen! = sagt man bei nicht gern gegebener Einwilligung.

Was fragt der Teufel danach! = Sprüchlein bei Unbekümmertheit.

Er kümmert sich den Teufel darum = gar nicht.

Das weiß der Teufel (= ich jedenfalls weiß es nicht).

jn. zum Teufel jagen = ihn gröblich wegschicken.

hinter etw. her sein wie der Teufel auf eine arme Seele = unbedingt auf etw. erpicht sein.

den Teufelskreis nicht zu durchbrechen vermögen = sich aus einer ausweglosen Lage nicht zu befreien vermögen. – Teufelsbeschwörung.

Ein Teufelsbraten! = ein verflucht gerissener Kerl (in der Teufelsküche gesotten).

ein Teufelskerl ist einer, der kann, was andere nicht können, ein Tausendsassa.

den Teufel durch Beelzebub austreiben (↗ Bibel)

ein armer Teufel = ein armer Tropf. – Mitleid mit dem (in der Sage) geprellten Teufel.

In gleicher Bedeutung gebraucht man das Wort »Teufel« mit seinem Hüllworte »Kuckuck«:

Zum Teufel noch mal! = *Zum Teufel auch!* = *Zum Kuckuck noch mal!* = Flüche bei Ärger.

Weiß der Teufel (Kuckuck) wie! = *Das soll auch der Teufel (Kuckuck) wissen!* sagt man verärgert.

Es geht zum Teufel (in'n Kucks) = es geht verloren, geht entzwei.

Scher dich zum Teufel (zum Kuckuck) = mach, daß du fortkommst.

Dich (den, das) soll der Teufel (der Kuckuck) holen! = *Hol dich der Geier!* = Verwünschung. ↗ Kuckuck

Verwunderung: *Ei der Deibel! Potz Tausend!* = *Ei der Daus!* – Ein unscheinbarer Gleichlaut genügt zur Bildung neuer Hüllwörter. Der Teufel ist »der lebendige Gottseibeiuns«, auch ist er Meister Hämmerlein.

Text *jm. den Text lesen* = eine Strafpredigt halten. – Text = Bibeltext = ↗ die Leviten lesen.

Theater Das Wort »*Theater*« beinhaltet in der Umgangssprache (und die Wendungen mit »Theater« sind nur in der Umg. gebräuchlich) eine laute Aufregung, die ärgerlich stimmt und im Grunde nichtig ist, z. B. *gern Theater spielen* (= sich in Szene setzen), *viel Theater machen* (= sich aufgeregt benehmen), *ein wahres Theater aufführen* (= einen aufgeregten Auftritt inszenieren), »*das reinste Affentheater*« ist im Grunde nicht ernst gemeint u. dgl. m.

Thing *Thing* hieß die altdeutsche Gerichtsversammlung (vgl. noch *jn. dingfest machen* = ihn verhaften). Heute hat dieses Wort »Ding« eine ganz andere Bedeutung bekommen. Die Schreibung Thing mit th ist altertümlich wie bei Storthing und Folkething = Reichstage in Norwegen und Dänemark. Die hochdeutsche Sprache erhielt nämlich durch die sog. hochdeutsche Lautverschiebung im 6. und 7. Jahrhundert zwar drei neue Laute: z, pf und ch (vgl. engl. two – zwo, penny – Pfennig, speak – sprechen) verlor aber einen, das þ, das zu d wurde (der Thingstag ist unser Dienstag). Im Englischen hat sich das þ als gelispeltes th erhalten, im Deutschen ist th lediglich alte Schreibung für das Runen-þ: Thing – Dienstag, Theodrich – Dietrich von Bern, Thor – Donar, germ. Haithabu (dän. Hedeby) = Heide-bau u. dgl. ↗ Buchstabe (Futhark)

»eine wahre *Thusnelda*« nennen wir eine große, sehr stattliche blonde Frau. – Thusnelda (germ. auf der Erstsilbe zu betonen) war die Frau des unter dem (lat.) Namen Arminius bekannten Cheruskerfürsten, der die Römer im Teutoburger Walde 9 n. Chr. schlug. Nachher wurde sie von ihrem Vater an die Römer ausgeliefert. Ihren Namen liest man als þus-snella (= sehr schnelle).

Die Cherusker haben ihren Namen wohl nach dem Abzeichen auf ihren Schilden. Von anderen german. Volksstämmen ist uns ihre Schildbemalung überliefert, bei den Cheruskern können wir sie unschwer aus dem Namen erschließen: Cherusker (german. auf der ersten Silbe betont) enthält deutlich das (german.) Wort herus, das später (mhd.) hirs lautete und heute Hirsch. Sie haben also wohl ein Hirschgeweih als Wappen geführt und sind deshalb »Hirschleute« genannt worden.

Tinte *in der Tinte sitzen* (Umg.) = in der Patsche, in der Klemme, in Verlegenheit sein. – »Tinte« kurz gesagt für alle »aufgeschriebenen« Schulden, vgl. in der Kreide stehen bei jm. – Gastwirt und Kaufmann schreiben die Schulden in ein Buch (oder an eine Tafel).

»Da müßte ich doch *Tinte gesoffen* haben«, poltert man los, wenn man uns zumutet, eine ganz große Dummheit zu machen. – »Tinte« ist ein Zusatz zum einfachen »besoffen sein« und hat natürlich nichts mit dem Schreibstoff Tinte zu tun, sondern ist ganz wahrscheinlich der schwarzrote, schwer berauschende Wein, der vino tinto. Bezeichnend für diese

Herkunft ist, daß sich der Erstbeleg gerade bei Gottfr. Keller (1874) findet. – Letztlich gehen beide Wörter zurück auf lat. tingere = färben, tinctura = Farbstoff.

tippen *tippen* = den Ausgang voraussagen, vermuten. – Dieses englische Wort der Börsen- und Pferdesportsprache bereichert seine Bedeutung am deutschen Wort tippen = leicht und schnell mit dem Finger berühren. ↗ tupfen

jm. einen Tip geben, einen Tip bekommen = eine Andeutung machen, einen Fingerzeig erhalten, bes. bei Lotto-/Toto-Wetten.

Tisch *reinen Tisch machen* = alles klären, z. B. in Vermögenssachen (durch Testament), sein Gewissen entlasten (in der Beichte), Selbstmord begehen u. ä.; es ist das naheliegende Bild vom Abräumen des Eßtisches. – Daß lange Zeit »Tisch« nur den Eßtisch bedeutet hat, ersieht man noch an Wendungen wie »bei Tische« = beim Essen, »zu Tisch laden« = zum Essen bitten. Wofür wir heute alles Tisch sagen, hatte ehedem andere Namen: Schreibpult, Bierbank, Laden, Tresen u. ä. – Das Fremdwort Tisch ist das lat.-griech. Wort discus (= Wurfscheibe). Tacitus berichtet, daß zu seiner Zeit bei den Germanen jede Person eine eigene Eßplatte bekam. – Nach dem noch älteren Wort Beute (noch vom Bäckertisch bekannt), das zu bieten gehört, ahd. beot lautete und Eßtisch und Schüssel bedeutete, schließt man, daß in dieser Vorzeit einmal Speisetisch und Opfertisch eins waren.

etw. unter den Tisch fallen lassen = es nicht berücksichtigen, nicht beachten, es übergehen. – Speisereste ließ man früher einfach unter den Tisch fallen (für Hund und Katze). Heute meint man den Beratungstisch und sagt gröber dafür: in den Papierkorb werfen.

einen unter den Tisch trinken = mehr vertragen als der andere Zechkumpan, der früher zu Boden geht.

das Tischtuch zerschneiden = Metapher für die Ehetrennung von Tisch und Bett. Die Redewendung ist selten, volkstümlich ist sie nicht. Im Bauernhause gab es beim Essen kein Tischtuch, der Eichentisch wurde hernach gescheuert – und Ehescheidungen gab es da so gut wie keine.

etw. vom grünen Tisch aus erledigen = ohne die tatsächlichen Verhältnisse zu kennen und zu berücksichtigen. ↗ grün

die Beine unter fremden Tisch stecken = schmarotzen. ↗ Beine

Toast *einen Toast ausbringen* = in Gesellschaft einen Trinkspruch ausbringen. – Im Englischen bezeichnet man mit »toast« eine geröstete Brotscheibe. Eine solche wurde früher demjenigen der Tischgesellschaft ins Weinglas getan, der eine Rede halten sollte.

Tobak *Das ist starker Tobak!* = Da wird einem aber viel zugemutet, das ist eine Dreistigkeit.

toi toi Mit »*Toi-toi-toi!*« hält man heute Anwünschungen fern. – Ein Rest Aberglaube. ↗ Unberufen!

Toilette *Toilette machen* = sich festlich ankleiden.

auf die Toilette gehen = auf den Abort.

Tölpel *So ein Tölpel!* = Dummkopf. – Die standesstolzen Ritter achteten den »un-geschlachten« (= aus unedlem »Geschlecht«) Bauern im Dorfe gering, diesen »dörper«; vgl. auch franz. ville = Dorf und vilain = gemein.

Ton *Auf den Ton kommt es an!* = der Ton macht die Musik, d. h. ob ein Wort, ein Satz so oder so gemeint ist. – Wer jemals den Schauspieler Josef Kainz (1858–1910) auf der Bühne in Shakespeares »Julius Caesar« erlebt hat, konnte hören, wie viel verschiedene Töne die Sprechkunst einem einzigen Worte unterlegen kann. Kainz hat den Satz: »Und Brutus ist ein Ehrenmann« gemodelt vom ersten Aussprechen, wo im Worte »Ehrenmann« der Ton der Anerkennung lag, über kühl-sachliche Wiederholungen, bis am Schluß beim herausgestoßenen Worte »Ehrenmann« jeder am Ton fühlte: Dieser »Ehrenmann« ist ein Schuft, ein Schurke.

einen anderen Ton anschlagen = strenger werden.

keinen Ton verlauten lassen = nichts darüber sagen.

sich im Ton vergreifen = eine unangebrachte Redeweise führen.

der gute Ton = gesellschaftsfähiges Benehmen.

den Ton angeben = in Gesellschaft als Vorbild gelten. ↗ Musik

große Töne schwingen (burschikos) = prahlen.

Haste Töne? (Umg.) = Ausruf des Erstaunens.

Topf *alles in einen Topf werfen* = alles vermengen, es unterschiedslos behandeln. ↗ Kamm

Tor *vor Torschluß* = (schnell noch etw. tun) solange es noch möglich ist. – Die Stadttore wurden ehedem allabendlich geschlossen und niemand wurde mehr hereingelassen.

der Torschlußpanik verfallen = Angst bekommen, man komme zu spät; besonders ältere Mädchen verfallen ihr und heiraten dann den ersten besten, der kommt.

Tort *jm. einen Tort antun* = ihm einen beleidigenden Streich spielen; – franz. tort mit deutscher Aussprache.

Tour *in einer Tour* (Umg.) = ohne Unterlaß.

auf eine andere Tour = auf andere Art und Weise.

auf die schnelle Tour (schles.) = (rhein.) *auf die Schnelle* = in Eile. (↗ zw. Tür u. A.), *auf die krumme Tour* u. dgl.

jn. auf Touren bringen (ihn in Trab setzen) = in schnellere Bewegung versetzen – meist nur auf Maschinen (bzw. Pferde) bezogen.

Tracht *eine Tracht Prügel beziehen, ihm eine Tracht Prügel verabreichen* = tüchtig, gehörig verprügelt werden, ihm Schläge, Keile, Senge verabfolgen. – Tracht von tragen (wie Schlacht von schlagen) ist eine Menge »Eingetragenes«, wie auch der Imker von der Tracht (Honig) spricht; »beziehen« ironisch, wie wenn man Rente bezöge, auch »verabreichen« ironisch, wie wenn es eine Arznei wäre.

tragen *zum Tragen kommen* = erst nachträglich sich auswirken. – Die Redensart spricht einfach von »Tragen«, enthält aber die Kürzung »Fruchttragen« und stammt aus dem Obstbau, wo in den Baumschulen ständig von Früchten die Rede ist, das Wort also nicht ausdrücklich wiederholt zu werden braucht, wenn auf den Zeitpunkt hingewiesen wird, zu dem ein Baum ein Erträgnis erhoffen läßt und vermutlich einen hübschen Ertrag abwerfen wird. Dabei empfiehlt man eine Sorte besonders, die schon im 4. Jahre etwas eintragen wird, indes andere Sorten doch länger brauchen, bis sie »zum Tragen kommen«.

die Tragweite nicht ermessen ↗ Schützen

etw. tragisch nehmen = es sich zu Herzen nehmen (Tragödie).

Tran *im Tran sein* (Umg.) = betrunken sein. – Tranig hat die Bedeutung langsam, stumpfsinnig.

Tränen *auf die Tränendrüsen drücken* = durch nasse Augen Mitleid zu erwecken suchen.

Trauben *Die Trauben hängen ihm zu hoch* = er macht erst gar keinen Versuch. – Nach Äsops Fabel »Der Fuchs und die Trauben«.

Traum *leben wie im Traume* = ganz wirklichkeitsfremd.

aus einem Traum erwachen = enttäuscht sein. ↗ Himmel, ↗ Wolken

Das fällt mir nicht im Traume ein = Ablehnung eines Ansinnens: Ich denke nicht im entferntesten daran, es zu tun. – Im Traum wird ohne Logik Unmögliches aneinandergereiht.

Treffen *etw. ins Treffen führen* ↗ Soldaten.

treiben *»treiben«* ist (wie machen und bringen) ein Lieblingswort der Sprache zur Bildung von Redensarten. Wer etwas »treibt«, sollte es eigentlich vorwärts bringen (wie eine Herde), aber heute »treibt« man Ackerbau, treibt Musik, treibt Sport, d. h. man »beschäftigt« sich damit, Kurzweil zu treiben, Spott mit jm. zu treiben, sogar Unfug treibt man u. dgl. m.

sich treiben lassen = untätig bleiben wie einer, der im strömenden Wasser keine sonderlichen Schwimmbewegungen macht, sich lediglich von der Strömung tragen läßt.

Treppe ... *klingt wie ein Treppenwitz* = ist ein alberner Witz. – Ein Treppenwitz heißt ein glänzender Einfall, der aber zu spät zündet, weil er erst nach der Sitzung beim Herabsteigen der Rathaustreppe vorgebracht wurde. Auch »Treppenwitze der Weltgeschichte« gibt es, sie sind gesammelt worden.

treten *eine Tretmühle* = ein ewiges Einerlei. – Auf den Burgen mußte das Wasser aus dem tiefen Brunnenschacht gehoben werden, indem ein Seil über die Welle einer Tretmühle lief. Das Treten war nicht gerade schwer, aber auf die Dauer eine stumpfsinnige Beschäftigung. Den Eichhörnchen im Käfig baut man ein solches Tretrad.

Trichter ↗ eintrichtern.

Triebfeder = die treibende Ursache. – Die das Uhrwerk treibende Feder.

Tritt *einen Tritt bekommen* = (gefühlsmäßig) ungerecht entlassen werden. – Ein Tritt ins Gesäß ist roh, noch gemeiner ist ein »Eselstritt«.

trocken *noch nicht trocken hinter den Ohren* = noch unreif. ↗ Ohren; *auf dem trockenen sitzen* = in Geldverlegenheit sich befinden. – Ohne Geld ist man außerstande sich zu bewegen (wie der Fisch am Strande).
im Trockenen sein = (nur wörtlich gebraucht) nicht dem Regen ausgesetzt.
sein Schäfchen im trockenen haben ↗ Schäfchen.

Trost *nicht recht bei Troste sein* = geistesgestört. – Die Redewendung wird nur verneinend gebraucht und ist wörtlich so viel wie »untröstlich«. Zu ihrer Bedeutung »nicht recht bei Verstand, nicht recht bei Vernunft, nicht recht bei Sinnen sein« kommt sie, wenn sich ein Mensch nach schwerem Schicksalsschlag noch immer nicht trösten kann, noch untröstlich betrübt ist, keinen Trost finden kann (= wie geistesgestört ist). Zur Konstruktion von »bei« Troste sein vgl. »bei« (= Besitz) in Wendungen wie »bei Kasse sein« (= Geld besitzen), bei guter Gesundheit sein, bei bestem Appetit, bei schlechter Laune u. ä. Und »nicht bei« ist das Gegenteil zu »besitzen«, also: »nicht bei« Vernunft sein = keine Vernunft besitzen = unvernünftig sein, und »nicht bei« Troste sein = keinen Trost finden = ein trostloser Zustand, d. h. sein Geisteszustand ist trostlos.

trüb *im trüben fischen* = unbemerkt andere übertölpeln – wie ein Angler, der auch weiß, daß die Fische in trübem Wasser besser anbeißen.
Trübsal blasen = bekümmert sein, Langeweile haben. – Trüben Gedanken nachhängen wie bei einer Trauermusik.

Trumpf *Das ist jetzt Trumpf* = ist jetzt die große Beliebtheit.
den letzten Trumpf ausspielen = das Äußerste versuchen, seine letzten Reserven aus der Hand geben.
Trumpf zugeben = etw. in gleicher noch treffenderer Art beantworten.
einen Trumpf zugeben = ein übriges tun, noch obendrein etwas.
noch alle Trümpfe (= Trumpfkarten) *in der Hand haben (behalten)* = die Entschlußfähigkeit noch besitzen (bewahren).
jn. abtrumpfen = ihn derb zurechtweisen.
energisch auftrumpfen = sich nichts gefallen lassen.
einen übertrumpfen = noch großtuerischer sich gebärden.

Tuch *Das wirkt auf ihn wie ein rotes Tuch auf den Stier* = macht ihn zornig. – Bekanntlich reizen die spanischen Toreros die Kampfstiere mit einem roten Tuch. ↗ rot
Tuchfühlung nehmen = Verbindung suchen. – Militärischer Ausdruck: Beim Antreten muß man mit dem Ärmel den Nebenmann erfühlen.

tun *Das hat mit der Sache nichts zu tun (schaffen)* = betrifft sie nicht. Ich *habe es nur mit ihm zu tun* = ein anderer ist nicht mein Partner (Gegner, Mitspieler).
Sie *bekam es mit der Angst zu tun* = wurde ängstlich.
So ein Getue! (Umg.) = so ein albernes Benehmen, gespreiztes Gehaben.

Tunke *in der Tunke sitzen* (fam.) = in der Patsche – ein-tunken und ein-tauchen sind Wörter desselben Stammes (wie Strunk und Strauch).

Tüpfel *Da fehlt noch das Tüpfelchen auf dem i* = die allerletzte Genauigkeit noch,
bis aufs i-Tüpfelchen = bis aufs Tippelchen = (heute) auf den Millimeter genau; – südd. (umlautlos und das p verschoben) tupfen = mitteld. tippen (umgelautet, p nicht verschoben und ü ⟩ i entrundet); vgl. schupfen – schippen.

Tür *Der Tod steht vor der Tür* = er steht bevor, naht sich.
jm. die Tür einrennen = ihn lästig oft besuchen (mit Anliegen).
gleich mit der Tür ins Haus fallen = ohne Umschweife plump mit der (unangenehmen) Hauptsache beginnen. – Eine Tür soll man ruhig aufmachen und sich nicht förmlich mit ihr zusammen ins Haus fallen lassen.
die Tür von außen zuzumachen ist (fam.) die unverblümte und gut verständliche Bitte, »von der Bildfläche zu verschwinden«.
sich eine Tür offen halten = sich einen Ausweg oder einen Zutritt sichern.
jm. die Tür weisen = ihm das Haus verbieten.
zwischen Tür und Angel. – Je nachdem man nur den Türspalt meint oder aber die ganze Türöffnung im Auge hat, haben sich im Laufe der Zeit verschiedene Bedeutungen entwickelt: Der älteste Beleg[1] für die Redensart stammt schon aus der 2. Hälfte des 14. Jh. Mit ganz den gleichen Worten[2] sagt H. Sachs: wer sein finger oder hendt selbs legt zwischen thür und angel, der klemmet sich, musz leiden mangel. Und Luther (Tischgespräche) sagt ganz ähnlich und fügt – die »Klemme« erläuternd – hinzu: ... nit wissend was sy thun söllend. Die Bedeutung ist also: ratlos sein. Heute bedeutet die Redensart öfters[3] auch noch: so oder so, entweder – oder, eines oder das andere, meistens aber verwenden wir heutzutage die Redensart in der Bedeutung: eilfertig, in aller Eile, in der Geschwindigkeit, auf die Schnelle. Wir vergegenwärtigen uns dabei eine Person, die soeben ausgehen will, in die Tür tritt und im Türrahmen noch im letzten Augenblick vor dem Weggehen geschwind unser Anliegen erledigen soll. Aber man läßt sich nicht gern »so übereilt zwischen Tür und Angel« abfertigen.
ihm stehen alle Türen offen = er ist überall gern gesehen, er hat jede Möglichkeit, vorwärts zu kommen.
offene Türen einrennen = unwidersprochene oder längt erledigte Dinge zur Sprache bringen.
hinter verschlossenen Türen (beraten) = geheim, unter Ausschluß der Öffentlichkeit.
Türklinkenputzen ⟨ Klinkenputzen (↗).

[1] angeführt bei Borchardt-Wustmann »Die sprichwörtlichen Redensarten im deutschen Volksmunde«, Leipzig 1954.
[2] Grimms Wörterbuch I, 345 und XI/1, 426.
[3] nach K. Peltzer »Das treffende Wort« 1964⁶.

Türke *einen Türken bauen* = eine Ausflucht erfinden. – Diese Redewendung soll auf eine Episode bei der Einweihung des Kaiser-Wilhelm-Kanals (heute Nord-Ostsee-Kanal) i. J. 1895 zurückgehen: Als nämlich unter den vielen hohen Gästen unerwartet auch der Abgesandte des Sultans aufkreuzte, dem zu Ehren – wie bei allen Repräsentanten der Mächte – seine Nationalhymne gespielt werden sollte, zeigte sich, daß der Kapellmeister auf SMS »Deutschland« keinerlei Noten dafür hatte. Kurzerhand intonierte er: »Guter Mond, du gehst so stille«, worüber am nächsten Tage nicht nur der Kaiser lachte, sondern auch die ganze deutsche Flotte. – »bauen« Modewort wie »seinen Doktor bauen«, einen Unfall »bauen«, sich einen Maßanzug »bauen lassen« u. dgl.

türmen *türmen* = abhauen, ausreißen. – wohl rotwelsch, weil Turm = Gefängnis.

Tüte *Das kommt nicht in die Tüte* (Umg.) = kommt nicht in Frage. – Abänderung von: kommt nicht aufs Tapet (Tablett).

Tüten kleben = im Gefängnis sitzen, wo die Häftlinge Tüten kleben mußten.

Daran ist kein Tüttelchen wahr = nicht das geringste Pünktchen. – Tutteln (Ma.) sind die Brustwarzen.

U

über- *jn. überfahren* = (wörtlich) ihn mit einer Fähre hinüberfahren.
jn. überfahren = a) wörtlich, so daß er unter die Räder kommt, b) an
ihm vorüberfahren = (übertragen) ihn übervorteilen.
jn. überführen = ihm seine Schuld nachweisen. – Man bringt diese Redewendung mit dem mittelalterlichen Recht in Verbindung, wo es ursprünglich hieß »er wurde vorübergeführt«, nämlich an der Leiche des
Erschlagenen (die sog. Bahrprobe).
In unserem Nibelungenlied (Strophe 1044) heißt es:

swâ man den mortmeilen   bî dem tôten siht,
sô bluotent im die wunden,   als ouch dâ gescach.
dâ von man die sculde   dâ ze Hagenen gesach.

sich etw. überlegen = nachdenken darüber. – Vgl. das naive Sprachbild:
die Gedanken bedachtsam herüber und hinüber legen, um sich den besten
aussuchen zu können.
überlegen sein (< darüber liegend) = stärker, leistungsfähiger sein –
vom Ringkampf, daher auch: *sich mit jm. überwerfen* = mit ihm in Streit
geraten.
sich etw. überschlafen = sich Bedenkzeit ausbedingen: »Da muß ich erst
mal drüber schlafen« (= noch gründlich überlegen), pflegt man zu
sagen, wenn man sich nicht entschließen kann, gleich ja zu sagen. –
Die Redensart fußt auf der Tatsache, daß das Gehirn im Schlafe weiter
arbeitet und die Gedanken ordnet. Vgl. dazu Psalm 127, 2: Dem Ge-
rechten gibt's der Herr im Schlafe.
der Überschwang der Gefühle, z. B. überschwengliche Begeisterung. –
Das Pendel »schwingt« über die normale Schwingungsbreite der Emp-
findungen hinaus.
»*Ich hab's übertaucht*«, sagt man, wenn der Schwächezustand überwunden ist, also z. B. nach überstandener Krankheit. – Das Sprachbild liegt
schief; denn tauchen kann man nur *unter* einer Klippe weg. Weil man
aber – dem Sinne nach – auch »überstehen,
überwinden« sagen kann, so sagt man bei tauchen ebenfalls »über«.

Uhr *wissen, was die Uhr geschlagen hat* = Bescheid wissen; ↗ woher der Wind weht, ↗ wo
Barthel (den) Most holt
die Uhr ist abgelaufen = die Zeit ist um. – Eine
Redewendung noch von den alten Sanduhren,
bei denen der Sand durchrieselte, wenn man
die Sanduhr stellte (= heute »stellt« man die
Zeiger). Dann kamen die Uhren mit Gewichten
auf. Die Gewichte hingen an Kettchen; man

mußte *die Uhr* (wieder) *aufziehen* = eine Redewendung, die man – des Geräusches wegen – (fam.) auch für das unschöne »Rotzen mit der Nase« verwendet.

Ullrich *den hl. Ullrich anrufen* = erbrechen müssen. – Der Gurgellaut *ull* beim Erbrechen genügt der Sprache schon, um eine Redewendung entstehen zu lassen. ↗ Graz, ↗ Dachdecker, ↗ Kater

umkrempeln *alles umkrempeln* (Umg.) = durcheinanderbringen und dann neu ordnen. – Der Krempel ist das Gerät zum Auflockern der Wolle.

Umstände *sich nach den Umständen richten, den Umständen Rechnung tragen* = sich den Verhältnissen anpassen, mit ihnen rechnen, auf sie Rücksicht nehmen. – Das Wort Umstand entstammt der altdeutschen Rechtssprache. Umstand (mhd. der umbstant) ist der Sammelbegriff aller bei der Gerichtsverhandlung »herumstehenden« Zeugen, der vorgeladenen und der mitgebrachten. Sie hatten maßgeblichen Einfluß auf das zu fällende Urteil.

Umstände machen = Schwierigkeiten (jeder Art) bereiten. – Die Bedeutungsentwicklung ergibt sich aus dem Einspruchsrecht des »Umstandes«. ↗ zurechtweisen

keine (großen) Umstände machen = keine sonderlichen Vorkehrungen treffen (für den Gästebesuch).

unter Umständen = vielleicht; *unter keinen (allen) Umständen* = auf keinen (jeden) Fall, *unter diesen Umständen, unter anderen Umständen, unter den gegebenen Umständen* u. dgl.

in anderen Umständen sich befinden = (verhüllend) schwanger sein.

unbenommen *Das bleibt dir unbenommen* = bleibt dir überlassen, ist dir freigestellt. – un-ge-nommen würden wir erwarten; die Vorsilbe ist ungewöhnlich wie bei ma. ge-rejt (got. ga-raiþs) gegen be-reit und wie bei Ver-laub = Er-laubnis.

unberufen »*Unberufen!*« hat man zu sagen und auf Holz zu klopfen, wenn etwa die Rede ist von guter Gesundheit, vom guten Geschäftsgang, vom guten Studium der Kinder u. dgl.; denn man darf nicht »berufen«, sonst könnte man eine Verschlechterung herbeirufen. Man denkt bei diesem unserem Aberglauben unwillkürlich an die Griechen, die den Neid der Götter fürchteten. Man soll auch nicht »beschreien«, indem man übermäßig lobt, nicht einmal »bereden«, z. B. seinen guten Appetit erwähnen u. dgl. m.; man könnte sonst leicht die mißgünstigen Geister herbeirufen, sie muß man durch Formel und Geste weghalten. ↗ Toi-toi-toi

Unfug *Unfug treiben (machen)* = Allotria treiben, Dummheiten machen. – Unfug ist das Gegenteil zu mhd. vuoge = wohlanständiges Benehmen.

unken *unken* (Umg.) = Andeutungen auf Unheil machen. – Unken und Kröten sind häßliche Tiere, sie können Unheil bringen. Aberglaube.

Untergang *dem Untergange (dem Tode) geweiht sein* = bereits als ein

»Opfer geweiht« sein; vgl. das etymologisch gleiche lat. victima = Opfertier.

unterkriegen *sich nicht unterkriegen lassen* = niemals seinen Schaffensmut verlieren, bei sich keine Mutlosigkeit aufkommen lassen. – ein Bild vom Ringkampf, vgl. (Umg.) sich nicht schmeißen lassen.

urbar *urbar machen* = fruchttragend machen, roden. – Das Wort ur-bar ist stammverwandt mit ge-bär-en, das eine bezieht sich auf die Feldfrucht, das andere auf die Leibesfrucht. – Urbare hießen einst die Ertragsverzeichnisse, die Zinsregister.

Urfehde *Urfehde schwören* mußten dereinst die Ritter, damit sie sich aus jeder Fehde (ur = got. us = nhd. aus) »heraus«halten sollten.

Urständ *fröhliche Urständ feiern* = wieder neu aufkommen; – altes Wort für Auferstehung < mhd. urstende.

Utopie *die reinste Utopie* = Hirngespinst. – griech. ou (= nicht) und topos (= Ort), also Nirgendland, dann verallgemeinert.

V

va banque *va banque spielen* ↗ Bank

Vandalen *gehaust wie die Vandalen, der reinste Vandalismus.* – Das
Wort »Vandalen« wurde in diesem wegwerfenden Sinne zuerst von
Bischof Grégoire gebraucht (in einem Berichte an den Konvent, 1794).
Zu Unrecht! Überliefert ist, daß die Wandaler (german. auf der Erst-
silbe zu betonen), die auf ihrem Durchzuge nach Afrika der spanischen
Provinz (W)Andalusien[1]) ihren Namen hinterlassen haben, ein noch
sittenstrengeres Regiment unter den Römern führten als die Goten.
Und in Kriegen werden leider von allen Völkern Zerstörungen an-
gerichtet, und gar manches wird da zerstört rein »aus Spaß an der
Freud«.

Vaterunser so mager, daß man ihm *das Vaterunser durch die Backen
blasen* kann. – Die Backen eines Abgemagerten sind fast hauchdünn.

verballhornen (ein Wort) *verballhornen* = es verschlimmbessern,
nach einem Buchdrucker Ballhorn (16. Jh.), der nach Gutdünken die
Bücher von Auflage zu Auflage »verbesserte«.

verbeißen *den Schmerz verbeißen* = unterdrücken. – Wenn man sich
auf die Lippen beißt, spürt man den Schmerz nicht so sehr; *sich in
etw. verbeißen* = nicht mehr loskommen davon. ↗ Jäger

verblümt *etw. verblümt sagen* = es durch die ↗ Blume sagen. Das
Gegenteil ist »unverblümt« = ganz offen die Wahrheit sagen.

verbohrt *sich in etw. verbohren, verbohrt sein, eine Verbohrtheit* =
eigensinnig und starrköpfig daran festhalten. – Man möchte fast denken,
die Sprache vergegenwärtige uns einen Holzwurm, der sich in sein Holz
ver-bohrt.

verbüßen *eine Strafe verbüßt man* = sitzt sie ab – sie ist eine Buße (in
der Schweiz auch so genannt), sie soll »bessern«.

verdenken Das kann ich dir *nicht verdenken* = nicht übelnehmen. –
Die Wendung fußt auf dem Gegensatz: denken – ver-denken.

verdrücken *sich verdrücken* = heimlich verschwinden. – ↗ Jäger:
vom Hasen gesagt, der sich in eine Ackerfurche duckt; ein rechter
Drückeberger.

verfallen *Er ist ihr verfallen* = hörig geworden, wie man einem Zau-
ber verfällt, der einen in Besitz nimmt.

verfangen Kein Trost, keine Bitte, *nichts verfängt bei ihm* = nützt
nichts mehr. – Vorstellung aus der Vogelstellerei: sich im Netz verfangen = hängen bleiben; daher auch *unverfänglich*.

verfechten *sein Recht verfechten* = für sein Recht (seine Meinung) eintreten, förmlich mit der Waffe, wie man ja auch einst im Holmgange

[1]) ↗ blaues Blut

die Waffe das Recht entscheiden ließ. ↗ Rechtsbräuche, ↗ Ritter (Stange halten), ↗ Kuppelpelz

verfluchen In »*verfluchen*« ist der alte magische Sinn des »Verwünschens« noch spürbar = mit einem Fluche beladen.

verflucht »*Verflucht und zugenäht!*« (auch: Verdammt …, Verflixt …) ist ein harmloser Fluch, der uns bei Unwillen von den Lippen kommt. Er ist auch der Strophenschluß eines studentischen Liedes:

Und da fast täglich wie zum Hohn
ihm Knopf um Knopf abgeht,
so hat er seinen Hosenlatz
verflucht und zugenäht.

Auch kommt ein Verslein aus anderem Grunde zu demselben Schlusse:

Im wunderschönen Monat Mai, als alle Knospen sprangen,
da ist in meinem Herzen auch die Liebe aufgegangen.
Doch als mir bald mein blonder Schatz die Folgen uns'rer Lieb'
gesteht,
da hab' ich meinen Hosenlatz verflucht und zugenäht.

Obiger Hosenlatz mit Knöpfen ist allerdings schon neueren Datums; Knöpfe hatten z. B. die schwedischen Soldaten Gustav Adolfs an ihren Uniformröcken noch keine, sie knoteten sie zusammen. ↗ Heftelmacher

verhaspeln *sich verhaspeln* = in der Rede sich verwirren; die Fäden seiner Rede verwirren sich, er kann seine Rede nicht glatt abhaspeln. – Die Garnsträhne kommen auf die Haspel (Garnwinde), werden abgespult (abgehaspelt), und der Spul kommt ins Weberschiff.

sich verhaspeln = *sich verheddern* = sich im Sprechen verwirren. – Hede = Werg; beim Abspinnen von Werg können sich die Fäden leicht verwirren.

verhauen *eine Arbeit verhauen* (Umg.) = sie verpfuschen, so daß sie mißlungen ist. – Hergeleitet von der Holz- oder Steinbearbeitung.

verhöhnen *jn. verhohnepiepeln* (fam.) = ihn verspötteln. – Das Wort besteht aus verhöhnen und einem Mundartworte piepeln (schelmisch schauen), vgl. schmutzig lachen.

verhunzen ‹ verhundsen.

verjucken *sein Geld verjucken* = verjuxen. – Auch der Graf von Luxemburg hat all sein Geld verjuckt, wie das Studentenlied zu vermelden weiß. – Wenn uns das Geld in der Tasche »juckt« (= kitzelt), dann wird es leicht »ver-juckt«.

verkappt ↗ Tarnkappe

Verkehr *aus dem Verkehr zieht* man in den Verkehrsbetrieben die alten unbrauchbaren Wagen, aber neuerdings zieht auch die Kripo die bekanntesten Typen der Unterwelt aus dem Verkehr (= sperrt sie ein).

verknallt *verknallt sein* (Umg.) = *verschossen sein in ein Mädchen* = verliebt sein. – Die Vorstellung von Amors Liebespfeil spielt herein.

verkneifen *sich etw. nicht verkneifen können* = es sich nicht versagen können. – Man kneift die Lippen zusammen, um den Wunsch zu unterdrücken.

verkohlen *jn. verkohlen* = ihn uzen, necken (mit Worten), veralbern, verspotten. – hebr. kol = Stimme, Rede; hallische Theologen sollen das Wort eingeführt haben ↗ Kohl.

verkorksen *verkorksen* (sich sogar den Magen) = verderben. – Mit dem Stöpsel-(Korken-)zieher wird oft der Korken ver-korkst.

verkrümeln *sich verkrümeln* = möglichst unbemerkt weggehen. – Die Brotkrümchen machen beim Herunterfallen auch kein Aufsehen.

verläppern *etw. (z. B. Geld) verläppern* = kleinweis vergeuden, so lappenweise.

Verlaub »Das ist – *mit Verlaub zu sagen* (= Entschuldigung für ein grobes Wort) – eine . . .« – Ver-laub = Er-laubnis.

verleihen Würden, Ämter und *Orden »verleiht«* man jm., sie werden ihm »verliehen«, die geliehenen können ihm auch wieder aberkannt werden. Orden »trägt« man, einen Titel »führt« man.

verleumden *jn. verleumden* = seinen guten Leumund untergraben. – Jakob Grimm (D. Rechtsgeschichte, 1888[3], S. 143) führt als normannische Gewohnheit an: Beim widerruf von schmähungen hatte sich der verurtheilte selbst am nasenzipfel zu faszen und zu sagen: ex eo, quod vocavi te . . . mentitus fui (= was ich dich genannt habe, habe ich gelogen). Und nach mehreren deutschen Gesetzen mußte sich ein solcher selbst auf das Maul schlagen.

vermelden *nichts zu vermelden haben* (Umg.) = nichts dreinzureden haben. – Wendung der Kartenspieler.

verpassen *etw. verpassen* = es verabsäumen. – Beim Kartenspielen kann man gelegentlich sagen: »Ich passe« (franz. = Ich gehe vorüber) = ich warte, ich lasse die Gelegenheit aus (»mauere«). Wer zu lange auf die bessere Gelegenheit wartet (= paßt), der ver-paßt oft die günstige Gelegenheit.

verpatzen *etw. verpatzen* = es verschandeln, versauen u. dgl. (Umg.), so daß ein »Patzen« daraus wird. ↗ (Geld-Patzen)

verplempern *Geld oder Zeit verplempern* (Umg.) = vergeuden für unnütze Dinge, vertrödeln.
sich verplempern gesagt von Männern, die eine schlechte Heirat machen. – Vgl. plemplem (Umg.) = blöd, zu plump.

verpulvern *sein Geld verpulvern* = es nutzlos verausgaben. ↗ Soldaten

verreden »*Nur nicht verreden*«, sagt man (Ma.) dem anderen, der für die Zukunft etw. ablehnt. ↗ unberufen

Verschiß *in Verschiß geraten* (Umg.) = gesellschaftlich gemieden werden. – *im Bierverschiß sein* (studentisch) = von den anderen am Kneiptisch nicht angeredet werden – außer mit der Präambel »ohne mit dir kohlen zu wollen« – bis die Bierehre wieder herausgepaukt ist (mit einem Halben). – Obiger Ausdruck beruht auf ehemaliger roher Studentensitte, einem mißliebigen Kommilitonen seine Bude zu besudeln.

verschlagen = hinterhältig, bösartig. – Ein Mensch wird so, wenn er in der Jugend ohne Liebe, dafür mit viel Prügeln erzogen wird.

verschmitzt = gewitzigt, hintergründig; – von schmicken (= schlagen). – Auch so ein Junge hat seine Eigenschaft von den elterlichen Prügeln, nur ist noch ein guter Rest in ihm geblieben.

verschreiben *sich einer Sache verschreiben* = sie ganz zu seiner Aufgabe machen, förmlich kontraktlich.

verschrien *verschrien sein als* (z. B.) Geizhals = dafür gelten (obgleich nicht immer bewiesen).

verschütt-gehen *verschütt-gehen* = verloren gehen; – rotwelsch.

verschwitzen *etw. verschwitzen* = es vergessen. – Der Körper verliert beim Schwitzen an Gewicht, infolgedessen das Gehirn auch an Verstand.

Versenkung *in der Versenkung verschwinden* und *aus der Versenkung wieder auftauchen* = nach langer Abwesenheit wieder in Gesellschaft erscheinen. – Zu erklären aus der Theatermaschinerie.

versessen *versessen sein auf etw.* = erpicht sein darauf; – ↗ unter Vogelsteller

versiebt ausbaden müssen, was andere *versiebt haben* (Umg.) = vermurkst, verkorkst haben. – Verfeinerung von »versaut« haben.

versohlen *jn. tüchtig versohlen* (Umg.) = ihn gehörig verprügeln, verhauen, verdreschen u. ä. – Wie der Schuster mit viel Hammerschlägen die hölzernen Stifte in die Sohle schlug – heute werden die Sohlen angeleimt.

verstockt *verstockt sein* = trotzig schweigen. – Das Wort gehört nicht zu Stock/Stecken, sondern zu einem gleichlautenden Worte stocken/stecken bleiben. Die Milch stockt = gerinnt, ein Stockschnupfen ist ein festgewordener, ein verstockter Sünder hat ein verhärtetes Gemüt.

verstricken *sich in Widersprüche verstricken, verfangen, verwickeln.* – ↗ Vogelsteller

Versuch *ein letzter Versuch* = der Versuch einer ältlichen Dame, noch einen Mann zu ködern.

Versuchung *jn. in Versuchung bringen.* – Das Vaterunser hat: in Versuchung »führen« = die Übersetzung der lat. Fügung »inducere in tentationem«; sie ist bildkräftiger (= hineinführen) als das farblose »bringen« unserer Redewendung.

vertragen *sich vertragen* aus älterem »sich den Streit vertragen« (= ihn also wegschaffen, sich aussöhnen). – In Streitangelegenheiten ist der Begriff Streit selbstverständlich, das Wort dafür wird also unterdrückt, vgl. einen Pflock zurückstecken 〉 zurückstecken.

vertreten *sich die Füße vertreten* (nordd.) = vor Kälte von einem Fuß auf den andern treten. Ein Süddeutscher denkt, wenn er das hört, er hat sich einen Fuß verknakst (= übertreten); wie überhaupt die Ausdrücke des häuslichen Lebens in Nord und Süd oft verschieden sind, z. B. steht dort: Bitte die Füße abtreten, und hier: Bitte die Schuhe abstreifen.

vertrödeln *die Zeit vertrödeln* = mit unnützen Dingen die Zeit hinbringen. – Ein Trödler hat allerlei nützliche, aber auch eine Menge unnützer Dinge in seinem Laden.

verwirken die Freiheit (sein Leben) *verwirken* = das Recht darauf einbüßen. – Der Gegensatz: wirken und ver-wirken.

Verzückung *in Verzückung geraten* = ekstatische Begeisterung, bei der der Körper in »Zuckungen« gerät.

˙ **viere** *alle viere von sich strecken* = meist statt »verenden« gesagt. – Ergänze: Beine; ↗ Strecke

Visier *mit offenem Visier kämpfen* = aufrichtig, ehrlich. – ↗ Ritter

Vogel *Vogelstellerei* wurde früher eifrig betrieben, vgl.: Herr Heinrich saß am Vogelherd ...

einen berücken = ihn bezaubern, betören. – Die Vogelsteller »rükken« (südd. rucken) das Netz mit einer Schnur, damit es zuschnappt.

ins Garn gehen (locken) = eingefangen werden.

jn. umgarnen (bestricken) = ihn einzufangen suchen. – Das Netz heißt in der Vogelstellerrede einfach »Garn« = *in die Maschen geraten, sich verstricken;* sogar *jn. bestricken* (= bezaubern) kommt daher, und ↗ *sich verfangen.*

jm. nachstellen = ihn verfolgen. – Das Netz wird ein zweites und ein drittes Mal »nach-gestellt« = wieder neu eingestellt.

ein Lockvogel, teils im Bauer, teils (geblendet) auf einem Stänglein, hilft die Artgenossen anlocken.

sich auf den Pfiff verstehen = ein rechter Pfiffikus (= Schlaumeier) sein, der sich auskennt. – Er weiß mit seinem Pfeifchen (Blatt oder Holz) den Pfiff aller Vögel nachzuahmen, damit sie in sein Netz gelockt werden.

auf den Leim gegangen (gekrochen) ist einer = der *geleimt* wurde = betrogen wurde. – Die Vögel wurden nicht nur mit Netzen, sondern auch mit klebrigen Leimruten gefangen.

ein Pechvogel ist einer, der *Pech* (= Unglück) *gehabt* hat. Es ist dabei verwunderlich, daß Vogelsteller ihren Vogel»leim« als »Pech« bezeichnen und mit Unglück in Verbindung bringen sollten, die Ansicht muß von Gegnern der edlen Vogelweide herstammen.

auf etw. erpicht sein (= seine ganzen Gedanken darauf richten) kann auch nicht gut von den Vogelstellern herkommen, denn daß ein Vogel nichts sehnsüchtiger wünschen sollte, als an der Leimrute zu hängen, ist unsinnig. Doch wenn man das gleichbedeutende »versessen sein auf etw.« danebenhält, was sich vom »dauernden Daraufsitzen« herleitet, so ist das Bild vom Klebenbleiben am Sessel herübergenommen; denn *»er hat Pech an den Hosen«* heißt es ja von einem, der im Wirtshaus »kleben« bleibt = sich nur schwer zum Heimweg entschließen kann.

jm. die Zunge lösen = den Betreffenden zum Sprechen bringen. – Staren, die sprechen lernen sollen, löst man die Zunge.

Friß, Vogel oder stirb! = Dieser unmutige Ausruf bei einem ungewissen Handgriff stammt nicht vom Gänsestopfen, sondern ist auf Käfigvögel gemünzt.

den Vogel abschießen = Erfolg haben, die beste Leistung erzielen. ↗ Schützen

einen Vogel haben (Umg.) = *bei ihm piept's ja* = ein wenig verrückt sein. – Er hat förmlich ein Vogelnest im Gehirn.

den Vogel zeigen = sich an die Stirn tippen und dabei den anderen unfreundlich anschauen, was besagen will: Du hast wohl einen Vogel? Bei dir piept's wohl? Bist nicht recht gescheit. – Eine besonders bei Autofahrern beliebte Geste.

ein lockerer Vogel (Zeisig) = ein lustiger, unbeständiger Geselle.

die reinste Vogelscheuche = eine sonderbar ausstaffierte Weibsperson. – Vergleich mit der Kleiderpuppe am Kirschbaum.

für vogelfrei erklären = eine bekannte, aber veraltete Wendung aus dem german. Recht = Ausstoßung aus der Volksgemeinschaft, jeder durfte ihn totschlagen.

Vogel ↗ Strauß-Politik

voll *gerammelt voll, gepfropft voll, gestopft voll* = übervoll. ↗ gerammelt, ↗ proppenvoll, ↗ Schwips.

Vordermann *jn. auf Vordermann bringen* (Barras) = ihm Schmiß beibringen, ihn ordentlich schleifen. – Soldaten müssen sich in Reih und Glied nach dem Vordermann ausrichten.

vorknöpfen *sich einen vorknöpfen* = sich ihn vornehmen, ihn zurechtweisen, ihn abkanzeln. – Der Chef faßt bei einer eindringlichen Aussprache manchmal unwillkürlich den Betreffenden (besser wäre: den Betroffenen) mit den Fingern an den Rockknöpfen und holt ihn erst einmal näher an sich heran.

vorlaut ↗ Jäger

Vorschein *zum Vorschein kommt* z. B. die Sonne wieder aus den Wolken, ein gesuchtes Buch u. dgl., also etwas, das lange nicht zu sehen war und jetzt wieder zu sehen ist = wieder erscheint. – Die Redewendung »auf der Bildfläche« ist jüngeren Datums, erst möglich geworden nach der Erfindung der photographischen Platte.

Vorschlag *einen Vorschlag machen, etw. in Vorschlag bringen* = etw. vorschlagen. – Ein Bild unseres unschönen Hauptwörterstiles, der das Zeitwort zerdehnt, um dem Satzschluß mehr Gewicht zu geben.

jm. Vorschub leisten = ihm Voraushilfe gewähren. – Schiefes Bild; geschoben wird von hinten!

Vorschuß *Vorschuß nehmen* = Beamte und Arbeiter lassen sich oft noch vor dem Termin schon Geld geben = vorschießen. Auch vor der Ehe wird manchmal Vorschuß genommen = wird vom Baum der Erkenntnis gegessen (unsere Erbsünde).

Vorschußlorbeeren *Vorschußlorbeeren verteilen* = schon loben, bevor noch das erwartete gute Endergebnis erzielt ist. – Der Lorbeerkranz war im alten Griechenland der Preis des Siegers.

vorschützen das Wort gehört nicht zu Schütze/schießen, sondern zu ↗ Schüttse.

Vorurteil *Vor-urteil* = unbegründete Annahme. – Deutlich das Urteil, das »vor« dem rechtsgültigen Urteil gefällt wird.

Vorwand *einen Vorwand suchen*, Vorwände = Ausreden, Ausflüchte, Einwände. – Das Wort wird noch einigermaßen verstanden als Schutzwand vor der Hauswand, wie man sie früher im Winter aufstellte.

W

Waage *schwer in die Waage (ins Gewicht) fallen* = schwerwiegend sein. ↗ Gewicht, ↗ Zünglein

Wache *Wache »schieben«* statt »Wache stehen« oder »Wache halten« soll rotwelsch sein (wie Kohldampf schieben), was möglich ist; dann ist rotwelsch »schieben« so ein Allerweltswort wie jetzt unser »bauen«. ↗ Türken

Waffe *eine Waffe zücken* = sie hervorziehen. – Ziehen – Zügel – zögern und zucken – zücken gehören derselben Wortfamilie an.

die Waffen strecken = sich ergeben, kapitulieren. – Wer sich ergeben will, streckt die Waffe dem Gegner hin.

Waise *Gegen den ist er der reinste Waisenknabe* = (österr.) *so a rechts Waserl* = ein bedeutungsloses, bescheidenes, geistig wenig begütertes Wesen. – Früher wurden auf den Dörfern die Waisenkinder von Hof zu Hof nach Termin weitergereicht und blieben naturgemäß gegen die Kinder mit Nestwärme geistig zurück. – Zum Übergang von mhd. ei ⟩ österr. a vgl. -heim ⟩ Kallham O. Ö. (davon der Name Kohlhammer), Soldaten-Streife ⟩ Strafuni an der ehem. Militärgrenze u. ä.

Wald *den Wald vor lauter Bäumen nicht sehen* = vor lauter Einzelheiten das Ganze nicht beachten, den Überblick verlieren.

Walküre *eine Walküre* = eine große stattliche Frau. – So dachte man sich wohl eine Idise, die auf der Wal-statt die gefallenen Helden für Walhall »kürte« (= auswählte).

Walze *auf der Walz sein* = ständig »auf dem Fuße« sein. – Handwerksburschen wall-zen, andere wall-fahrten.

Wand *jn. an die Wand stellen* = ihn erschießen, wobei man in der Regel eine Wand als Kugelfang benutzt hat.

jn. an die Wand drücken = ihn zurückdrängen, um ihn auszuschalten. – Die Fechter suchen einander gegen eine Wand zu drängen, um den anderen in seinen Bewegungen zu hindern.

weiß wie eine gekalkte Wand = kreidebleich. – Nordd. heißt »kalken« tünchen und südd. anfärbeln.

in unseren vier Wänden = in unserem Heim. ↗ Haus

Wandaler ↗ Vandalen

Wandel *Wandel schaffen* = tatkräftig Ordnung herbeiführen. – Zerdehnung von (ver)wandeln.

Wanst *sich den Wanst (Bauch) vollschlagen* (Umg.) = sich mehr als satt essen. – Wanst, Banse und Pansen sind ein und dasselbe Wort.

wappnen *sich dagegen wappnen* = sich gegen eine Fährlichkeit rüsten, vorbereiten; – wappnen (platt) = (nhd.) sich waffnen.

warm *weder warm noch kalt* = weder ↗ Fisch noch Fleisch = weder gehauen noch gestochen (↗ Fechter).

waschen *waschen* ist eine Wortbildung auf -schen (vgl. feil-schen, herr-schen) zu Wasser, also wass-schen. Hier errät man noch den Zusammen-hang, bei verharschen (= der Schnee wird hart) aus ver-hart-schen schon weniger.

Ein altes *Waschweib!* = Schimpfwort auf einen Mann, der nichts hinter den Zähnen behalten kann, der gleich alles weiter erzählt. – Wasch-weiber gibt es wohl, die Wäsche waschen und fleißig dabei schwatzen, aber kommt denn dieser Mann überhaupt mit einem Waschfaß in Be-rührung? Nun, der Waschzettel mit der Anpreisung eines neu erschie-nenen Buches hat auch nichts mit Waschwasser zu tun; er ist angeblich ein Gewäsch (= leeres Gerede, ↗ hundert). Und wenn nun der junge Goethe sich einmal entschuldigt: »Ich fange an zu wäschen« (= zu schwätzen, zu plauschen), so spüren wir, daß dieses Wort wäschen/ waschen ein ganz anderes Wort ist als das oben vom Worte Wasser ab-geleitete; es hat ja auch eine ganz andere Bedeutung, nämlich: plaudern, plauschen, schwätzen. Der laus.-schles. Dialekt kennt dazu die Verklei-nerung »wischeln« (= flüstern, tuscheln). Wir sehen den Unterschied noch deutlicher an der Redensart:

Unsere schmutzige Wäsche wollen wir nicht vor den Leuten waschen = wir wollen unsere garstigen Angelegenheiten doch nicht vor der Öffentlich-keit ausplauschen. – »Wäsche waschen« ist eine Doppelung (eine sog. innere Ergänzung wie lat. pugnam pugnare, wie griech. machēn ma-chesthai = eine Schlacht schlagen); einen vergeblichen Kampf kämpfen = vergeblich kämpfen oder ein gewagtes Spiel spielen = (ge-kürzt) gewagt spielen u. a. Folglich also: schmutzige Wäsche waschen = (kurz) schmutzig wäschen = garstig plauschen. Und wir wollen doch in der Öffentlichkeit unsere Angelegenheiten nicht »garstig bereden«. (Das garstige Gerede färbt seine üble Bedeutung dann ab auf den Gegenstand des Gespräches.)

blöd aus der Wäsche gucken (Umg.) = ein dummes Gesicht machen, albern dreinschauen. – Eine in neuester Zeit aufgekommene Redensart.

Wasser *Das ist Wasser auf seine Mühle* = bestärkt ihn in seinem Ge-dankengange, da kann er so »weiterplätschern« = weitermahlen.

einem nicht das Wasser reichen können = ihm nicht gleichwertig sein. – ↗ Ritter: nicht ebenbürtig sein.

jm. das Wasser abgraben = ihn in seiner Existenz zu schädigen drohen. – Besonders achtsam waren einst die Müller, daß ihnen nicht das Wasser ihres Mühlgrabens abgeleitet wurde.

Er hält sich gerade noch (mit Mühe) *über Wasser* = er kann mit knapper Not wirtschaftlich bestehen, wie ein Ermüdeter, der notdürftig schwim-men kann und den Kopf gerade noch aus dem Wasser herauszuhalten vermag.

Das Wasser steht ihm bis zum Halse = ihm droht wirtschaftlicher Ruin.

So tief ist er ins Wasser gegangen = so tief ist er in Schulden versunken.

etw. fällt ins Wasser = findet nicht statt, wird nicht verwirklicht. –
Ein Gegenstand, der ins Wasser fällt, ist weg.
Das Wasser läuft ihm im Munde zusammen = aus Vorfreude auf den
Genuß.
im Wasser liegen die Traversen auf dem Bau, wenn sie in der Waagrech-
ten liegen, d. h. mit der Wasserwaage nachgeprüft wurden.
Wasser predigen und Wein trinken = andere zu Mäßigkeit anhalten,
aber selber prassen.
Er muß Wasser in seinen Wein gießen = muß zurückstecken (↗ Pflock),
muß zu hoch geschraubte Forderungen mäßigen.
Auch sie kochen nur mit Wasser = müssen auch nur mit Wasser kochen =
sie können auch nicht zaubern, bringen auch keine Kunststücke zustande, können auch nicht mehr als andere – zum Kochen brauchen auch
sie Wasser;
von reinstem Wasser = ganz echter Typus. – Wohl vom Brillanten her
gesagt.
mit allen Wassern gewaschen, ergänzt: mit allen Salben geschmiert, in
allen Sätteln gerecht und mit allen Hunden gehetzt, mit noch einem Zusatz: und gerieben wie ein Affenarsch = ein ganz durchtriebener Bursche.
aussehen, wie wenn er kein Wässerchen trüben könnte = ganz harmlos. –
Aus der Fabel von Phaedrus »Wolf und Lamm«: Das bescheidene Schaf
trinkt, der Wolf beklagt sich, daß es ihm das Wasser trübe. Die Entschuldigung, daß es ja unterhalb stehe und das Wasser nicht bergauf
fließen könne, nutzt ihm nichts.
Wechselbalg = Schimpfwort ↗ Balg
Wecker *auf den Wecker fallen (gehen)* sollte z. B. den Gammlern die
öftere Spritzung ihrer Stammplätze. – Die Redewendung geht wohl
zurück auf das unangenehme Rasseln des Weckers in den Morgenschlaf
hinein, das *auf die Nerven geht.*
Weg/Wege *einen Weg einschlagen* = eine Wegrichtung wählen. –
Unsere Vorfahren mußten sich in den damaligen Urwäldern buchstäblich einen Weg mit der Axt »einschlagen«, mußten *sich Bahn
»brechen«* = mußten *sich einen Weg (eine Gasse) bahnen* = Raum schaffen für das Vorwärtskommen. – Solche Redensarten sind sprachliche
Versteinerungen.
jm. etw. in den Weg legen = jm. den Weg verlegen = Schwierigkeiten
machen, ihn am Fortkommen hindern = *ihm in den Weg treten.*
sich auf den Weg machen (Umg.) = aufbrechen, weggehen. – Die Umg.
liebt das Wort »machen« und sagt z. B. statt fortziehen »wegmachen«
und sagt statt weiterreisen »fortmachen« u. ä.
etw. in die Wege leiten = ein Beginnen veranlassen. – Aus dem Blick-
winkel des Fuhrmannes gesprochen, der den Wagen aus dem Schuppen
herausgeschoben, die Pferde angespannt hat und jetzt mit Peitschenknall sein Fuhrwerk in die Wegspur lenkt, um die Fahrt zu beginnen.

etw. (jn.) aus dem Wege räumen (schaffen) = das Hindernis beseitigen bzw. ihn umbringen.

jm. die Wege ebnen = ihm behilflich sein.

jm. einen Weg weisen = ihm eine Möglichkeit aufzeigen.

etw. liegt (steht) dem im Wege = ist ihm hinderlich.

etw. liegt am Wege = ist griffnahe.

der Arbeit aus dem Wege gehen = nicht gern arbeiten.

Er wird *seinen Weg machen* = ein gutes Fortkommen finden.

seiner Wege gehen = seine »eigenen« Wege gehen.

vom rechten Wege abkommen = straucheln, verlottern.

Das hat gute Wege = hat keine Eile, es drängt nicht, wird gut erledigt werden.

ohne Weg und Steg = wo kein Weg ist und kein Pfad = durch dick und dünn.

die letzte Wegzehrung (kath.) = die letzte Ölung, eigentlich Eßvorrat auf die Reise.

weg *Geh weg!* ⟨ Geh deinen Weg.

Ich bin ordentlich *weg* (fam.) = bin paff, höchlichst erstaunt – förmlich ohne Bewußtsein vor Staunen.

Das hat er weg (fam.) = das kann er gut, hat er sofort begriffen.

die Ruhe weghaben (Umg.) = immer ruhig bleiben.

wie weggeblasen = gänzlich verschwunden. – Besonders bei Schmerz gesagt, wo man ja auch bei Kindern mit Trostesworten auf den schmerzenden Finger bläst.

wegwerfend über jn. urteilen = ein schlechtes Urteil über ihn fällen. ↗ Rechtsbräuche

Wehr *in Wehr und Waffen* = gerüstet mit Abwehr- und Angriffswaffen.

sich zur Wehr setzen = sich wehren, verteidigen

Weib *ein Weibsbild* = Gegenstück zu Mannsbild = eine Frauensperson (-bild = Gebilde, Gestalt). – Wohin sind die Zeiten, da man sich stritt, ob der Name Weib oder Frau edler sei? Walther von der Vogelweide (gest. um 1230) verteidigte den Namen wîp (= Weib), aber hundert Jahre später galt vrouwe (= Frau) als die edlere Bezeichnung; für sie stritt Heinrich von Meißen, bekam den Dichternamen Frauenlob und wurde 1318 von Mainzer Frauen zu Grabe getragen. – Ave Maria früher: du bist gebenedeit unter den Weibern, heute: unter den Frauen.

weich *weich werden* = nachgiebig werden (bes. in Geldsachen); es wird ihm weich ums Herz.

Weichbild *im Weichbild der Stadt* wohnen = in der Innenstadt. – Wik ist ein nordisches Wort (Wik-inger) und bedeutete »Siedlung, Niederlassung«. In Westeuropa gibt es 870 Wik-orte, z. B. Wijk bij Duurstede (bei Utrecht), Braunschweig (⟨ Brunos Wik), Schleswig (Wik an der Schlei), Bardowiek bei Lüneburg, wo Reste von Lango-barden zurückblieben, die 568 nicht mit nach Italien (Lombardei < Langobardei) zogen usw. Das Wort lautet germ. wîk, niederd. Wijk, hochd. Weich- (der Platz[1]), wo das Land vor dem Wasser zurückweicht = Bucht, Fjord). Germ. k wurde um 500 zu ahd. ch und î nach 1000 zu ei. – Der 2. Bestandteil ist ein Wort für »Recht«, das noch in »Unbilden« und in »billigen« steckt. Weichbild war also die unter städtischer Gerichtsbarkeit stehende Innenstadt.

Weichselzopf *ein Weichselzopf ist ein verfilzter Haarzopf.* – Das Wort ist eine Schreiberetymologie des wenig bekannten Mundartwortes *Wickselzopf*, keineswegs das polnische wieszczyce, wie man einmal geglaubt hat. Bekannter ist das Wort ohne Endsilbe -sel in der Wendung *jn. beim Wickel kriegen* = beim Haarschopf zu fassen bekommen, ihn erwischen. Wortbildungen auf -sel sind häufig: blind – blinzeln, füllen – Füllsel, Anhängsel, Mitbringsel u. a.
Der Zopf ist *verwickselt*, es ist *ein Wicksel im Haar*, wie die Mundarten sagen. – Ob aber letzten Endes nicht etwa der Weichselzopf aus abergläubischen alten Zeiten stammt (etwa Wichtelzopf)? Vgl. engl. to elf = das Haar verfilzen.

Weihrauch *jm. Weihrauch streuen = ihn beweihräuchern* = ihn überaus loben, fast abgöttisch; denn nur im Gottesdienst wird Weihrauch benutzt.

Wein *jm. reinen (klaren) Wein einschenken* = (meist) ihm ganz unverhohlen seine wahre Meinung ins Gesicht sagen, (seltener) ihm über wahre Zusammenhänge die Augen öffnen.

Weisheit *glauben, die Weisheit mit dem großen Löffel gefressen zu haben* = sich übergescheit dünken. – Weis- (= weise, wissen, nicht etwa die Farbe weiß), -heit = Wesen, Beschaffenheit. – Aber der Familienname Weisheit(el) < Weißhäupt(el) = eine Familie, deren Namensahne auffallend weißblond gewesen sein muß.

weismachen *jm. etw. weismachen wollen* = ihm etwas einreden wollen < jn. einer Sache »wissend« machen wollen.

weiß *keine weiße Weste haben* = keine gute Vergangenheit haben; weiß = gut, schwarz = schlecht, vgl. weißwaschen (↗ Mohrenwäsche), jn. anschwärzen = ihn schlechtmachen.
Man gönnt ihm nicht das Weiße im Auge = ↗ nicht das Schwarze unter den Nägeln = nichts, gar nichts.
jn. in Weißglut bringen = einen so aufbringen, so zornig machen, daß er nicht nur in Rotglut gerät = rot im Gesicht anläuft, sondern noch mehr.

weit *Es ist nicht weit her mit ihm* = er taugt nicht viel. – Die Meinung beruht auf der Überschätzung des Fremdländischen.
das Weite suchen = flüchten.

[1] nach Eric Grf. Oxenstierna, Die Wikinger, Stuttgart 1959.

Weizen *sein Weizen blüht* = seine Geschäfte gehen jetzt gut. – Der Bauer hat bei der Weizenblüte bereits eine hübsche Ernte in Aussicht.

Wellen eine Angelegenheit *schlägt Wellen* = verbreitet sich überallhin. – Das Bild von dem ins Wasser geworfenen Stein.

Welt Die Redensarten mit »Welt« sind stilistischer Art: Wie *alle* Welt weiß, ist die Tatsache nicht *aus* der Welt zu schaffen, daß immer wieder Kinder *in* die Welt gesetzt werden; sie kommen *zur* Welt oder werden *zur* Welt gebracht. Der Mensch hat sich dann *in* die Welt zu schicken, darf nicht *mit* der Welt zerfallen, sondern soll immer munter *in* die Welt gucken und sich erst *von* der Welt zurückziehen, wenn er *aus* der Welt zu scheiden gedenkt, u. a. m. ↗ mit Brettern vernagelt

Werbung *die Werbetrommel rühren* = Reklame machen. ↗ Soldaten

Werk Das Wort »arbeiten« wird oft und gern mit einer Wendung von »*Werk*« wiedergegeben:
Da heißt es *Hand ans Werk (zu Werke) legen* = da gilt es tüchtig zuzupacken.
geschickt zu Werke gehen = anstellig vorgehen beim Arbeiten.
entschlossen ans Werk gehen und *sich (gleich) ans Werk machen* (Umg.) = energisch (sofort) mit der Arbeit beginnen.
etw. im Werke haben = es vorplanen.
etw. ins Werk setzen = es verwirklichen.
Es ist etwas im Werke (Umg.) = es geht etwas vor.

Wermut *ein Wermutstropfen* in seine Begeisterung, gesagt von einer bitteren Beigabe, die in seine Freude träufelt. – Wermut ist bitter.

Wesen *sein Wesen treiben*, d. h. sein Unwesen (Unfug).
nicht viel Wesens davon machen (= es nicht für wesentlich ansehen) und *viel Wesens von sich machen* (= sich groß aufspielen) haben noch ein altes s des Wesfalles erhalten.

Wespen *in ein Wespennest greifen (stechen)* = durch ein Wort (eine Geste), gewollt oder unbeabsichtigt, eine heftige Gegenreaktion auslösen. – Stochert man in ein Wespennest, schwirren bekanntlich sogleich die Wespen um unseren Kopf.

Weste *eine saubere (weiße) Weste haben* = untadelig, anständig, straflos sein; besonders politisch »unbelastet« sein als Ausdruck der Entnazifizierung in der BRD und im McCarthy-Ausschuß in den USA. ↗ weiß

Wetter *um gut Wetter bitten* (fam.) = Milde erhoffen.
die reinste Wetterfahne ist ein wankelmütiger Mensch; er dreht sich wie sie nach dem jeweiligen Winde.

Wichs *sich in Wichs werfen* (stud.) = Festputz anlegen, den Paradeflaus (= in voller Wichs). – Für den Studenten von ehedem waren die mit Wichse blank geputzten hohen Stiefel das Wichtigste am Anzug, und sie benannten ihn dementsprechend. Heute sagen wohl Studenten: fein in Schale. ↗ Gala

Das ist alles eine Wichse (Umg.) = alles dasselbe. – Das ordinäre Wort »Dreck« ist etwas verfeinert.

Wickel *jn. beim Wickel kriegen* (= ihn erwischen). ↗ Weichselzopf

Wicken ↗ Binsen

widerspenstig *widerspenstig sein* = halsstarrig, widersetzlich. – Das Wort gehört zu »spannen« (zur Endung -st vgl. Durst-dürr u. ä.) und bedeutet »entgegenspannend«, sich entgegenstemmend.

widmen *sich einer Sache widmen* = sich ihr verschreiben, sich ihr ganz hingeben, sich ihr sozusagen zum Geschenk bringen, vgl. Widmung = Geschenk.

Wiege »*Das ist ihm nicht an der Wiege gesungen worden*«, sagt man, wenn bei jm. sein ungewöhnliches Schicksal nicht zu ahnen war. ↗ Aberglaube

Wiesel *flink wie ein Wiesel* ist ein herkömmlicher Vergleich mit diesem zierlichen, scheuen Tierchen.

wild *in wilder Ehe leben* (veraltend) = ohne getraut zu sein miteinander leben. – Seit Einführung der Standesämter hat die kirchliche Trauung an Wert verloren und verliert weiter durch die »Onkelehen« der vielen Kriegerwitwen.

aus wilder Wurzel kolonisiert im Osten = ex viridi nemore = auf Waldboden angelegt.

ein rechter Wildfang = ein unbändiges Kind, ein überlebhaftes Mädchen. – Der Ausdruck stammt aus der Falknerei und wurde gebraucht für die frisch eingefangenen wilden Jungfalken, die sich am Anfang der Zähmung natürlich recht wild gebärdeten.

Willem *den dicken Willem markieren* = recht (geld)protzig auftreten. – Warum soll gerade Wilhelm dick sein? Vielleicht deshalb, weil andere bekannte Namen schon vergeben waren für: den ↗ groben Michel, den dummen August, den ↗ wahren Jakob und den billigen Jakob, den frechen Oskar, den dummen Peter, für den Theodor im Fußballtor, für einen keuschen Josef, für Lude und Ede (Ludwig und Eduard), diese zwei Heini (= Ganoven), für den Tünnes (mit seinem Schäl = Schieler), der ein kölnischer Antonius ist usw. Hans Dampf ist in allen Gassen, der hl. Ullrich wird bemüht, und oft ist ↗ Matthäus am letzten, der ungläubige Thomas steht in der Bibel usw. Aus der kleinen verbliebenen Auswahl nahm man also ihn. Ob es Wellem aus Düsseldorf ist?

willkommen *jn. willkommen heißen* ‹ ihn als nach Willen (= Wunsch) gekommen benennen.

Wimper *ohne mit der Wimper zu zucken* = unbewegt, kaltblütig. – Auf der Stirn sind die Augen-brauen, an den Augenlidern befinden sich die Wind-brauen, eingekürzt zu Wimpern.

sich nicht an den Wimpern klimpern lassen (Umg.) = sich nicht bemäkeln lassen, sich keine üble Nachrede gefallen lassen. – Die Augenwimpern sind empfindlich, klimpern kommt als Reim dazu.

Wind *Der Wind geht,* er war einst als Mann gedacht, als Riese; ein Sturm *erhebt sich,* der Wind *legt sich* auch wieder.

jm. Wind vormachen = ihm etw. vorflunkern, reden von etw., das wie der Wind nur säuselt.

Wind bekommen (kriegen) = davor gewarnt sein, heimlich davon erfahren haben = *Witterung bekommen* (↗ Jäger) = ahnen, vermuten, argwöhnen.

wissen, woher der Wind weht = sich auskennen, woher man etw. zu erwarten hat.

Hier weht ein scharfer Wind = hier herrscht Zucht und Ordnung.

den Mantel nach dem Winde hängen (schmeißen) = sich charakterlos anpassen.

etw. in den Wind schlagen = bes. einen guten Rat gar nicht beachten = *in den Wind reden* = keine Beachtung finden.

Das ist Wind in seine Segel ↗ Seefahrt

jm. den Wind aus seinen Segeln nehmen ↗ Seefahrt

sich erst den Wind um die Nase wehen lassen müssen = erst die nötige Erfahrung (in der Fremde) sammeln sollen.

bei gutem Winde abgehen (Umg.) = bei passender Gelegenheit sich davonmachen.

ein rechter Windhund = ein Windbeutel, ein leichtsinniger Bursche. – Dabei denkt man an den unbeständigen Wind, aber das Wort kommt von der Hunderasse »Windhund, Windspiel«, das (wie Kieselstein, Eidschwur) eine Zusammensetzung ist, u. zw. des mhd. Wortes wint, das mit Wende in Zusammenhang gebracht wird (Wendenhund).

Wink *jm. einen Wink geben* = ihm eine Andeutung machen, gewöhnlich durch ein Zeichen. Die Erweiterung dazu ist der *Wink mit dem Zaun- oder Laternenpfahl* = eine verblümt drohende Andeutung. – Ursprünglich verstand man wohl darunter (Pfahl = dicker Stock) unmißverständlich die Androhung von Prügeln.

Winkel- *Winkelzüge machen* = Ausreden, Ausflüchte suchen, Einwände machen. – Die Wendung scheint vom Brettspiel »Mühleziehen« zu kommen, bei dem man auch durch Hin- und Herziehen zu entkommen trachtet.

Winter »Na, gut durch den Winter gekommen?«, hänselt man im Frühjahr einen Dicken.

noch die Winterkirschen haben = dieses Jahr noch kein Bad genommen haben.

Wisch *unterm Wisch* (Ma. Wusche) *etw. tun* = heimlich, unbemerkt. – Wisch = Strohwisch, der in früheren Zeiten auf dem Marktplatz der Stadt aufgesteckt war zum Zeichen, daß am Markttage zuerst den Stadtbewohnern der Einkauf freistand; Fremde und Händler mußten warten, bis er abgenommen war, die aber – der Bedeutung nach zu schließen – das Verbot umgingen.

Woche *in die Wochen kommen* = bald ein Kind kriegen (ma. sich einwochen), in Kürze eine Sechswöchnerin (eine Kindbetterin) werden. – Das Wort »Woche« ist dasselbe Wort wie Wechsel; demnach haben wir sichtlich einmal nach den Mondphasen unsere Zeiteinteilung getroffen.

Wohlgefallen *Es hat sich in Wohlgefallen aufgelöst* (hum.) = ist gütlich ausgegangen.

Wolf *Hunger haben wie ein Wolf* = *einen Wolfshunger haben.* – Die Gier der Wölfe ist bekannt.

mit den Wölfen heulen müssen = mithalten müssen mit der Masse. (Nach dem Sprichwort) ↗ Bibel

Wolken *wie aus allen Wolken gefallen* = verdutzt, verblüfft, erstaunt, ahnungslos. ↗ Himmel

Wolkenkuckucksheim = Phantasieland, nach Aristophanes »Die Vögel« die von Vögeln in die Luft gebaute Stadt »Nephelokokkygia«. ↗ elfenbeinerner Turm

Wolle *in die Wolle geraten* = zornig werden.

jn. in Wolle bringen = ihn erzürnen. – Im schles.-ob. sächs. Bereich zeigen die Mundarten Hauptwortbildungen wie: jn. in die Mache nehmen (Gerh. Hauptmann), jn. in die Roppe kriegen, Wäsche auf die Bleiche (= zum Bleichen) legen, Pilze auf Backe (= zum Backen = Rösten an der Sonne) schneiden, zu Passe kommen (= zupaß kommen), eine Lache anschlagen u. dgl. m.

Diese Hauptwörter, mit oder ohne Artikel gebraucht, auf e sind vom Zeitwort gebildet (wie z. B. Geislingen an der Steige = Steigung, Fährtensuche neben Haussuchung und Kniebeuge neben Rechtsbeugung), also: mundartlich Wolle/Walle = Wallung. Vgl. in Uhlands Gedicht: Da wallt dem Deutschen auch sein Blut = geriet in Wallung = in Walle. Die Redensart vermischt sich mit den bedeutungsähnlichen Wendungen »sich in die Haare kriegen (geraten)« und »sich ständig in den Haaren liegen«; man denkt dann: Wolle = Haare *(sich in der Wolle haben)*, und es kommt zu sprachlichen Zwitterbildungen. Siehe folgende Zeitungsnotiz: Über die Frage, ob Sterne auf einer bayr. Uniform preußisch seien, liegen sich Rundfunk, Ministerium, Stadträte und Gewerkschaften in der Uniform-Wolle.

Wort *jm. ins Wort fallen* = seine Rede unterbrechen. ↗ Arm

jn. nicht zu Wort kommen lassen = ihn am Mitreden hindern.

jm. das Wort entziehen = ihm das Weiterreden verbieten.

jm. das Wort im Munde verdrehen = sein Wort mißdeuten.

das große Wort führen = den Mund vollnehmen, sich wortreich vordrängen.

jn. beim Worte nehmen = ihn auf ein unbedachtes Wort hin verpflichten.

jm. sein Wort geben = ihm das Versprechen geben.

jm. ein gutes Wort geben = ein Zerwürfnis wieder gutzumachen trachten, indem man anfängt wieder zu reden. u. a. m.

Wunder *Wunder wirken* = Erstaunliches leisten, Ungeahntes be-

werkstelligen; – wirken statt einfach machen; es ist werken mit sog. Tonerhöhung des e zu i wie bei Erde-irdisch, helfen-Hilfe, Berg-Gebirge u. ä.
seine blauen Wunder erleben = eine peinliche Überraschung. ↗ Dunst
Das nimmt mich wunder = das wundert mich.

Wurf *jm. in den Wurf kommen* = ihm unerwartet begegnen. – Bild vom Steinwurf. ↗ Quere

Würfel *Die Würfel sind gefallen* (Zitat) = die Entscheidung ist gefallen. ↗ Klassik

Wurm *einem die Würmer aus der Nase ziehen* = ihm sein Geheimnis entlocken. – Die Redensart stammt aus der Zeit, als noch Gaukler, Possenreißer, Trickspieler, Tausendkünstler, Zauberer, Scharlatane und Betrüger jeder Art die Jahrmärkte bevölkerten. Auch Quacksalber, Zahnbrecher, Steinschneider und ähnliche aus der Zunft der fahrenden Ärzte priesen hier ihre Künste an.
Da redeten auch Wunderdoktoren dem Patienten ein, seine Krankheit werde durch einen Wurm im Gehirne verursacht, und nach viel Brimborium (das von dem Taschenspielertrick ablenkte) zog der Wundermann tatsächlich dem erstaunten Patienten – zur Belustigung der Zuschauer – einen respektablen Wurm (natürlich vorher heimlich im Talarärmel gehalten) aus der Nase. ↗ blauer Dunst
Das wurmt mich = ärgert mich sehr. – Es rumort in mir wie ein Wurm.

Wurst *Das ist mir alles Wurst* (Umg.) = ganz gleichgültig. Duden hat Großschreibung, faßt also Wurst gegenständlich auf, Grimms Wörterbuch vermerkt die Redensart nicht. Weydes verdienstvolles Rechtschreibwörterbuch (1913[6]) schreibt richtig: Es ist mir wurst (= gleichgültig), fügt aber hinzu: einerlei, bei welchem Ende angeschnitten, nimmt also Wurst wie Duden ebenfalls gegenständlich. Diese Herleitung findet sich öfters; sie ist jedoch unhaltbar; es steckt vielmehr darin ein ganzes Stück deutscher Theatergeschichte, vom Rüpel der Volksspiele in seiner teuflischen

Nach einem Stich um 1700

Aufmachung bis zum Possenreißer, der auf der deutschen Bühne als dicke Wurst auftrat, weshalb er den Namen *Hans Wurst* bekam, mit Hans als spaßigem Vornamen nach Hännesgen = Kasperl. Aber wie sich die rohen Rüpelszenen seines Vorgängers überlebt hatten, so waren auch um 1730 seine Hanswurstiaden beim gehobenen Publikum nicht mehr gefragt. Er wurde von der Bühne verwiesen. Aber abgetan war er deshalb noch lange nicht! Er stieg von den hohen Brettern hinab ins Volk, wandelte seinen Namen volkstümlich ab[1]) in

[1]) Wie der Volksmund den amtlichen Namen des Hochw. Herrn infulierten Erzdechanten Wenzel Hocke umstellte zu Hockewanzel.

Wursthans[2]), alberte den Leuten da weiter etwas vor und *gab ihnen den Kasper ab.* Der Wurstelprater in Wien heißt ja nicht so nach wohlschmekkenden Würstchen, sondern stammt vom Kasperltheater. Mit der Zeit wurde er jener (nicht dumme, aber phlegmatische) Gemütsmensch, der Lebenskünstler, der sich nicht aus der Ruhe bringen läßt, mit dem man sich jeden Spaß erlauben darf und der *den Leuten den Wurstel macht (= ihnen den Hanswurst abgibt).* Er wird auf diese Weise ein rechter (österr.) Wurstel (sein Sohn, *dieses Würstchen,* ist nicht anders geartet), der auf seinem *Wurstigkeitsstandpunkte* steht (= im alten Schlendrian); und im Grunde seines Herzens ist ihm schließlich auch *alles gänzlich wurscht. Wurst wider Wurst* = wie du mir, so ich dir. – Gedankengang: Ich bin ihm recht wurst, folglich ist er für mich gänzlich wurst.

mit der Wurst nach der Speckseite (nach dem Schinken) werfen = mit geringem Einsatz etwas besonders Schönes zu ergattern trachten. – Bei den Hausschlachtungen in früheren (noch bäuerlichen) Zeiten hingen in der Wurstekammer über den Würsten oben die verschiedenen Stücke an geräuchertem (geselchtem) Schinkenspeck. Durch einen geglückten Zielwurf mit einer Wurst konnte man noch etwas Besseres von ganz oben herunterholen.

Es geht um die Wurst = jetzt fällt die Entscheidung. – Es handelt sich um Wirtshauswetten mit einer Wurst als Preis.

Nicht um die Wurst! = durchaus nicht. – In dieser Redensart klingen wohl auch Erlebnisse von dörflichen Schulfesten an mit Wurstklettern, Wurstschnappen, Wurstangeln u. ä.

jn. in die Würste hacken wollen (Umg.) = ihn zum alten ↗ Eisen werfen wollen.

weg sein wie's Würstel vom Kraute (Umg.) = sehr schnell, weil ja das Gute immer zuerst verspeist wird.

sich auskennen beim Wurstkessel (Umg.) = sich darauf verstehen, u. zw. nicht ganz uneigennützig, d. h. wie eben einer beim Würstesieden, wenn er beim Hausschlachten mitkocht, auch mal zulangt.

jm. keine Extrawurst braten = ihm keine Vorzugsbehandlung angedeihen lassen. – Die Wurstbratereien verkaufen nur einheitliche Ware, können außergewöhnliche Wünsche nicht erfüllen.

Wut *in Wut geraten,* in Wut ausbrechen = wütend werden. – Das Wort ist nahe verwandt mit dem german. Götternamen des ahd. Wuotan (germ. Wotan, nord. Odin), der in wilder, wütender Jagd mit seinem Heer durch die Lüfte braust.

vor Wut schäumen (schnauben) = Kraftausdruck für »ergrimmen«. – Das Bild eines mit schaumbedecktem Gebiß wild schnaubenden Rosses.

---

[2]) In der Kindheit hieß mich bei tolpatschigen Gedankensprüngen die Mutter gar oft einen Alberhans oder kleinen Wursthans. Vgl. ersteres Wort bei K. Peltzer, Das treffende Wort, 1964[8], unter Fex und letzteres im Grimmschen Wörterbuche unter Wursthans, Sp. 2304 und 2316.

X

Da laß ich mir kein X für ein U vormachen = da laß ich mir nichts weismachen, laß mir nichts vorflunkern. – Diese Redensart kannten bereits
die alten Römer. Bei ihnen bedeutete der Buchstabe V dasselbe wie
unser Buchstabe U, zugleich stellte er aber die Zahl 5 dar. Wenn jemand
betrügen wollte, so zog er die beiden Striche des V nach unten weiter aus.
Dann war aus dem V ein X, bzw. aus der 5 eine 10 geworden. ↗ A.
Riese

Anderer Herkunft ist (nach Sigrid Hunke, Allahs Sonne über dem Abendlande, D. Verlagsanstalt/Stuttgart, S. 99) *das x für die Unbekannte in
einer Gleichung*. Einen Buchstaben x gibt es im arabischen Alphabet
nicht. Die Araber nannten die gesuchte namenlose Zahl »das Ding« =
schai, abgekürzt »sch«, und dem sch-Laut entsprach im Altspanischen
das x-Zeichen.

Z

Zahn *jm. auf den Zahn fühlen* = einen unauffällig ausholen, seine Fähigkeit prüfen. – Weil die Redensart seit 1700 bekannt ist, kann sie nicht aus der Praxis eines Zahnarztes stammen; denn Zahnärzte gab es damals so gut wie keine, nur Zahnbrecher, die auf Jahrmärkten ihre Dienste anboten. Unsere Redensart muß daher vom Pferdehandel kommen, wo man durch Befühlen der mehr oder weniger stark abgekauten Zahnflächen das Alter der Pferde erfühlen kann. – Der Kölner St.-Anzeiger fühlte (22. 4. 64) sogar den Preisen auf den Zahn.

Nach einem Holzschnitt von Hans Weiditz 1539

schreien wie ein Zahnbrecher = laut. – Vor 1900 sind wenig Zähne plombiert worden, sie wurden einfach »gerissen«; in Städten gab es zwar hie und da auch schon Zahnärzte, auf Dörfern jedoch fanden sich Leute, die aus Gefälligkeit von Zahnschmerzen befreiten, und noch früher, ließ man sich das auf dem Jahrmarkte besorgen vom Zahnbrecher, der seine Kunst – der Redensart nach zu schließen – laut schreiend anbot.

das ist so viel wie auf einen hohlen Zahn = zu wenig.

Haare auf den Zähnen (so sagt man) haben böse Weiber. ⌁ Haare

einem die Zähne zeigen (weisen) = drohen, sich zur Wehr setzen. – Hunde zeigen drohend die Zähne:

sie blecken die Zähne = sie lassen die Zähne »blicken«.

die Zähne fletschen heißt die Lefzen breitziehen, so daß die Zähne zu sehen sind; vgl. *sich hinfläzen* = ma. *sich hinfletschen* (= sich breit hinlagern).

sich an etw. die Zähne ausbeißen = eine Schwierigkeit nicht meistern können.

die Zähne zusammenbeißen = die Furcht unterdrücken. – Wenn man alle Kraft zusammennehmen will, beißt man unwillkürlich die Zähne zusammen; ähnlich, wie man sich bei Schreck auf die Lippen beißt.

jm. lange Zähne (= den Mund wässerig) machen = ihm viel versprechen (mit geringer Aussicht auf Erfüllung). – Die Vorfreude regt schon Speichelbildung an.

jm. etw. aus den Zähnen rücken (Umg.) = aus seiner Reichweite entfernen.

mit den Zähnen knirschen = vor Wut.

mit den Zähnen klappern = aus Furcht oder vor Kälte.

Zähren *im Tal der Zähren* = hinieden. – Sprache der Bibel für Tränen.

Zange *jn. in die Zange nehmen* = ihn unter Druck setzen. – Der Schmied packt das Eisen fest mit der Zange und bearbeitet es so.

Zankapfel ↗ Klassik

Zapfenstreich *Zapfenstreich (blasen, machen)* = Signal, das abends die Soldaten in die Unterkünfte ruft (österr. Retraite), auch abendliches Ständchen einer Militärmusikkapelle, allgemeine Bedeutung: Schluß des Vergnügens. – Wallensteins Marketender mußten auf ein Trompetensignal hin abends das Ausschenken einstellen, indem sie den Spund (= Zapfen) ins Faß schlugen (Streich = Schlag, vgl. Backen»streich«) und noch einen Kreidestrich über Spundloch und Zapfen machten.

zappenduster: Das in Nordrhein-Westfalen gebräuchliche Wort zappenduster (= sehr finster, übertragen: Nun endlich Schluß!) erklärt sich – wenn man die Schrumpfwortbildung ↗ Feuerspritze sich vor Augen hält – aus der Vorstellung von zapfen(streich)finster, u. zw. – vgl. holländisch taptoo (= Zapfen zu) = Polizeistunde – aus der Form zappen(zu)duster. Dazu engl. tatoo (= eine abendliche Militärparade) von holländisch.

Zaum *jn. im Zaume halten* = ihn nicht ausarten lassen. – Eigentlich legt man nur einem Pferde einen Zaum an.

sich nicht im Zaum halten = sich nicht beherrschen können.

Zaun *einen Streit vom Zaun brechen* = mutwillig und ohne Grund einen Streit beginnen. ↗ Streit

ein Wink mit dem Zaunpfahl = eine sehr drastische Anspielung. ↗ Wink

Zeche *die ganze Zeche bezahlen müssen* = für das, was andere angerichtet haben, allein einstehen müssen. ↗ ausbaden

ein Zechpreller ist einer, der zwar im Wirtshaus trinkt und eine Zechschuld macht, sich aber ohne zu bezahlen verdrückt. ↗ Jäger

Zehen *einem auf die Zehen treten* = ihn an etw. erinnern; ähnlich wie einen Rippenstoß geben.

zehren *einen Zehrpfennig zurücklegen* = sparen, damit man im Alter etw. zu ver-zehren hat.

Zeichen *seines Zeichens ist er* (z. B.) Schneider = die Zünfte der Handwerker hatten früher jede ihr Zeichen, die sie an ihre Werkstätten hängten (↗ Aushängeschilder).

zeihen *jn. eines Diebstahles zeihen* (veraltet) = jn. bezichtigen (= beschuldigen), daß er einen Diebstahl begangen hat. – Zeihen bedeutet so viel wie: mit dem Finger auf ihn »zeigen«; zeihen und zeigen sind dasselbe Wort; h und g wechseln (vgl. ziehen-zog); auch bezichtigen ist vom selben Wortstamm.

Zeile *zwischen den Zeilen lesen* = was nicht ausdrücklich geschrieben (gedruckt) steht, aus scheinbaren – aber oft beabsichtigten – Nebensächlichkeiten erschließen.

Zeit *Die Zeit eilt,*
die Zeit kommt,
die Zeit vergeht.

Jeder weiß, was das heißt. Aber was ist in »Wirklichkeit« die Zeit? Sie
ist nicht zu sehen, ist nicht zu hören und ist doch immer da; ohne sie
geschieht nichts, sie war und wird immer sein. Es gibt Völkerschaften,
die kein Zeitgefühl kennen, sie leben zeitlos, sie haben noch kein Wort
für das Schöpfungswunder »Zeit«. Die Sonne war
anfänglich der natürliche Zeitmesser, die Jahres-
zeiten (Frühling, Sommer, Herbst und Winter)
verwiesen auf dieses Fließen der Zeit, auch das
Leben selbst (Jugend, Erwachsensein, Greisen-
alter) veranschaulichte dem Menschen dieses
Verströmen, ähnlich der Strömung des fließenden Wassers. Schließlich kam man dazu, die
Zeit zu messen, mit Sonnenuhren und mit Sanduhren. Letztere waren sehr lange im Gebrauch
(fast bis heute in der Küche zum Eierkochen).

Die Wendungen »die Zeit verrinnt«, »die Zeit ist abgelaufen« und »die
Uhr stellen« erinnern uns noch daran; denn der Sand »rann« (lief) herunter, und man mußte die Uhr umstellen. Das Herunter»sickern«
übertrug sich als »Seiger« auf die Schwarzwälder Uhren mit Ketten-
gewichten, die man »aufziehen« mußte (↗ Uhr). Heute hat man noch
andere Systeme, solche mit Federn, mit Batterien u. dgl. Wir sind
längst nicht mehr zeitlos, auch wenn wir oft *keine Zeit haben.*

Zelte *seine Zelte aufschlagen* = sich an einem Orte niederlassen. –
Nach der Bibelstelle: Hier laßt uns Hütten bauen, und paßt heute zum
Camping.
seine Zelte (das Lager) abbrechen = die Koffer packen = weiterziehen.

zetern *Zetermordio schreien* = wenn einer »zeterte«, waren die Mitbürger zur Hilfeleistung verpflichtet; denn es handelte sich womöglich
um einen Totschlag. ↗ klagen

Zeug *Das (der) Zeug* wird kurz alles Handwerkszeug geheißen: das
Rüstzeug am Bau, das Schreibzeug im Büro, das Nähzeug der Frauen,
der Dengelzeug der Bauern, das Gezeug der Bergleute u. a. m., sogar
der Stoff und der Anzug daraus heißt ma. ’s Zeug.
das Zeug dazu haben = (übertragen) die nötigen Eigenschaften dafür
haben, die geistige Befähigung dazu besitzen.
(scharf) ins Zeug gehen = beherzt eine Sache angehen, wie Pferde auch
scharf anrucken.
sich tüchtig ins Zeug (ins Geschirr) legen = angestrengt arbeiten, wie die
Pferde im Geschirr.
was das Zeug hält = aus Leibeskräften, so viel die Zugstränge halten.
auf dem Zeuge sein (Gottfr. Keller) = (O. Lausitz) *om Zeuge sein.* – »Das

(der) Zeug« ist das Arbeitsgerät; »arbeitsgesund« ist somit die Bedeutung. Aber um welches Gerät handelt es sich hier? Wenn man den wiener. Fiakerausdruck »a fesch's Zeugerl« (= Kutsche mit Gespann) bedenkt, so hat man hier eine Redewendung der Fuhrleute vor sich; auch das Vorwort »auf« deutet dahin.

einem etw. am Zeuge flicken (Umg.) = an ihm etw. bemäkeln, ihn vernadern, verleumden. – Mundartlich heißt Zeug = Anzug, Kleidung, Gewandung (erst Kleiderstoff, dann das daraus Gefertigte). Wir haben wohl das Bild vor uns, daß einer einem anderen einen Flicken an den Anzug (= Zeug!) heftet, um ihn in den Augen der Mitbürger bloßzustellen.

Ma.: *dummes Zeug* = Plunder.

albernes Zeug reden = Unsinn. Humbug

Zicken *Zicken machen* (bes. junge Mädchen) = übermütige Dummheiten, dreiste Streiche, wie die Zicklein Bocksprünge machen, wobei man wohl auch an die Zickzacklinie denkt, die die Häslein beim »Hakenschlagen« machen.

Ziege Es ist ihn *hart angekommen wie einen Ziegenbock das Milchgeben.*

ziehen »*Es zieht nicht*«, sagt der Verkäufer = die Ware kostet mehr. – Die Waage »zieht«.

Ziel *übers Ziel hinausschießen.* ↗ Schützen

Zigarre Die *Zigarre, die man verpaßt bekam* (und einstecken mußte) stammt aus dem Militärleben. Wenn ein Vorgesetzter einen untergeordneten Offizier zu sich befahl, um ihm eine scharfe Rüge zu erteilen, so bot er ihm vor oder nach dem erfolgten Tadel eine Zigarre an. Das sollte eine versöhnliche Geste sein. Das war so »bei Preußens«, in Österreich *bekamen* die Offiziere *eine Nase* (keine Zigarre, weil die österr. Offiziere nur Zigaretten rauchten). ↗ Nasenstüber

Zigeuner ↗ Kind

Zimmermann er war früher einmal (Maurer gab es damals noch nicht) ein ganz wichtiger Mann, da die Häuser nur in Fachwerk oder in Blockbau ausgeführt wurden.

jm. zeigen, wo der Zimmermann das Loch gelassen hat = ihm die Tür weisen, ihn hinauswerfen. ↗ Haus (Wand, unter Dach und Fach, ↗ Fugen, in seinen vier Pfählen), ↗ (Decken)balken, ↗ Schnur, ↗ Hutschnur

Zipfel Er glaubt es *an allen vier Zipfeln zu haben* = es fest und sicher haben. – Bild vom Einbinden der Gegenstände in ein Tuch.

Zitrone *jn. auspressen wie eine Zitrone* = Geld oder ein Geständnis aus ihm herauspressen.

Zoll *keinen Zollbreit nachgeben* = nicht im geringsten nachlassen. Vor dem Meter maß man nach Zoll, Ellen und Klaftern.

Zopf *ein alter Zopf* = eine überholte Angelegenheit. – Der Zopf war zu Mozarts Zeiten Mode und gehörte unter Kaiser Josef II. und Friedrich II. zur Uniform; auch der junge Goethe trug einen Zopf. Um 1780 ging diese Mode zurück, und auf dem Wartburgfeste (18. 10. 1817) wurde symbolisch ein Zopf als Zeichen der Rückständigkeit mitverbrannt.

Zorn *Die Zornader schwillt ihm* = er entbrennt in heftigen Zorn. – Bei Zornausbrüchen tritt die Stirnader deutlich hervor.

Zucht *jn. in Zucht nehmen* = ihn an Zucht und Ordnung gewöhnen, ihn dazu er»ziehen« = ihn »zügeln«. – ziehen – Zügel – Zucht.

Zuflucht *Zuflucht suchen* wird fast nur wörtlich gebraucht, während *seine Zuflucht nehmen* meist übertragen, so: z. B. zu einer Lüge seine Zuflucht nehmen.

zufrieden *sich zufrieden geben mit etw.* (aus: sich damit in den Frieden begeben) = sich begnügen.

Zug *nicht so recht zum Zuge kommen* = nicht so recht seine Fähigkeiten einsetzen können.
so recht im Zuge sein = mitten in voller Tätigkeit.
am Zuge sein = an der Reihe sein. – Wendungen vom Brettspiel.
jn. am Zuge haben (Ma.) = ihn nicht leiden mögen, d. h. am »Abzuge« (= Drücker, Zünglein) des Gewehres; vgl. jn. aufs Kornnehmen.

zugeknöpft *zugeknöpft* ist das deutsche Wort für »reserviert«. – Steife Persönlichkeiten und Amtspersonen haben gewöhnlich den Rock bis oben zugeknöpft.

Zügel Der Kutscher lenkte vom Kutschbocke aus seine Rösser mit den *Zügeln*. Militärisch besteht ein Unterschied: Nur das Reitpferd geht »am Zügel«, das »Zug«pferd (wo Zügel das richtige Wort wäre) aber »an den Leinen«. Auch am Rhein riefen einst die Treidelleute, die die Kähne stromaufwärts »zogen«, an der Haltestelle eines »Lein«pfades einander zu: »Wechselt Leine!«, woher der Name Wesseling (zwischen Köln und Bonn) stammt.[1] – Das Wort Zügel verleugnet seinen Stammbaum von ziehen – zog – gezogen und will nur »Lenken« heißen.
jm. Zügel anlegen = ihm weniger Freiheit lassen.
die Zügel ergreifen = die Führung übernehmen.
die Zügel in der Hand behalten = seine Befugnisse nicht abgeben.
die Zügel (etwas straffer) anziehen = ein schärferes Regiment einführen.
die Zügel (etwas) locker lassen und davon eingekürzt: *Nur nicht locker lassen* = nicht nachgeben, nicht nachlassen. ↗ zurückstecken
Kaiser Rudolf II. allerdings *ließ die Zügel schleifen* = kümmerte sich um nichts (= er behielt die Zügel nicht einmal mehr in der Hand).
der Leidenschaft die Zügel schießen lassen = ihr freien Lauf lassen.
mit verhängtem Zügel = in gestrecktem Galopp. – Man hält nicht die Zügel, sondern läßt sie »hängen« und gibt damit dem Pferde vollste Laufmöglichkeit.
(ganz) *ungezügelt* = wild (zügellos).

[1] -chs- > -ss- ist niederdeutsch und → pingelig

Zügen *in vollen Zügen das Leben genießen* = ausgiebig, so wie man die würzige Gebirgsluft in vollen Zügen einatmet und wie man etw. mit Genuß in langen Zügen schlürft.

in den letzten Zügen liegen = im Sterben liegen, die letzten Atemzüge machen.

zugute (Umg.) *jm. etw. zugute halten* = es ihm wohlwollend entschuldigen.

Darauf tue ich mir nicht wenig zugute = darauf bin ich stolz.

jm. etw. zugute kommen lassen = (meist) ihm einen Verdienst verschaffen.

Zuname Wie die Kinder einander nur beim Taufnamen kennen, einander höchstens »zunamen« (= Spottnamen geben), so benannten früher auch die Erwachsenen einander nur mit ihren Vornamen (= Taufnamen), der andere war ein »Zuname« (der des Vaters, des Hofes, der Herkunft, des bes. Merkmales u. ä.). In den alten Personenverzeichnissen wurden die Leute daher immer nur nach ihren Vornamen alphabetisch eingeordnet, nicht nach den erst allmählich fest werdenden sog.

Familiennamen, z. B.:

Andreas Ullrich

Barthel Petzold

Hannus Göbel

Mathis Weber

Petsch Dieterich usw.

Der Familienname war also einmal wirklich nur ein Zuname, eine Art »Zu-gabe«; heute ist es das Gegenteil, vgl. dazu das Größenverhältnis der Buchstaben in der Unterschrift Albrecht Dürers.

Zunder *etw. brennt wie Zunder* = schnell und lichterloh – wie ein »Zünd«schwamm, den man einst beim Feuerschlagen mit Feuerstahl und Feuerstein brauchte, um die Funken aufzufangen.

es fällt ab wie Zunder = ist so mürbe wie abgebrannter Zunder.

jm. Zunder geben (Umg.) = ihn anfeuern.

Zunge *die Zunge im Zaum halten* = seine Worte abmessen. – Sogar der Zunge wird ein ↗ Zaum angelegt.

sich lieber die Zunge abbeißen (= sich auf die Lippen beißen), um jn. nicht etwa mit Worten zu kränken oder sich nicht etwa selbst *die Zunge zu verbrennen.*

jm. die Zunge lösen = ihn zum Sprechen bringen. – Staren löst man die Zunge. ↗ Vogelsteller

mit der Zunge schnalzen (= um sein Wohlgefallen auszudrücken) ist kein Sprachlaut; es wird damit lediglich in urtümlicher Weise ein Gefühl ausgedrückt wie mit dem Pfeifen durch die Zähne (↗ Pfiff) oder wie durch die Geste des Fingerschnippens (↗ Schnippchen), vgl. auch ↗ Rippenstoß. Es sind Sprachkeime.

eine kleine Partei kann z. B. manchmal das Zünglein an der Waage sein (= die Entscheidungsgewalt besitzen), weil sie dann *den Ausschlag gibt*

(= die Entscheidung herbeiführt). – Wir haben heute verschiedene Meßbehelfe zur Gewichtsbestimmung, wodurch die Balkenwaage mit dem Zünglein daran fast außer Gebrauch gekommen ist, nur durch die sprachlichen Wendungen werden wir noch an diese alten Waagen erinnert.

zupaß *zupaß kommen* (= Zerdehnung des Zeitwortes passen) = gelegen kommen, zu passender Zeit (zu Passe kommen). ↗ in Wolle geraten

zurechtweisen *zurechtweisen* = rügen, tadeln. – Das Wort entstand aus einer Redensart des altdeutschen Rechtes: Einspruch erheben hieß einst »zu Recht weisen« (= auf das Recht hinweisen). Jeder freie Mann konnte den Urteilsspruch zurückweisen = das Recht schelten. ↗ Einspruch

zurückstecken = nachgeben. ↗ Pflock

zusammen – *zusammenklappen wie ein Taschenmesser* (südd. wie ein Taschenfaitl) = erschöpft zusammensinken bzw. sich tief verneigen.

es läppert sich halt etwas zusammen (Umg.) = aus Kleinigkeiten (= kleinen Lappen) kommt schließlich doch ein Häufchen zusammen.

die Fäden laufen bei ihm (= in seiner Hand) zusammen = er ist der Anstoßgeber. – Die Herkunft der Wendung vom Puppenspiel ist deutlich.

die Hände über dem Kopfe zusammenschlagen = bestürzt sein vor Schreck oder Erstaunen.

sich schließlich zusammenraufen (iron.) = nach einer erregten Debatte doch übereinkommen.

sich etw. nicht zusammenreimen können = den Sinn der Sache wissen wollen, aber nicht dahinterkommen = sich keinen ↗ Reim darauf machen können.

zuschanden *zuschanden werden* = vereitelt werden, *etw. zuschanden machen* = etw. ruinieren, *ein Pferd zuschanden reiten.* – Der Bedeutung wegen kann das Wort unmöglich zu Schande (sich schämen) gehören, sondern hängt mit Schaden zusammen, mit Nasalinfix wie Jacke ⟩ Janker (südd.), zerbröckeln ⟩ zerbrinkeln (schles.), mhd. smutzen ⟩ schmunzeln. Auch ein ganz anderes Wort, nur gleichlautend mit obigem, hat ebenfalls einen solchen n-Einschub: Schade (= Hering) – Skandinavien (das Herkunftsland der Heringe).

zuschustern ↗ Schuster

zustande bringen und *zuwege bringen* = können, verstehen. – Die mitteld. Mundarten sagen »brejt'n«, ein altes Wort (vgl. got. ga-raiþs), das gern mit bringen verhochdeutscht wird, ohne dessen Bedeutungsgehalt zu erschöpfen.

Zwang *in einer Zwangsjacke stecken* = in einer Klemme. – Die Zwangsjacke ist ein Rock mit überlangen Ärmeln, den man einem Tobsüchtigen anzieht, um ihm leichter die Hände auf den Rücken binden zu können.

Zweck *den Zweck verfehlen* = das Ziel nicht erreichen, das Beabsichtigte (was man be-»zweckt«) schlägt fehl, ist ein Mißerfolg. – Die Wendung ist der Gegensatz zu: den ↗ Nagel auf den Kopf treffen.

Zweig *auf keinen grünen Zweig kommen* = es zu nichts bringen, keinen Erfolg haben. – Schon nach germanischem Rechtsbrauch (Lex Alamannorum, cap. 86 und Lex Baiuuariorum 16, 17 der Germanenrechte, Band 2, II, Seiten 63 und 162) mußte bei einem Besitzwechsel der Verkäufer dem Käufer eine Erdscholle des verkauften Grundstücks mit einem eingesteckten grünen Zweig übergeben. Grün ist von alters her die Farbe der Hoffnung, des Blühens und Gedeihens. Der Sachsenspiegel (das umfassende Rechtsbuch des 13. Jahrhunderts) weist viele Darstellungen von Rechtsbräuchen auf (hgg. von Karl von Amira, II. Bd., S. 118): »Der Zweig versinnbildlicht (als pars pro toto den Gegenstand des Rechtsgeschäftes) das Grundstück, besonders dann, wenn er in einer Erdscholle steckend dargereicht wird.« Auch Jakob Grimm (D. Rechtsaltertümer, 1881[3]) erwähnt (S. 130) die Übertragung von Liegenschaften durch eine Rasenscholle mit Zweig. Auch noch als Goethe 1789 das Freigut Oberroßla kaufte, wurden bei der Besitzeinweisung die alten auf das Germanentum zurückgehenden Rechtsbräuche vollzogen: Nachdem die Schlüssel, die alten Lehensbriefe und das Vieh übergeben worden waren, wurde im Küchenherd Feuer an- und wieder ausgemacht, und schließlich überreichte man eine Erdscholle und einen grünen Zweig. Auf einen grünen Zweig kam man also damals erst, wenn man ein Grundstück rechtmäßig erwarb. ↗ besitzen
Sonderbarerweise kennt auch die Vogelwelt eine ganz ähnliche Zweigübergabe an den Be-»sitzer«: Bei den Reihern überwachen Männchen und Weibchen abwechselnd die Eier. Die Wachübergabe, die bei ihnen stets in der Form eines tanzartigen Rituals mit ausgebreiteten Schwingen und aufgeplusterten Federn erfolgt, findet ihren Höhepunkt darin, daß der wachfrei werdende Vogel seinem Partner einen Zweig überreicht. Es ist, als wollte er sagen: Setz du dich auf die Eier, sie gehören jetzt dir. (Farbfoto mit Text auf Seite 130 des Buches »Die Vögel« von Roger Tory Peterson, Life – Wunder der Natur)

Zwick- *in eine Zwickmühle geraten* = in eine Klemme, wo einer den anderen ordentlich »zwicken« kann. – Beim »Mühleziehen« gibt es eine solche »Zwickmühle«, wie eine gewisse Stellung der Steine heißt.

zwölf *in zwölfter Stunde* = im allerletzten Augenblick. – Alte Zählung; heute zählen wir die Stunden durch bis 24.

NACHWORT

Redensarten sind vorgeformte Ausdrücke der Sprache, die zur Hand
sind, ohne daß man lange nach eigenen Worten zu suchen braucht. Sie
sind ein ständig wiederholter Bestand, es sind aneinandergekoppelte
Wörter, d. h. feststehende Wendungen, »stehende« Redensarten, die nur
so und nicht anders gebraucht werden dürfen: z. B. kann man nur sagen
»sein Scherflein dazu beisteuern«, aber Beiträge zahlt man oder gibt man
oder entrichtet man oder leistet man oder ... Gewöhnlich muß die
Redensart erst in einen Satz eingebaut und zur Person- und Zeitbestim-
mung in Beziehung gesetzt werden; z. B. *auf einen grünen Zweig kommen*: Wenn du deinen Lebenswandel nicht änderst, wirst du es dein
Lebtag auf keinen grünen Zweig bringen, d. h. 2. Person der Einzahl,
Zukunft, tätige Form, bestimmte Aussageweise. Es gibt allerdings auch
Fälle, in denen eine Redensart ein vollständiger Satz ist und dann aus-
sieht wie ein Sprichwort, aber keins ist, weil ihm jegliche lehrhafte Ten-
denz fehlt, die das Kennzeichen eines Sprichwortes ist: »Die Köchin war
heute verliebt« (= die Suppe ist versalzen) ist eine Redensart, gleicht
aber der Form nach einem Sprichworte wie: »Viele Köche verderben
den Brei« (= Nicht zu viele sollen dreinreden dürfen; das tut nicht gut).
Zwischen rein stilistischen Redewendungen (z. B. bei Kasse sein = Geld
haben) und bildlichen Redensarten (z. B. das Geld zum Fenster hinauswerfen = sein Geld vergeuden) machen die Grammatiken keinen Unterschied, sie verwenden beide Bezeichnungen wechselweise. Aber auch gebräuchliche Redewendungen mit wortwörtlicher Bedeutung sind noch
keine Redensarten im strengeren Sinne des Wortes; erst die übertragene
Bedeutung macht daraus eine Redensart im engeren Sinne. Ein Beispiel: »Er hat sich beim Bergsteigen das Genick gebrochen« ist eine gewöhnliche Mitteilung, die wörtlich zu verstehen ist. »Eine Steuerfahn-
dung hat ihm das Genick gebrochen« enthält die Redensart »jm. das
Genick brechen« in der übertragenen Bedeutung von »ruinieren«. Meist
kommt uns die Grundbedeutung nicht mehr in den Sinn, sie ist verblaßt oder hat sich gänzlich verflüchtigt (↗ am gleichen Strick ziehen).
Da von jedem Zeitwort (jm. etw. aussetzen, einen ermahnen, folgern)
ein weiblicher Begriffsname auf -ung gebildet werden kann (Aus-
setzung, Ermahnung, Folgerung), der in der Rede auch oft mit einem
ganz bestimmten Ausdruck (jm. Aussetzungen »machen«, ihm eine Ermahnung »erteilen«, die Schlußfolgerung »ziehen«) gekoppelt sein kann,
so ergeben sich auch »stehende« Wendungen, aber bei diesen »Zerdehnungen« bleibt die Bedeutung dieselbe (rügen, tadeln, erschließen), deshalb gehören solche Fälle der Stilistik an und sind hier nur gestreift.

Auch Einzelwörter werden als Einzelwortsätze zu Redensarten, z. B. »Pustekuchen!« (= Umg.: Ich werde dir was pusten). Sie gleichen also in der Form den Ausrufen (Interjektionen, z. B.: »Au!« = Das tut weh), von denen sie unschwer zu scheiden sind.

Manche Redensarten sind so bekannt, daß man, ohne mißverstanden zu werden, ein wichtiges Glied weglassen kann, z. B.: (einen Pflock) zurückstecken oder: nicht alle (d. h. alle fünf Sinne) beisammen haben usw. Dagegen sind manche Zusätze rein sprachspielerischer Art; der geschulte Blick erkennt sie leicht: Wenn ein Leben z. B. nur noch an einem Faden hängt, so genügt das manchen nicht, es hängt bei ihnen an einem dünnen Faden oder an einem seidenen Faden, sogar an einem Zwirnsfaden; der Mist wird beim Barras zum Bockmist; leben wie der liebe Gott wird: wie Gott in Frankreich; die gekränkte Leber wird sogar zu einer Leberwurst u. dgl. m.

Die Herkunft:

Viele Redensarten liefert das tägliche Leben (die Landwirtschaft, die Hantierung der verschiedenen Handwerke, der Haushalt), aber nicht so sehr der Alltag als vielmehr die Unterbrechung des täglichen Einerlei: die Schützenfeste, die Gerichtsverhandlung, die Jagd, das Soldatenleben, das Kartenspiel, das Kaufgeschäft u. a. m. Der Aberglaube steuert bei, natürlich reichlich die Bibel, auch etwas die Literatur, auch das Rotwelsch. Fremdwörter sind nur äußerst selten am Zustandekommen von Redensarten beteiligt, man könnte die Fälle fast an den Fingern abzählen. Das ist bei der Überfülle von Fremdwörtern in unserem Wortschatze geradezu verwunderlich. Das Fremdgut ist uns sichtlich nicht in Fleisch und Blut übergegangen.

Da die Redensarten zum allergrößten Teile aus dem Volksmunde stammen, müssen wir immer gefaßt sein, daß Mundartworte darin stecken, z. B. Walle = Wallung, Wicksel = Wickel u. a., hier genügt ein Erstbeleg noch nicht zur Erklärung, wie wir bei Kuppelpelz gesehen haben, es muß da philologisches Rüstzeug angesetzt werden.

Das Alter:

Manche Redensarten sind sicherlich sehr alt (↗ Rechtsbräuche, ↗ grüner Zweig, ↗ Bockshorn), andere wiederum jung (↗ Palme, Ball). Der Sinn so mancher alten Redensart ist vom Zeitgeschehen unterwandert worden, eine neue Vorstellung hat sich untergeschoben, wie wir bei »ins Bockshorn jagen« annehmen müssen, bei »Farbe bekennen« erschließen können, wie es bei »Schweine hüten« naheliegt, wie sich bei »zwischen Tür und Angel« und bei »auf dem Damm sein« klar beweisen läßt und wie sie bei »den Nagel auf den Kopf treffen« ohne weiteres einleuchtet.

Anordnung:

Die Redensarten sind alphabetisch aufgezählt, nach dem sinnstärksten Worte aufgereiht. Größere Herkunftsgebiete wurden zusammengefaßt,

weil sich im Zusammenhang vieles von selbst erklärt, wodurch viele
Einzelerklärungen überflüssig wurden; ein Hinweis im Alphabet genügt.
Inhalt:
Aufgenommen wurden möglichst viel volkstümliche Redensarten und
stehende Wendungen, die sprachlich und bedeutungsgemäß von Inter-
esse sind, auch solche Wortgebilde. Ganz besonderes Gewicht aber
wurde auf die Erklärung gelegt. Hier ist m. E. größtmögliche Vollstän-
digkeit erreicht worden; es gibt kaum mehr einen weißen Fleck auf der
Redensartenkarte. Meine jahrzehntelange Beschäftigung galt dem
Sondergebiet der Wortgruppen (= Redensarten). Wir besitzen zwar
eine Reihe von etymologischen Wörterbüchern, aber naturgemäß (Etymologie = Wortbildungslehre, d. h. lautliche Herleitung aus germ.
oder idg. Formen) beschäftigen sie sich hauptsächlich mit Einzelwörtern
und nur gelegentlich mit Semantik (Semasiologie = Bedeutungslehre),
d. h. mit der Entwicklung der Bedeutung von Wortgruppen, was die
Redensarten ja sind. In vorliegender Redensartenkunde soll eine (po-
pulär-wissenschaftliche) deutsche Phraseologie (= Lehre der Redewendungen) geboten werden. In folgenden bisher ungeklärt gebliebenen
Fällen ist es dem Verfasser gelungen, eine gesicherte Herkunft aufzuzeigen: Ankratz finden, jm. eins auswischen, das Blatt dreht sich, jm.
schießt das Blatt, jn. ins Bockshorn jagen, kannst es halten wie der
Dachdecker, auf dem Damm sein, eiapopeia ↗ Haja, jn. ins Gebet
nehmen, denken wie Goldschmieds Junge, Hahn im Korb sein, seine
Haut zu Markte tragen, sich einen Kuppelpelz verdienen, da legst dich
nieder, die Kalte Mamsell drücken, Maulaffen feilhalten, mutterseelenallein dastehen, die Nagelprobe machen, jn. übers Ohr hauen, keinen
Pappenstiel wert, »einen« Pflock zurückstecken, die Sauglocke läuten,
sein Schäfchen ins trockene bringen (sein Schäfchen im trockenen haben),
Schabernack treiben, Schembartlaufen, ist mir schnuppe, ein Schlitzohr sein, die Schule schwänzen, Schwänzelpfennige machen, nicht
Schweine gehütet haben mit jm., Späne machen, bei der Stange bleiben,
jn. im Stich lassen, auf den Strich gehen, am gleichen Strick ziehen,
zum Tragen kommen, nicht bei Troste sein, zwischen Tür und Angel,
die schmutzige Wäsche waschen, in Wolle geraten, ist mir wurscht, auf
dem Zeuge sein, jm. am Zeuge flicken wollen, zupaß kommen, zuschanden machen.
Zusätzlich gebe ich die Etymologien von: abgefeimt, abluchsen, anranzen, aufmutzen, ausmerzen, Brandfuchs, bresthaft, fringsen, Glück/
gelingen, Hühnerauge, Kretscham, pingelig, Pudel und pudeln, Rübezahl, Ruprecht, schlacksig, Schneppe, Schütz (= Damm), Strohwitwe,
tippen/tüfteln, Waschweib und Waschzettel, a Waserl, Weichselzopf,
so ein Würstchen u. a.
Beim Abschluß dieser Redensartenkunde muß ich vor allem meiner
Familie danken, die mit mir eine Arbeitsgemeinschaft gebildet hatte.

Das Deutschland der Mitte, des Westens und des Südens war darin vertreten, alle Mitglieder haben ihr Wissen um die Muttersprache beigesteuert. Zu danken habe ich auch meinem Freunde, Herrn Studiendirektor Dr. E. Führlich, für seine sorgfältige Durcharbeitung meines Manuskriptes, Dank auch Herrn Rektor F. Stilez für die Mithilfe beim Korrekturlesen und schließlich auch Dank dem Verlage für die hübsche Ausstattung meines Werkes.

So mag denn das Buch hinausgehen und für recht viele und auf lange Zeit ein sprachkundliches und kulturgeschichtliches Lesebuch werden.

Sürth/Rh. b. Köln, im Frühjahr 1970.

WOHER?

Ableitendes Wörterbuch der deutschen Sprache. Von ERNST WASSERZIEHER.
17. Auflage (174. Tausend), bes. von Prof. W. Betz. 458 Seiten. Leinen
DM 18.— (Dümmlerbuch 8301).

WASSERZIEHER

Hans und Grete

2500 Vornamen im ABC erklärt.
17. Aufl. (125. Tausend). 167 Seiten.
Kinline-Einband DM 5.80
(Dümmlerbuch 8305)

LINNARTZ

Unsere Familiennamen

Zwei in sich abgeschlossene Bände:
1. Zehntausend Berufsnamen im
ABC erklärt. 3. Aufl. 277 Seiten.
Leinen DM 16.80
(Dümmlerbuch 8321)
2. Familiennamen aus deutschen und
fremden Vornamen im ABC erklärt.
3. Aufl. 293 Seiten. Leinen DM 18.80
(Dümmlerbuch 8322)

STURMFELS/BISCHOF

Unsere Ortsnamen

im ABC erklärt nach Herkunft und
Bedeutung. 3. Aufl. 359 Seiten.
Leinen DM 36.—
(Dümmlerbuch 8323)

MÜFFELMANN

Althochdeutsch

Einführung in die Grammatik und
Literatur. 176 Seiten. DM 16.80
(Dümmlerbuch 8375)

AMMON

Deutsche Literaturgeschichte

in Frage und Antwort.
1. Von den Anfängen bis 1500.
7. Aufl. 119 Seiten. DM 8.20 (8721)
2. Von 1500 bis zur Gegenwart.
7. Aufl. 240 Seiten. DM 9.80 (8722)

WEIS

Spiel mit Worten

Deutsche Sprachspielereien. 4. Aufl.

171 Seiten mit zahlr. Abb. Leinen
DM 10.80 (Dümmlerbuch 4708)

BREMER

Alltags-Englisch

zur gründlichen Erlernung des
Idioms. 5. Aufl. 341 Seiten mit 6
Abb. DM 9.80 (Dümmlerbuch 4501)

SCHOENE

**Englische Wortspiele und
Sprachscherze**

150 Seiten, mit Illustrationen von
E. Lear. Leinen DM 14.80
(Dümmlerbuch 4521)

WEIS

Heiteres Französisch

Zur Kulturgeschichte des französischen Wortspiels. 2. Aufl. 106 Seiten
mit 28 Abb. Leinen DM 10.80
(Dümmlerbuch 4709)

MESSMER

Französischer Sprachhumor

Heiterer Spaziergang durch den
Wortschatz und die Phraseologie
der französischen Sprache. 100 Seiten mit 17 Abb. Leinen DM 12.80
(Dümmlerbuch 4710)

CAPELLANUS

Sprechen Sie Lateinisch?

Moderne Konversation in lateinischer Sprache. 14. Aufl. 176 Seiten
mit 18 Abb. Leinen DM 12.80
(Dümmlerbuch 4705)

WEIS

Bella Bulla

Lateinische Sprachspielereien. 5.
Aufl. 202 Seiten mit 57 Abb. Leinen DM 11.80 (Dümmlerbuch 4701)

Sonderprospekt Deutsch/Fremdsprachen/Linguistik auf Wunsch

FERD. DÜMMLERS VERLAG · 53 BONN

Ynca
DM 24 80
Bod